CHECAS

MIEDO Y ODIO EN LA ESPAÑA
DE LA GUERRA CIVIL

☙

La voz de los testimonios en la causa general

Antonio César Moreno Cantano
(coord.)

EDICIONES TREA

Esta obra ha recibido una ayuda a la edición del Ministerio de Educación, Cultura y Deporte.

Imagen de cubierta: *Fusilamiento a manos de milicianos*, de Eduardo Lagarde. Fuente: Archivo General de la Administración, Ministerio de Educación, Cultura y Deporte. Exposición «¡Así eran los rojos!», 1943.

ESTUDIOS HISTÓRICOS LA OLMEDA
COLECCIÓN PIEDRAS ANGULARES

Primera edición   noviembre del 2017

© DEL TEXTO   los autores de cada capítulo, 2017

© DE ESTA EDICIÓN   Ediciones Trea, S. L.
Polígono de Somonte
María González la Pondala, 98, nave D
33393 Somonte-Cenero. Gijón (Asturias)
Tel.: 985 303 801 / Fax: 985 303 712
trea@trea.es
www.trea.es

DIRECCIÓN EDITORIAL   Álvaro Díaz Huici
PRODUCCIÓN   José Antonio Martín
DISEÑO ORIGINAL   Pandiella y Ocio
IMPRESIÓN   Gráficas Ápel
ENCUADERNACIÓN   Encuastur

D. L.: AS 03452-2017
ISBN: 978-84-17140-20-5
Impreso en España. *Printed in Spain*

Unos y otros estáis podridos de odio y gane quien gane, fíjate bien lo que te digo, gane quien gane, España ya no será ella misma.

Fragmento censurado de la obra *El cura de Almuniaced*, de José Ramón Arana, 1970. Palabras del personaje Mosén Jacinto, p. 30.

Contenido

A modo de presentación

Antonio César Moreno Cantano

El presente trabajo se abre con un largo y pretencioso título que —a partir de la clarividencia que dan las fuentes documentales— pretende aportar luz sobre la violencia en la retaguardia republicana durante el tiempo de la Guerra Civil y la represión que el régimen franquista estimuló tras el fin de la misma contra sus principales protagonistas. A partir de un exhaustivo trabajo archivístico ponemos en tela de juicio la versión oficial de los hechos que el estamento judicial y militar franquista realizó sobre la España republicana. Cualquier Estado, más aún uno de naturaleza dictatorial, desea ávidamente reescribir la historia a fin de instaurar su particular versión de lo que sucedió en el pasado. Es un mecanismo de reafirmación ideológica y de legitimación. El prólogo de la Causa General era explícito en este aspecto al proclamar que su propósito era «señalar documentalmente la verdadera ocurrencia de los hechos que cubrieron de luto y oprobio nuestra Patria». Es por esa razón que en esta investigación nos debatimos constantemente entre hablar de *reconstrucción* o de *construcción* del pasado.

La primera acepción consiste en «evocar recuerdos o ideas para completar el conocimiento de un hecho» (Real Academia de la Lengua Española) y en una acción objetiva en la que la suma de las partes da lugar —en el caso que nos ocupa— a una nueva visión del pasado. Cuando los responsables de la Causa General hablan de buscar la «*verdadera* ocurrencia» de los hechos, abren un presunto ejercicio de *reconstrucción histórica*. En esta lógica, se trataría de completar el puzle incompleto de la guerra con nuevas pistas y pruebas aportadas por la investigación policial, jurídica y militar del régimen. El problema surge —y solventarlo es una de las principales aspiraciones de esta investigación— en las *fuentes* de que se valieron los agentes represores para la ejecución de su tarea. Nos referimos a los testimonios, que fueron una de las principales pruebas inculpatorias contra los miembros de las checas que operaron en territorio republicano.

Pero, ¿qué eran las checas? ¿Por qué su simple mención entre los historiadores genera polémica? La historiografía más revisionista ha atacado una y otra vez a las mismas y a sus miembros, considerando a estos la «encarnación máxima del mal» y sus actos una prueba «fehaciente» de los desmanes de la República. Por otro lado, desde posiciones más *progresistas* se ha rodeado a las checas de un silencio evidente, como si el simple acto de no adentrarse e investigarlas borrase su existencia.

Asociada a la Revolución rusa, la palabra *checa* da nombre a cualquier grupo que se dedica a la detención, castigo y desaparición de personas en situaciones extremas como son las guerras, las revoluciones y las contrarrevoluciones. Durante la contienda bélica española se formaron entidades y colectivos que, con diferentes poderes, ocuparon el vacío político dejado por las autoridades gubernamentales colapsadas. Aquellos grupos revolucionarios que gozaban y ejercían mayores dosis de autonomía desde sus centros políticos y sindicales (ateneos libertarios; casas del pueblo y agrupaciones socialistas; comités, radios o células comunistas) tomaron el control policial, del orden público y de la justicia contra aquellos que eran afines a los sublevados mientras luchaban también contra el gobierno republicano por el control del poder y de la situación en la retaguardia republicana. A esos centros convertidos por esos partidos en espacios de represión, algunos los conocieron como *checas*.

Solo en Madrid existieron más de doscientas checas y 37 *tribunales revolucionarios* que fueron responsables de la muerte de más de ocho mil *fascistas*. Políticamente, la mayoría de ellos fueron de naturaleza anarcosindicalista (CNT-FAI-JJLL), siendo seguidos más de lejos por los socialistas y los comunistas. Esta dinámica se repitió en otros muchos enclaves, como Barcelona o Valencia.

Para aproximarnos a esta realidad convertiremos en protagonistas a los testimonios que colaboraron, no siempre voluntariamente, en la Causa General. Pocas veces (sería prejuicioso negar la validez de todos ellos) la declaración de un individuo que tiene que dar fe de unos hechos —en este caso sumamente traumáticos, pues incluían multitud de manifestaciones de violencia física (robos, incautaciones, violaciones, asesinatos, torturas, profanaciones, saqueos…)— están libres de subjetividad. Casi siempre había una suma de intereses propios o creados que determinaba su relato, y en tales circunstancias no parece posible *reconstruir* el pasado. La autoridad competente recurría a aquellas pruebas que comulgasen con su línea argumentativa y rechazaba aquellas que la contradijesen o no se adaptasen a su objetivo final. Así pues, en nuestra modesta opinión estaríamos ante un proceso de *creación* y no de reconstrucción, más aún cuando entran en juego dos elementos que incluíamos en nuestro encabezado: el odio y el miedo, emociones de gran influencia tanto desde el punto de vista hormonal y físico como cultural y capaces de alterar o modificar cualquier recuerdo del pasado. Las vivencias personales (entre las que se incluía todo tipo de afrentas), la literatura de atrocidades sobre los *rojos*, la propaganda… fueron factores de potenciación del odio. Conocer y desvelar cómo afectó este odio a cada uno de los declarantes contra los principales personajes de las checas republicanas será una de nuestras principales preocupaciones. Acabaremos con el anonimato de tales declarantes poniéndoles nombre y apellidos y desentrañaremos si sus testimonios fueron el resultado de un producto espontáneo (constatación de una realidad y colaboración voluntaria) o de una voluntad interesada (la del propio Estado) que manipuló esta emoción en beneficio propio y añadiéndole su particular aderezo: el miedo.

El miedo se materializó en la propia supervivencia física del declarante, que en muchas ocasiones tenía un historial *manchado* de republicanismo que le podía acarrear graves consecuencias. Una delación a tiempo podía evitar la cárcel, la condena a muerte, la paliza o tortura en las salas de interrogatorios… El estudio de estos factores, de esta violencia, no pretende justificarla ni legitimarla. No presentamos una obra exculpatoria de las acciones de los milicianos de las checas (también se analizará una de corte fascista en Sevilla, teniendo muy en cuenta el ambiente de «persecución» y «corrupción moral» que allí se vivió), ni mucho menos. Los crímenes existieron, por supuesto, y no tienen justificación, pero lo que nos mueve es valorar en su justa medida el verdadero sentir y circunstancias que rodearon todas y cada una de las palabras de los testimonios que participaron en la Causa General. No podemos olvidar que formaron parte de la prueba final que llevó a cientos de personas a ser ejecutadas.

Esta tarea requiere que el historiador se ponga, según la ocasión, la gabardina del criminólogo o la bata del psicólogo forense a fin de encontrar entre los miles de folios que componen los sumarios judiciales lo que había de verdad, de invención, de manipulación, de contradicción… Es un ejercicio de enorme dificultad que —muy a nuestro pesar— no ha encontrado respuestas definitivas a todas las cuestiones planteadas, pero que ha intentado ser resuelto de la mejor manera recurriendo a un elenco de especialistas de reconocido prestigio y gran valía. En definitiva, lo que el lector tiene en las manos es un trabajo multidisciplinar que combina la historia política con la cultural (dando a las emociones el peso que se merecen) y la psicología con el propósito de analizar algunas de las checas más reseñables y temidas de Madrid, Segovia, Barcelona y Sevilla; pero poniendo el énfasis no en los protagonistas de las mismas sino en aquellos que sufrieron sus consecuencias. Para evitar la dispersión y la heterogeneidad propia de este género de trabajos corales, hemos procurado mantener un nexo común que, a su vez, aporta un gran valor y novedad al trabajo: el papel de los testimonios como ejes fundamentales de la memoria histórica y colectiva de la violencia que generó la guerra civil española. Queda para el lector valorar si el esfuerzo ha merecido la pena.

Historia y psicología del testimonio

Antonio L. Manzanero
Marina Nieto-Márquez
Universidad Complutense de Madrid

INTRODUCCIÓN

Existen muchos paralelismos entre la memoria histórica y la memoria individual, ofreciendo esta última los ladrillos con los que se construye la primera. La memoria histórica se construye a partir de diferentes tipos de fuentes, entre las que ocupan un papel preferente los testimonios de las personas que han vivido los acontecimientos históricos ya sea en primera o en tercera persona. En general, podemos distinguir entre dos tipos de memorias históricas: las memorias individuales sobre los acontecimientos históricos vividos y las memorias colectivas de esos mismos acontecimientos. Las segundas surgen de algo más que la suma de las memorias individuales, en una especie de sinergia en la que interviene una gran cantidad de factores. Gran parte de lo que es una sociedad viene determinado por su historia. Si cambiamos la historia, cambia la sociedad.

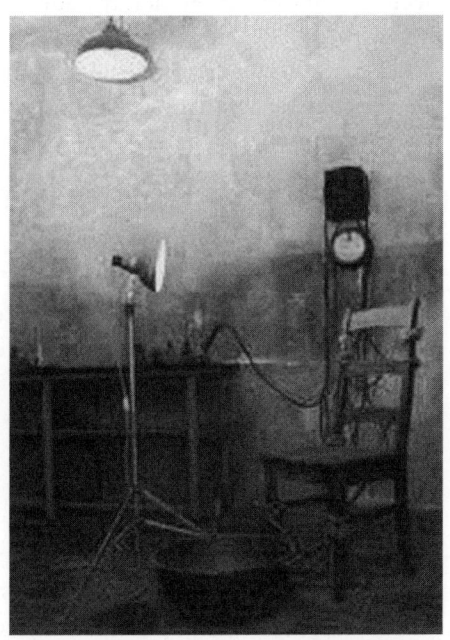

Reproducción de una cámara de tortura del franquismo en el Museo de Europa en Bruselas (noviembre de 2007). Fuente: Associated Press/Virginia Mayo

Un testimonio no es más que el relato que una persona puede aportar a partir del recuerdo (más o menos exacto) que tiene sobre un acontecimiento, y existen varias causas que podrían dar lugar a un falso testimonio. La presión externa (generada por ejemplo mediante miedo a consecuencias negativas) o interna (generada por ejemplo por el odio a una persona o colectivo) puede dar lugar a testimonios falsos, tanto de forma deliberada como de forma no deliberada. De este modo, en ocasiones el testimonio falso se deberá a que el testigo miente, siendo la mentira siempre deliberada, pero el testigo también puede ser víctima de la manipulación por el uso de procedimientos inadecuados de toma de declaración y el de técnicas de propaganda capaces de dar lugar a que recuerden cosas que nunca sucedieron. En este último caso, el testigo estará convencido de que todo ocurrió como lo recuerda, porque solemos confiar en nuestra memoria.

LA MEMORIA DE LOS TESTIGOS

La psicología científica ha mostrado a lo largo de varias décadas que la memoria está lejos de ser perfecta y se encuentra limitada no solo en capacidad sino también por el efecto de innumerables factores que la distorsionan, provocando errores no intencionados y generando falsos recuerdos.[1]

El recuerdo que tenemos de cualquier suceso suele consistir en un esquema tipo que se actualiza con detalles del episodio concreto. De esta forma, nuestros recuerdos son generalmente algo así como caricaturas de la realidad: ciertos rasgos sobresalen más que otros, que quedan borrados o muy desdibujados. Cuando se pide que recordemos lo sucedido, de forma implícita se pide una historia coherente y completa del suceso, es decir, que demos una fotografía a partir de la caricatura. Para llevar a cabo esta tarea debemos rellenar los detalles desdibujados o inexistentes del suceso que no almacenamos en nuestra memoria. Este relleno de las lagunas de nuestros recuerdos lo realizamos a través de inferencias que recogen información procedente de nuestros conocimientos y experiencias previas, así como de información proporcionada posteriormente al suceso. Algunas de estas inferencias serán correctas, lo que dará como resultado que proporcionemos más información; sin embargo, otras serán incorrectas, de lo que resultarán distorsiones de la realidad.

Las fuentes más comunes de error se deben a problemas perceptivos, la interpretación de los hechos, la inferencia de información no recordada, el paso del tiempo y/o la incorporación de información falsa posterior al suceso. Cada vez que un testigo relata un suceso, piensa en lo que ocurrió y contesta a preguntas sobre las que no tiene una respuesta clara basada en sus propios recuerdos: su memoria sufre transformaciones que aceleran su deterioro más allá de lo que el propio paso del tiempo provocaría. Así pues, por efecto de diferentes factores, la reconstrucción de los recuerdos puede provocar dos tipos diferentes de errores de memoria: errores de omisión y errores de comisión.[2]

Los errores de omisión se dan cuando faltan detalles importantes en lo que cuentan los testigos de un hecho. La ausencia de determinados detalles puede deberse a la falta de un lenguaje adecuado para describirlos o a la motivación de los testigos para contar algunas cosas.

[1] Manzanero y Álvarez, 2015.
[2] Manzanero, 2010.

Los *errores de comisión* son aquellos en los que los testigos introducen información falsa deliberadamente —mentiras— o debido al efecto de la información posterior al suceso, a fallos en la distinción entre realidad y fantasía o a inferencias erróneas.

En este apartado se describirán los principales efectos de los factores de influencia sobre la exactitud de las declaraciones de los testigos. Podemos clasificarlos en factores del suceso, factores del testigo (o individuales) y factores del sistema que se ponen en marcha una vez ocurrido el suceso. No es posible controlar los dos primeros, porque cuando intervienen los distintos actores (policiales, forenses y judiciales) ya forman parte del pasado, pero es fundamental tenerlos en cuenta para estimar su influencia. Los factores del sistema, sin embargo, son susceptibles de control para minimizar su efecto sobre la exactitud de la memoria de los testigos.

FACTORES DEL SUCESO

Las características del suceso que más influyen en la capacidad de los testigos para codificar la información son: condiciones perceptivas, información de características especiales, familiaridad y frecuencia y tipo de suceso.

Condiciones perceptivas: Lo que no pudimos ver u oír difícilmente podremos recordarlo, aunque mediante información posterior podamos reconstruir lo ocurrido. Así, las condiciones perceptivas pueden entorpecer la capacidad de los testigos para aportar un relato completo y exacto de un suceso. La capacidad auditiva del testigo será importante si de lo que se trata es de pedirle que reproduzca una conversación o detalle la presencia de cualquier sonido. Las condiciones luminosas serán especialmente relevantes en la capacidad para describir un hecho de forma detallada.

Información especial: Algunos detalles de los sucesos merecen una consideración especial tanto desde el punto de vista de su procesamiento perceptivo como de su posterior recuerdo. En primer lugar, debemos considerar la diferencia entre detalles centrales y periféricos. Serán detalles centrales aquellos a los que el testigo prestará más atención y que recordará mucho mejor, aunque su centralidad dependerá de cada testigo y no solo del tipo de detalle concreto de que se trate. Por otro lado, toda aquella información que procede de la estimación del sujeto y no de su percepción directa será más susceptible de modificarse a lo largo del tiempo.

En un estudio realizado sobre casos reales de accidentes de tráfico[3] se encontraron diferencias en las respuestas de los testigos a las preguntas realizadas durante el atestado. En general, la información peor recordada por los testigos fueron los datos sobre la fecha, el aspecto general del lugar en que ocurrió el accidente, las velocidades de los vehículos, sus colores, el estado en que quedaron y el aspecto externo y otras características personales de los protagonistas; mientras que el recuerdo fue mejor para la

[3] Diges y Manzanero, 1995.

información sobre el lugar en que ocurrió el accidente, los semáforos que regulan el tráfico en ese lugar, la procedencia de vehículos y peatones, el punto de encuentro y el punto final en que quedaron, así como los daños en vehículos y personas. Específicamente, sobre las personas implicadas en el accidente se encontró que se recuerda mejor sus reacciones y si iban acompañadas o no que su aspecto externo. Así pues, no es lo mismo tratar de describir unos hechos que identificar a una persona o describir nuestras propias acciones.

La información almacenada en nuestra memoria puede ser clasificada en tres tipos diferentes dependiendo de la conciencia que la caracteriza. La información episódica es la responsable de nuestros recuerdos, siendo conscientes de dónde y cuándo ocurrieron, y con la experiencia subjetiva de haberlo vivido. La información semántica es la responsable de nuestros conocimientos, que sabemos que tenemos, pero no cuándo ni cómo los adquirimos. Por último, la información procedimental son nuestras habilidades, las cosas que sabemos hacer, relativamente complejas y que hemos adquirido a través de la experiencia.

Cuando se trata de valorar la exactitud del suceso, hay aspectos que deben ser considerados de forma específica. Por ejemplo, el dolor es un tipo de información que debe considerarse de forma especial, ya que en su percepción intervienen muchos factores culturales y personales: las expectativas previas, las emociones asociadas, el significado del suceso, la atención prestada a la sensación dolorosa, la competición con otras fuentes sensoriales… El recuerdo del dolor suele basarse más en las etiquetas verbales que se utilizaron en su momento para describirlo que en la sensación dolorosa en sí misma. Aun cuando el contexto en el que se produjo el dolor puede ser muy bien recordado, no ocurre igual con la sensación dolorosa. Por esta razón, el recuerdo del dolor experimentado es, en general, inconsistente a lo largo del tiempo y está determinado por la intensidad del dolor sufrido y el recuerdo de la experiencia que lo generó. Algunas investigaciones establecen un periodo de exactitud del recuerdo de la intensidad del dolor de en torno a una a dos semanas, lo que indica intervalos de retención bastante cortos.

Por otro lado, pueden generarse dudas respecto a cuándo ocurrieron los hechos debido a que en ocasiones resulta difícil fechar los acontecimientos. La datación de los sucesos suele realizarse por aproximación y en referencia a hitos temporales (por ejemplo, dos días antes de mi cumpleaños), siendo raro que los testigos dispongan de detalles sobre los días exactos (a no ser que guarden un diario de los mismos), aunque como en los casos anteriores podrían estimarlos. No obstante, estas estimaciones pueden ser erróneas incluso para hechos recordados como especialmente vívidos. Tampoco parecen ser muy exactos los recuerdos a largo plazo del orden temporal de ocurrencia. En cualquier caso, se ha observado que los sucesos fechados de forma absoluta (18 de julio de 1936) se recuerdan de forma más exacta que los fechados de forma relativa (hace veinte años).

Familiaridad y frecuencia: La experiencia y el grado de conocimiento en un tema determinado pueden facilitar el recuerdo de información detallada. Cualquier persona no experta en explosivos que hubiera visto montar una bomba sería incapaz de describir con detalle lo que vio. Un relato de este tipo siempre estará plagado de generalidades, tópicos y frases del tipo: «…y unía una cosa con otra cosa mediante un cable que salía de otra cosa distinta». Estas diferencias no son solo cualitativas, sino también cuantitativas. Es decir, no solo se recuerda mejor, sino también más. El mayor conocimiento sobre aquello que se memoriza permite organizar el conocimiento en unidades de memoria mayores y más interrelacionadas, facilita la realización de un procesamiento más profundo, permite realizar procesos de búsqueda y de atención más selectivos y más guiados y ser más críticos a la hora de rellenar huecos de la memoria. Cuando un testigo o víctima es objeto reiterado de un mismo tipo de delito tenderá a recordar más detalles que cuando el suceso se produce de forma aislada, pero también se producirán más errores de comisión, provocados por la interferencia entre las distintas ocasiones en que se sufrió el delito, incorporándose información de unas a otras. En el caso de delitos múltiples, puede producirse además una confusión entre el esquema general y los episodios particulares.

Cuando una persona es víctima de un delito en repetidas ocasiones genera un esquema más rico y detallado que una persona que solo ha sido víctima en una única ocasión, debido a que en los procesos de codificación y recuperación el esquema general de conocimiento que posee el individuo con respecto a ese tipo de hechos juega un papel fundamental. El esquema general sesgaría los procesos de interpretación de la información en el momento de la ocurrencia del suceso y determinaría qué y cómo se almacena mediante los procesos de selección de la información relevante. Asimismo, en la fase de recuperación de la información, los recuerdos accesibles se encontrarán contaminados por el esquema general, ello debido en parte a que las inferencias realizadas para rellenar los huecos en la memoria toman en consideración este tipo de información como materia prima. De este modo, puede ocurrir que cosas que ocurrieron en una única ocasión pasen a formar parte del esquema general y por lo tanto la víctima las relate como que ocurren en la mayor parte de las ocasiones. También es probable que hechos que forman parte del esquema general aparezcan en cada relato de los hechos aun cuando en algunas ocasiones no hubieran tenido lugar.

Tipo de suceso: Obviamente, no es lo mismo un hurto que un homicidio, un accidente de tráfico, un atraco a mano armada, una tortura o una violación. Las características de cada tipo de suceso facilitarán o dificultarán el recuerdo del mismo. Además, debemos tener en cuenta que algunos delitos tienen connotaciones especiales por sus consecuencias y el significado específico de los hechos. De igual forma, la implicación de la víctima y/o testigo en el suceso determinará el recuerdo del mismo: a más implicación, más factores emocionales entran en juego y más se distorsionarán los recuerdos.

La mayoría de la gente piensa que cuanto más violento sea un suceso más impactará a los testigos y, por tanto, mejor será después su recuerdo. Sin embargo, se ha comprobado cómo los delitos que implican un mayor grado de violencia se recuerdan peor que los más neutros. Una explicación de este efecto procede de que el testigo experimenta mayor estrés cuanta mayor violencia implica el suceso, y el estrés afecta negativamente a procesos cognitivos como la atención, la percepción y la memoria. La falta de recursos atencionales que genera el estrés dificulta el procesamiento en profundidad de la información. Así, el sujeto puede tener todas las piezas del puzle, pero montarlo de forma errónea dando lugar a un relato de los hechos diferente de lo acontecido en realidad.

FACTORES DEL TESTIGO

Cada persona codifica la información y la interpreta de acuerdo con unas diferencias individuales relativas a experiencias anteriores y a variables personales. Así, si dos personas observan juntas un hecho y luego les pedimos que cuenten qué han visto, lo más probable es que aporten descripciones diferentes del mismo. Algunas de las variables personales más estudiadas son sexo, edad, estereotipos, ansiedad e implicación.

Género: En general, puede afirmarse que el género no afecta a la memoria de los testigos, fundamentalmente debido a que los procesos cognitivos son universales. Sin embargo, es posible observar diferencias si prestan atención a aspectos distintos y si existen diferencias en intereses o en experiencias previas y conocimientos. En cualquier caso, son estos los factores relevantes que deberían explorarse y no el género.

Edad: La edad es una de las variables individuales que más influye en la capacidad para describir un suceso. Al respecto debemos considerar dos tramos extremos de edad: menores y ancianos.

La mayor parte de los *recuerdos* infantiles no son realmente recuerdos, sino una memoria generada a partir de diferentes datos recogidos de distintas fuentes de forma no consciente. En cualquier caso, es infrecuente que recordemos sucesos de cuando teníamos una edad menor de tres años. Esta falta de recuerdos infantiles durante los primeros años de vida se denomina *amnesia infantil* y se debe a que el sistema neurológico no está desarrollado completamente, a que los niños menores de esta edad carecen de lenguaje y a la carencia de conocimiento para una adecuada interpretación y codificación de la información. La percepción adulta es muy diferente de la percepción de los niños muy pequeños. No obstante, si al niño se le suministra información durante los años siguientes podrá generar una *memoria* del suceso, pero sus *recuerdos* no serán tales sino una construcción que puede estar basada en hechos reales o no. Esta construcción de los recuerdos autobiográficos se aleja de la realidad tanto más cuanto menor edad teníamos en el momento del suceso.

El final de esta etapa de ausencia de recuerdos tempranos daría lugar a una etapa de transición en la que solo se recordarían fragmentos aislados e inconexos de imágenes, comportamientos o emociones sin referencia. A partir de ahí, los recuerdos ya son cualitativamente muy similares a los de los adultos. Los estudios sobre memoria autobiográfica en los niños se han detenido en analizar la capacidad o exactitud de sus memorias, su sensibilidad a la sugestión, su capacidad para distinguir realidad de fantasía y su habilidad para identificar a una persona no familiar. Así, la exactitud de la memoria infantil para hechos autobiográficos puede variar, entre otros factores, en función del intervalo de edad en el que se encuentre el niño, del tipo de prueba de recuerdo, del nivel de estrés o de la carga emocional implicada tanto en la codificación como en la recuperación, así como de lo implicado que esté en el suceso vivido. No obstante, se ha encontrado que los niños pueden ser bastante exactos al describir un suceso novedoso y relevante. Sin embargo, entre otros problemas que pueden presentar los niños se encuentra la relativa incapacidad de los más pequeños para discriminar entre el esquema general y los detalles episódicos concretos, que en el caso de sucesos múltiples puede llevarles a mezclar detalles de unos sucesos a otros y proporcionar un dato de un episodio concreto como ocurrido en otro episodio al pensar que ese dato es parte del esquema general o al revés, ya que al relatar los sucesos en términos generales pueden incluir detalles que solo ocurrieron una vez. Por otro lado, los niños pequeños carecen, en comparación con niños mayores, de los conocimientos apropiados para reconstruir el pasado, por lo que dependen más de las preguntas de los adultos que les guíen en el recuerdo.

Otro de los problemas que podemos encontrarnos con los testimonios infantiles es la sugestibilidad de los niños hacia la información falsa. Los niños son más vulnerables en este sentido cuanta menor edad tienen debido a la tendencia de los niños más pequeños a adaptarse a los deseos de los adultos. En general, podemos afirmar que los niños son vulnerables a sugerencias cuando son más jóvenes, cuando son preguntados por sucesos vividos mucho tiempo atrás, cuando se sienten intimidados, cuando las sugerencias son fuertemente establecidas y muy frecuentes y cuando varios adultos hacen la misma sugerencia.

Muy relacionada con la sugestibilidad está la creencia de que los niños no son capaces, hasta cierta edad, de distinguir lo que sucede en la realidad de lo que ocurren en su imaginación. Sin embargo, no se han encontrado grandes diferencias entre adultos y niños desde los seis años de edad en los procesos de control del origen de los recuerdos, por lo que podría decirse que las representaciones de niños y adultos son más parecidas de lo que comúnmente se cree. No obstante, parece que el desarrollo de la capacidad de distinguir el origen de los recuerdos depende del tipo de situaciones.

Al considerar la edad como factor de exactitud, debemos fijarnos también en las personas mayores. Una opinión generalizada tiende a considerar que con la edad se pierde capacidad de recuerdo. Respecto a esto hay que hacer dos matizaciones: primero, deberíamos distinguir entre edad y patología, ya que obviamente habrá que tener en cuenta si los testigos sufren alguna patología que afecte a su memoria. En segundo lugar, en ancianos sin patologías mentales hay que tener en cuenta no solo el deterioro de la memoria debido a la edad, sino también sus problemas perceptivos (vista y oído), ya que estos déficits afectarán gravemente a la capacidad de los testigos para describir correctamente un hecho. En cualquier caso, la memoria de los jóvenes parece tener características diferentes a la de las personas de edad avanzada. Las principales diferencias son que los testigos de más edad tienen más dificultad en recordar detalles incidentales del suceso y son más precavidos a la hora de tomar decisiones y expresar confianza. Además, se ha encontrado que en la vejez disminuyen significativamente la memoria de detalles y la capacidad para identificar personas.

Expectativas y estereotipos: Los estereotipos son fruto normalmente de una exageración y sobregeneralización de alguna característica, y se ha comprobado que cuando un testigo no puede precisar un dato recurre a ellos. Por otro lado, cuando esperamos ver una determinada cosa, esté o no presente, es muy probable que nos parezca verla, debido a que la memoria de las personas está muy influida por los conocimientos y experiencias adquiridas antes y después del suceso. Los testigos pueden emplear estos supuestos y expectativas especialmente en situaciones donde la percepción del suceso fue imperfecta y sobre todo si, mientras declaran, están siendo presionados para realizar inferencias sobre información de la que carecen.

Ansiedad y emoción: Este factor tiene un peso importante cuando hablamos de los testigos de la Causa General. Todo acto criminal produce un estado general de ansiedad consistente en excitación, preocupación, impotencia y sentimiento de peligro. De igual modo, la situación que se genera en la toma de declaración, donde el testigo puede tener consecuencias dependiendo del sentido de su testimonio, también puede generar altos niveles de ansiedad. En general, se ha establecido que las memorias sobre sucesos traumáticos que generan miedo intenso e incluso terror, en las que la persona puede llegar a ver peligrar su vida, se caracterizan por su poca exactitud para los detalles periféricos y una memoria clara y exacta para los detalles centrales del suceso. Ello se explica porque un nivel alto de activación causa una disminución en la capacidad de atención. Por otro lado, las memorias sobre hechos traumáticos pueden aparecer fragmentadas, asociadas a sensaciones intensas (olorosas, auditivas, táctiles…), y muy visuales y ser difíciles de expresar de forma narrativa. De todas maneras, las memorias traumáticas y las no traumáticas no son tan diferentes como cabría esperar dependiendo del efecto de factores como el género, la edad, la valencia o la presencia de psicopatologías.

En algunas ocasiones se ha relacionado a las memorias traumáticas con la amnesia por estrés postraumático, de modo que se sugiere que parte de las víctimas de un suceso traumático podrían no recordar nada del suceso durante un periodo de tiempo. Sin embargo, los estudios experimentales sobre el funcionamiento de la memoria argumentan en contra de este tipo de amnesias cuando la causa del trauma no es física sino solo emocional. Así, la existencia de memorias reprimidas y episodios de amnesia asociados a sucesos traumáticos no está probada. Algo muy distinto es la situación en la que los testigos no son capaces de recordar un suceso debido a una amnesia retrógrada provocada por una lesión cerebral. En esta, el testigo es incapaz de recordar detalles de lo ocurrido durante el tiempo que duró el incidente e incluso de recordar momentos anteriores y posteriores al mismo. Este fenómeno se explica por el hecho de que la lesión interrumpe el proceso normal que la memoria sigue para almacenar la información, de modo que el testigo no llega a procesar los estímulos. Si este es el caso, difícilmente se podrá recuperar después lo que no llegó a procesarse.

Por otro lado, las memorias sobre hechos traumáticos tienden a recordarse con mayor frecuencia que otras memorias autobiográficas, y los pocos casos en los que este tipo de sucesos se ha olvidado (en menos del cinco por ciento de las ocasiones) se deben más a un intento deliberado de no recordar que a una memoria reprimida o disociada.

En algunas ocasiones, las memorias sobre hechos traumáticos aparentan ser inmunes al deterioro producido por el paso del tiempo y otros factores. Este tipo de memorias autobiográficas se conocen con el nombre de *memorias vívidas* y consisten en memorias sobre sucesos altamente impactantes por la repercusión individual y/o social que implican. Sin embargo, un gran número de investigaciones ha demostrado que la sensación de inmunidad al paso del tiempo es falsa, ya que estos recuerdos se deterioran tanto o incluso más que el resto. Así, es muy probable que ciertos detalles que damos por exactos en estos recuerdos hayan sido *creados* posteriormente.

Implicación: En general, el énfasis durante una investigación suele ponerse evidentemente en las víctimas, pero también se recurre casi siempre a los testimonios de testigos ajenos a fin de corroborar lo manifestado por aquellas y para conseguir más datos cuando la información aportada por la víctima parece no ser suficiente. Es imprescindible recurrir a testigos ajenos que puedan ayudar a completar el puzle de lo que en realidad ocurrió, si la víctima perdió el conocimiento o tiene un episodio de amnesia asociado al incidente, si se sospecha que no es del todo honesta o bienintencionada (por existir una animadversión especial hacia el denunciado y aparecer grandes contradicciones entre las manifestaciones de unos y otros) o si están influyendo sobre ella las otras variables ya comentadas (como la corta o avanzada edad o la discapacidad). Respecto a los testimonios de los implicados como autores de delitos y faltas, lo que cabe esperar es que traten de distorsionar los hechos a su favor, por lo que aquí será relevante atender a todo lo relacionado con el engaño y las confesiones.

¿Podrían ser más fiables las declaraciones de los testigos ajenos que los de las víctimas? La implicación de cada uno de estos actores en el suceso condicionará en primer lugar el foco atencional, de forma que cada uno de ellos atenderá a diferentes detalles. Pero además, es de suponer que los niveles de activación que cada uno de ellos pueda sufrir también jugarán un papel importante en su capacidad para codificar la información sobre lo ocurrido. Así, por ejemplo, la violencia del hecho podría afectar en diferente grado a víctimas y testigos ajenos. Por último, el esquema utilizado para codificar y recuperar la información variará en función del tipo de participación y por lo tanto de la interpretación del suceso y la influencia de las expectativas y el conocimiento previos. De este modo, los testigos ajenos al suceso y las víctimas suelen aportar diferentes tipos de información.

FACTORES DEL SISTEMA

Algunas de las variables más importantes implicadas en los procesos de retención y recuperación son la demora o tiempo transcurrido desde que se produce el suceso hasta que se pide al testigo que recupere la información, la recuperación múltiple, el formato de recuperación y la información posterior al suceso. Todo ello puede generar falsas memorias.

Demora: Cuanto más tiempo pasa desde que hemos presenciado o aprendido una determinada cosa, más fácil es olvidarla. Las primeras evidencias experimentales de este deterioro de la memoria debido al paso del tiempo fueron estudiadas por Ebbinghaus a finales del siglo XIX y permitieron establecer que el tiempo afecta de forma desigual al recuerdo: al principio el deterioro de la memoria es muy rápido, pero conforme va pasando el tiempo se hace más lento. Es decir, se olvida mucha información al principio, pero bastante menos según el intervalo de retención es mayor. De todas formas, aunque esta curva predice el comportamiento general de la memoria ante el paso del tiempo, no todas las curvas de olvido coinciden exactamente con la obtenida por Ebbinghaus, ya que el olvido depende además de lo que se haga con la información almacenada en la memoria durante ese tiempo. De esta forma, habrá que considerar los posibles efectos de interferencia que pueden producirse durante este tiempo y que pueden dar lugar a una transformación de los recuerdos.

Recuperación múltiple: La cantidad de veces que un testigo ha tenido que recordar un suceso es uno de los factores importantes de distorsión y tiene efectos negativos sobre la exactitud y calidad de las declaraciones. Además, el hecho de que hayan vivido una situación atípica suele implicar que piensen con frecuencia en lo sucedido y que cada vez que se recuerde el suceso la huella de memoria que lo representa se reconstruya, lo que implica que con cada recuperación los recuerdos se van transformando mediante la incorporación de nuevos datos y la reinterpretación de los ya existentes. Quizá el sistema de investigación y de justicia requiera tantas declaraciones, pero desde el área de la memoria de los testigos debemos alertar de los efectos perniciosos de las recuperaciones múltiples y, al menos, sugerir que se tengan en cuenta a la hora de valorar adecuadamente la exactitud de las declaraciones. No será lo mismo la declaración inicial realizada en el momento de la denuncia que la efectuada durante el juicio oral. La actividad realizada entre la ocurrencia del hecho y la toma de declaración puede ser decisiva y lo normal es que los testigos y víctimas de un suceso delictivo se dediquen a dar *vueltas* a lo ocurrido, pensando en lo que fue y en lo que podía haber sido, en lo que hicieron y en lo que debieron haber hecho; en ocasiones, con pensamientos recurrentes sobre el suceso («no se les va de la cabeza»), soñando incluso con ello. Además, es frecuente que cuenten lo ocurrido a todo aquel que se cruce en su camino (familiares, amigos, compañeros de trabajo…). Por último, los testigos, a veces, con toda su buena intención «se preparan la declaración» antes de ir a poner la denuncia o a declarar al juzgado. Con todo ello no solo se pierde espontaneidad, sino que además se contribuye a distorsionar los recuerdos. A más tiempo transcurrido, más veces se ha podido reconstruir el hecho, más información se ha distorsionado en consecuencia y más se ha modificado también la forma en que los sujetos expresan esa información.

Obtención de la declaración: La obtención de información sobre los acontecimientos investigados mediante los testimonios de los testigos es una de las tareas más complicadas a las que nos podemos enfrentar. En pocas ocasiones vamos a encontrarnos con testigos ideales de memoria prodigiosa y capaces de describir minuciosamente todos y cada uno de los detalles relevantes para la investigación. En la mayoría de los casos, los testigos no recuerdan bien, cometen errores, olvidan describir lo más importante o no están dispuestos a colaborar tanto como a los investigadores les gustaría.

Así pues, un elemento esencial en la investigación criminal es cómo se recupera la información. En términos generales podemos distinguir dos tipos diferentes de recuperación: recuperación automática y recuperación elaborada.

En ciertas ocasiones, los recuerdos nos asaltarán haciéndose consciente sin que sepamos qué los ha desencadenado. De este modo, nos encontramos con testigos que rememoran continuamente los hechos presenciados sin poder evitarlo y para los que cualquier cosa es motivo suficiente para ser asaltados por esos recuerdos, interfiriendo ello con sus actividades cotidianas, durante el sueño o en cada conversación (como ocurre con las memorias sobre hechos traumáticos). También puede ocurrir que memorias que permanecieron *dormidas* durante un tiempo vuelvan a nuestra conciencia tras la aparición de un estímulo determinado al que estaban fuertemente asociadas: por ejemplo, un olor capaz de evocar recuerdos de la infancia. Esta forma de recuperación automática no garantiza en ningún caso la exactitud de esas memorias, solo nos indica su grado de accesibilidad.

Pero también puede recuperarse la información almacenada en nuestra memoria por una vía indirecta, mediante procesos conscientes y controlados similares a los implicados en las tareas de resolución de problemas. La mayoría de los recuerdos necesitan de esfuerzo para ser localizados y requieren de procesos de contrastación y de estimaciones que nos permitan concluir acerca de su realidad y exactitud. Este tipo de recuperación incluye procesos de reconstrucción de la información perdida o inaccesible.

Tipos de interrogatorio: La declaración es uno de los momentos más delicados del proceso de investigación, dado que es aquí donde se pueden producir las alteraciones más graves de los recuerdos de los testigos. El interrogatorio afecta a todos los procesos mencionados anteriormente así como a la exactitud y la calidad de las declaraciones obtenidas. Podemos señalar dos formas diferentes de toma de declaración: formato de recuperación narrativa y formato de recuperación interrogativa.

En el formato narrativo simplemente se pide al testigo que cuente qué sucedió. En términos de tareas de memoria, se pide que realice una tarea de recuerdo libre: que sin limitación alguna y sin interrupciones cuente todo lo que recuerde de la forma que prefiera. Este formato presenta como ventaja que las declaraciones obtenidas contienen menos distorsiones, es decir, presentan pocos errores de comisión. Sin embargo, suelen ser bastante pobres en cuanto a la cantidad de detalles proporcionados, ya que consisten generalmente en descripciones muy generales de lo sucedido; esto es, presentan muchos errores de omisión.

El formato interrogativo consiste en realizar una serie de preguntas a testigos previamente elaboradas formando el guion de la entrevista, que puede ser implícito o explícito. En términos de tareas de memoria, se pide al testigo que realice una tarea de recuerdo dirigido, recuerdo con indicios o reconocimiento. Este formato tiene la ventaja de proporcionar una gran cantidad de información, pero con más distorsiones que las aparecidas con el narrativo. Esta característica del formato interrogativo, que producirá un relato con más detalles, pero menos exactos, se debe al efecto que las preguntas tienen sobre la memoria. Si los indicios (o pistas) de recuperación o las opciones en la prueba de reconocimiento no son los adecuados, el testigo puede acceder a información errónea o reconstruir inadecuadamente el suceso.

Tradicionalmente, los interrogatorios estándar incluyen el uso de estos dos formatos de manera complementaria. Ambos tipos de recuperación tienen ventajas y limitaciones.

Tipos de pregunta: Se debe ser especialmente cuidadoso con el tipo de preguntas que se realiza, debido a que preguntas mal confeccionadas pueden sugerir información falsa que altere la exactitud de las declaraciones de los testigos.

En general, la regla básica que debe seguirse es realizar siempre al principio preguntas abiertas que requieran del testigo el desarrollo de la respuesta, evitando en la medida de lo posible hacer preguntas cerradas que induzcan una respuesta concreta hasta el final a fin de concretar aspectos informados espontáneamente.

Ya Stern, a principios del siglo XX, distinguía entre seis tipos de preguntas que pueden ser formuladas a los sujetos respecto a diferentes grados de introducción de información engañosa:

1. *Preguntas determinativas:* aquellas que comienzan con un pronombre o un adverbio interrogativo y son las menos sugestivas («¿Cuándo sucedió?»).
2. *Preguntas disyuntivas perfectas:* aquellas que fuerzan al receptor a elegir entre dos alternativas específicas («¿Iba solo o acompañado?»).
3. *Preguntas disyuntivas imperfectas:* ofrecen la elección entre dos alternativas, pero no se descarta una tercera («¿Eran de la CNT o de UGT?» Los testigos podrían contestar que eran de otras agrupaciones).
4. *Preguntas expectativas:* implican un moderado intento de sugestión («¿No gritaron consignas?»).
5. *Preguntas implicativas:* asumen o al menos implican la presencia de algo inexistente («Después de agredir a los religiosos, ¿hacia dónde se dirigieron?», cuando no se habían producido agresiones).
6. *Preguntas consecutivas:* en cualquier forma de pregunta, se usan para aumentar la sugestión desarrollada en preguntas previas.

De igual forma, se debe tratar de organizar las preguntas según el orden cronológico de ocurrencia de los hechos, porque un orden alterado dificultará encontrar indicios contextuales suficientes como para acceder a la memoria original, por lo que se tomará como buena la información sugerida.

Por último, la persona que toma declaración al testigo debe evitar presionar para encontrar una determinada respuesta. La presión para informar tiene en general el efecto perverso de incrementar la tendencia de los testigos a realizar inferencias para generar información que no poseen, incrementándose la probabilidad de encontrar respuestas inexactas e incluso de generar falsas memorias. Podemos señalar diferentes tipos de presión: el número de interrogadores, el tiempo de duración del interrogatorio, el tono autoritario al preguntar, silencios excesivamente largos, reiteración de las preguntas…

Ayudas al recuerdo: ¿Qué podemos hacer cuándo un testigo que quiere colaborar no es capaz de recordar con detalle qué sucedió? Ya hemos visto que insistir con preguntas, pedirle que nos lo cuente una y otra vez o presionarle puede no ser la mejor solución. Los estudios de psicología de la memoria han aportado algunas técnicas que podrían ayudar a los testigos a recordar más y mejor. Sin embargo, no todos los procedimientos diseñados con este propósito han dado los frutos deseados.

En algunos casos especiales se procede a la reconstrucción de los hechos como método de investigación criminal. El método consiste en desplazarse al lugar de los hechos y allí tratar de reproducir las acciones de los implicados en el suceso. Parecería que este procedimiento puede ser una buena ayuda para facilitar el recuerdo, debido a que situarse en el mismo contexto y actuar de manera similar a como lo hicimos podría hacer más accesible la información. Por otro lado, la reconstrucción de los hechos permite descartar todo aquello que no encaja y disminuye la necesidad de realizar inferencias dado que parte de lo probablemente ocurrido podrá observarse directamente. El principal problema al que nos enfrentamos al reconstruir los hechos es que el punto de partida son las evidencias materiales de lo ocurrido, pero en el caso de no disponer de estas solo se dispone de los recuerdos y colaboración de los implicados.

Además de las entrevistas estándar para tomar declaración a los testigos, existen otras técnicas para facilitar el recuerdo. Uno de los procedimientos más completos de toma de declaración es la *entrevista cognitiva* (para una revisión ver Manzanero, 2010). Esta forma de entrevista ha sido desarrollada como un procedimiento completo de toma de declaración dirigido a la obtención de información cuantitativa y cualitativamente superior a la que es posible obtener mediante las entrevistas estándar, disminuyendo la posibilidad de que aparezcan errores de omisión y comisión en las declaraciones de los testigos. Sin embargo, este procedimiento no está exento de críticas debido a que la entrevista cognitiva incrementa la cantidad de información correcta pero también la incorrecta. Por otro lado, la eficacia de la entrevista cognitiva está en función de diferentes variables, como el tipo de información o la edad e implicación de los testigos. Entre los inconvenientes de esta técnica podemos señalar el hecho de que pedir a los testigos que recuperen información en múltiples ocasiones y de muy diversas formas puede implicar una elaboración extra de esta información, lo que podrá llevar a rellenar huecos de la memoria con material procedente de otros episodios y a realizar más inferencias. Ello afectaría a su vez a la calidad y cantidad de información recordada. Por último, la entrevista cognitiva no parece adecuada para todas las edades, dado que no mejora el recuerdo para todos.

Falsas ayudas a la obtención de las declaraciones: Dado que el objetivo de una declaración es obtener la mayor cantidad de información real (exacta) posible, a lo largo de la historia se han establecido diversos procedimientos supuestamente facilitadores del recuerdo, por un lado, y de la colaboración de los sujetos reticentes a relatar los hechos por otro.

Uno de estos procedimientos es la tortura, que ha acompañado a la humanidad desde épocas remotas, usada como medio para *sacar* la verdad a los acusados de un delito. La Convención de la ONU contra la Tortura la define como:

> Todo acto por el cual se inflija intencionadamente a una persona dolores o sufrimientos graves, ya sean físicos o mentales, con el fin de obtener de ella o de un tercero información o una confesión, de castigarla por un acto que haya cometido, o se sospeche que ha cometido, o de intimidar o coaccionar a esa persona o a otras, o por cualquier razón basada en cualquier tipo de discriminación, cuando dichos dolores o sufrimientos sean infligidos por un funcionario público u otra persona en el ejercicio de funciones públicas, a instigación suya, o con su consentimiento o aquiescencia.

La Declaración Universal de los Derechos Humanos expone en su artículo 5: «Nadie será sometido a torturas ni a penas o tratos crueles, inhumanos o degradantes». Esta prohibición expresa va incluso más allá de los motivos puramente humanitarios. De este modo, el Consejo de Seguridad y la Asamblea General de las Naciones Unidas, así como otras muchas organizaciones internacionales, han reconocido que, «si bien todos los gobiernos tienen el deber de proteger a su población de ataques violentos», en cualquier caso «la tortura y otros malos tratos […] no son fiables como técnicas de interrogatorio».

En el verano de 1910 desapareció en la provincia de Cuenca el pastor José María Grimaldos. Tras las sospechas de que pudo haber sido asesinado, se detuvo dos años después a dos convecinos, Gregorio Valero y León Sánchez. Durante los interrogatorios, en los que fueron sometidos a torturas para obtener su confesión, los dos imputados se declararon culpables de robo y posterior asesinato del pastor. Según sus declaraciones, uno de ellos había dado con un garrote un fuerte golpe al pastor y, una vez caído, el otro le había clavado un cuchillo en el lado izquierdo del pecho provocándole una herida que le causaría la muerte. Posteriormente, habían sustraído de un bolsillo de la faja del cadáver, con ánimo de lucro, 75 pesetas en monedas de plata y calderilla. El cadáver nunca apareció y la investigación no consiguió que los dos acusados revelaran su paradero, y el caso fue conocido como *el crimen de Cuenca*. Tras ser juzgados por un jurado popular, la Audiencia de Cuenca condenó en 1918 a cada uno de los dos procesados como autores de un delito de homicidio a dieciocho años de cárcel. En julio de 1924, después de pasar doce años y dos meses en prisión, Gregorio Valero y León Sánchez fueron puestos en libertad: José María Grimaldos había aparecido vivo a ciento setenta kilómetros del lugar de los hechos. El párroco de la zona había tenido noticias de José María al solicitar una partida de bautismo para su futuro matrimonio. Su marcha catorce años atrás había sido voluntaria y por lo tanto no se había producido ningún delito. El ministro de Gracia y Justicia de entonces mandó revisar la causa y ordenó al fiscal del Tribunal Supremo interponer recurso de casación contra la sentencia de la Audiencia de Cuenca. Según se argumentó, había «fundamentos bastantes

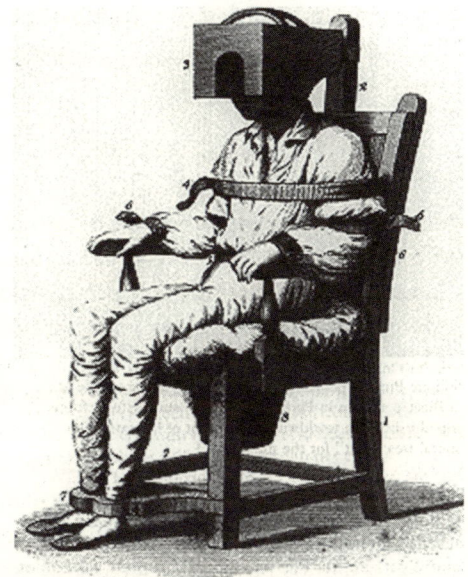

Algunos de los métodos de tortura para hacer confesar a los sospechosos no han cambiado mucho en los últimos siglos

para estimar que la confesión de los reos, Valero y Sánchez, base esencial de su condena, fue arrancada en el sumario mediante violencias inusitadas [...] Procede, en vista del error de hecho que motivó la sentencia declarar la nulidad de esta, por haberse castigado en ella un delito que no se ha cometido».

Los resultados de la tortura como método para obtener información muestran que los más vulnerables son precisamente los inocentes, que, llegado a un estado determinado, pueden admitir cualquier tipo de acusación con tal de poner fin a su sufrimiento. Así pues, la fiabilidad y validez de las declaraciones obtenidas bajo estos métodos es absolutamente nula. No obstante, la creatividad al servicio del horror ha dado lugar a métodos de tortura desde los más burdos hasta los más sutiles, escribiendo algunas de las páginas más negras de la historia de la humanidad. Hoy en día, siguen practicándose aun cuando se sabe de su ineficacia. La Convención de Ginebra relativa al trato debido a los prisioneros de guerra especifica lo siguiente en el título III, artículo 17: «No se podrá infligir a los prisioneros de guerra tortura física o moral ni presión alguna para obtener datos de la índole que fueren. Los prisioneros que se nieguen a responder no podrán ser amenazados ni insultados ni expuestos a molestias o desventajas de ningún género».

En cualquier caso, más allá de la tortura, se han propuesto otros procedimientos para facilitar la colaboración de los interrogados y mejorar su capacidad de recuerdo. Algunas de las técnicas más conocidas popularmente para evitar que los testigos mientan son la utilización de las drogas de la verdad y la hipnosis. Ambas han sido ampliamente criticadas desde los estudios psicológicos, puesto que se ha probado su escasa fiabilidad:

ni el suero de la verdad ni la hipnosis permiten asegurar que cuando son utilizadas el testigo no mienta.

FALSOS TESTIMONIOS

Podemos establecer dos fuentes diferentes de origen de las falsas declaraciones: las falsas memorias o recuerdos erróneos producto del olvido y la distorsión de la memoria y la mentira, consistente en omitir o distorsionar deliberadamente los hechos.

En general, nuestra capacidad para recordar sucesos es extraordinaria. A lo largo de la vida acumulamos cantidades ingentes de información, hasta el punto de que en las culturas que no poseen escritura se deja el conocimiento de la historia del grupo en manos de los ancianos, capaces de rememorar acontecimientos de varias generaciones remontándose a cientos de años, capacidad que tienen que compartir con los propios recuerdos. Sin embargo, no somos capaces de recordar absolutamente todo y en ocasiones olvidamos cosas fundamentales. Por otro lado, gran parte de las cosas que recordamos pueden ser erróneas. No es lo mismo el olvido que la distorsión. La memoria humana es un sistema dinámico y por tanto en continua transformación. Tan es así que cualquier parecido de algunos de nuestros recuerdos con la realidad es pura coincidencia.

Varias teorías permiten explicar el deterioro de la memoria. La primera afirma que las huellas de memoria se deterioran por el paso del tiempo, por erosión como le ocurre a una montaña, de forma que los recuerdos sufren cambios que afectan cada vez más a su naturaleza. Es la teoría conocida como *teoría del decaimiento de la huella*. Otra posible explicación es la *teoría de la interferencia*, según la cual los recuerdos se superponen unos a otros. Por último tenemos la *teoría de la fragmentación*, que presupone el desmenuzamiento y la pérdida de distintos componentes de los recuerdos más que un deterioro global.

Falsos recuerdos: Las falsas memorias de los testigos presenciales son mucho más frecuentes de lo que pensamos, siendo su origen muy variado. Como vimos más arriba, pueden dar lugar a falsas memorias la información posterior al suceso, la simple imaginación, la reconstrucción del suceso, las recuperaciones múltiples y distintos métodos de obtención de las declaraciones.

Davis y Loftus (2006) especifican tres tipos de falsas memorias: memorias selectivas o fallos selectivos en la recuperación, memorias falsas sobre hechos que los sujetos no han vivido realmente y, por último, distorsiones o alteraciones de la memoria de hechos vividos por los sujetos. Por otro lado, habría dos fuentes generadoras de estos fallos de memoria: procesos inferenciales y esquemáticos y fuentes de información sesgada.

Memorias implantadas: Aunque la legislación establece que debe evitarse que los testigos se vean afectados por la influencia de contaminaciones fruto de los comentarios entre testigos o de otras fuentes externas, lo cierto es que resulta muy difícil evitarlo.

Es más, el propio proceso de investigación (denuncia, recogida de manifestaciones y demás diligencias) puede aportarles información falsa. Un comentario del funcionario que dirige las diligencias, una pregunta mal formulada y los medios de comunicación (o propaganda) pueden inducir a los testigos a interpretar los hechos en una dirección concreta.

La primera cuestión que se plantea al respecto es si la memoria se modifica o solo lo hacen sus declaraciones y, en cualquier caso, bajo qué condiciones ocurre. Inicialmente se plantearon tres hipótesis diferentes para explicar el efecto de la información sugerida. La primera de ellas sugiere que la información posterior al suceso provoca una alteración o una reconstrucción en la memoria de los sujetos. Proporcionar información engañosa después de haber presenciado un hecho, y bajo determinadas condiciones, puede influir en las respuestas a cuestiones realizadas considerablemente más tarde. Esta nueva información reconstruirá o alterará la memoria original, dando origen a una memoria mezcla entre la información original y la información engañosa.

La segunda hipótesis hace referencia a un no-conflicto entre ambas memorias debido a que solo habría una única huella de memoria: la sugerida. Así, solo se producirá efecto de la información engañosa cuando los sujetos carezcan de huella de memoria original. De este modo, los sujetos fallarán al recordar el suceso original e informarán en el sentido sugerido (características de la demanda).

La última hipótesis hace referencia a la coexistencia, según la cual la memoria original permanecería intacta, coexistiendo con la nueva información aportada. Por tanto, tendríamos dos representaciones diferentes sobre el suceso. La segunda memoria (falsa) tendrá un efecto inhibidor sobre la primera, que queda inaccesible.

Varias de estas hipótesis podrían ser ciertas, pero se darían en diferentes momentos de la generación de las falsas memorias por información posterior al suceso. De este modo, podríamos hablar de dos fases. La primera tendría lugar en los momentos inmediatamente posteriores a la sugerencia de la información falsa, cuando esta todavía no se ha integrado en la huella original de memoria, por lo que podrían coexistir los dos tipos de información (original y sugerida). La aceptación de una en detrimento de la otra al describir el suceso procedería de variables como las demandas de la tarea o fallos al discriminar el origen de cada una de ellas. En cuanto a la segunda fase, tendría lugar cuando las huellas de memoria se han deteriorado por efecto del paso del tiempo y la recuperación múltiple y se pierden características básicas para determinar la procedencia de la huella y los datos contextuales acerca del origen del suceso. Es entonces más difícil discriminar el origen del dato falso que probablemente ya forma parte inseparable de la huella. En cualquier caso, hay un punto de acuerdo en todas las hipótesis: la presentación de información engañosa afecta a los informes que los sujetos dan acerca de un suceso visto anteriormente.

La modificación de las huellas de memoria, no obstante, no procede únicamente de las sugerencias externas de información, sino también de las autosugerencias procedentes de conocimientos previos y la congruencia de la información sugerida. Inmediatamente después de sugerida la información falsa externa, cuando todavía no forma parte de la huella y su origen podría ser inferido, sería posible diferenciar ambos tipos de sugerencias (externas e internas). Transcurrido un tiempo e integrados en la huella de memoria, esta diferenciación ya no es tan fácil.

Características de las falsas memorias: Varias evidencias muestran que en muchos casos los sujetos no son capaces de distinguir el origen de los detalles sugeridos. Es más, se ha demostrado que los sujetos podrían tener tanta confianza en la realidad de sus memorias verdaderas como en sus memorias sugeridas, llegando a creer que la información sugerida procede realmente del original.

Una explicación interesante de este efecto proviene de los estudios sobre la distinción del origen de los recuerdos en el marco del modelo de *control de la realidad* propuesto por Johnson y Raye (1981). En esta dirección, Diges (1997) propone que la confusión entre una memoria real y una falsa estaría provocada porque los sujetos que aceptan la información falsa crearían lazos contextuales de forma automática entre los contenidos de la memoria y su pasado personal. Así, Diges propone tres condiciones para que un recuerdo falso sea considerado como real: que resulte familiar, que sea plausible y que contenga suficientes lazos contextuales. Por otro lado, parece que las descripciones de memoria de los sujetos, consideradas globalmente, no difieren de forma sustancial sean reales o sugeridas, lo que impide discriminar entre unas y otras.

Factores de sugestibilidad: El efecto de la información posterior al suceso en la generación de falsas memorias se da fundamentalmente bajo determinadas circunstancias, existiendo un gran número de factores que influyen en la capacidad de los testigos para resistirse a la sugerencia de información falsa. Diges (1997) señala diferentes factores que intervienen en distinto grado sobre la aparición del efecto de la información engañosa, diferenciando entre variables de la situación y variables del sujeto. Las principales variables de la situación pueden dividirse a su vez en factores de retención y de recuperación e incluyen la credibilidad de la fuente, avisar de la posibilidad de que pueda proporcionarse información falsa, la centralidad de los detalles sugeridos, la plausibilidad de ocurrencia de la información falsa, parámetros temporales, el carácter de la información, el formato de respuesta de las tareas de recuperación, la redacción de las preguntas y la sugestibilidad provocada por las técnicas de obtención de información, que incluyen la coincidencia entre el orden de ocurrencia del suceso y el orden de las preguntas, la ausencia de detalles sugeridos como alternativa, el esfuerzo para identificar el origen de la información y la recuperación múltiple.

Las principales variables del sujeto son las relacionadas con factores demográficos, cognitivos y psicosociales. Así, por ejemplo, se ha encontrado que el grado de sugestibilidad está en función de la edad —siendo más sugestionables los niños más pequeños y los ancianos— o el nivel de inteligencia, entre otros.

Lindsay (1990) diferencia entre alta y baja discriminabilidad del origen de los recuerdos, reales y sugeridos, respecto al tiempo transcurrido entre el suceso y la sugerencia, así como entre esta y el recuerdo. Condiciones de alta discriminabilidad corresponden a intervalos cortos de tiempo entre el suceso y la sugerencia de información falsa y largos entre la sugerencia y el recuerdo. Condiciones de baja discriminabilidad hacen referencia a situaciones en las que ha transcurrido un intervalo largo de tiempo entre el suceso y la sugerencia y poco tiempo entre esta y el recuerdo.

Por otro lado, el paso del tiempo puede alterar además las características que permitirían diferenciar una memoria real de una sugerida. La pérdida de rasgos cualitativos a lo largo del tiempo podría ser uno de los factores decisivos de deterioro de las huellas de memoria que llevara a los sujetos a cometer más errores de atribución, aceptando la información sugerida.

No obstante, no toda la información falsa es igualmente susceptible de ser admitida por los sujetos. Las huellas de memoria más débiles son más susceptibles de verse aceptadas por la información posterior al suceso. En esta dirección, se ha mostrado que es más fácil de admitir la información periférica que la central y la información inferencial que la sensorial. Ello se debe fundamentalmente a que en estos casos la huella de memoria para el detalle específico puede ser inexistente. Por otro lado, también parece más susceptible de ser aceptada la información congruente con el esquema del suceso.

Asimismo, también es relevante quién sugiere la información falsa, ya que tienen más influencia las personas de mayor autoridad y a las que se atribuye credibilidad. Por esta razón, hay mayor probabilidad de alterar la memoria si la información engañosa tiene un origen específico al que no se le atribuye la intención de engañar.

Por último, como bien saben los sistemas de propaganda de los regímenes totalitarios, la reiteración en la aportación de la misma información falsa incrementará la probabilidad de que sea aceptada por los testigos de forma no consciente. Cuando varias personas aportan la misma información falsa o una misma lo hace en varias ocasiones, es más fácil que el sujeto la incorpore a sus recuerdos como parte del suceso original. La insistencia al proporcionar información falsa parece especialmente efectiva en el caso de los testigos más vulnerables.

LA IDENTIFICACIÓN DE PERSONAS EN LOS PROCESOS JUDICIALES

La imputación de los delitos a una persona determinada es una de las diligencias más relevantes y más practicadas en el sistema judicial. Esta prueba, sin embargo, puede llevar a falsas identificaciones, ya que es una tarea cognitivamente muy compleja y sujeta a error que da como resultado personas acusadas de delitos que no cometieron. Según Wells (2005), las falsas identificaciones son responsables de la mayoría de errores judiciales. De 40 casos analizados por Wells y colaboradores (1998) en los que las pruebas de ADN absolvieron a inocentes injustamente condenados, en el 90 % de los casos uno o más testigos los habían identificado erróneamente.

Para poder proceder a la identificación de una persona, habitualmente se solicita a los testigos primero una descripción y después su identificación en fotografía y/o en una rueda de reconocimiento. La descripción es una tarea de recuerdo basada en la recuperación de los detalles que el testigo recuerda de la persona implicada en el suceso. Van Koppen y Lochun (1997) analizaron la exactitud de las descripciones comparando las dadas por los testigos con las que aparecían en las bases de datos de la policía de Holanda. Los resultados mostraban que la mayoría de los rasgos más relevantes aportados por los testigos eran erróneos. Por otro lado, la correlación entre exactitud y completitud de las descripciones es negativa. Esto es, cuanto más completas son las descripciones, menos exactas son. Algunas de las variables que más influyen en la exactitud de las descripciones son la oportunidad para ver al autor del delito, el estrés o ansiedad del testigo, la edad, el formato de recuperación, el uso de listados de rasgos, las descripciones aportadas en grupo, la reiteración en la obtención de las descripciones y las ayudas erróneas al recuerdo.

Debido a que las descripciones verbales no contienen generalmente la cantidad y calidad de información suficiente para poder decidir de manera fiable si el sospechoso es el verdadero culpable, es necesario proceder a la identificación en rueda de reconocimiento o en fotografía. El reconocimiento es un proceso de decisión que puede llevarse a cabo mediante dos procesos diferentes: por valoración de la familiaridad o por identificación como resultado de recuperación. El primero de ellos es un camino directo cercano al *me suena* (y hay muchos factores que pueden facilitar que una persona nos *suene*), mientras que la identificación es indirecta y requiere de un proceso elaborado más cercano a la solución de problemas y que implica la recuperación de la información de la persona evaluada como vista en un lugar y momento concreto.

Uno de los procedimientos más extendidos para la identificación de personas es la rueda de reconocimiento, consistente en poner al sospechoso en presencia de los testigos junto con otras personas no relacionadas con los hechos. Una rueda mal construida puede dar lugar a un error en la identificación.

La incorrecta elección de los componentes de la rueda provocará un sesgo que influirá en las respuestas de los testigos, bien a favor del acusado, bien en su contra. Una rueda es imparcial solo si el sospechoso tiene la misma probabilidad de ser elegido que cualquiera del resto de los componentes de la rueda basándonos únicamente en su apariencia. Las ruedas de reconocimiento en España suelen estar compuestas por cinco personas, aunque se recomienda no menos de seis y preferiblemente de diez a doce. Sin embargo, una cosa es el número de componentes de la rueda y otra muy distinta su tamaño funcional. Aunque la rueda esté compuesta por varias personas, funcionalmente su tamaño puede ser de uno si solo el sospechoso encaja con la descripción.

Otro de los sesgos más importantes que nos podemos encontrar está relacionado con las instrucciones proporcionadas a los testigos para que procedan a la identificación y consiste en hacerle pensar que el autor del delito se encuentra presente. La tarea consiste en ser capaz de descubrirle, favoreciendo las falsas alarmas al incrementar la tendencia a señalar. En esta situación, el testigo se enfrenta al *deber* de señalar a alguien porque 1) el régimen no se equivoca y 2) si no señala le acusaran de no colaborar. Las instrucciones sesgadas y la presión pueden aumentar el riesgo de identificaciones erróneas al estimular al testigo a elegir a alguno de los componentes de la rueda aun cuando sea por mera adivinación, sobre todo cuando estas instrucciones acompañan a una rueda sesgada en contra del sospechoso y a los testigos no se les permite la opción *no sé*.

Factores de influencia sobre la exactitud de las identificaciones: Más allá de la identificación deliberadamente falsa de una persona como autora de un crimen, se han descrito múltiples factores que podrían afectar a la capacidad de realizar una prueba de identificación con éxito. Entre estos factores están las expectativas y sistemas de valores, que pueden interferir en nuestros procesos perceptivos y de toma de decisión.

TABLA. PRINCIPALES VARIABLES QUE PUEDEN AFECTAR
A LA EXACTITUD EN LA IDENTIFICACIÓN POR PARTE DE LOS TESTIGOS

Variables a estimar		Variables del sistema	
Del suceso	De los testigos	Del proceso	De la rueda
Condiciones perceptivas	Género	Efectos de demora	Composición
Duración	Edad	Información posterior al suceso	Número de componentes
Familiaridad	Raza	Presiones	Selección de cebos
Detalles impactantes	Entrenamiento/ experiencia	Fotografías	Modo de presentación
Número de agresores	Expectativas y creencias	Descripciones previas	Instrucciones
Violencia	Ansiedad	Retratos-robot	
Foco en el arma	Papel del testigo		

Entre las expectativas, diversas investigaciones han mostrado que las relativas a la apariencia de los delincuentes afectan tanto al reconocimiento de caras como a los juicios sobre la culpabilidad de un sospechoso. Más allá de la apariencia, los rasgos faciales también parecen influir en los estereotipos criminales, ya que tendemos a atribuir la realización de conductas anormales a personas con fisonomía anormal y a ser más condescendientes con personas atractivas. De igual modo, las expectativas basadas en experiencias previas y en prejuicios personales sesgan nuestra percepción e interpretación de los hechos, especialmente en los casos en los que la percepción del autor del delito es ambigua y se nos presiona para realizar una identificación positiva.

EVALUACIÓN DE LOS TESTIMONIOS

Una de las preocupaciones más antiguas de la justicia es el descubrimiento de *la verdad*. En cualquier proceso judicial (y en los estudios de historia) nos encontraremos ante diferentes partes y lo más frecuente es que no coincidan las descripciones de los hechos que hacen testigos, víctimas e imputados. ¿A quién debemos creer?

Para poder contestar a esta pregunta, en primer lugar, deberíamos aclarar una confusión muy frecuente: veracidad no es lo mismo que credibilidad. Desde una perspectiva científica y en contra de las creencias comunes, la *verdad* no existe, sino que se trata de una construcción individual y social. De este modo, en una investigación (científica y/o criminal) podemos encontrarnos con múltiples verdades, incluso opuestas unas a otras. Tantas verdades como perspectivas seamos capaces de adoptar. Esto es así especialmente cuando nos referimos a las declaraciones de víctimas, testigos ajenos o imputados. De esta postura escéptica se deduce que muy poco podremos establecer sobre la *verdad*, y por extensión sobre la *mentira*. Por otro lado, la mentira, además, implica un juicio moral. Esto es, una persona miente cuando deliberadamente aporta una información de la que sabe conscientemente que no se ajusta a la *realidad* de los hechos. Sobre la mentira solo podemos especular acerca de las posibles motivaciones del testigo para ocultar o distorsionar lo ocurrido. Difícilmente podremos afirmar que un testigo miente a no ser que el testigo lo reconozca, incluso teniendo indicios que contradigan sus declaraciones. Como hemos visto anteriormente, las características de nuestro sistema cognitivo provocan que la mayor parte de las inexactitudes que nos encontramos en las declaraciones de los testigos se deban más a errores (a veces inducidos) que a mentiras. Los testigos honestos que desean ayudar pueden equivocarse y estar absolutamente convencidos de que sucedieron determinadas cosas que jamás ocurrieron.

Respecto a la credibilidad, podemos definirla como la valoración subjetiva de la exactitud estimada de las declaraciones de un testigo. Esta valoración se basa en inferencias que consideran diferentes aspectos, como las circunstancias y características del testigo y del delito, nuestros conocimientos y creencias o la congruencia estimada entre las declaraciones y otros elementos de prueba (otras declaraciones o indicios relacionados). Dado que la valoración de credibilidad siempre será una inferencia, una estimación, nunca dejará de ser subjetiva. Solo comparando las declaraciones con una grabación en vídeo de los sucesos podemos valorar objetivamente la realidad de los testimonios. Pero entonces no hablaríamos de credibilidad, sino de exactitud.

En definitiva, cuando hablamos de mentira nos referimos a la intencionalidad del declarante. La credibilidad abarca no solo la mentira, sino también la falta de exactitud generada por otras fuentes diferentes, como la distorsión de la memoria. Sin embargo, la ciencia no ha sido capaz hasta el momento de aportar procedimientos de detección de mentiras realmente válidos.

En el caso del error no deliberado como origen de las falsas declaraciones, resultará de utilidad el análisis de todos los factores que pueden influir en la exactitud de las declaraciones mediante un procedimiento de evaluación holístico[4] que considere:

---

[4] Manzanero y González, 2015.

a) la capacidad para testificar de las víctimas, donde se tienen en cuenta los procesos cognitivos de atención, percepción, memoria y lenguaje.
b) las características específicas del suceso.
c) los antecedentes del hecho evaluado y sus consecuencias.
d) otros factores que pudieran afectar a la calidad y exactitud de las declaraciones e identificaciones, como el número de veces que el testigo tuvo que contar lo ocurrido, los métodos empleados para obtener el relato y posibilidades de sugestión.

Este método contempla procedimientos específicos de análisis exhaustivo de los expedientes y de formulación y contrastación de hipótesis, de evaluación de la competencia para testificar y de obtención de las declaraciones.

CONCLUSIONES

Son muchos los factores de influencia que podrían estar afectando a la exactitud de las declaraciones de los testigos de la Causa General, lo cual podría haber dado lugar a falsos testimonios. La presión externa (generada por ejemplo por el miedo a las posibles represalias del nuevo régimen político franquista) o interna (generada por ejemplo por el odio a una persona o colectivo perteneciente al bando republicano) pueden dar lugar a declaraciones falsas, tanto de forma deliberada como de forma no deliberada.

Los sucesos a que fueron expuestas aquellas personas —guerra, asesinatos, torturas, cárcel, desplazamientos forzados…—, por muy traumáticos que pudieran resultar, no nos garantizan un mejor recuerdo de los mismos. Contrariamente a lo que se pueda pensar, los delitos que implican un mayor grado de violencia se recuerdan peor que los más neutros. Una explicación de este efecto procede de que el testigo experimenta mayor estrés cuanta mayor violencia implica el suceso, y el estrés afecta negativamente a los procesos cognitivos como la atención, la percepción y la memoria. Factores del testigo tales como la ansiedad y otras experiencias emocionales, como el miedo y el odio, las expectativas y estereotipos previos o los niveles de implicación (testigo ajeno o familiar directo), también tienen un impacto en la memoria de los testigos.

En cuanto a los factores del sistema, habría que hacer especial hincapié en la manera en la que se obtuvo la declaración, ya que en muchos de los casos los testigos veían peligrar su vida. En este contexto, las memorias sobre sucesos traumáticos que generan miedo intenso e incluso terror se caracterizan por su poca exactitud para los detalles periféricos y una memoria clara y exacta para los detalles centrales del suceso. Los tipos de preguntas del interrogatorio (por ejemplo, preguntas cerradas que induzcan una respuesta concreta) o la presión para informar pueden sugerir información falsa que altere la exactitud de las declaraciones.

Además de los factores anteriores, otros elementos a tener en cuenta en la generación de una falsa memoria son los sistemas de propaganda de los regímenes totalitarios, en los que la reiteración en la aportación de la misma información falsa incrementa la probabilidad de que sea aceptada por los testigos, especialmente en el caso de testigos vulnerables.

En conclusión, el análisis de los testimonios de la Causa General desde un punto de vista histórico queda incompleto si no se tienen en cuenta el funcionamiento de la memoria y los factores que podrían haber llevado a la generación de falsos recuerdos en los testimonios recogidos.

FUENTES BIBLIOGRÁFICAS

Davis, Deborah y Elizabeth F. Loftus: «Internal and external sources of misinformation in adult witness memory», en Toglia, Read, Ross y Lindsay (eds.): *The handbook of eyewitness psychology*, vol. i: *Memory for events*, Londres: LEA, 2006, pp. 195-237.

Diges, Margarita: *Los falsos recuerdos: sugestión y memoria*, Barcelona: Paidós, 1997.

Johnson, Marcia y Carol raye: «Reality monitoring», *Psychological Review*, núm. 88 (1981), pp. 67-85.

Lindsay, D. Steve: «Misleading suggestions can impair eyewitness's ability to remember event details», *Journal of Experimental Psychology: Learning, Memory and Cognition*, núm. 16 (1990), pp. 1077-1083.

Manzanero, Antonio L.: *Memoria de testigos: obtención y valoración de la prueba testifical*, Madrid: Pirámide, 2010.

— y Miguel A. Álvarez: *La memoria humana: aportaciones desde la neurociencia cognitiva*, Madrid: Pirámide, 2015.

— y José L. González: «Modelo holístico de evaluación de la prueba testifical (helpt)», *Papeles del Psicólogo*, núm. 36 (2015), pp. 125-138.

Van Koppen, Peter J. y Shara K. lochun: «Portraying perpetrators: the validity of offender descriptions by witnesses», *Law and Human Behavior*, vol. 21 (1997), pp. 661-685.

Wells, Gary L.: «Eyewitness identification evidence: science and reform», *Champion Magazine. National Association of Criminal Defense Lawyers*, abril de 2005, pp. 1-12.

— et al.: «Eyewitness identification procedures: recommendations for lineups and photospreads», *Law and Human behavior*, vol. 22 (1998), pp. 603-647.

El Comité Provincial de Investigación Pública: los crímenes de la *checa de Fomento* a través del testimonio policial

Julius Ruiz
Universidad de Edimburgo

INTRODUCCIÓN

Sábado 6 de abril de 1940 en el Palacio de Justicia de las Salesas de Madrid, a las diez de la mañana. El Consejo de Guerra Permanente Número 5 vuelve a reunirse para considerar la causa 48 310. Su presidente es el comandante Pablo Alfaro, y los demás miembros son los capitanes Carlos Rodríguez del Valle, Francisco Pérez Muñoz, Juan Pérez de la Ossa y el teniente Eloy Ullastres Poncio. Este tribunal militar lleva doce meses castigando a los *criminales rojos*. Cuatro días antes se había condenado a muerte a Teodoro Medina García, un encuadernador de cuarenta y cuatro años de edad. En 1936, Medina había sido presidente de la Casa del Pueblo y la agrupación socialista del barrio obrero de Vallecas. Acusado del asesinato del secretario local de Renovación Española, el militante socialista fue fusilado el 2 de agosto de 1940.[1]

Sin embargo, la causa 48 310 era diferente en varios aspectos clave. El primero era la magnitud de esta investigación judicial: sentados en el banquillo había 59 hombres y una mujer. El segundo aspecto clave fue la duración del juicio: mientras que los consejos de guerra franquistas normales no duraban más de unas pocas horas, el Consejo de Guerra Permanente Número 5 dedicó a los inculpados tres días consecutivos con sesiones por las mañanas, tardes y noches. En particular, el hecho de que el tribunal se reuniera el domingo era, según los guardias civiles que custodiaban a los presos, algo que «no se había visto nunca».[2] Por último, y a diferencia de los otros miles de consejos militares de guerra celebrados en Madrid después de la guerra civil, el juicio apareció en la prensa, aunque casi dos semanas después de llegado a su fin. Fue noticia de primera plana en *La Vanguardia Española*, que la tituló así: «La criminalidad marxista al descubierto».[3] Sin embargo, los periódicos no informaron acerca del resultado del caso. Alfaro y sus compañeros condenaron a la muerte a 50 de los inculpados, de los cuales

---

[1] Archivo General de la Administración (en adelante, AGA), Justicia, Fondo de Responsabilidades Políticas, caja 320.

[2] Carta de Nicolás Hernández Macías de 22 abril de 1940 [url: http://www.memoriaylibertad.org/RELACION-HECHOS_NICOLASHERNANDEZ.pdf]. Consultado en abril de 2011. En adelante, carta de Hernández Macías.

[3] *La Vanguardia Española*, 20 de abril de 1940.

Juicio a miembros del CPIP. Fuente: *Semana*, 23 de abril de 1940

44 fueron ejecutados el 27 de abril de 1940.[4] Aunque la represión franquista en Madrid fue dura, con un mínimo de 3113 víctimas, la sentencia en la causa 48 110 arrojó un resultado particularmente brutal, pero como el tribunal militar explicó en la sentencia, los crímenes de los condenados:

> por su propia naturaleza exceden los ámbitos de un pronunciamiento penal para alcanzar el grado de un proceso político-histórico contra el régimen [republicano] que pudo organizar y propugnar una actuación de la índole criminal sin precedentes en la Historia de la civilización [sic].[5]

Aquellos a punto de perder sus vidas eran líderes y agentes del «COMITÉ PROVINCIAL DE INVESTIGACION PUBLICA [CPIP], conocido vulgarmente por el histórico nombre de CHEKA DE FOMENTO».[6]

«ESTA FORMIDABLE OBRA DEL EXTERMINIO DEL FASCISMO»

A pesar de la exageración de los jueces franquistas, no hay duda de que el CPIP fue el mayor y más asesino de los tribunales revolucionarios creados en el Madrid republicano después de la derrota de la rebelión militar de julio de 1936. Más de ocho mil *fascistas* fueron asesinados en la capital durante el conflicto, la gran mayoría de ellos

---

[4] Archivo General e Histórico de Defensa (Madrid), Fondo de Justicia Militar, Tribunal Militar Territorial 1.º, 48.510, pieza 8, imágenes 162-185 (en adelante, AGHD, JM, TMT 1, 48.510, pieza 8, 162-185).

[5] AGHD, JM, TMT 1, 48.510, pieza 8, 184.

[6] AGHD, JM, TMT 1, 48.510, pieza 8, 169. En cursiva en el original.

en los seis primeros meses de la guerra. Como ha escrito José Luis Ledesma, no hay duda de que fue en Madrid donde la zona republicana «se cobró más vidas».[7] Con la importante excepción de las matanzas de Paracuellos en otoño de 1936, las ejecuciones se llevaron a cabo en gran medida por los tribunales revolucionarios organizados por los partidos del Frente Popular y las organizaciones sindicales. Mi investigación arroja que 37 tribunales revolucionarios dispensaron *justicia* extrajudicial en la ciudad entre 1936 y 1939, y que de ellos 33 estuvieron activos durante los primeros cuatro meses del conflicto.[8]

Cabe destacar que esta red de terror no fue creada por elementos *incontrolables* aprovechando el colapso de la autoridad del gobierno de la República ocasionado por la propia rebelión militar. Ciertamente, el CPIP no era una organización *incontrolable*: como un aviso público emitido por el nuevo tribunal revolucionario comentó el 25 de agosto, «el Comité Provincial de Investigación Pública [...] tiene representación [de] todos los partidos de izquierda y las organizaciones sindicales de carácter revolucionario».[9] Por otra parte, el CPIP fue obra de Manuel Muñoz, el director general de Seguridad de Izquierda Republicana, que había convocado a una reunión en el Círculo de Bellas Artes el 4 de agosto para crear, como *El Liberal* explicó al día siguiente, una organización para ayudar la Dirección General de Seguridad a «realizar los registros domiciliarios y las detenciones [...] Estos servicios no se podrán realizar en nigún [sic] caso sin el control de este Comité».[10] Muñoz no tenía la intención de crear un Comité de Seguridad Pública de estilo jacobino que exterminara a los enemigos de la revolución: más bien hizo un esfuerzo para asegurar el consentimiento y la cooperación de todos los partidos del Frente Popular en la nueva policía antifascista. Muñoz esperaba que esto tendría como consecuencia reducir el número de cadáveres de *fascistas* encontrados todos los días a las afueras de la ciudad y también reducir al mínimo la probabilidad de una intervención militar por parte de los gobiernos extranjeros horrorizados por las matanzas.[11] Dado que la depuración de la DGS era fundamental en su estrategia, el CPIP fue concebido como una organización transitoria durante el proceso de limpieza ideológica de los cuerpos de policía. Como Benigno Mancebo Martín, uno de los representantes anarquistas en la reunión de 4 de agosto, declaró en enero de 1937, el CPIP tenía el objetivo de «suplir la misión que debían desempeñar la Dirección [General] de Seguridad y las diferentes Secciones y Comisarías, ya que todas estas dependencias de Orden Público no eran eficaces, por responder a las antiguas normas establecidas por el régimen burgués [y que se compone de] funcionarios habituados a la convivencia cordial con el capitalismo explotador».[12]

---

[7] Francisco Espinosa *et al.*: *Violencia roja y azul: España, 1936-1950*, Barcelona: Crítica, 2010, p. 409.
[8] Julius Ruiz: *El terror rojo: Madrid, 1936*, Barcelona: Espasa Libros, 2012, p. 23.
[9] *Milicia Popular*, 25 de agosto de 1936.
[10] *El Liberal*, 5 de agosto de 1936.
[11] Sobre temores de intervención extranjera véase por ejemplo *El Socialista*, 1 de agosto de 1936.
[12] *CNT*, 17 de enero de 1937.

Sin embargo, desde el principio Muñoz reconoció en privado que el CPIP no iba a actuar como fuerza de policía auxiliar. Durante las negociaciones en el Círculo de Bellas Artes, el director general de Seguridad reconoció que los *fascistas* particularmente peligrosos podían ser fusilados por agentes del CPIP, una decisión que llevó a la renuncia inmediata de Julio Diamante Menéndez, uno de los representantes de Izquierda Republicana en el recién nombrado comité.[13] Y ya que se aceptó que el CPIP podría matar, todos los presentes el 4 de agosto 1936 acordaron crear una estructura que garantizase la responsabilidad colectiva. Como dice Mancebo durante la guerra:

> El Comité de Investigación pública se constituyó con la representación de tres delegados por cada organización, sindical y tres por cada uno de los partidos políticos antifascistas, teniendo también representación las Juventudes Libertarias y las marxistas. La labor que esté Comité ha realizado en Madrid e incluso fuera de Madrid, ha sido eficacísima. A esta formidable obra del exterminio del fascismo han contribuido incansablemente y con gran eficiencia los Grupos de Investigación, dependientes siempre de los acuerdos y decisiones del Comité. Ni un solo Grupo ha actuado jamás sin aceptar las decisiones del Comité.[14]

Con el fin de llevar a cabo «esta formidable obra del exterminio del fascismo», el CPIP creó rápidamente una extensa burocracia. Excluyendo personal de oficina, cocineros y limpiadores, más de 584 antifascistas se enrolaron en la guerra del CPIP contra el enemigo interno a principios de octubre. Casi cuatrocientos trabajaban en 77 grupos de investigación de cinco miembros cada uno.[15] Su obra espantosa se desarrolló tan rápidamente que a finales del mes de agosto el CPIP se vio obligado a abandonar el Círculo de Bellas Artes para pasar a un local más amplio en la calle Fomento, 9. Políticamente, estos grupos de investigación estuvieron dominados por el movimiento anarcosindicalista (CNT-FAI-JJLL). Este tenía 31 grupos (40 %), mientras que el Partido Sindicalista tenía cinco (6,5 %). Los socialistas (PSOE y UGT) y los comunistas (PCE y UGT) tenían 15 (19,5 %) cada uno, mientras que apenas 6 (8 %) y 5 (6,5 %) pertenecían a Izquierda Republicana y Unión Republicana. Sin embargo, a fin de hacer hincapié en la responsabilidad compartida de decisiones los tribunales del CPIP que *condenaron* a los sospechosos fueron cuidadosamente organizados para evitar la dominación de cualquier partido político u organización. Había seis tribunales de tres miembros (principal pero no exclusivamente compuestos de miembros del comité) que decidían el destino de los prisioneros. Trabajando en parejas y haciendo turnos de mañana, tarde y noche, los tribunales emitían tres tipos de sentencias. El primero era la prisión, lo que implicaba que el acusado fuera transferido a la custodia de la Dirección General de Seguridad. Para garantizar una relación eficaz entre la DGS y el CPIP, Manuel Muñoz destinó policías como agentes de enlace con el tribunal revolucionario. La segunda sentencia era la de «libertad», que suponía la liberación inmediata del detenido, y la

---

[13] Julius Ruiz: *El terror rojo...*, pp. 126-27.
[14] *CNT*, 17 de enero de 1937.
[15] Julius Ruiz: *El terror rojo...*, p. 127.

tercera la de «libertad.»: el punto era el código convenido para el fusilamiento del reo. En este caso, el condenado era trasladado a uno de los Grupos de Investigación, que seguidamente mataba a la víctima al *estilo gángster* a las afueras de la capital.[16]

No es conocido el número de personas asesinadas como consecuencia de la «formidable obra del exterminio del fascismo». Como veremos más adelante, la igualmente brutal Brigada Político Social (BPS) franquista nunca recuperó los seis libros de registro del comité después de la guerra. Teniendo en cuenta que cada registro tenía al parecer un centenar de páginas, que cada página contiene 22 líneas y que cada línea corresponde al nombre de un detenido, la BPS calculó que el CPIP debió de haber practicado en torno a trece mil arrestos.[17] Esto no significa, por supuesto, que todos los sospechosos fueran ejecutados. Las autoridades franquistas argumentaron que más del cuarenta por ciento (o cinco mil) fueron fusilados después de una sentencia de muerte dictada por estos tribunales, pero esta cifra es poco fiable dado que se basa en una estimación arbitraria de la BPS. De hecho, a pesar de las brutales técnicas de interrogación, los líderes del CPIP tendían a dar cifras más bajas, si es que se dio alguna en absoluto. El anarquista Mariano Cabo, un responsable de grupo de investigación que estaba dispuesto a congraciarse con sus interrogadores franquistas, insistió en que los fusilamientos constituyeron como máximo el veinticinco por ciento de todas las condenas, es decir, tal vez alrededor de tres mil víctimas.[18]

Uno de los aspectos de las actividades espeluznantes del CPIP sí se puede cuantificar con precisión: la apropiación masiva de los bienes de sus víctimas. No hay duda de que el CPIP hizo una enorme contribución económica a las arcas del Estado republicano. El 14 de mayo de 1937, los miembros de la ahora extinguida CPIP presentaron las últimas cuentas del tribunal revolucionario a la DGS. Estas revelaron que cuando el CPIP se trasladó a la calle Fomento a finales de agosto de 1936, el comité envió el DGS «innumerables Títulos del Estado y Acciones de diversas Compañías para su clasificación y valoramiento, como así mismo, gran cantidad de objetos de plata, oro, porcelana y armas antiguas». Después de apenas tres semanas de actividad, el comité entregó personalmente a Manuel Muñoz monedas de oro, joyas y divisas por valor de 500 000 pesetas.[19] Esto no era más que un anticipo lucrativo de lo que estaba por venir. Cuando el CPIP se disolvió finalmente ese noviembre, se dieron a la DGS más de 481 cajas que contenían «objetos de plata y bronce, relojes, encajes, mantillas, mantones de Manila, armas antiguas, Títulos del Estado, cristalería, porcelana, cuadros y gramolas», así como siete cajas de artículos de oro. Las cajas fueron enviadas a la Caja de Reparaciones, la agencia gubernamental que gestionaba los bienes confiscados por el Estado.

---

[16] Julius Ruiz: *El terror rojo...*, pp. 135-165. Véase también Fernando Jiménez Herrera: «El Comité de Investigación Pública a través de la documentación custodiada en el Archivo General Militar de Madrid», en *Hispania Nova*, núm. 12 (2014).

[17] AGHD, JM, TMT 1, 48.510, pieza 1, 26.

[18] Archivo Histórico Nacional (Madrid), Fondos Contemporáneos, Causa General, 1530, expediente 4, páginas 10-14 (en adelante AHN, FC, CG, 1530, exp. 4, pp. 10-14).

[19] AGHD, JM, TMT 1, 48.510, pieza 4, 231.

Además de estos objetos preciosos, el Estado republicano recibió 500 000 pesetas, con otras 130 432 pesetas devueltas a «diferentes personas detenidas por no aparecer causa contra las mismas». Manuel Muñoz y su subdirector, Vicente Girauta, recibieron monedas de oro, joyas y billetes extranjeros por valor de 600 000 pesetas, mientras que al comisario general Félix Carreras se le dieron «alhajas de oro, brillantes y perlas de gran valor y numerosas monedas de plata y cobre de diferentes países». Por último, 228 260 pesetas fueron pagadas al personal del CPIP, incluyendo 30 000 pesetas a los miembros del Comité y un pago transitorio de diez pesetas diarias a los agentes.[20]

La disolución del CPIP en noviembre de 1936 por el joven Santiago Carrillo, el entonces consejero de Orden Público en la Junta de Defensa de general Miaja, no se debió a un repudio de su actividad asesina contra el enemigo interno. Así lo demuestra el hecho de que los dirigentes del CPIP fueran comprometidos en las matanzas de alrededor de 2500 presos que, clasificados como «fascistas y elementos peligrosos», fueron fusilados «cubriendo la responsabilidad» en las tierras de Paracuellos de Jarama y Torrejón de Ardoz.[21] Los agentes del CPIP también se incorporaron en bloque en la nueva policía republicana a partir de 1937. Un buen ejemplo es el ya mencionado Benigno Mancebo, secretario del Sindicato de Artes Gráficas de la CNT antes de la guerra, que era el jefe de la secretaría del CPIP que mandaba a los presos a los tribunales para el *juicio*.[22] También tomó parte en la selección de los presos para Paracuellos y fue miembro del consejillo establecido en la comisaría de Buenavista en Madrid. Al igual que el CPIP, este tribunal juzgaba los sospechosos, y sus sentencias de «libertad» también tenían un doble significado siniestro. Muchos de los que formalmente fueron *absueltos* eran en realidad asesinados en diversos lugares de la ciudad, incluido el cementerio del Este.[23] Pero este no fue el fin del trabajo policial de Mancebo. El 28 de diciembre de 1936 fue nombrado presidente adjunto del Consejo Provincial de Madrid de Seguridad, una rama del Consejo Nacional de Seguridad que se encargaba de la selección de los miembros del nuevo Cuerpo de Seguridad creado por decreto el día anterior.[24] En otras palabras, un perpetrador clave del terror en Madrid fue uno de los arquitectos de la nueva policía de la República.

Esto refleja el hecho de que los miembros del CPIP tenían inmunidad legal *de facto* para los crímenes revolucionarios cometidos en 1936. El 12 de febrero de 1937, una delegación de líderes del disuelto CPIP que incluía al anarcosindicalista Manuel Rascón, al socialista Agustín Aliaga de Miguel y al republicano burgués Leopoldo Carrillo fue a ver al ministro de la Gobernación, Ángel Galarza, a Valencia tras la detención de uno de sus antiguos colegas en Madrid. El propósito de la reunión era asegurar que los tribunales republicanos no pudieran procesar agentes del CPIP: los *excesos* revolucio-

---

[20] Julius Ruiz: *El terror rojo...*, pp. 305-306.

[21] Julius Ruiz: *Paracuellos. Una verdad incómoda*, Barcelona: Espasa Libros, 2015, pp. 204-67.

[22] AHN, FC, CG, 1530, exp. 4, pp. 91-3; AHN, FC, CG, 1514, exp. 32, pp. 1-3.

[23] AHN, FC, CG, 1532, exp. 31, p. 2 & 18; AHN, FC, CG, 47, exp. 12, p .258.

[24] *Gaceta de la República*, 28 de diciembre de 1936; Ruiz: *El terror rojo*, 335-36.

narios solo podían ser juzgados por las propias organizaciones del Frente Popular. Si bien Galarza se negó a proporcionar una garantía explícita por escrito, se aseguró de que fuera el director general de Seguridad quien se ocupara personalmente de cualquier problema de esa índole antes de que llegara a los tribunales.[25] El valor de este acuerdo verbal se evidenció en mayo de 1937 cuando Leopoldo Carrillo fue detenido después de una denuncia por parte de los familiares de uno de los antiguos presos del CPIP: Bernardo Tomás Chelví. Carrillo fue liberado tres días más tarde, pero esto no impidió una queja furiosa de la agrupación de Madrid de Izquierda Republicana. Se le preguntó (injustamente) por qué no se había respetado el acuerdo de 12 de febrero, y advirtió que el «calvario» sufrido por Carrillo no podría suceder de nuevo. Carrillo, según lamentaron los republicanos, había sido

> tratado como un vulgar delincuente por el hecho de haber cumplido con una misión impuesta por sus Partidos y el Gobierno y a requerimiento de la Dirección general de Seguridad [...] estos hombres [que] se han sacrificado por la causa y que han contraído una enorme responsabilidad por la misión que les hemos encomendado, deben ser tratados con la consideración que merecen y amparados y protegidos en lo posible por las Autoridades legítimas de la República. Por nuestra parte tenemos el más vivo interés en que se procure la atención debida a nuestros representantes, pues comprendemos que no es posible dejarles indefensos al arbitrio de quien desea vengar actuaciones de la justicia de las que no son responsables ninguno de quienes formaban el Comité [Provincial] de Investigación [Pública] ya que éste fue constituido y desarrolló su labor bajo la dirección del Gobierno de la República.[26]

EL CPIP Y LA BRIGADA POLÍTICO SOCIAL

A pesar de que los hombres de la CPIP gozaban de inmunidad legal en la España republicana, su libertad no era segura. El CPIP había tenido durante mucho tiempo una reputación siniestra en la zona nacional como la «Cheka de Bellas Artes/Fomento». Los relatos de los refugiados de la capital hablaban de una organización particularmente sanguinaria en el Madrid *rojo*. Así, por ejemplo, el 16 de febrero de 1937 «Juan de Córdoba» escribió en *Abc* (Sevilla) acerca de un amigo que se había evadido de Madrid el mes anterior. El noviembre anterior, el fugitivo le había contado lo siguiente:

> Llegamos a Bellas Artes con las primeras luces del alba. El oriente me pareció teñido de sangre. «Baja pronto» —me gritaron—. Entré en los sótanos del casino, en una pequeña habitación frontera al antiguo cabaret. El aire era infecto. En un banco, derrumbadas, cinco personas. En el suelo y en una colchoneta, tres más... Tres obreros, dos sacerdotes y tres mujeres. Gente humilde acusada de practicar la religión católica y de haber votado a los candidatos de derechas en las elecciones del 16 de febrero. Dos días llevaban sin comer otra

---

[25] AHN, FC, CG, 1532, exp. 35, p.219; AHN, FC, CG, 1530, exp. 4, p. 9.
[26] AHN, FC, CG, 1530, exp.4, p.156.

cosa que un rancho frío y mal oliente. Salieron de allí a la caída de la tarde, entre juramentos y golpes […] Me enteré luego de su fusilamiento en la carretera de Vicálvaro.[27]

No es casualidad que los planes franquistas para la *liberación* de Madrid en noviembre de 1936 priorizaran la rápida ocupación de la sede de la CPIP en la calle Fomento, 9.[28] Los antiguos agentes del CPIP tenían pocas ilusiones con respecto a lo que les ocurriría si cayeran en manos de la policía franquista, y cuando la República se desmoronó en marzo de 1939, trataron de salvarse. Algunos consiguieron salir de España: por ejemplo, al norte de África se marchó Félix Vega, un miembro socialista del CPIP que jugó un papel clave en la selección de las víctimas de Paracuellos. Calificado como «uno de los más siniestros personajes» del CPIP por la Brigada Político Social, Vega se convertiría más tarde en presidente del PSOE en Casablanca y participaría en el congreso del PSOE en el exilio en 1961. Murió en Toulouse en 1967.[29]

Otros agentes del CPIP se escondieron en España. Manuel Rascón Ramírez, la figura anarcosindicalista más prominente en el liderazgo de CPIP y uno de los arquitectos de Paracuellos, terminó el conflicto como capitán en el ejército republicano. Después de haber servido en el Grupo de Tropas de Intendencia en Cuenca y más tarde en Andalucía, pasó a la clandestinidad en Barcelona.[30] La mayoría de los hombres del CPIP tuvo menos suerte que él: se unieron al éxodo de los republicanos por la costa levantina con la esperanza de tomar un barco al exilio que al final nunca llegó. Nicolás Hernández Macías, representante de la UGT en uno de los tribunales del CPIP, recordó en una carta escrita a su familia el 22 de abril de 1940 que salió de Madrid a las diez de la noche el 27 de marzo pero tardó «32 horas en llegar a Alicante después de un sinfín de peripecias. Cuando llegué había salido el ultimo barco hacía 6 horas, barco que mi sobrino pudo coger por ir en un coche turismo y no llegué a tiempo. Y aquí empieza mi calvario. Estuve en el puerto el 29 y el 30 de marzo».[31]

Entre los otros quince mil republicanos que quedaron atrapados en Alicante estaba Benigno Mancebo. Al reflexionar sobre su papel en el CPIP en el muelle, esto le dijo, desafiante, al periodista anarquista Eduardo de Guzmán: «La revolución no se hace con agua de rosas […] Para defenderla de sus enemigos es preciso mancharse las manos. En nuestro caso, he tenido que manchármelas yo. Mi papel era menos heroico del que peleaba en las trincheras y menos brillante del que hablaba en las tribunas; pero tan necesario como el primero y más eficaz que el segundo».[32]

Tal admisión franca de la necesidad de terror habría sido fatal en la España franquista y, como veremos, Mancebo y otros hombres del CPIP intentaron evitar admitir

---

[27] *Abc* (Sevilla), 16 de febrero de 1937.

[28] Jorge M. Reverte: *La Batalla de Madrid*, Barcelona: Critica, 2004, p. 132.

[29] AHN, FC, CG, 1530, exp.4, p. 80; url: <http://www.fpabloiglesias.es/archivo-y-biblioteca/diccionario-biografico/biografias/2500_vegas-saez-felix>. Consultado en agosto de 2015.

[30] AHN, FC, CG, 1532, exp. 35, p. 219; AGHD, JM, TMT 1, 106.686, pp. 2-6.

[31] Carta de Hernández Macías.

[32] Eduardo de Guzmán: *La muerte de la esperanza*, Madrid: VOSA, 2006, p. 392.

asesinatos en masa después de la guerra. Estaban decididos a vivir. En un informe del 17 de agosto de 1942, la BPS observó que solo Tomás Carbajo Núñez, otro representante de la UGT en el comité del CPIP, se había suicidado «en el Gobierno Civil de Murcia al entrar las Tropas Nacionales» en los últimos días de marzo de 1939.[33]

Una forma de sobrevivir era fugarse. Aunque Mancebo, como miles de otros republicanos, entró en el Campo de los Almendros (Alicante), logró huir y refugiarse en casa de un familiar. Por desgracia para él, la policía militar franquista, el SIPM, logró rápidamente localizarle, rodeó el edificio y Mancebo se vio obligado a rendirse trasm haberse subido al tejado de un vecino.[34]

La decisión más común era vivir en los campos con nombre falso y pasar desapercibido entre los miles de presos: una esperanza imposible. El régimen de Franco estaba decidido a cazar a todos los *criminales rojos*, y sus diversas agencias de investigación rastrearon los campos en busca de presas. De esta labor no se encargaba solo el SIPM: también la Guardia Civil hacía acopio de información sobre los otrora enemigos de la Quinta Columna, y la Brigada de Investigación de la 2.ª Compañía Móvil de la 1.ª Comandancia del 14.º Tercio no tardó en compilar un informe detallado sobre el CPIP.[35] Sería en todo caso la Brigada Político Social la que dirigiese la busca de los hombres del CPIP. Se creó una brigada especial bajo el mando de Antonio González Serrano y formada por los agentes Ramón Hermosilla García, Ángel Mestanza Soriano, Jesús López Caudovilla, Francisco Fernández Fernández, Alonso Ramajo Ruiz, Gonzalo Ramos Ruiz, César Gesta de Piquer y Antonio de Diego Donoro.[36]

Los métodos de localización de González Serrano se revelaron brutalmente eficaces. Sus policías interrogaron a los chóferes de los grupos de investigación a fin obtener las direcciones de los responsables y también amenazaron o detuvieron a los familiares de estos con el fin de extraer el paradero actual. En el caso de Nicolás Hernández Macías, la BPS detuvo a su mujer y recorrió los campos de concentración de Alicante con su fotografía, tomada durante el registro de su casa. Finalmente, Hernández fue identificado en el campo de Albatera el 5 de mayo de 1939 y, despojado de sus pertenencias, fue llevado al Gobierno Civil en Alicante. «Me afiliaron allí —contaría después—, diciendo que yo había matado a más de 10 000 personas, a lo cual contestaban los de oficina que para qué me habían llevado allí y no me habían dejado tirado en la carretera». Después de ser continuamente golpeado y amenazado de muerte, Hernández llegó 48 horas después a las células del edificio de Gobernación en la Puerta de Sol.[37]

No todos los hombres del CPIP que fueron identificados y capturados terminaron en las mismas mazmorras que Hernández: otros fueron enviados a la comisaría de la BPS en la calle Almagro. Entre ellos se encontraban los miembros de la triste famosa *expe-*

---

[33] AHN, FC, CG, 1530, exp. 4, pp. 115-25.
[34] Fuga de Mancebo en AHN, FC, CG, 1531, exp. 17, p. 149.
[35] AHN, FC, CG, 1530, exp.4, pp. 54-85.
[36] AGHD, JM, TMT 1, 48.510, pieza 1, 25-91.
[37] Carta de Hernández Macías.

dición de los 101, que salió del campo de Albatera para Madrid a mediados de junio de 1939. Se trataba de un grupo políticamente diverso que incluía a los anarquistas Fidel Losa (secretario de Mancebo dentro del tribunal revolucionario), los jefes de grupo de investigación Victoriano Buitrago y Felipe Sandoval y Antonio Molina, representante comunista en el CPIP. En el camino se lamentaban de su suerte con los principales políticos republicanos y periodistas como Carlos Rubiera Rodríguez (gobernador civil de Madrid), Ricardo Zabalza (secretario general de la Federación Nacional de Trabajadores de la Tierra), David Antona (secretario interino del Comité Nacional de la CNT en 1936 y gobernador civil en Ciudad Real en 1938), Manuel Navarro Ballesteros (director de *Mundo Obrero*) y Eduardo de Guzmán, así como Ángel Pedrero, el exjefe de Madrid del SIM, la policía secreta republicana.[38]

Los antifascistas del CPIP recién encarcelados se enfrentaron a un futuro incierto. Sabían que era inútil negar su presencia en el Círculo de Bellas Artes o Fomento, 9, porque la BPS había confiscado grandes cantidades de documentos del tribunal revolucionario, incluyendo relaciones de miembros. Su estrategia inicial de supervivencia fue, por tanto, proclamar su inocencia y echar toda la culpa de los asesinatos (o *excesos*) sobre las espaldas de compañeros muertos o desaparecidos. Procuraron igualmente defender la reputación de sus respectivas organizaciones políticas o sindicales. Como Hernández Macías recordó un año después, «nos conjuramos para no decir nada más que lo que nos conviniera, salvando al Partido, a la Organización y a nosotros todos, echando la culpa de los desmanes que pudieran haber ocurrido a los que estaban en el extranjero o los muertos».[39]

En esta línea, en sus declaraciones a la BPS, Hernández insistió en que:

> aproximadamente juzgó su Tribunal en el tiempo en que él actuó como miembro del mismo entre mil quinientas a mil ochocientas personas y las resoluciones que recayeron sobre las mismas fueron: Libertad definitiva o a la disposición de la Dirección General de Seguridad… Que durante el tiempo que él ha actuado como miembro su Tribunal no ha dictado una sola sentencia de muerte… Que efectivamente si tuvo conocimiento [de ese tipo de sentencias], si bien a posteriori de que otros Tribunales distintos al suyo han dictado esta clase de sentencia.

A continuación, el socialista dio como ejemplo el tribunal dirigido por su compañero de partido Tomás Carbajo a sabiendas que estaba muerto: hemos visto que Carbajo se suicidó al final de la guerra.[40]

La BPS respondió a estas tácticas de evasión y negación con el arma más efectiva que tenía a su disposición: la tortura. Hubo por lo menos un caso de muerte por golpes. En el verano de 1939, Jerónimo Navarrete Sánchez confesó a los agentes de la BPS en la calle Serrano, 108 que efectuó detenciones «suponiendo el declarante que algunos de ellos

---

[38] «Expedición de los 101» en Eduardo de Guzmán: *Nosotros, los asesinos*, Madrid: G. del Toro, 1976, pp. 25-27.
[39] Carta de Hernández Macías.
[40] AGHD, JM, TMT 1, 48.510, pieza 1, 40. En cursiva en el original.

hayan sido asesinados» en una declaración con una firma sospechosamente inestable. El siguiente marzo, las autoridades militares informaron que «la mujer del Navarrete manifestó que había fallecido en la Brigada [Político] Social de Serrano 108».[41] El tipo de violencia extrema sufrida por Navarrete a manos de la policía franquista también se puede deducir por los testimonios de otros prisioneros. Hernández recordó en abril de 1940 que el mayo anterior después de su llegada al edificio de Gobernación:

> me suben en mangas de camisa [...] Como no les decía lo que querían me empezaron a pegar entre los tres policías y cuatro guardias que medían el que menos dos metros. Estuvieron pegándome palos más de hora y media y al cabo de esto, otro policía llamado de apellido Ramajo, por cierto uno de los más sanguinos de la brigada, dijo que preparasen el coche que me sacarían a matar al campo.[42]

La situación era similar en la calle Almagro. Eduardo de Guzmán ha escrito que los peores golpes fueron dados a Felipe Sandoval: «Le han pegado sin compasión y tiene más cara de muerto que de vivo. Arroja varias bocanadas de sangre que un policía le obliga a limpiar el suelo, aunque cada movimiento le arranca dolorosos quejidos».[43]

Irónicamente, algunos tenían que enfrentarse a los duros interrogatorios de la BPS dentro de sus antiguos locales de trabajo de la calle Fomento, 9.[44]

Los hombres del CPIP reaccionaban a las amenazas de tortura y muerte de diferentes maneras. El caso más extremo fue el de Sandoval, que escribió una larga *confesión* antes de tirarse «por la ventana del water» y morir «en el acto» en la madrugada de 4 de julio de 1939.[45] El suicidio de Sandoval no suscitó mucha simpatía entre sus compañeros: era bien sabido que el difunto era un chivato antes de su muerte violenta.[46] En las células de la BPS de la Puerta de Sol, otros cooperaron con la policía después de recibir promesas de un pasaporte para exiliarse en el extranjero.[47] Leopoldo Carrillo, que al terminar la guerra perdió a sus padrinos políticos, se ofreció para acompañar a los agentes de González Serrano en una caza en junio de 1939. Volvió al cabo de cuatro días de una batida por los campos de concentración en Levante con dos miembros de los tribunales del CPIP: los socialistas Agustín Aliaga de Miguel y José Delgado Prieto.[48] Su decisión de trabajar con la BPS es hoy de na gran ayuda para los historiadores, porque era cajero-pagador del CPIP y conocía bien los recursos holgados del tribunal revolucionario, así como los pagos efectuados al Estado republicano. Su testimonio abultado dando cuenta

---

[41] AGHD, JM, TMT 1, 48.510, pieza 6, 157 y pieza 7, 236.

[42] Carta de Hernández Macías.

[43] Eduardo de Guzmán: *Nosotros, los asesinos...*, p. 52.

[44] Véase por ejemplo la declaración de Eloy de la Figuera en AGHD, JM, TMT 1, 48.510, pieza 4, 129.

[45] Eduardo de Guzmán: *Nosotros, los asesinos...*, p. 96. Véase también Carlos García-Alix: *El honor de las injurias: busca y captura de Felipe Sandoval*, Madrid: T. Ediciones, 2007.

[46] Eduardo de Guzmán: *Nosotros, los asesinos...*, pp. 93-96.

[47] Carta de Hernández Macías.

[48] Ibídem.

de la magnitud de la incautación del CPIP en 1936 fue apoyado con documentos republicanos que cayeron en manos franquistas tras la guerra civil.[49]

Carrillo no fue ni mucho menos el único que tomó la difícil decisión de colaborar con el enemigo. Por ejemplo, Mariano Cabo, responsable anarquista de un grupo de investigación, también dio a sus interrogadores franquistas copiosos detalles acerca de las actividades asesinas del tribunal revolucionario. Su testimonio contradijo directamente las afirmaciones hechas por Hernández Macías y otros que insistían en que sus tribunales (a diferencia de otros) no emitieron sentencias de muerte: «Que todos los Tribunales juzgaban diariamente un número igual o aproximado de casos, y que todos ellos dictaban sentencias de muerte siendo muy escasa, o mejor dicho, pudiendo afirmar que la diferencia entre los distintos Tribunales era escasísima en la aplicación de esta clase de penas».[50]

Pero tal vez la más significativa —o perjudicial— revelación hecha por Cabo fueran sus comentarios sobre las sacas del CPIP inmediatamente anteriores a los fusilamientos en masa en Paracuellos. Mariano Cabo proporcionó en 1939 más pruebas que nadie sobre los vínculos entre el CPIP y la peor atrocidad republicana de la guerra civil.[51] Sin embargo, González Serrano y sus agentes pidieron mucho más a sus soplones. Ellos también tenían que defender su versión de los hechos en careos con sus antiguos camaradas.[52] Estos *traidores* se convirtieron rápidamente en figuras odiadas por sus compañeros de celda. Hernández Macías echaba chispas contra los que «echaban toda la responsabilidad sobre sus organismos y sobre los demás»; Cabo no era solo militante de una organización antifascista rival sino «un individuo de los que nunca pudimos controlar» que «se pone en favor una de barbaridades [sic]»; Leopoldo Carrillo era « el primer judas» y Julio Diamante Menéndez, representante de Izquierda Republicana en el comité del CPIP que —a diferencia de Hernández Macías— renunció de inmediato al puesto después de conocer la actividad criminal de la organización en agosto de 1936, «al ser detenido dijo todo lo que sabía».[53]

El odio dirigido a los que proporcionaban información a la BPS es indicativo del valor de su testimonio a la policía secreta franquista. Se les permitió reunir pruebas rápidamente, sobre todo en relación con los asesinatos de personas relacionadas con los dirigentes del régimen. Los más importantes fueron, sin duda, los de José y Fernando Serrano Suñer, los hermanos de Ramón, el jefe político de la Brigada Político Social en 1939 y 1940. Como era de esperar, interrogadores de la policía abordaron frecuentemente el caso de los hermanos muertos, y sus chivatos del CPIP (incluido Diamante, que trató de salvar sus vidas desesperadamente en 1936) les dieron el nombre del miembro del tribunal responsable de su ejecución por «espías fascistas»: Virgilio Escámez Man-

---

[49] AGHD, JM, TMT 1, 48.510, pieza 1, 28-30; documentos republicanos en AGHD, JM, TMT 1, 48.510, pieza 4, 238.

[50] AGHD, JM, TMT 1, 48,510, pieza 1, 50. En cursiva en el original.

[51] AGHD, JM, TMT 1, 48,510, pieza 1, 47-51.

[52] Véase por ejemplo, AGHD, JM, TMT 1, 48,510, pieza 1, 66-67.

[53] Carta de Hernández Macías.

cebo, de Izquierda Republicana.[54] Por desgracia para el republicano y antiguo agente de seguros, la policía le capturó al final de la guerra y, aunque confesó ser miembro de un tribunal de CPIP, insistió (aunque bastante poco convincentemente) en que «es cierto que su Tribunal dictó sentencias de muerte, si bien estas sentencias eran dictadas por los otros dos componentes del Tribunal sin intervención del declarante que repugnaba de estos procedimientos».[55] A pesar de que siempre negó estar involucrado en el asesinato de los hermanos Serrano Suñer, ayudó a la BPS en otros asuntos, lo que le valió el epíteto «el segundo judas» por parte de Hernández Macías.[56]

No cabe duda de que los agentes de la BPS eran profesionales a la hora de extraer información de presos indefensos. Para los historiadores del terror republicano durante la guerra civil es incómodo, pero también inevitable, utilizar datos obtenidos mediante tortura, amenazas e intimidación. Sin embargo, sabemos mucho menos sobre los interrogadores que de los interrogados. Lógicamente, el testimonio de las víctimas hace hincapié en la crueldad de sus captores. Hernández Macías, repetidamente golpeado durante su estancia en las celdas de la BPS, describió a sus verdugos principalmente en términos de su propensión a la violencia: Antonio de Diego Donoro era un «regordete bajito» y «el más sanguino». Aun así, no hay que confundir la brutalidad con la falta de inteligencia. La violencia gratuita estaba mal vista en tanto innecesaria y contraproducente. El propio Hernández Macías recordó el incidente de que los agentes de la BPS, aprovechando la ausencia de su jefe González Serrano, le dieron una paliza especialmente salvaje. Cuando González Serrano regresó de San Sebastián y descubrió lo que había sucedido, «se enfada, diciéndome que ya no me pegarán». A partir de ese momento no se tocó de nuevo al sindicalista socialista, que había intentado suicidarse después del asalto.[57]

LAS DOS CAUSAS

El traslado de los presos desde Gobernación a la cárcel de Santa Rita, en la localidad madrileña de Carabanchel Bajo, en septiembre de 1939 «nos pareció llegar al paraíso (como dirían los católicos), pues salimos de un infierno que el de Dante de la Divina Comedia es una zapatilla comparado con las noches del Ministerio de la Gobernación».[58] La mudanza fue consecuencia de la transferencia del proceso a las autoridades militares. La investigación de la BPS sobre la «cheka de Bellas Artes/Fomento» había concluido en el 15 de agosto. De sus resultados se harían eco los del consejo de guerra menos de un año después:

---

[54] AGHD, JM, TMT 1, 48,510, pieza 1, 72-75.
[55] AGHD, JM, TMT 1, 48,510, pieza 1, 31. En cursiva en el original.
[56] Carta de Hernández Macías.
[57] Ibídem.
[58] Ibídem.

Estiman estos funcionarios que todos los miembros del Comité Provincial de Investigación Pública, son responsables directos de todos los asesinatos cometidos en personas de orden, tanto de los juzgados por los Tribunales de Comité en los edificios de Bellas Artes y Fomento, como de los que fueron sacados de las Cárceles en las fatídicas expediciones, y que muy bien puede hacer ascender el número a DIEZ MIL.

También tuvo palabras duras para los que habían frustrado su investigación por falta de cooperación. Por lo tanto, lejos de creer las protestas de inocencia de Hernández Macías, la BPS llegó a la conclusión de que era «uno de los elementos más sectarios, ha dictado numerosas sentencias de muerte».[59]

Para la gran mayoría de los acusados, la causa militar —que al final abarcará nueve tomos de documentación— siempre iba a ser un tiempo relativamente breve antes de la ejecución. Sin embargo, en el otoño de 1939, los agentes inculpados tuvieron que hacer frente a otra investigación. El 26 de abril de 1940, el régimen franquista ordenó formalmente al fiscal del Tribunal Supremo la apertura de la Causa General, una indagación para compilar «una acabada y completa Información de la criminalidad bajo el dominio marxista».[60] Sin embargo, los juzgados de la Causa General, subordinados a las Auditorias del Ejércitos de Ocupación, columnas jurídicas militares creadas originalmente por Franco el 1 de noviembre de 1936 en la expectativa de la ocupación de Madrid, estaban activos antes de la promulgación del decreto.[61] En septiembre de 1939, Eusebio Rams Catalán, secretario fiscal de la pieza número 4 «Checas» de la Causa General de Madrid, comenzó a tomar declaraciones de los presos en Santa Rita.[62] A diferencia de aquellos a los que él entrevistaba, Rams iba a vivir una larga vida: moriría en Madrid el 6 de abril de 2007 a la edad de 97 años.[63] También tendría una distinguida carrera legal: sería nominado abogado fiscal del Tribunal Supremo en junio de 1967 e incluso acabaría convirtiéndose en un guardián de la democracia española naciente. En efecto, en diciembre de 1978, Rams, en esa época magistrado del Tribunal Supremo, formó parte de la Junta Central Electoral que supervisó el referéndum que aprobó la actual Constitución española por un margen abrumador.[64]

Los frutos del trabajo de Rams son ahora fácilmente consultables en línea a través de la página *web* PARES, del Ministerio de Cultura.[65] En términos generales, las declaraciones dadas por los agentes del CPIP se hicieron eco de las ya dadas a la BPS: no fue casualidad que Rams prefiriera hablar con soplones como Carrillo y Cabo en lugar

---

[59] AGHD, JM, TMT 1, 48,510, pieza 1, 67-70.

[60] Boletín Oficial del Estado, 4 de mayo de 1940.

[61] Boletín Oficial del Estado, 5 de noviembre de 1936. Véase también Pablo Gil Rico: «Ideología y represión. Evolución histórica de un mecanismo jurídico-político del régimen franquista», *Revista de Estudios Políticos*, núm. 101, 1998, pp. 160-64.

[62] AHN, FC, CG, 1530, exp. 4, p. 1.

[63] *Abc* (Sevilla), 8 de abril de 2007.

[64] Boletín Oficial del Estado, 4 de julio de 1967; *El País*, 23 de septiembre de 1978.

[65] <http://pares.mcu.es/>.

de con intransigentes como Hernández Macías. La Causa General también tomaría declaraciones voluminosas de familiares de las víctimas y testigos y llevaría a cabo sus propias investigaciones. En abril de 1942, el segundo de Rams, Adolfo de Miguel, dándose cuenta de que la BPS no había seguido lo suficiente el testimonio del ya fallecido Mariano Cabo sobre la ubicación de los libros de registro del CPIP desaparecidos, instruyó a la policía en Játiva para que hiciera un registro en una casa en la ciudad. Ordenó que la policía prestara especial atención al «porche o desván de la misma», donde se podrían encontrar estos valiosos documentos del CPIP «debajo de un montón de objetos colocados en el ángulo izquierdo del desván, entre dos tabiques, envuelto en un papel blanco y atado con una cinta de atar legajos». Por desgracia para las futuras generaciones de historiadores, la búsqueda de la policía no arrojó resultados.[66]

Como hemos comentado anteriormente, el trabajo de la Causa General corría paralelo al proceso militar durante el invierno de 1939-1940. Al igual que en otras cárceles franquistas en Madrid durante este período, las condiciones de hacinamiento en la cárcel de Santa Rita eran pésimas.[67] Sin embargo, hay poca evidencia de que los hombres del CPIP fueran sistemáticamente golpeados después de su traslado desde la BPS. Curiosamente, la carta de Hernández Macías a su familia escrita cinco días antes de su ejecución el 27 de abril de 1940 solo menciona un incidente que tuvo lugar después de que el juicio saliera en los periódicos el 20 de abril. Al día siguiente, el hijo del intelectual monárquico Ramiro de Maeztu, asesinado por el CPIP a finales de octubre de 1936, llegó a Santa Rita para ver a Mariano Cabo, el responsable del grupo que mató su padre. Habiéndosele «una llave inglesa y dentro de la misma prisión [Maeztu hijo] le pegó una paliza que por poco le mata. Esto dio lugar a que se formase expediente al jefe de servicio [de la cárcel]».[68] Si bien la justicia militar franquista carecía de las garantías judiciales más básicas, los inculpados podían solicitar y recibir avales (o declaraciones de buena conducta) como prueba de su inocencia o mitigación. Si se examina la causa 48 310 del CPIP con cuidado, es impresionante el número de *personas de orden* dispuestas a declarar en favor de los *chekistas* durante el invierno de 1939-1940. Solo se puede dar un par de ejemplos aquí. El 20 de octubre de 1939, Manuel Galán Pinilla declaró que su estancia en Fomento, 9 en septiembre de 1936 fue breve gracias a José Delgado Prieto porque «fué liberado en el acto [...] pese a todo el mundo sabía que era hombre de derechas».[69] El mes anterior, José Carbonaro Tumino, director de Fiat Hispania, testificó que su antiguo subordinado y dirigente del CPIP Agustín Aliaga de Miguel lograron organizar la salida de Madrid de los jefes de la empresa «sin contratiempo alguno, a pesar de su condición de italianos y de fascistas».[70]

---

[66] AHN, FC, CG, 1530, exp. 4, 108

[67] Hay muchos testimonios sobre las pésimas condiciones de vida en las cárceles madrileñas de posguerra. Véase por ejemplo, José Aldomar Gutiérrez: *Condenado a muerte: el maletín de Abdés. Aartículos desde prisión (1939-1941)*, Valencia: Fundación Instituto de Historia Social, 2006.

[68] Carta de Hernández Macías.

[69] AGHD, JM, TMT 1, 48,510, pieza 1 345.

[70] AGHD, JM, TMT 1, 48,510, pieza 2, 40.

Aunque tal testimonio alerta al historiador acerca de las complejidades y paradojas del terror en el Madrid republicano en 1936, no tuvo mucho impacto en el juez militar que instruyó la investigación. Este era plenamente consciente de la importancia política de su obra. En su narrativa del *terror rojo* no había matices: así lo dejó claro el inicio de su auto resumen de 2 de marzo de 1940:

> RESULTANDO que el día tres de Agosto de mil novecientos treinta y seis, y previa delibera-ción de destacados elemtnos [sic] rojos, de acuerdo con el sediciente Gobierno de la Repu-blica, se organiza y comienza sus funciones el Comité Provincial de Investigación Publica, (Checa), en el edificio de Bellas Artes, como Organismo que habría de reducir a la legalidad la furia asesina de los que desde el primer momento del Alzamiento Nacional, se dedicaron en Madrid al asesinato y saqueo de las propiedades, de todas aquellas personas identificadas con nuestra Causa.

Sin embargo, el juez militar se sintió obligado a reducir el número de víctimas del CPIP: la cifra de hasta 10 000 de la BPS se descartó en favor de «más de cinco mil».[71] Incluso esta estimación acabaría siendo reducida a 3000 por el fiscal, Adolfo de Miguel, durante su largo discurso de clausura en el consejo de guerra del 8 de abril de 1940.[72] De Miguel comenzó exclamando que «se está enjuiciando un hecho histórico y que la hora del emplazamiento que harían seguramente las víctimas de la Cheka de Fomento a sus verdugos, ha llegado». Sin embargo, el enfoque del fiscal no eran las víctimas sino la supuesta naturaleza criminal de la causa republicana:

> En el orden político se trata del crimen del Frente Popular […] Penalmente, los que se sientan en el banquillo son delegados de Azaña, Prieto, Largo Caballero y tantos otros como hoy viven fuera de España con el producto de los saqueos. Políticamente la Cheka de Fomento es un hijo del Frente Popular que trasplantó la creación rusa. Del gran crimen de la Cheka son responsables todos los partidos del F[rente]. P[opular]. y sus componentes que están, a pesar de odiarse, condenados a vivir juntos ante la Historia.

Incluso los defensores, con la esperanza de evitar la máxima pena para sus clientes, plantearon el mismo tema: «las figuras verdaderamente responsables de los sucesos no se hallaban presentes por haber logrado huir. Las figuras centrales del sumario obraron, no por instito [sic] sino creyendo cumplir un deber». Este intento de mitigar la culpa-lidad de los acusados fue rechazado por De Miguel, que los calificó de «infrahumanos», y por el tribunal militar, que se puso del lado del fiscal en su sentencia. Para ellos, el CPIP era «una verdadera Cheka a la moda rusa», el instrumento del asesino «programa marxista» de la Tercera Internacional comunista, «en donde se detiene, se saquea, y

---

[71] AGHD, JM, TMT 1, 48,510, pieza 7, 209-10.
[72] AGHD, JM, TMT 1, 48,510, pieza 8, 158.

finalmente se asesina, sin formalidad alguna, por meras suposiciones o por diferencias clasistas».[73] Las cincuenta sentencias de muerte para «adhesión a la rebelión militar» constituían, por tanto, el acto final inevitable de este drama orquestado.

La determinación de aplicar castigos ejemplares también se muestra en la celeridad de los fusilamientos, que tuvieron lugar el 27 de abril de 1940 a las seis y media de la mañana en el cementerio del Este. Así, el irresistible deseo de venganza truncó el proceso de recopilación de testimonios de los autores de los crímenes cometidos en nombre del Comité Provincial de Investigación Pública. Hubo un epílogo significativo: en julio de 1941, la policía franquista logró finalmente detener en Barcelona al anarquista Manuel Rascón, la figura más poderosa en el CPIP y persona clave en la operación policial de Paracuellos. Después de hacer el viaje habitual al edificio de Gobernación en la Puerta del Sol, Rascón fue trasladado a la cárcel de Santa Engracia a principios de agosto. Dos años después de terminada la guerra civil, Rascón no podía ignorar el destino más probable de todos los *criminales rojos*, pero está claro a partir de su testimonio a Rams Catalán ese mismo mes que trató de ganarse el favor de sus captores. Haciendo hincapié en que el movimiento anarquista no era parte del Frente Popular antes de la guerra, señaló que «la CNT no tenía motivos fundamentales de odio contra Falange Española, cuyas aspiraciones sindicales coinciden en gran parte con las que tenían la CNT». A continuación, pasó a afirmar que el propio Buenaventura Durruti le había dicho antes de su misteriosa muerte en Madrid en noviembre de 1936 que:

si la CNT era enemiga de Falange, se debía a no haber conocido a tiempo el verdadero carácter de esta. En la actualidad, el dicente, asegura sinceramente, que de no ser por su situación personal y por la de compañeros suyos de su afecto, encontraría muy preferible la actual situación derivada del triunfo del Alzamiento Nacional que una victoria del marxismo.[74]

Para dar crédito a esta sorprendente declaración, el líder del CPIP dio numerosos testimonios acerca de la estructura y las actividades brutales de su organización, y no trató de exculparse de sus crímenes.[75] Pero las esperanzas de salvación por el partido único habían desaparecido cuando se sentó en el banquillo del Consejo de Guerra Permanente número 1 en Madrid el 6 de septiembre de 1941. A preguntas del presidente de si tenía algo que decir antes de la sentencia, el anarquista respondió «que desea que con su muerte se acaben todos los odios y reconres [sic] en España y que disfrus te [sic] esta de una época mejor».[76] Fue fusilado a las cinco y media de la mañana en el cementerio de Este cuarenta y ocho horas después.

[73] AGHD, JM, TMT 1, 48,510, pieza 8, 164.
[74] AHN, FC, CG, 1530, exp. 4, p. 89
[75] AHN, FC, CG, 1530, exp. 4, pp. 88-97.
[76] AGHD, JM, TMT 1, 106.686, p. 59.

CONCLUSIONES

La expresión de remordimiento por parte de Rascón no era compartida por todos los hombres del CPIP cuando se enfrentaban a sus muertes. Nicolás Hernández Macías concluyó su misiva de 22 de abril 1940 a su familia con la observación de que:

> Yo, en este momento, con mi pena de muerte y esperando que de un momento a otro vengan a por mí, quiero dejar estas memorias y los demás hechos hasta mis últimos momentos para que en su día, y cuando la verdadera justicia se imponga sobre el terreno español y vuelvan los trabajadores a poder reunirse, puedan éstos, con el verdadero y amplio sentido de la honestidad que ellos tienen, juzgarme y darme mi castigo, o su beneplácito si así lo creyeran conveniente. A ellos remito como el trabajador disciplinado que siempre fui, y en cuya compañía me batí para implantar un régimen más equitativo y más justo que el que hemos tenido hasta nuestros días y que no dudo que llegará pronto. [¡]Que así sea aunque yo no lo pueda ver![77]

Esta potente autorrepresentación de un hombre honorable dispuesto a morir por una causa justa es compartida por los descendientes de los ejecutados,[78] y para algunos historiadores, todos los fusilados en el cementerio del Este de Madrid tras la guerra civil deben ser celebrados como defensores de la democracia republicana.[79] La ironía es que los agentes del CPIP todavía enterrados allí también utilizaron el cementerio para sus propios fusilamientos en 1936. Lo cierto es que los relatos republicanos y franquistas de la *última gran causa* y el *terror rojo* son obstáculos significativos para analizar el testimonio policial después de la guerra civil. Dado que estamos manejando documentos franquistas, es mucho más evidente en el último caso. El mismo lenguaje del franquismo distorsiona las realidades históricas referidas por los hombres del CPIP después de marzo de 1939. Por ejemplo, no hay prueba de que en 1936 los dirigentes del tribunal revolucionario pensaran en sí mismos como *chekistas* o llamaran a su organización la *Cheka de Fomento*. El término *checa* solo comenzó a circular ampliamente en los círculos antifascistas durante el invierno de 1936 a 1937 y como insulto anticomunista.[80] Sin embargo, y a pesar del hecho de que los agentes del CPIP siempre se referían en su correspondencia escrita después de la guerra al Comité Provincial de Investigación Pública y no la *Cheka de Fomento*, en sus declaraciones a la policía y a los jueces, escritas por funcionarios leales al régimen, siempre se utiliza el discurso oficial de la *checa*.[81] Esto no es una observación sin importancia: el CPIP no se inspiró de manera consciente en la policía secreta de Lenin.

---

[77] Carta de Hernández Macías.

[78] Véase por ejemplo la nieta de Virgilio Escámez Mancebo en su página *web*: <http://www.veroescamez.com/genealogy/pagina.asp?id=23> (acceso enero de 2015).

[79] Mirta Núñez Díaz-Balart y Andrés Rojas Friend: *Consejo de guerra: los fusilamientos en el Madrid de la posguerra (1939-45)*, Madrid: Compañía Literaria, 1997.

[80] Julius Ruiz: *El terror rojo...*, p. 20.

[81] Compare, por ejemplo, las declaraciones de Benigno Mancebo con sus cartas escritas de puño y letra como AGHD, JM, TMT 1, 48.510, pieza 3, pp. 218-21.

Por el contrario, es muy fácil descartar el testimonio policial como demasiado conta-minado debido a su procedencia y al CPIP como institución *incontrolable*. Esto es preci-samente lo que Hernández Macías trató de hacer inmediatamente antes de su ejecución. La información proporcionada por informantes fue despreciada como las palabras de gente dispuesta a admitir todo lo que sabían y que «lo que no lo sabía inventaba», y uno de los soplones de la BPS, Mariano Cabo, fue despreciado como «incontrolable».[82] Sin embargo, los testimonios recogidos por la policía franquista a través de interro-gatorios eran solo una fuente de información. La así obtenida se complementaba con declaraciones de víctimas, documentos republicanos incautados y textos publicados en los periódicos. No hace falta avalar la tesis de Franco de que los operativos de CPIP eran simplemente «delegados de Azaña, Prieto, Largo Caballero y tantos otros como hoy viven fuera de España con el producto de los saqueos» para aceptar que las fuentes republicanas y franquistas demuestran de forma concluyente no solo los estrechos vín-culos entre el CPIP y la Dirección General de Seguridad, sino también el papel esencial del tribunal revolucionario en las matanzas de Paracuellos.[83]

En última instancia, el testimonio acumulado por las autoridades franquistas sobre el CPIP revela las ambigüedades que rodean su existencia. Fue el tribunal revolucionario más letal en Madrid, aunque sus miembros también salvaron muchas vidas. Fue una entidad que hizo una contribución financiera masiva al esfuerzo de guerra republicano a través del saqueo sistemático ilegal, y a pesar de (o quizás debido a) su espantosa razón de ser, constituyó un ejemplo destacado de la cooperación entre los diferentes partidos políticos y los sindicatos del Frente Popular. El CPIP sigue siendo poco conocido en la España de hoy. El edificio original en Fomento, 9 sigue en pie y en la actualidad es instituto de educación secundaria. Del antedicho olvido, es revelador que no exista un reconocimiento oficial del espeluznante pasado del edificio en forma de placa u otro recordatorio.

FUENTES ARCHIVÍSTICAS Y BIBLIOGRÁFICAS

Archivos

Archivo General de la Administración.
Archivo General e Histórico de Defensa.
Archivo Histórico Nacional.

---

[82] Carta de Hernández Macías.
[83] Julius Ruiz: *Paracuellos...*, pp. 151-386.

Libros y artículos

ALDOMAR GUITÉRREZ, José: *Condenado a muerte: el maletín de Abdés. Artículos desde prisión (1939-1941)*, Valencia: Fundación Instituto de Historia Social, 2006.

ESPINOSA, Francisco *et al.*: *Violencia roja y azul: España, 1936-1950*, Barcelona: Crítica, 2010.

GARCÍA-ALIX, Carlos: *El honor de las injurias: busca y captura de Felipe Sandoval*, Madrid: T. Ediciones, 2007.

GIL RICO, Pablo: «Ideología y represión. Evolución histórica de un mecanismo jurídico-político del régimen franquista», *Revista de Estudios Políticos*, núm. 101 (1998).

GUZMÁN, Eduardo de: *Nosotros, los asesinos*. Madrid: G. del Toro, 1976.

— *La muerte de la esperanza*, Madrid: VOSA, 2006.

JIMÉNEZ HERRERA, Fernando: «El Comité de Investigación Pública a través de la documentación custodiada en el Archivo General Militar de Madrid», *Hispania Nova*, núm. 12 (2014).

NUÑEZ DÍAZ-BALART, Mirta y Andrés ROJAS FRIEND: *Consejo de guerra: los fusilamientos en el Madrid de la posguerra (1939-45)*, Madrid: Compañía Literaria, 1997.

REVERTE, Jorge M.: *La Batalla de Madrid*, Barcelona: Crítica, 2004.

RUIZ, Julius: *El terror rojo: Madrid, 1936*, Barcelona: Espasa Libros, 2012.

— *Paracuellos: una verdad incómoda*, Barcelona: Espasa Libros, 2015.

El Ateneo Libertario de Ventas:
estudio de los milicianos Gabriel Carmona,
Antonio Hurtado y el capellán castrense Pablo Sarroca

Antonio César Moreno Cantano
Universidad Complutense de Madrid

También los Ateneos están en pie de guerra. A centenares acuden a ellos compañeros y compañeras. Quien tiene una pistola la exhibe con legítimo orgullo. Quienes no, han buscado cuchillos, palos, piedras… Todos saben que ha llegado la lucha final. Y todos están dispuestos a conquistar, a mordiscos, la victoria preciada.[1]

Eduardo de Guzmán

INTRODUCCIÓN: METODOLOGÍA Y PLANTEAMIENTOS

Uno de los objetivos de la presente investigación es analizar pormenorizadamente los relatos y declaraciones que se tomaron a raíz de las causas abiertas contra los principales miembros de las checas en el tiempo de la guerra civil. Siguiendo los principios metodológicos de la historia de las emociones,[2] en este caso convirtiendo el *miedo* y el *odio* en actores principales,[3] profundizaremos sobre este tipo de discursos en los que el recuerdo (en muchas ocasiones, tergiversación y manipulación forzada) de la muerte y el sufrimiento —aparte de ser una experiencia personal— se transformó en una obsesión para las autoridades judiciales y políticas franquistas a la hora de reconstruir el pasado.[4] Para ello recurriremos a una multiplicidad de fuentes archivísticas, tanto judiciales (Causa General, Instituciones Penitenciarias) como militares (Archivo

---

[1] *Madrid rojo y negro: milicias confederales*, Barcelona: Tierra y Libertad, 1938, p. 9.

[2] Jan Plamper: *The history of emotions: an introduction*, Oxford: Oxford University Press, 2015.

[3] A este respecto, véanse los trabajos pioneros de Jean Delumeau: *El miedo en Occidente (siglos xiv-xviii): una ciudad sitiada*, Madrid: Taurus, 1989; Robin Robin: *Fear: the History of a Political Idea*, Nueva York: Oxford University Press, 2004; Jean Bourke: *Fear: a cultural history*, Londres: Virago, 2005; Robert Sternberg y Karin Sternberg: *The nature of hate*, Cambridge: Cambridge University Press, 2008; Pilar Gonzalbo, Anne Staples y Valentina Torres (eds.): *Una historia de los usos del miedo*, México: Universidad Iberoamericana/colmex, 2009; o Mercedes Borrero *et al.*: *El miedo en la historia*, Valladolid: Universidad de Valladolid, 2013.

[4] Una de las prioridades de cualquier régimen de naturaleza totalitaria es reescribir la historia según sus propios intereses, maquillando un acontecimiento del que no conviene incidir o potenciando otro que le puede ayudar a lograr la cohesión interna. El miedo a las supuestas atrocidades de los *rojos* fue uno de los más recurrentes. Véase Hannah Arendt: *Los orígenes del totalitarismo*, Madrid: Alianza Editorial, 2013, pp. 474-501.

General Militar de Ávila, Archivo Histórico de Defensa de Madrid) y civiles (Centro Documental de la Memoria Histórica o Archivo del Ministerio del Interior).

A la hora de estudiar e interpretar estos testimonios tenemos que tener en cuenta una serie de conceptos estrechamente asociados a la memoria y a sus procesos de reconstrucción,[5] a saber: la subjetividad, la experiencia vivida o construida (presiones, beneficios, delaciones inducidas por el propio Estado en pos de su *verdad*), la influencia del trauma, etcétera aspectos todos ellos muy relacionados con la psicología cognitiva y la psicología experimental forense.[6] Qué, cómo y por qué se recuerda son tres incógnitas que deben condicionar cualquiera de estos relatos. Sin querer dudar de todos ellos ni desmentir muchos de los crímenes que se atribuyen a los milicianos (en nuestro caso, los del Ateneo Libertario de Ventas, en Madrid), sí cabe matizarlos. Como intentaremos probar en este capítulo, algunos de los más destacados testimonios inculpatorios y de mayor relevancia para la condena de nuestros tres protagonistas procedieron de ciudadanos cuyos intereses (económicos o políticos) se contrapusieron previamente a los delitos de los que se les hicieron responsables. Como historiadores, tenemos que contribuir a una reconstrucción de la realidad pasada lo más completa posible, no dando verdades por sentadas. Es nuestra obligación emplear nuevos enfoques metodológicos que nos permi-

El capellán castrense Pablo Sarroca Tomás con mono de miliciano, 1936. Fuente: Archivo Histórico Nacional, Causa General

---

[5] Existe una amplia bibliografía, aunque podemos destacar Mónica Cerutti: «La memoria de las víctimas: testimonios para una reflexión ética», en Varios autores: *La ética ante las víctimas*, Barcelona: Anthropos, 2003, pp. 243-266; José María Ruiz Vargas: «Trauma y memoria de la Guerra Civil y de la dictadura franquista», *Hispania Nova*, núm. 6 (2006); Pilar Calveiro: «Testimonio y memoria en el relato histórico», *Acta Poética*, México: Universidad Autónoma de México, núm. 27 (2006), pp. 65-86; o Elsa Blair: «Los testimonios o las narrativas de la(s) memoria(s)», *Revista de Estudios Políticos*, núm. 32 (2008), pp. 85-115.

[6] Antonio L. Manzanero Puebla: *Psicología del testimonio: una aplicación de los estudios sobre la memoria*, Madrid: Pirámide, 2008.

tan desgranar qué poso de emoción, subjetividad, mentira, etcétera se escondía tras estas duras experiencias de guerra.

EL ATENEO LIBERTARIO DE VENTAS: ORIGEN, MIEMBROS Y ESTRUCTURA

La bibliografía sobre los ateneos libertarios en Madrid es muy reducida.[7] En su origen eran centros de carácter cultural, siendo su principal función la instrucción de la población residente en la zona donde se insertaban. Con el estallido de la guerra civil asumieron también actividades políticas y organizativas en las barriadas en las que estaban insertos, creándose comités de defensa de la CNT. Pronto la violencia fue la nota dominante, pasando los ateneos a ser conocidos a nivel popular por los asesinatos, saqueos e incautaciones que de ellos emanaban. El Ateneo Libertario de Ventas no fue una excepción.

Fundado en julio de 1932, durante la Segunda República, el primer domicilio del Ateneo de Ventas fue la calle María Pignatelli. En mayo de 1933 fue clausurado, pero reabrió sus puertas tres años después, en la primavera de 1936.[8] A partir de esa fecha, el Ateneo se relacionó con tres enclaves diferentes. El primero era el número 117 de la carretera de Aragón (actual calle Alcalá). Antes de julio de 1936, el Ateneo disponía en dicha localización de una escuela de la CNT. Al iniciarse el conflicto armado, las oficinas que había en el primer piso, anteriormente ocupadas por el partido Acción Popular y por la Asociación de Guardias Municipales de Canillas y Vicálvaro, quedaron vacías y fueron aprovechadas para crear allí un Comité de Defensa. La escuela se transformó a partir de entonces en un almacén de víveres.[9] La segunda localización era el número 177 de la misma carretera. En ese punto existió hasta el verano de 1936 el bar-restaurante Rioja, donde se reunían con gran frecuencia elementos falangistas de la barriada. Para evitar su incautación durante la guerra, los propietarios del local lo cedieron a la Cruz Roja,[10] que instaló allí un hospital de sangre conocido con el nombre de Noveno Comité.[11] Sin embargo, un polémico incidente provocó que los milicianos anarquistas se apoderasen de dicho centro hospitalario durante cuatro meses. Nos referimos al episodio protagonizado, en diciembre de 1936, por el dirigente comunista Pablo Yagüe,

[7] Podemos mencionar exclusivamente la tesis doctoral de Francisca Bernalte Vega: *La cultura anarquista en la guerra civil: los Ateneos Libertarios de Madrid*, Madrid: Universidad Complutense de Madrid, 1991; y más recientemente, Fernando Jiménez Herrera: «Ateneos Libertarios. Centros de educación alternativa. Estudios de caso del Puente y Villa de Vallecas», en *Congreso Internacional La Segunda República. Culturas y proyectos políticos*, organizado por el Grup d'Estudis República i Democràcia y celebrado en Bellaterra, los días 13, 14 y 15 de abril de 2016.

[8] Francisca Bernalte Vega: *La cultura anarquista…*, pp. 108-132.

[9] Archivo Histórico Nacional, Causa General, 1530, expediente 13, folio 72. «Declaración de Isabel Rodríguez del Campo», 26 de marzo de 1942.

[10] Archivo Histórico Nacional, Causa General, 1530, expediente 13, folio 80. «Declaración de Alfonso Pérez de Lisbona», 20 de mayo de 1944.

[11] Organizado por el doctor Alberto San Antonio y el practicante José Adalia, contaba con veinte camas y con el patrocinio del Ayuntamiento de Vicálvaro. *La Voz*, 25 de julio de 1936.

consejero de Abastos de la Junta de Defensa de Madrid, cuyo automóvil fue tiroteado (resultando Yagüe herido en la espalda) por miembros del Ateneo de Ventas.[12] Yagüe fue ingresado en el Hospital de la carretera de Aragón, pretexto del que los anarquistas se aprovecharon para controlar el centro de la Cruz Roja, que poco tiempo después regresó a sus competencias.[13] El tercer lugar con el que se relacionó esta checa fue el hotel Mi Huerto, situado en Arturo Soria y en el que supuestamente se hospedaron importantes personalidades republicanas.

Todos estos datos procedían de dos importantes testimonios que, con el tamiz de los años y de la lejanía, sin los condicionantes propios de la época, resultan más próximos al enfoque de la fiscalía, de la parte afectada, que al de un observador objetivo e imparcial. Este será uno de los denominadores de los expedientes de la Causa General. Una de estas voces testimoniales era la de Isabel Rodríguez del Campo, cuya declaración tuvo lugar cinco años después de los sucesos hipotéticamente vividos, un tiempo más que razonable para dudar de la exactitud de algunos de los acontecimientos a los que se refiere. Al contrario de lo que podemos creer, y como demuestra la psicología forense, cuanto más violento es un suceso (por ejemplo, ser testigo de un asesinato) peor es el acceso al recuerdo, ya que mayor violencia ambiental implica también un aumento del estrés y de la capacidad de recordar.[14] Este fenómeno, pese a todo, puede ser contrarrestado con los conocimientos y experiencias sobre un acontecimiento concreto que una institución u organismo (en este caso laJusticia franquista) se encargue de elaborar y moldear para condicionar la versión o declaración de los testigos. Es el caso de los estereotipos, que son una herramienta básica en la memoria de las personas.

Los estereotipos son fruto, normalmente, de la exageración de una característica que presenta un colectivo, como fueron para la propaganda franquista los *rojos*.[15] Se ha podido comprobar que si un testigo no puede precisar un dato recurre a los estereotipos antes que reconocer esa incapacidad ante sus interrogadores. Además, los testigos pueden emplear estos supuestos y expectativas especialmente donde la percepción del suceso fue imperfecta y sobre todo si mientras declaraban —como sucedió en la mayoría de ocasiones— estaban siendo presionados para que facilitasen información.[16] A la propia distancia de los hechos narrados hay que añadir la implicación emocional del testigo. En el caso de la señora Rodríguez del Campo, que había sido portera en

---

[12] Sobre este tema, Manuel Aguilera Povedano: «El suceso Yagüe: el problema de los controles obreros en la defensa de Madrid», en María Encarna Nicolás Marín y Carmen González Martínez (eds.): *Ayeres en discusión: temas claves de Historia contemporánea hoy*, Murcia: Congreso de la Asociación de Historia Contemporánea, 2008.

[13] Archivo Histórico Nacional, Causa General, 1530, folio 80. «Declaración de Alfonso Pérez de Lisbona», 20 de mayo de 1944.

[14] Antonio L. Manzanero Puebla: *Psicología del testimonio…*, p. 113.

[15] Francisco Sevillano Calero: *Rojos: la representación del enemigo en la guerra civil*, Madrid: Alianza, 2007; del mismo autor y más recientemente, «Política y criminalidad en el "nuevo Estado" franquista. La criminalización del "enemigo" en el derecho penal de posguerra», *Historia y Política: Ideas, procesos y movimientos sociales*, núm. 35 (2016), pp. 289-311; y Hugo García Fernández: «Relatos para una guerra: terror, testimonio y literatura en la España Nacional», *Ayer*, núm. 76 (2009), pp. 143-176.

[16] Antonio L. Manzanero Puebla: *Psicología del testimonio…*, p. 116.

la primigenia escuela del Ateneo, perdió su empleo al ser sustituida por un miliciano. En consecuencia, su principal medio de vida desapareció y se marchó a Barcelona en noviembre de 1936.[17] Con todas estas matizaciones no pretendemos desmentir las declaraciones de los testimonios, pero sí consideramos necesario tener un foco más amplio y estricto a la hora de valorarlas en su justa medida: no en vano muchas de ellas condujeron al paredón a cientos de personas acabada la guerra. Las propias fuerzas policiales de la época fueron plenamente conscientes de ello: así, en uno de sus informes se podía leer que la mayoría de las declaraciones provenían de vecinos de la barriada «de cuya garantía no puede responder en todos los casos».[18] Bajo esta premisa podría incluirse al siguiente de los declarantes, Alfonso Pérez de Lisbona, que perdió el establecimiento situado en el número 177 de la carretera de Aragón cuando fue confiscado por el Ateneo para sus fines particulares. Se trataba del referido bar Rioja. Casualmente, algunos de sus empleados se contaron entre los testigos a los que se recurrió para reconstruir (o construir) la trayectoria de nuestros biografiados. Resulta obvio, a partir de lo analizado hasta ahora, que el odio (nutrido por la pérdida de un empleo y de un negocio) fue un componente muy importante en este tipo de relatos.

El Ateneo Libertario de Ventas se beneficiaba de fondos que le proporcionaba la Inspección General de Milicias. La misión principal del Ateneo era el reclutamiento y la formación de brigadas de la CNT, para lo cual alistaba a los individuos que se hallaban detenidos en la prisión de Alcalá de Henares y otras cárceles en virtud de la ley de Vagos y Maleantes, así como a otros indocumentados de la barriada a los que se proporcionaba alimento y se equipaba de vestuario y armamento. Estas brigadas eran enviadas a los frentes de combate o formaban grupos destinados a las incautaciones y servicios de guardia en Ventas.[19] Se dividía en tres comités:[20] el Central, el de Defensa y el de Abastos. El Central era el órgano director del Ateneo, siendo su máximo responsable Jesús Villaverde (secretario general de la Madera de la CNT). El de Defensa se encargaba de las detenciones. Dentro de él se hallaban los elementos más temidos de la checa: Antonio Hurtado Fajardo, *El Chato* y Gabriel Carmona Campillo, *El Verdugo* (a los que nos dedicaremos con más profusión en el próximo apartado). Del último se decía que «era uno de los que cometían mayor número de asesinatos de la barriada» y que «se jactaba de haber asesinado a más de 160 personas».

El comité de Abastos tenía por misión repartir los víveres y efectos requisados por unos vales que proporcionaban los organismos oficiales de Madrid a tal efecto. Entre sus componentes estaban Antonio Salinas, miembro destacado del sindicato de la Construcción; Julián Antón, el administrador general, y el excapellán castrense Pablo

---

[17] Archivo Histórico Nacional, Causa General, 1530, expediente 13, folios 72 y 73. «Declaración de Isabel Rodríguez del Campo», 26 de marzo de 1942.

[18] Archivo Histórico Nacional, Causa General, 1530, expediente 13, folios 74-75. «Conclusiones de los Agentes de Investigación y Vigilancia», 17 de abril de 1942.

[19] Archivo Histórico Nacional, Causa General, 1530, expediente 13, folio 14.

[20] Un listado detallado de las personas relacionadas con el Ateneo puede verse en el anexo del final del capítulo.

Sarroca,[21] al que —según testimonios de varios agentes policiales republicanos— se reprochaba que:

hacía desaparecer a muchas personas de la barriada [Ciudad Lineal], y el temor que tenían muchos vecinos de que con ellos sucediese lo mismo, independientemente de la filiación política de los asesinados, ya que por cuestiones personales y por estorbarles para sus fines de lucro con el tráfico de mercancías que por su ascendiente entre los dirigentes rojos conseguía y vendía a particulares, camionetas y coches, valiéndose de los individuos del Ateneo Libertario de Ventas, a los que favorece proporcionándoles camiones, incluso algunos escoltados por soldados para transportar víveres de los pueblos al Ateneo, para cometer sus numerosas fechorías...[22]

Estas palabras corroboran lo que aportaron otros testigos, pero debemos tener mucha precaución con las mismas, pues en este caso fueron efectuadas por un expolicía que estaba preso en 1939 y que seguramente buscaba atenuar su condena con este tipo de relatos. Se trataba de Constantino Neila Valle, detenido en abril de ese año por su implicación en el asesinato del diputado de la CEDA y periodista Antonio Bermúdez Cañete, así como por haber desvalijado numerosos pisos.[23]

LOS MILICIANOS GABRIEL CARMONA CAMPILLO Y ANTONIO HURTADO FAJARDO

Casi nada sabemos de estos personajes antes de 1936, fecha en la que pasaron a formar parte del Ateneo. Ambos estaban afiliados a la CNT y pertenecían al ramo de la construcción, sección albañiles.[24] El primero de ellos había nacido en Linares (Jaén) el 15 de junio de 1903 y estaba casado con Josefa Delgado Paredes, implicada en muchos de los asesinatos que se le atribuyeron. En noviembre de 1936 ingresó en el Cuerpo de Seguridad y Asalto de la República, como guardia, dentro de la 22.ª Compañía de Asalto de Madrid. En la instancia que redactó en marzo de 1937 al Ministerio de Gobernación, solicitando su incorporación en el Grupo Uniformado, sección Vanguardia, se omitían completamente sus actividades anteriores en Ventas. Se mencionaba que había prestado servicios como miliciano en la Cárcel Modelo de Madrid (donde resultó herido en el pulmón derecho) y que había actuado como guardia en diferentes emplazamientos de

---

[21] Archivo Histórico Nacional, Causa General, 1530, expediente 13, «Ateneo Libertario de Ventas», folios 6, 13,18-19 y 27.

[22] Archivo Histórico Nacional, Causa General, 1534, expediente 71, folio 131. «Declaración del agente provisional de policía de la Dirección General de Seguridad, Constantino Neila Valle», folio 131.

[23] «Continúan las detenciones de los autores de los numerosos asesinatos y robos», Abc, 23 de abril de 1939. Algunos autores, como el socialista José Venegas López en su obra Las elecciones del Frente Popular (Buenos Aires, 1942), hacían responsables de esta muerte a otras personas. Apuntaba directamente a la Gestapo y a uno de sus agentes en España: Erich Schnaus. Antonio Bermudez, corresponsal de El Debate en el Tercer Reich, fue expulsado del país en 1935 por haber criticado la política religiosa del nazismo. Esta podría haber sido la causa de su muerte según esta línea historiográfica, de la que también se hizo eco H. R. Southworth en Antifalange (Ruedo Ibérico, 1967, pp. 95-96). Agradecemos al historiador Francisco Espinosa Maestre estas referencias.

[24] Centro Documental de la memoria histórica, Político-Social Madrid, Serie Militar, carpetas 1644 y 171.

la capital, tales como el Puente de los Franceses y la Casa de Campo.[25] En agosto de ese año tuvo una hija mientras estaba destinado en Torrente (Valencia). Se hacía referencia nuevamente a dicha localidad cuando, en noviembre de 1938 y como miembro de la 7.ª Compañía del Grupo Uniformado (perteneciente al Cuerpo de Seguridad), visitó con un permiso especial a su a su esposa, que se encontraba convaleciente en el hospital.[26] De ahí al final de la guerra civil no hemos localizado ningún dato más.

La siguiente información está relacionada con el testimonio de Maurilia Cuerdo García, que le hospedó en su domicilio madrileño durante el mes de abril de 1939, momento en el que fue detenido.[27] A partir de entonces, como muchos otros presos del régimen franquista, sufrió un auténtico *turismo carcelario* que lo arrastró por la cárcel de Duque Sesto y la prisión de la calle del Barco, entre otros centros de internamiento. El 10 de julio de 1940, acusado de «cometer toda clase de asesinatos y registros domiciliarios, y formar parte del Ateneo Libertario de Ventas» fue fusilado en el cementerio del Este.[28]

Su mujer, Josefa Delgado Paredes, también fue encarcelada y juzgada por su adscripción al Ateneo de Ventas y por «pisotear los cadáveres y, a veces, dar el tiro de gracia».[29] Nacida el 7 de mayo de 1903, era natural de Canillas, donde había operado el centro de la CNT estudiado. Fue precisamente en su barrio de origen donde fue detenida, junto a su marido, en una operación de gran envergadura llevada a cabo por la Guardia Civil de Ventas al mando del teniente Antonio Fernández del Pozo Palacios.[30] Su periplo carcelario le llevó a la prisión de Ventas, la Provincial de Mujeres de Madrid, el Sanatorio Antituberculoso Penitenciario de Mujeres de Segovia y la Prisión Central de Mujeres de Segovia. En marzo de 1943 fue condenada a pena de muerte, que le fue conmutada por treinta años de reclusión mayor, como responsable de un delito de rebelión militar cometido con anterioridad al 1 de abril de 1939. En el auto de sentencia se precisaban sus delitos:

> De ideología anarquista, intervino con anterioridad al Glorioso Movimiento Nacional en las huelgas revolucionarias. Durante este intervino en saqueos y requisas de objetos [...] denunció al Ateneo Libertario de Ventas al esposo de Francisca Rodríguez, al de Nieves Rodríguez y unos hermanos y un sobrino de don Francisco Orozco, quienes fueron asesinados, seguidamente manifestó que había confeccionado una lista de individuos desafectos a la causa roja y que no quedaría uno desde el principio al fin de las Ventas; en algunas ocasiones usaba mono y pistola y acudía a los lugares donde había cadáveres de personas asesinadas mofándose de ellos y dándoles patadas.

[25] Centro Documental de la memoria histórica, Político-Social Madrid, Serie Militar, carpeta 1644. Expediente de Gabriel Carmona Campillo.

[26] Archivo del Ministerio del Interior, expediente de Gabriel Carmona Campillo.

[27] Archivo Histórico de Defensa de Madrid, sumario 13234, legajo 7586, expediente de Gabriel Carmona Campillo.

[28] Ibídem.

[29] Archivo Histórico de Defensa de Madrid, sumario 107812, legajo 3956, folios 702-703. «Declaración de Maurilia Cuerdo García», 14 de noviembre de 1942.

[30] «En Madrid se practican numerosas detenciones por asesinatos y robos. Varios cuadros de Goya y gran cantidad de plata aparecen escondidas en el sótano del Ateneo Libertario de Ventas», *Abc*, 16 de abril de 1939.

En marzo de 1947 se le concedió el indulto total y en mayo la libertad definitiva, tras lo cual se mudó a Valencia, seguramente con sus siete hijos.[31] El 22 de septiembre de 1971 moría de una insuficiencia cardiaca en la Residencia de La Paz, siendo enterrada en el cementerio de la Almudena[32] en una *sepultura de cuarta* o caridad, en la que permaneció hasta finales de 1979, fecha en la que sus restos fueron depositados en el osario común.[33]

Antonio Hurtado Fajardo, albañil perteneciente desde joven al anarcosindicalismo, nació en Puebla de Mula (Murcia) en 1904. Su pasado en el mundo de la construcción era el de un ciudadano corriente y alejado de cualquier polémica o controversia que advirtiera un futuro proceder sádico y extremista durante la guerra. Uno de sus antiguos jefes, interrogado en 1942, explicó «que trabajaba para él en los años 1934 y 1935, y se comportó como un buen obrero». De igual sentir era el contratista Manuel Frostiño, que lo describió como un «trabajador obediente».[34] Su entrada en las Milicias Confederadas de la CNT se produjo el 4 de octubre de 1936.[35] Por esas fechas su pareja (futura esposa) era Dorotea Martín Benito. Por el propio testimonio de Antonio Hurtado conocemos que se marchó al frente el 23 de julio de 1938, concretamente a un Batallón de Fortificaciones.[36] Según la opinión de Francisco Román Sánchez, alcalde de Vicálvaro (Madrid) en los años cuarenta, «fue trasladado a Andalucía al final de la guerra como sargento para que no tomasen represalias contra él en Madrid».[37] En la documentación penitenciaria aparece, en mayo de 1939, recluido en el Reformatorio de Adultos de Alicante, desde donde fue trasladado a Madrid para ser interrogado por el juez militar de Canillejas.[38] Posteriormente *visitó* la `prisión de San Lorenzo de Madrid, la de la calle del Barco y la de Porlier.[39] Condenado a muerte por sus actos como miembro del Ateneo Libertario de Ventas, fue fusilado el 21 de marzo de 1942 junto a otros milicianos del mismo centro (como Manuel Carlos Morlanes Cereijo, Justo y Jesús Villaverde Petralanda, Manuel Martínez Conesa y Jesús Lozano Talaya) en las tapias del cementerio del Este,[40] donde fueron enterrados.[41]

---

[31] Archivo del Ministerio del Interior, expediente penitenciario de Josefa Delgado Paredes.

[32] Registro Civil de Fuencarral, Certificado de Defunción de Josefa Delgado Paredes.

[33] lSu localización inicial fue: Sepultura temporal, cuartel 25, manzana 25, letra E, cuerpo 3. Archivo del Cementerio de la Almudena.

[34] Archivo Histórico de Defensa de Madrid, sumario 107812, legajo 3956.

[35] Centro Documental de la memoria histórica, Política-Social Madrid, Serie Militar, carpeta 171.

[36] Archivo Histórico de Defensa de Madrid, sumario 107812, legajo 3956.

[37] Ibídem.

[38] Archivo Histórico Provincial de Alicante, expediente de Antonio Hurtado Fajardo.

[39] Archivo del Ministerio del Interior, expediente de Antonio Hurtado Fajardo.

[40] En total fueron fusiladas 34 personas. Más detalles en Mirta Núñez Díaz-Balart y Antonio Rojas: *Consejo de guerra: los fusilamientos en el Madrid de la posguerra (1939-1945)*, Madrid: Compañía Literaria, 1997, anexo documental.

[41] En el Certificado de Defunción de Antonio Hurtado no se indica ni la causa de la defunción, intentando de alguna manera ocultar el motivo de la muerte.

¿Cuáles fueron los principales testimonios que declararon contra ellos? ¿Qué carga de odio y miedo expresaron sus palabras? ¿Por qué? Dentro de las técnicas empleadas en los interrogatorios franquistas —entre las que lógicamente se incluyen las torturas— con el fin de generar emociones que condujeran a una determinada respuesta, el odio y el miedo tenían un peso capital. El primero operaba en lo más íntimo del ser y se remitía a aquellos episodios del pasado que habían provocado una situación de malestar, sufrimiento, impotencia, etcétera que —potenciados de *manera correcta*, por ejemplo mediante la propaganda de atrocidades— conducían a la ira, a la venganza y a describir una faz del contrario diabólica y perversa. El miedo, por su parte, se relacionaba con el porvenir futuro. En pocas palabras, no colaborar con los fiscales de la Causa General o con los agentes policiales podía llevar a los testigos a sufrir la privación de libertad, la violencia física u otro tipo de condenas. Delatar o mentir para sobrevivir era una práctica común.[42] Ambas circunstancias tuvieron una fuerte presencia en el conjunto de declaraciones que se realizaron contra los miembros del Ateneo de Ventas, en especial hacia Gabriel Carmona y Antonio Hurtado. Un gran número de testimonios estuvo vinculado con el personal sanitario del hospital de sangre que operó durante varios meses en el número 177 de la carretera de Aragón. Al hacerse cargo de él la CNT se produjeron situaciones de gran tensión (que salieron a relucir durante el proceso judicial) entre el colectivo de médicos, practicantes, enfermeras y los milicianos que allí se establecieron. En los relatos de estos trabajadores y voluntarios de la Cruz Roja los milicianos eran retratados como personas descarnadas, radicales y capaces de la acción más vil que se les pasase por la cabeza. Esta memoria colectiva estaba influenciada por los propios agravios personales que ellos habían sufrido durante la asistencia a los enfermos y heridos del centro hospitalario. Los ejemplos son múltiples. La enfermera Nicolasa Vázquez[43] describía a Antonio Hurtado como «una persona de muy malos antecedentes y muy bruto en su trato; perseguidor de las mujeres jóvenes [...] siempre que lo oía o sabía que estaba allí procuraba ocultarse». En la misma línea se situaba el testimonio del practicante José Antonio González Barbes, que explicaba que Hurtado «amenazaba con una pistola a las enfermeras del Hospital de la Cruz Roja para poder mantener relaciones sexuales con ellas». La declaración del responsable del dispensario del hospital, Eusebio Máximo, resumía perfectamente el día a día con los milicianos: «La Cruz Roja no podía entregar ninguna clase de heridos por estar bajo su pabellón [...] pero una vez curados y dados de alta, muchos de ellos eran ejecutados». Sobre Gabriel Carmona, «conocido por el Verdugo del Ateneo porque era el que daba el tiro de gracia», co-

---

[42] Sobre los métodos de interrogatorio véase, Miguel Ángel Soria Verde: *Psicología jurídica: un enfoque criminológico*, Madrid: Publicaciones Delta, 2006, pp. 49-51.

[43] Según el camillero Manuel López Cardona, esta mujer recibió grandes palizas y amenazas de muerte por parte del *Chato de Ventas*. Archivo Histórico Nacional, Causa General, 1530, expediente 13, folio 4, 27 de enero de 1940. El lector debe conocer que López Cardona fue juzgado por el Tribunal de la Represión de la Masonería y el Comunismo en los años cuarenta, por lo que su declaración podría buscar algún tipo de beneficio judicial.

mentaba que «a médicos, enfermeros y sanitarios, así como a los enfermos, los tenía asustados y acobardados por su historia y actuación». Y había más. Cuando ingresó en el hospital por una herida que se había producido en el asalto a la Cárcel Modelo, «mandó llevar ropas que tenía en su casa y vio que tanto las toallas como las sábanas y demás ropas de cama llevaban una corona e iniciales que correspondían al Conde de Torre Arias, que tenía una finca muy próxima». Y ante el temor de recibir represalias durante su recuperación «rechazaba la comida del Hospital por miedo a ser envenenado, haciéndola traer de casa por su propia mujer y obligándole comer antes a ella y a las enfermeras».[44]

La búsqueda de algún tipo de beneficio o de *rehabilitación política* ante el régimen franquista se evidencia en las palabras de otros dos médicos. Carlos Cilla García, que ponía el énfasis en los «asesinatos de muchísimos fascistas» a manos de Carmona,[45] aparecía en enero de 1939 como capitán médico de la Comandancia de Intendencia del Ejército Republicano del Centro.[46] Otro sanitario, Julián Cuesta Ballesteros, que hacía a Carmona responsable de «más de 150 asesinatos» y a Hurtado «de amenazar a todos con una pistola del nueve largo que llevaba siempre»,[47] tenía un historial «poco apto» para la nueva España por su pertenencia durante la guerra a las Milicias Confederadas de la CNT.[48]

El segundo conjunto de acusaciones fue realizado por los antiguos empleados del bar Rioja, en especial por el citado Alfonso Pérez de Lisbona, que a la par fue camillero en el Hospital de Sangre y que cataloga a Antonio Hurtado como «un verdadero sádico en la maldad y el crimen, ladrón, salteador… una verdadera bestia».[49] Contó con el respaldo de sus subalternos, los camareros Pedro Prieto Álvarez y Ramiro Pacheco Pacheco, que recordaban que estando detrás del mostrador habían oído a los inculpados vanagloriarse del asesinato del farmacéutico Germán Pérez Carrasco porque era fascista.[50] No podemos omitir que la declaración de Pacheco buscaba un punto de exoneración: no en vano había estado afiliado a UGT en 1938, con los problemas que ello comportaba en la España de los años cuarenta.[51]

Finalmente tenemos que incorporar los testimonios de algunos de sus compañeros del Ateneo —varios de ellos en la cárcel cuando fueron interrogados—, como Felipe Molina Palencia o Calixto Roa Martínez. El primero, internado en la prisión de Alcalá

[44] Todos estos testimonios en Archivo Histórico de Defensa de Madrid, sumario 107812, legajo 3956.

[45] Archivo Histórico Nacional, Causa General, 1530, expediente 13, folio 9, 27 de enero de 1940.

[46] Centro Documental de la memoria histórica, Político-Social Madrid, Serie Militar, carpeta 859. Ficha de Carlos Cilla García.

[47] Archivo Histórico Nacional, Causa General, 1530, expediente 13, folio 11, 27 de enero de 1940.

[48] Centro Documental de la memoria histórica, Político-Social Madrid, Serie Militar, carpeta 859. Informe de la Brigada Político-Social de Madrid sobre don Julián Cuesta Ballesteros, 10 de abril de 1944.

[49] Archivo Histórico de Defensa de Madrid, sumario 107812, legajo 3956, folios 207-211, 5 de noviembre de 1941.

[50] Archivo Histórico Nacional, Causa General, 1530, expediente 13, folios 10 y 34, 27 y 29 de enero de 1940.

[51] Centro Documental de la memoria histórica, Político-Social Madrid, Serie Militar, carpeta 910. Carnet de UGT de Ramiro Pacheco Pacheco.

de Henares en 1940, realizó guardias en el exterior del edificio del número 177 de la carretera de Aragón durante la guerra y señaló a Hurtado y Carmona como responsables directos del fusilamiento de multitud de personas de derechas.[52] Calixto Roa, recluido en la prisión de Santa Rita, precisaba que los referidos milicianos habían sido los miembros más activos del Comité de Investigación: eran quienes tomaban declaración y ordenaban todos los asesinatos.[53] Ninguno de estos dos últimos declarantes fue fusilado, a diferencia de nuestros biografiados, por lo que su *colaboración* dio rédito penitenciario o quizás las acusaciones contra ellos no fueron tan abundantes o no incluyeron delitos de sangre.[54] Como hemos comprobado, muchas de estas declaraciones respondían a cuentas pendientes del pasado, ya fuesen de índole sentimental, económica u otro tipo causadas en el Madrid de la guerra. En estos casos los acusadores, máxime si eran *gentes de derechas* y con un pasado impoluto de delitos políticos o de desafección al régimen franquista, no debían probar en ningún momento sus denuncias. Esta se consideraba probada y, en todo caso, correspondía al encausado deshacerla. Pese a los torturas recibidas durante los interrogatorios,[55] Antonio Hurtado nunca aceptó los cargos que se le imputaban: «preguntado <u>convenientemente</u> manifiesta que ni antes ni durante la guerra, ha pertenecido a ningún partido político [...] que estaba asociado a la CNT. Niega todos los cargos».[56]

Sería tendencioso y partidista por nuestra parte dar más valor a las palabras de los milicianos estudiados que a las de decenas de personas que declararon en su contra, aun con todas las matizaciones y condicionantes aportados en esta investigación. Pese a todo, en los procesos que se les abrieron en la Causa General (como también se estudiará en el siguiente apartado cuando nos aproximemos a Pablo Sarroca) no se aportó ninguna prueba documental o material que corroborase con todas las garantías jurídicas estas declaraciones. No pretendemos eximirlos de ninguna culpa, pero sí generar una duda razonable en torno a muchos de los delitos que se les atribuyeron.

---

[52] Archivo Histórico Nacional, Causa General, 1530, expediente 13, folio 17, 23 de noviembre de 1940.

[53] Ídem, folio 21, 9 de abril de 1940.

[54] Felipe Molina fue liberado en julio de 1943 y Calixto Roa fue puesto en libertad en los años cincuenta pese a que su pena fue de más de treinta años de reclusión. Archivo General de la Administración, Justicia, Tratamiento Penitenciario, fichas de Felipe Molina Palencia y Calixto Roa Martínez.

[55] El periodista Eduardo de Guzmán, encarcelado en 1939 por su condición de anarcosindicalista, nos legó en una de sus obras un relato conmovedor sobre estas prácticas: «Muchos han firmado una declaración sin leerla siquiera ni otro propósito que salir cuanto antes del infierno dantesco de comisarías, cuartelillos, centros de Falange y otros cien lugares de detención e interrogatorio. Con todos sus sinsabores, la peor de las prisiones es un paraíso comparado con los sitios por donde casi todos hemos pasado antes de llegar a ellas». Reproducido en Mirta Núñez Díaz-Balart y Antonio Rojas: *Consejo de guerra...*, p. 43.

[56] Archivo Histórico de Defensa de Madrid, sumario 107812, legajo 3956. El subrayado es nuestro.

LA CONTROVERTIDA FIGURA DEL CAPELLÁN CASTRENSE PABLO SARROCA TOMÁS

Si cualquier usuario introduce este nombre en alguno de los buscadores de Internet aparecerán decenas de referencias (la mayoría condenatorias[57]) que indican que perteneció a los Servicios Especiales del Ministerio de Guerra republicano, que estuvo relacionado con las checas de Madrid y que fue fusilado en 1940, en pleno franquismo, como consecuencia de esas acciones.[58] La información se amplía un poco más (son apenas inexistentes sus menciones en fuentes bibliográficas) en la *Causa General. La dominación roja en España* (1943), donde se le describe como un «capellán castrense, alcohólico, colaborador de Azaña en 1932, y puesto al margen de la disciplina eclesiástica…».[59] A primera vista, estos datos nos presentan a un «religioso renegado» que fue ajusticiado tras la guerra civil por sus vínculos con los elementos más radicales del gobierno republicano. Sin embargo, su historia resulta mucho más compleja y sorprendente y se muestra llena de matices. Lo que pocas personas conocen es que para las propias autoridades republicanas fue un peligro constante al control y legalidad que quisieron establecer en la capital desde septiembre de 1936;[60] un *incontrolado*[61] más en el caótico verano de ese año que, debido a sus excesos, fue encarcelado en dos ocasiones por el delito de auxilio a la rebelión militar y de desafección al régimen republicano.

La reconstrucción de su trayectoria vital en este periodo nos permitirá comprender que la patente del catolicismo no perteneció únicamente al bando franquista (si bien este la hizo enarbolar como rasgo identificativo frente al contrario), ya que hubo relevantes figuras (políticas y religiosas) que en territorio republicano abogaron por él.[62] En este caso, su condición de capellán castrense le sirvió para ganarse la confianza de

---

[57] Todo historiador tiene que tener muy en cuenta las ventajas que proporciona Internet como herramienta de investigación, en especial los archivos y hemerotecas digitalizadas, sin menospreciar los propios *blogs* históricos. Como norma elemental, con respecto a estos últimos, hay que contrastar siempre la información que se *cuelga* en los mismos. Una interesante reflexión sobre esta cuestión en Álvaro Baraibar y Shai Coheh: «Nuevas tecnologías y redes sociales en la investigación en Humanidades», *La Perinola*, núm. 16 (2012), pp. 155-164.

[58] Por ejemplo: <http://www.sbhac.net/Republica/Personajes/Politicos4/Politicos4.htm; https://bremaneur.wordpress.com/2010/12/02/orlov-y-la-cnt/;> <http://www.sbhac.net/Republica/Personajes/Politicos4/Politicos4.htm> [páginas consultadas el 25 de julio de 2016].

[59] Anexo IV. Checas, p. 168.

[60] Sobre la represión incontrolada de las primeras semanas de la contienda bélica española en territorio republicano y las medidas que se establecieron para intentar paliarla véanse Glicerio Sánchez Recio: «El control político de la retaguardia republicana durante la Guerra Civil. Los tribunales populares de justicia», *Espacio, Tiempo y Forma*, serie v, Historia Contemporánea, t. 7, 1994, pp. 585-598; Fernando Jiménez Herrera: «El Comité Provincial de Investigación Pública a través de la documentación custodiada en el Archivo General Militar de Madrid», *Hispania Nova. Revista de Historia Contemporánea*, núm. 12 (2014); o Javier Cervera Gil: *Contra el enemigo de la República… desde la Ley. Detener, juzgar y encarcelar en guerra*, Madrid: Biblioteca Nueva, 2015.

[61] Sobre este concepto y el estudio de otras situaciones que sobrepasaron la legalidad gubernamental véase Julius Ruiz: «*Incontrolados* en la España republicana durante la guerra civil: el caso de Luis Bonilla Echevarría», *Historia y Política* (Madrid), núm. 21 (enero-junio 2009), pp. 191-218 o ídem: «Defending the Republic: the García Atadell Brigade in Madrid, 1936», *Journal of Contemporary History*, vol 42 (i), 2007, pp. 97-115.

[62] Feliciano Montero, Antonio César Moreno y Marisa Tezanos: *Otra Iglesia: clero disidente durante la Segunda República y la guerra civil*, Gijón: Trea, 2014.

muchos de sus vecinos madrileños de derechas, a los que amenazaba con denunciar a los milicianos si no accedían a sus peticiones (mejor dicho, chantajes).

Para no caer en subjetivismos de admiración o repudio del biografiado daremos viva voz al testimonio documental. Como en los casos de Gabriel Carmona y Antonio Hurtado, nos encontramos con un problema de gran envergadura. Los testimonios que reconstruyen su actividad durante la guerra civil fueron elaborados por la justicia franquista, lo que determina en un alto grado el tono condenatorio de las declaraciones de aquellas personas que le conocieron. Pese al intenso rastreo realizado, no hemos sido capaces de localizar los procesos judiciales que le incoaron los tribunales republicanos, aunque sí somos conscientes de las causas que se le abrieron. Hemos intentado sortear este obstáculo accediendo a los sumarios que se custodian sobre su pareja, Florentina García Martínez, durante esos años, que aportan pistas destacadas a muchos de los interrogantes que aún se nos plantean.

De las campañas militares en el norte de África al Ministerio de Guerra republicano

Pablo Sarroca Tomás nació el 30 de enero de 1889 en la población francesa de Vic-en-Bigorre (departamento de los Altos Pirineos), muy próxima a Cataluña. Sus padres eran Francisco Roque Sarroca y Teresa Tomás.[63] En octubre de 1917, con veintiocho años, consiguió por oposición la plaza de capellán segundo castrense.[64] Para poder optar a ese puesto se requería ser licenciado en derecho civil o canónico. El grado de capellán segundo se asimilaba en el Ejército, según el reglamento de la época, con el de teniente. Sus funciones, aparte de las espirituales, tenían un marcado cariz psicológico, especialmente en tiempo de guerra, ya que acompañaban a las tropas, atendían a los heridos y hacían, en muchos casos, de enlace entre los soldados analfabetos y sus familias por medio de la correspondencia.[65]

Desde 1917 hasta la llegada de la Segunda República tuvo casi una decena de destinos en la península ibérica, destinos que se alternaron con su participación en las campañas militares en el norte de África hasta 1923.[66] En su expediente se valoraba «su distinguido comportamiento en los combates sostenidos» durante esos años. Como recompensa a su actuación y carrera en África fue condecorado en diciembre de 1920 con la Cruz de Primera Clase al Mérito Militar con distintivo rojo.

Su desfile de destinos de 1923 a 1931 fue incesante: Hospital Militar de Vitoria (1924-

---

[63] Archivo General Militar de Segovia (en adelante, AGMS), Sección Guerra Civil, legajo S-173-14, «Hoja matriz de servicios del capellán Pablo Sarroca Tomás».

[64] «Información eclesiástica», *La Nación*, 28 de octubre de 1917.

[65] José María Contreras Mazario: *Régimen jurídico de la asistencia religiosa a las fuerzas armadas en el sistema español*, Madrid: Ministerio de Justicia, 1989, pp. 304-305; y Pablo Sagarra: «Apuntes histórico-jurídicos sobre la jurisdicción Eclesiástica Castrense», *Aportes. Revista de Historia Contemporánea*, núm. 72 (2010), pp. 51-81.

[66] Nos basaremos continuamente en su expediente militar, custodiado en el Archivo General Militar de Segovia.

1927), Regimiento de Infantería de Guadalajara (1927-1928), Regimiento de Lanceros de España Séptimo de Caballería (1928-1931). En marzo de 1928 fue ascendido por antigüedad a capellán primero (equivalente a capitán). En enero de 1931 lo localizamos en la Academia Especial de Ingenieros de Guadalajara y tres días después de la proclamación de la República pasa como agregado al Ministerio de la Guerra, dirigido por Manuel Azaña, y en concreto a la Tenencia Vicaria General Castrense de la Primera División orgánica (hoy en día región militar de Madrid). Firmó sin ningún tipo de reticencias la adhesión al régimen republicano.[67]

Una primera valoración de estos años como capellán castrense nos indica que era una persona de reconocida valía entre sus superiores que, tras una intensa etapa en el frente africano, se había ganado una condecoración militar y el «derecho» a no poner su vida en peligro de nuevo en esa índole de combates. En su expediente se resaltaba un «valor acreditado», una «buena conducta» y «mucha aplicación». Su faceta militar se compaginó perfectamente con la religiosa, destacando su relación con las escuelas de analfabetos de la época y la asistencia a los heridos en los hospitales militares en los que estuvo. Como recompensa final, la adscripción al nuevo Ministerio de la Guerra republicano, en el que figuraban oficiales de gran prestigio como Vicente Rojo Lluch (jefe del Estado Mayor durante la guerra civil), siendo Sarroca el único capellán castrense de dicho ministerio,[68] lo que era sintomático de su elevada valoración dentro del estamento militar.

El laicismo de la Segunda República no casaba bien con la pervivencia de los cuerpos eclesiásticos en el Ejército. No obstante, entre los primeros decretos nada se dice sobre los mismos. Sin embargo, aprovechando la ley de Retiro que Azaña introdujo para descongestionar el escalafón y reducir la cifra de jefes y oficiales, no fueron pocos los que abandonaron la carrera militar, aunque no fue el caso de Sarroca. En julio de 1931, nueve de los 18 capellanes mayores solicitaron su baja. Para comienzos del otoño habían pedido la baja 29 de los 116 capellanes primeros y 63 de los 131 capellanes segundos. A finales de año, de los 273 miembros 101 ya eran baja: casi un 37 % del total.[69] En ese contexto, aprovechó su cargo como teniente vicario para redactar un breve memorando justificando «la necesidad del capellán castrense en el Ejército»: no en vano las creencias religiosas eran «el mejor sistema pedagógico para enseñar moral a las muchedumbres».[70] Pese a sus esfuerzos, Azaña decretó la disolución de los cuerpos eclesiásticos del Ejército mediante la ley de 30 de junio de 1932,[71] por lo que Pablo Sarroca (que en noviembre sería ascendido a capellán mayor, con valor simple-

---

[67] AGMS, Sección Guerra Civil, legajo S-173-14, «Hoja matriz de servicios del capellán Pablo Sarroca Tomás».

[68] Centro Documental de la memoria histórica, Política Social, Serie Militar, carpeta 287. «Ministerio de la Guerra. Habilitación del personal», 1931.

[69] Julio Gil Pecharromán: *La Segunda República.: esperanzas y frustraciones*, Madrid: Historia 16, pp. 44-45.

[70] Pablo Sarroca: *Al Gobierno Provisional de la República Española: en testimonio de profunda admiración y de adhesión sincera*, sin editorial, 1931, p. 6.

[71] Isabel Cano: «La supresión del cuerpo de capellanes en prisiones durante la Segunda República», *Anuario de Derecho Eclesiástico del Estado*, núm. 25 (2009), p. 155-173.

mente a efectos de sueldo) quedó en situación de disponible forzoso en la Primera División Orgánica.[72]

Como se deduce del informe remitido por el vicario general castrense por esas fechas, Ramón Pérez Rodríguez, al nuncio en Madrid, detrás de esa petición no se albergaba el más mínimo sentimiento religioso, sino solo el mero instinto de supervivencia por mantener una posición acomodada en el Ejército, la cual veía peligrar con la nueva legislación republicana. Al analizar la situación de los capellanes castrenses en 1932, se explicaba a las autoridades vaticanas que los principales males que asolaban a dicho cuerpo eran el hecho de que algunos de sus miembros se sentían más militares que sacerdotes, por lo que no estaban dispuestos a someterse ni a su disciplina ni a usar el traje talar y, además, asistían a teatros, cafés, casinos...; en definitiva, a lugares «poco recomendables».[73] El intento del vicario general de acabar con estos *vicios* a través de varias circulares provocó la más firme oposición de gran número de capellanes. Se acusaba a Sarroca de ser la cabeza más visible de esta disidencia y de —«aprovechándose de amistades impropias de su estado sacerdotal»— querer anular la jurisdicción del vicario con el fin de campar a sus anchas y colocar en destinos más favorables a «sus principales amigos y servidores incondicionales».[74] Por todo ello, fue cesado como máximo responsable de los archiveros canónicos castrenses.[75] Este hecho marcó un punto de ruptura determinante con la jerarquía eclesiástica, que ya lo miraba con desconfianza y recelo por haber formado parte del comité revolucionario de 1931.[76]

Desconocemos qué fue de su vida entre 1934 y 1936, aunque es probable que continuase manteniendo buenos contactos con los dirigentes republicanos. Así se deduce de sus audiencias con los presidentes Niceto Alcalá Zamora y Alejandro Lerroux a lo largo de 1934.[77] En septiembre de 1936, en plena guerra civil, fue dado de baja como capellán mayor[78] y a los pocos días, «por las excepcionales circunstancias que concurren en D. Pablo Sarroca Tomás, y su reconocida adhesión al régimen» se incorporó a la Sección de Información del Estado Mayor del Ministerio de la Guerra, presidido por esas fechas por el socialista Francisco Largo Caballero.[79] Dicho organismo, conocido oficiosamente como Servicios Especiales del Ministerio de la Guerra, se dedicó a tareas de espionaje y contraespionaje. Desde este puesto Sarroca adquirió una fama terrible entre los vecinos

---

[72] Archivo General Militar de Segovia (en adelante, AGMS), Sección Guerra Civil, legajo S-173-14, «Hoja matriz de servicios del capellán Pablo Sarroca Tomás».

[73] Vicente Cárcel Ortí: *La Segunda República y la guerra civil en el Archivo Secreto Vaticano [II]. Documentos del año 1932*, Madrid: Biblioteca de Autores Cristianos, 2012, «Despacho núm. 5628 de Tedeschini a Pacelli», p. 483.

[74] Ibídem, p. 484.

[75] Ibídem, pp. 487-488.

[76] Ibídem, p. 486.

[77] «Audiencia del Jefe del Estado», *La Vanguardia*, 1 de marzo de 1934; y «La mañana del jefe del Gobierno», *La Época*, 22 de diciembre de 1934.

[78] «Bajas, ceses y separaciones», *El Sol*, 9 de septiembre de 1936.

[79] *Diario Oficial del Ministerio de la Guerra*, 16 de septiembre de 1936, p. 350.

de los barrios madrileños de Canillejas y Ciudad Lineal, iniciándose la fase más oscura y controvertida de su trayectoria personal.

La guerra civil: checas, asesinatos y prisión

El seguimiento de la actividad de Pablo Sarroca Tomás durante estos años ha tenido como base documental los fondos de la Causa General. Decenas de testimonios tomados por la justicia franquista crearon una imagen temible de sus acciones, caracterizadas por la arbitrariedad y las fatales consecuencias de las mismas. Sirva como ejemplo el relato del industrial Enrique Medina cuatro años después de la vivencia de los hechos:

> Que conoce a Pablo Sarroca Tomás como vecino de Ciudad Lineal; que por el año 1936 en el mes de Noviembre fueron detenidas la esposa del declarante, una cuñada y otros familiares que habitaban en su casa por un coche de policía que era el que frecuentemente usaba el tal Sarroca y en el que fueron llevados a la Dirección General de Seguridad donde permanecieron unos días acusados de celebrar en su casa reuniones clandestinas, que sospecha que la denuncia y orden de detención procedía del tal Sarroca. A consecuencia de las persecuciones de que era objeto toda la familia murió la esposa del declarante. Posteriormente en el año 1937 fue detenido el declarante y conducido al Ministerio de la Guerra a presencia del comandante Pablo Sarroca.[80]

Esta permanencia del miedo y el odio a través de la palabra escrita se constituye, en nuestro caso, como una herramienta metodológica trascendental para profundizar en las prácticas llevadas a cabo por Pablo Sarroca desde el Ministerio de la Guerra desde el verano de 1936.[81] Como advertimos al principio, y pese a la pervivencia de los traumas en la memoria, muchos de los testimonios contra él fueron interesados y manipulados por el nuevo régimen político, lo que complica aún más nuestra tarea.[82]

En septiembre se incorporó a los Servicios Especiales de dicho ministerio, que eran uno de los dos departamentos en que estaba dividida la Segunda Sección (Información) del Estado Mayor.[83] En su primera época, el jefe de los dichos Servicios fue Fernando

---

[80] Archivo Histórico Nacional, Causa General, 1530, expediente 13, folio 49. «Declaración del testigo Enrique Medina Cembrero», 8 de febrero de 1940.

[81] Seguimos el camino trazado en trabajos como el de Elena Carrera: «El miedo en la historia: testimonios de la Gran Guerra», *Rubrica Contemporánea*, vol. 4, núm. 7 (2015), pp. 47-66.

[82] En el expediente que se abrió sobre la checa del Ateneo Libertario de Ventas, la referida testigo Isabel Rodríguez del Campo, vecina del inmueble de la calle Aragón en el que se estableció, declaró que los milicianos (incluyendo a Sarroca entre ellos) habían asesinado al sacerdote de la parroquia de Covadonga de Madrid, Santiago Risueño. Archivo Histórico Nacional, Causa General, 1530, expediente 13, folio 72. «Declaración de Isabel Rodríguez del Campo», 26 de marzo de 1942. El dato es erróneo, pues dicho religioso falleció por causas naturales en agosto de 1934. «Noticias necrológicas», *Abc*, 11 de agosto de 1934.

[83] Sobre el funcionamiento del espionaje republicano véase Hernán Rodríguez Velasco: *Una derrota prevista: el espionaje militar republicano en la guerra civil*, Granada: Comares, 2012.

Arias, auxiliar de derecho internacional en la Universidad de Madrid (después ocupó cargos de gran relevancia en el Servicio de Información Militar [SIM]), respaldado por Prudencio Sayagués, presidente de las Juventudes de Izquierda Republicana. La tercera pieza clave dentro de esta estructura era Pablo Sarroca, que —según su propia declaración— desarrolló labores de censor de correspondencia, intérprete e interrogador hasta junio de 1937, presentándose oficialmente de cara al público con el rango de comandante.[84] Diverso personal que operó a sus ordenes lo describió como un «sujeto alcohólico y degenerado».[85] En noviembre de 1936, cuando el gobierno republicano se trasladó a Valencia, el Comité de Defensa de la CNT —de la mano de Manuel Salgado— se apoderó de estos Servicios, creciendo en aquel momento la importancia de Sarroca.[86] Fue en ese contexto cuando las dependencias de este organismo se mudaron del Ministerio de la Guerra al edificio del Ministerio de Hacienda. Ese mismo mes, la Junta de Defensa de Madrid intentó frenar la violencia en la retaguardia republicana. El consejero de Orden Público, Santiago Carrillo, dictaminó que las tareas de vigilancia y orden público en la capital quedaban exclusivamente en manos de las «fuerzas organizadas» que a tal efecto dispusiese su consejería. Esta medida tenía que terminar con la actuación de las checas y de los grupos incontrolados en Madrid. Pero fue solo en teoría, porque muchas checas continuaron actuando, especialmente las anarquistas. Y es que estos no estaban dispuestos a que el control de las calles pasara a manos comunistas y, por tanto, ellos perdieran el poder que habían logrado en las jornadas de julio.[87]

Sarroca, a partir de ese momento, estrechó sus vínculos con el Ateneo Libertario de Ventas. Su fama en el Madrid de la guerra era cada vez mayor. De esta manera aparecía en las primeras páginas del diario *Ahora*, acompañando a la miliciana Julia Sánz, que era nombrada cabo honorario de la Guardia de Asalto por parte del director general de Seguridad en persona, Manuel Muñoz. Ese acto tuvo lugar en una cena celebrada en el restaurante *Achuli* de Madrid, al que asistieron entre otros el general Asensio, jefe del Ejército del Centro republicano, y Ricardo Burillo Stolle, comandante de la Guardia de Asalto. Daba la casualidad de que Julia Sanz era la pareja sentimental de Luis Bonilla Echevarria, responsable del 14.º Batallón de milicianos «Balas Rojas», conocido por el asesinato de múltiples civiles en pueblos de Toledo y Madrid, lo que le llevó a ser ajusticiado por las autoridades republicanas en 1938.[88] No sería de extrañar que ambos personajes se conociesen y estuviesen al tanto del modo de actuar de cada uno de ellos. Si damos validez a la declaración de Julia Sanz, este hecho debía ser más que evidente debido a que Bonilla «se hizo cargo de la Oficina de Servicios Especiales del Ministerio de la Guerra».[89]

[84] Archivo Histórico Nacional, Causa General, 1530, expediente 13, folio 3.
[85] Archivo Histórico Nacional, Causa General, 1534, expediente 71, folio 14.
[86] Ibídem.
[87] Javier Cervera Gil: *Contra el enemigo de la República...*, pp. 69-75.
[88] Julius Ruiz: «*Incontrolados* en la España republicana durante la guerra civil...».
[89] Archivo Histórico Nacional, Causa General, 199, expediente 29, folio 361.

Las pruebas indican que Sarroca pasó a estar al servicio de esta checa (a la que los jueces franquistas atribuyeron más de dos mil asesinatos) cuando fue arrestado —no sabemos la fecha, pero lo más probable es que fuese en el otoño de 1936— por un grupo de milicianos. ¿La razón? Seguramente querían aprovechar su privilegiada posición en un organismo vinculado con el Ejército, sabiendo que su relación con el mundo religioso podía ser un peaje muy peligroso en la capital madrileña por esas fechas. Algunos testimonios apuntan a que consiguió liberarse a cambio de «denunciar a más de trescientos fascistas a los que conocía dada su condición de sacerdote». Otras fuentes explican que logró salir gracias a la mediación del capitán Eleuterio Díaz Tendero, por entonces jefe del Gabinete de Control de Guerra, uno de los futuros fundadores del SIM.[90]

Desde ese instante, «le pusieron guardia armada en su casa (sita en la calle Sánchez Díaz, en Ciudad Lineal) y a partir de aquel momento comenzaron los asesinatos de numerosos vecinos de la barriada».[91] El primer crimen en el que se vio implicado fue el del farmacéutico Germán Pérez Carrasco y Cortés.[92] Sarroca se habría presentado en la casa del mismo, a finales de agosto de 1936, exigiéndole —en nombre del Ateneo Libertario de Ventas— la suma de 5000 pesetas bajo la amenaza de ordenar que le dieran el *paseo* a él y su esposa. No accedió a sus exigencias y el miliciano Gabriel Carmona, junto con otros dos hombres, lo arrestó y lo ejecutó en la carretera de Hortaleza.[93]

En su haber se menciona también la responsabilidad de los asesinatos de la familia Ramírez de Arellano (matrimonio e hijo) por denuncia directa suya en la comisaría del distrito de Buenavista.[94] Chantajeó y humilló al teniente de la Guardia Civil, Ezequiel Rico Martínez, y a su madre. El 20 de julio de 1936 fue detenido por orden del excapellán castrense por escuchar en su domicilio la *Marcha real*. Por esa razón fue encarcelado en Santa Engracia (convento de las Religiosas Salesas). Consiguió la libertad cuando su madre pagó a Sarroca una importante cantidad en oro. Además, el teniente tenía la obligación de presentarse todos los días en su domicilio para cerciorarse de que no huía a territorio rebelde y pasó a su servicio, sin remuneración, en el Ministerio de la Guerra.[95] Cansado de las continuas amenazas y chantajes, huyó y se escondió temporalmente en la calle Larra, número 5. Rápidamente, Sarroca dio con su paradero y fue encerrado en la cárcel de Duque de Sesto, en esta ocasión por tenencia ilícita de armas (acusación de la que quedó absuelto en mayo de 1937 al demostrarse

[90] Archivo Histórico Nacional, Causa General, 1530, expediente 13, folio 46. «Declaración del testigo Francisco Jiménez Mejias», 3 de febrero de 1940.

[91] Archivo Histórico Nacional, Causa General, 1530, expediente 13, folio 51.

[92] Su nombre figuraba en la «Cruz de los Caídos» del barrio de Ventas. En su honor se le dedicó una calle en el distrito de Ciudad Lineal. Su cadáver fue exhumado en 1940 y trasladado del cementerio de Hortaleza al de Canillejas. «Los caídos. Germán Pérez Carrasco y Cortés», *Abc*, 16 de junio de 1940.

[93] Archivo Histórico Nacional, Causa General, 1530 y 1534, expedientes 13 y 71, folios 15 y 132.

[94] Archivo Histórico Nacional, Causa General, 1534, expediente 71, folio 132.

[95] Archivo Histórico Nacional, Causa General, 126, expediente 27, folio 4.

que tenía un permiso expedido por la Comisaría General de Investigación y Vigilancia de Madrid).[96] Pocos años después de este testimonio, rico en detalles, nombres, fechas, etcétera fue nuevamente interrogado por los agentes policiales y expresó, para sorpresa mayúscula de los mismos (razón por la que anotaron que se trataba de una «persona un tanto dudosa»), que «no recordaba los nombres de los jefes de las checas que se formaron en la Barriada de Ventas».[97] Resulta sorprendente y demuestra una vez más que su primigenia declaración estuvo envuelta en presiones de todo tipo: tanto externas —de la Fiscalía— como internas —deseo de descargarse de responsabilidades y vínculos con elementos perseguidos por la España franquista—; y por lo tanto, lejos de cualquier destello de objetividad y garantía jurídica para el encausado.

Todos estos actos no pasaron inadvertidos entre sus vecinos, lo que le granjeó el mayor desprecio y odio entre ellos, que lo tildaban como «un individuo que había denunciado a muchas personas, y que en su casa tenía un gran depósito de comestibles, bebidas, y otras cosas más [...] procedentes de robos»; «que llevaba una vida licenciosa que escandalizaba a toda la barriada» o que era «el terror de todos los vecinos de derechas por la influencia y amistad que tenía con todos los elementos dirigentes marxistas».[98] Su pareja sentimental por esa época, Florentina García Martínez, y la hija de esta (que algunos apuntaban como propia de Pablo Sarroca, no en vano utilizaba su apellido), Teresa Sarroca García, también estuvieron marcadas por la vecindad. Así, por ejemplo, se acusaba a Teresa de «señalar a un grupo de milicianos que le acompañaban, los domicilios de personas de derechas para que fuesen detenidos» y otro día apuñaló a una chica porque «era fascista».[99] Fue arrestada y recluida dos meses en el Colegio Los Arcos.[100]

Estos excesos, denuncias y escándalos no pasaron inadvertidos a la Dirección General de Seguridad, que en agosto de 1937 encargó a los agentes de Investigación y Vigilancia, Francisco Jiménez Mejias, Constantino Neila Valle y Argentino Rasillo Barrero, el interrogatorio de personas cercanas a Pablo Sarroca con objeto de determinar si había delito o no en su modo de proceder. Este procedimiento se enmarca en una profunda remodelación de las fuerzas de orden público y justicia en el Madrid republicano, que buscaba acabar de una vez por todas con la violencia incontrolada. A lo largo de ese verano los Servicios Especiales del Ministerio de la Guerra quedaron marginados (hasta su desaparición final) con la creación del Departamento Especial de Información del Estado (DEDIDE). Se eligió a un nuevo director General de Seguridad (Carlos de Juan Rodríguez, ocupando interinamente el puesto hasta octubre Gabriel Morón); se nombró un nuevo gobernador civil en Madrid, Antonio Trigo Maizal, y David Vázquez,

[96] Archivo Histórico Nacional, Causa General, 1530, expediente 13. «Declaración de Ezequiel Rico Martínez», 20 de febrero de 1940, folios 57-59.

[97] Archivo Histórico de Defensa de Madrid, sumario 107812, legajo 3956, folio 4876. «Declaración de Ezequiel Rico Martínez», 8 de octubre de 1947.

[98] Archivo Histórico Nacional, Causa General, 1530, expediente 13, folios 34,36, 47-48.

[99] Ibídem, folio 42.

[100] Archivo Histórico Nacional, Causa General, 145, expediente 5, folio 42.

hasta entonces comisario general de Investigación y Vigilancia de Madrid, fue sustituido por Teodoro Illera Martín.[101]

Las pesquisas contra Pablo Sarroca determinaron su detención ese mes. Cuando fueron a apresarle opuso una gran resistencia y atentó contra varios de los agentes. Por este incidente y por las denuncias que constaban contra él se le acusó de *desafección al régimen* y *adhesión a la rebelión militar*,[102] siendo ingresado en la Casa de Trabajo de Alcalá de Henares. Su caso, en primera instancia, pasó al Juzgado de Guardia número 1 de Madrid. El 5 de diciembre es conducido a la prisión provisional número 3 de Madrid «Porlier» para comparecer en juicio sumarísimo, dictaminando el Juzgado de Guardia número 3 de la capital la pena de 14 años, 8 meses y un día de internamiento. Su sentencia causó —según testimonios recogidos en la Causa General— una gran satisfacción entre los vecinos de su barriada: «Pablo Sarroca fue condenado a una pena grave; que tal familia, valida sin duda de su creída influencia por ser militar, tenían verdaderamente aterrado a todo el vecindario [...] que celebró con evidente alegría la condena que les libraba de la pesadilla de tal familia».[103] Se acordó su ingreso en el Reformatorio de Adultos de Alicante.[104]

Aparte de esta pena, en agosto de 1938 el Juzgado Especial número 1 de la Rebelión y Sedición de Alicante decretaba un auto de prisión incondicional contra Pablo Sarroca Tomás.[105] Las razones estaban ligadas al proceso judicial contra Florentina García Martínez, su pareja. Durante su estancia en prisión fue detenida (abril de 1938) y acusada de «aversión a la causa legítima del pueblo y a la República».[106] Diversos vecinos de Ciudad Lineal, como Lucia San José, Jorge Alcántara o Trinidad Martínez de Bengoa, madre del referido Ezequiel Rico (casualmente, todos ellos tuvieron un papel destacado en los cargos que se le abrieron a Sarroca tanto en 1937 como en 1940) comentaron que el domicilio de la inculpada era conocido en la barriada «porque cuando las armas legales sufrían algún revés, en dicha casa se celebraban grandes fiestas a las que concurrían bastantes oficiales». Además, se decía que propagaba noticias derrotistas. Resulta llamativo, por no decir sospechoso, que figuras que fueron procesadas por sus excesos contra toda población relacionada con el bando franquista fuesen tachadas, precisamente, de subversivos. Este asunto nos lleva a volver a plantearnos la veracidad

---

[101] Javier Cervera Gil: *Contra el enemigo de la República...*, pp. 84-87.

[102] En el decreto de mayo de 1937, artículo 2.º, punto 4.º, establecía que incurrían en adhesión a la rebelión los comités o juntas directivas de asociaciones políticas o sindicales en cuyos domicilios oficiales se hallaren armas. A eso hay que sumarle supuestos como: la perturbación del orden público, las denuncias falsas, los registros domiciliarios o detenciones realizadas sin autorización, la apropiación o incautación indebida... Ibídem, p. 95.

[103] Archivo Histórico Nacional, Causa General, 183, expediente 2. «Declaración de Constantino Neila Valle», 7 de marzo de 1938, folios 25 y 26.

[104] Creado en 1925, tuvo consideración de prisión central, y en él eran recluidos los condenados con penas mayores a dos años. Juan Martínez Leal y Miguel Ors Montenegro: «En el Reformatorio de Adultos de Alicante», *Revista Canelobre*, número 31-32 (1995), pp. 24-31.

[105] Archivo Histórico Provincial de Alicante, Reformatorio de Adultos de Alicante, expediente de Pablo Sarroca Tomás.

[106] Archivo Histórico Nacional, Causa General, 145, expediente 5, folio 21.

de muchas de estas declaraciones, que en este caso suenan más a un ajuste de cuentas por acciones del pasado, como reflexionaba la propia afectada:

> todo ello obedezca simplemente a la persecución tenaz de que viene siendo objeto, lo mismo que lo fue su cuñado [se refiere a Pablo Sarroca], por parte de unos vecinos que antes han sido Guardia Civiles, que tanto la declarante como su expresado cuñado, son izquierdistas de siempre y encontrándose en Burgos en el Regimiento de Caballería de Lanceros de España, en el año treinta, intervino directamente en el levantamiento que preparó para derrocar la Monarquía, por lo que fue perseguido constantemente por las clases reaccionarias.[107]

Sin minusvalorar esta primera hipótesis, también podría suceder que Florentina García, desengañada con la República por el encarcelamiento de Pablo Sarroca, renegase de la misma al verse privada de la protección y sustento económico que le proporcionaba el referido. En el informe de los agentes se recoge que cuando fue detenida gritó «que no estaba dispuesta a dejarse detener por estar segura de que en España con el régimen actual no existía justicia, aunque pronto acabaría tal estado de cosas, aludiendo a un posible triunfo del fascismo».[108] En las conclusiones elaboradas por el Tribunal Popular número 2 de Madrid, Florentina fue retratada como «enemiga encarnizada del régimen republicano no recatándose en decirlo en la vecindad de que ella era derechista y que por ello y por haber proporcionado la deserción y pase al campo rebelde su cuñado, con quien vivía, no le pasaría nada aunque entrasen los fascistas».[109] Fue condenada a 30 años de internamiento en la cárcel de mujeres de Ventas. Su hija fue puesta bajo la tutela del tribunal de menores (por esas fechas tenía 14 años) e internada en la Casa Escuela Los Arcos de Chamartín de la Rosa, que era un centro estatal de reforma femenino.[110] De haber sido ciertas estas acusaciones, que obligatoriamente también afectaron a Sarroca —convirtiendo su condena en incondicional—, ambos no hubiesen sido procesados nuevamente durante el régimen franquista por sus actuaciones en el Madrid *rojo*.

La primera noticia que tenemos de Sarroca tras el final de la guerra civil data del 14 de abril de 1939, fecha en la que fue detenido en Canillejas (cerca de su domicilio madrileño), lo que indica que debió de conseguir huir de Alicante aprovechando el hundimiento del frente republicano. En mayo se decretó su encarcelamiento en los Talleres Penitenciarios de Alcalá de Henares.[111] Su proceso judicial formó parte de la pieza número 4 de la Causa General, «Checas», y de la que se abrió contra los Servicios Especiales del Ministerio de la Guerra, ambas dependientes de la Fiscalía del Tribunal Supremo. Sin embargo, esos expedientes no se abrieron hasta abril de 1940, por lo que

[107] Archivo Histórico Nacional, Causa General, 183, expediente 2, folio 6.
[108] Archivo Histórico Nacional, Causa General, 145, expediente 5, folios 3 y 4.
[109] Archivo Histórico Nacional, Causa General, 183, expediente 2, folio 35.
[110] Archivo Histórico Nacional, Causa General, 145, expediente 5.
[111] Archivo del Ministerio del Interior, signatura 78304. «Expediente de Pablo Sarroca Tomás», 1939-1941.

su reclusión fue el resultado de la documentación e investigaciones recogidas por la Auditoría de Guerra del Cuerpo del Ejército de Guadarrama tras la caída de Madrid.[112] En enero de ese año fue interrogado por el fiscal secretario encargado de las checas, Eusebio Rams Catalán, ante el cual reconoció su pertenencia al Ministerio de la Guerra entre 1936 y 1937, pero negando cualquier hecho delictivo.[113] En los días siguientes, el mencionado magistrado tomó la palabra a más de veinte testigos (muchos de los citados en párrafos anteriores), que narraron con todo tipo de detalle sus actuaciones y las de su pareja durante los años de contienda bélica. En marzo, Sarroca escribió una instancia a la Auditoría de Guerra pidiendo su traslado a una prisión militar, pues consideraba que el 18 de julio de 1936 aún mantenía la categoría de capellán mayor, en situación de disponible forzoso.[114] Suponemos que de esa manera quería retrasar su proceso judicial y lograr algún tipo de *beneficio* a la espera del establecimiento de su pena. El 12 abril de 1940 fue condenado a muerte en consejo de guerra por la Comandancia Militar de Alcalá de Henares.[115] Por su parte, Florentina García, «digna acompañante del procesado Pablo Sarroca, con quien vivía maritalmente a pesar de su carácter sacerdotal y conocía por tanto cuantas denuncias, asesinatos y saqueos cometía el tan repetido Sarroca», fue declarada autora del delito de adhesión a la rebelión militar y condenada a 30 años de reclusión mayor.[116]

Dos días antes de su ejecución, el director de la prisión de Alcalá de Henares recibió un telegrama de la Capitanía General de la Primera Región Militar para que se «suspenda hasta nueva orden ejecución sentencia Pablo Sarroca Tomás». Sin embargo, ni veinticuatro horas después llegó otro del mismo emisor en el que «queda anulado mi telegrama de ayer». ¿Qué ocurrió? ¿Un arrebato de caridad? ¿O se confundieron de condenado y querían imponerle otra condena diferente a la pena de muerte? El 13 de noviembre fue la fecha señalada para su fusilamiento. En su carta de despedida («acto de reparación»), Sarroca reafirmó su fe como cristiano y sacerdote y pidió perdón por su comportamiento pasado. Como añade su confesor en esas últimas horas, el arcipreste de Alcalá de Henares, José Utrera, sus postreras palabras fueron: «Nunca daré bastantes gracias a Dios por haberme deparado la ocasión de pagar con el sacrificio de mi vida las muchísimas iniquidades que cometí». Posteriormente, «sin perder el recogimiento, ni alterar la serenidad, sin exhalar una queja, subió al coche para ser trasladado al lugar de la ejecución». Al descender del coche, estrechó a sus compañeros y se despidió de ellos exhortándoles: «Vamos, hijos míos, a morir por la gloria de Cristo Rey y

---

[112] Sobre el funcionamiento de la Causa General, Pablo Gil Vico: «Ideología y represión: la Causa General. Evolución histórica de un mecanismo jurídico-político del régimen franquista», *Revista de Estudios Políticos* (nueva época), núm. 101 (julio-septiembre de 1998), pp. 159-189.

[113] Archivo Histórico Nacional, Causa General, 1530, expediente 13, folio 2.

[114] Archivo Histórico de Defensa de Madrid, sumario 27196, legajo 260.

[115] Archivo del Ministerio del Interior, signatura 78304. «Expediente de Pablo Sarroca Tomás», 1939-1941.

[116] Archivo Histórico de Defensa de Madrid, sumario 13950, legajo 5233. «Expediente de Florentina García Martínez».

por la paz del mundo».[117] A las siete y media de la mañana, Sarroca y otros cinco reos[118] fueron fusilados en las tapias del antiguo cementerio municipal de Alcalá de Henares. Fue enterrado en dicho camposanto en una fosa común con el registro 3ª-393-8,[119] ya que ningún familiar o conocido reclamó su cadáver.

Florentina García, por su parte, tuvo que sufrir la muerte de su hija Teresa en 1943 con tan solo diecinueve años y se vio envuelta en una operación de extorsión y chantaje por parte de varios funcionarios de la Cárcel de Ventas, que amenazaron con trasladarla al centro penitenciario de Palma de Mallorca si no les entregaba una elevada suma de dinero.[120] En marzo de 1947 consiguió la libertad beneficiándose del decreto de indulto del 9 de octubre de 1945 referente a los delitos de *rebelión militar* cometidos con anterioridad al 1 de abril de 1939.[121] Antes de esa fecha, se dirigió en varias ocasiones al obispado de Madrid para pedir ayuda a la hora de reclamar los bienes que había poseído en vida Pablo Sarroca, ya que estos habían pasado a su hermana Josefina, que formaba parte del convento de Nuestra Señora y Enseñanza de Tremp (Lérida). En una de estas misivas reconocía abiertamente que Teresa era hija de ambos. Desde la jerarquía eclesiástica madrileña se comentó que «a Doña Florentina nada se le debe en este orden material, ni por caridad».[122] A partir de ese momento, el nombre de Pablo Sarroca pasaría a la ignominia y al olvido.

A MODO DE EPÍLOGO. VALORACIÓN FINAL

El miedo y el odio fueron elementos que actuaron como cohesionadores sociales en la España de la posguerra. En estas páginas hemos visto cómo estas emociones estuvieron detrás de las múltiples acusaciones que se realizaron contra los integrantes del Ateneo Libertario de Ventas. Aparte de la eliminación física del adversario (las tres personas estudiadas, por ejemplo, y no se trataban de casos especiales ni aislados, fueron ejecutadas), las autoridades franquistas se esforzaron por perpetuar una memoria del pasado acorde a sus principios ideológicos. Esta *cultura de la victoria*[123] se basaba en la decidida voluntad de recordar una y otra vez lo ocurrido durante la

---

[117] Archivo Central de la Curia de la Archidiócesis de Madrid, A. s., caja 291. «Expediente personal de Pablo Sarroca». Carta del arciprestazgo de Alcalá de Henares al obispado de Madrid, 13 de noviembre de 1940.

[118] Eran Prudencio Ibáñez Martín (32 años, albañil), Pablo García Gil, Marcos Roda Alonso (40 años, herrero), Marcial Redondo Chacón (23 años, campesino) y Santiago Sanz Sacristán (23 años, jornalero). José María San Luciano y Pilar Lledó Collada: «La represión en Alcalá (II)», *Diario de Alcalá*, 12 de noviembre de 2008.

[119] Archivo Municipal de Alcalá de Henares, Cementerio, registro de Pablo Sarroca Tomás.

[120] Centro Documental de la memoria histórica, Tribunal de Responsabilidades Políticas, expediente 75/1034.

[121] Archivo Histórico de Defensa de Madrid, sumario 13950, legajo 5233. «Expediente de Florentina García Martínez».

[122] Archivo Central de la Curia de la Archidiócesis de Madrid, A. s., caja 291. «Expediente personal de Pablo Sarroca». Carta de José Utrera al obispo auxiliar de Madrid, dr. Morcillo Casimiro, 24 de abril de 1946.

[123] Miguel Ángel del Arco Blanco: «El secreto del consenso en el régimen franquista: cultura de la victoria, represión y hambre», *Ayer*, núm. 76 (2009), pp. 245-268.

guerra civil, ya fuese a través de obras (hay que citar obligatoriamente los ocho volúmenes de *Historia de la Cruzada Española*, dirigida por Joaquín Arrarás), exposiciones de propaganda (*¡Así eran los rojos!*, de 1943)[124] o monumentos a los caídos.[125] Este tipo de construcciones eran costeadas muchas veces mediante colectas y donaciones voluntarias entre los vecinos de un municipio o barrio que habían sufrido los *desmanes* de los *rojos* durante la contienda bélica. Fue el caso de la Cruz de los Caídos de Canillas, Canillejas y Vicálvaro, que homenajeaba a las supuestas víctimas (un total de 252 nombres se grabaron en la piedra) de la checa del Ateneo de Ventas, como el farmacéutico Germán Pérez Carrasco (al que también se le dedicó una calle en esa zona). Este monumento se encontraba en el cruce formado por el final de

Cruz de los Caídos de Ciudad Lineal, 1943.
Fuente: *Abc*

la carretera de Aragón y el comienzo de la calle de Arturo Soria. Se construyó en 1943 mediante el trabajo de mano de obra presa y con granito de la Cárcel Modelo de Moncloa, lo que implicaba un elevado simbolismo ideológico dentro de una *cultura visual de ocupación* del espacio público:[126] «Las paredes testigos de las sacas de presos de derechas se utilizarían en el presente para recordarlos». En un régimen surgido de un conflicto armado era imprescindible «recordar» las amenazas pretéritas para conseguir la adhesión de la población y evitar o disipar cualquier duda sobre su legitimidad. Las palabras del jefe de Falange en Canillejas, Carlos Ruiz, el día de la inauguración de la Cruz iban encaminadas en esa dirección: «Honra a los que supieron morir por España [...] al mismo tiempo que llenan de honor a quiénes lo erigen para perpetuar el sacrificio de los desasequibles [sic] al desaliento».[127]

El propio fiscal de la Causa General, responsable de la rama de checas, autor máximo de las acusaciones contra los milicianos del Ateneo de Ventas, Eusebio Rams Catalán, tuvo una carrera meteórica a raíz de este proceso, como ya ha reflejado en su texto

---

[124] Misael Arturo López Zapico y Antonio César Moreno Cantano: «Imágenes de odio y miedo. ¡Así eran los rojos! Una exposición anticomunista en la España franquista (1943)», *Historia del Presente*, núm. 27 (2016), pp. 19-33.

[125] Miguel Ángel del Arco Blanco: «Las cruces de los caídos. Instrumento nacionalizador en la *cultura de la victoria*», en M. Á. del Arco Blanco, C. Fuertes, C. Hernández y J. Marco (eds.): *No solo miedo: actitudes políticas y opinión popular bajo la dictadura franquista*, Granada: Comares, 2013, pp. 65-82.

[126] Sobre esta idea véase la excelente obra de Miriam M. Basilio: *Visual Propaganda, exhibitions and the Spanish Civil War*, Burlington: Ashgate, 2013.

[127] *Abc*, 26 de octubre de 1943.

Julius Ruiz. De esta manera, prestó servicio en fiscalías como las de Zaragoza, Ciudad Real o Palma de Mallorca, hasta que en 1967 pasó a formar parte como abogado fiscal del Tribunal Supremo.[128]

Apreciamos que los *héroes* y *víctimas* de la nueva España fueran ensalzados y su recuerdo grabado a hierro y cincel en todas las poblaciones españolas. Del otro lado, los derrotados fueron aprisionados y en muchos casos eliminados frente a las paredes de un cementerio cualquiera. El olor a pólvora fue su último acompañante. A partir de ese momento su nombre y vida cayeron en la defenestración. Esperamos haber contribuido con esta investigación a conocer un poco mejor a estos personajes y el complicado contexto que les tocó vivir (y sufrir). Reste a cada lector la valoración personal de sus trayectoria vitales y la justificación o condena de sus actos.

ANEXO. MIEMBROS DEL ATENEO LIBERTARIO DE VENTAS O DIRECTAMENTE RELACIONADOS CON ÉL

Apellidos y nombre	Filiación o cargo dentro del Ateneo	Delito o acusaciones
Albarrán Jiménez, Timoteo	Guardia	Asesinatos en el Cementerio del Este
Álvarez Ortiz, Bonifacio	Miliciano	No se especifica
Antón Martínez, Juan	Guardia	No se especifica
Antón, Julián	Miliciano	Asesinatos de presos de la cárcel Porlier
Arroyo Pastor, Rafael	Miliciano	Intervenir en una saca de la prisión de Ventas
Badía, María Rosa	Conserje	Denuncias contra personas de derechas
Barriga Ávila, Diego	Miliciano	Torturar a los detenidos y participar en el asesinato del soldado Indalecio Moreno
Barrios Carrazón, Antonio	Piquetes de ejecución	Intervención directa en multitud de asesinatos
Blanco Velasco, Alejandro	Miliciano	No se especifica
Calvo Rodríguez, Lucio	Conductor	Afiliado a CNT
Cano Albarrán, Carmelo	Miliciano	No se especifica
Cañete Mayor, Doroteo	Piquetes de ejecución	Multitud de asesinatos
Carmona Campillo, Gabriel (*El Verdugo*)	Miembro del Comité de Defensa	Asalto a la cárcel Modelo y en múltiples asesinatos
Casas Rascón, Antonio	Miliciano	No se especifica

[128] «Nombramientos», *Abc*, 30 de octubre de 1976.

Apellidos y nombre	Filiación o cargo dentro del Ateneo	Delito o acusaciones
Crespi Luque, Andrés	Miliciano	Intervino en la detención y asesinato de la dueña del hotel Torrenieves
Del Castillo del Amo, Ángel del	Conductor	Cómplice de asesinatos
Del Moral Labajo, Antonio	Miliciano	Multitud de asesinatos
Del Valle Expósito, José	Miliciano. Voluntario de la columna Hierro	Asesinó a un vecino de Ventas
Delgado Abizón, Manuel	Guardia	No se especifica
Domínguez López, Concepción	Mecanógrafa	Tratar mal a los detenidos
Escribano Vázquez, Gregorio	Miliciano	Intervenir en una saca de la Prisión de Ventas
Fernández Tejera, Juan	Conductor	Traslado de detenidos
García Menéndez, Segundo	Secretario	No se especifica
Gey Gómez, Antonio	Miliciano	Sin delitos de sangre
Gil Gutiérrez, Máximo	Miliciano	Planear asesinatos
Gil Martínez, Miguel	Miliciano	Multitud de asesinatos
Gonzalo Saez, María	Miliciana y propagandista	Intervenir en los asesinatos de Felipe Montero y su esposa Francisca Alonso
Guil Martínez, Miguel	Miliciano	Multitud de asesinatos
Hernández Escribano, Felipe	Guardia	No se especifica
Hernández Escribano, Policarpo	Conductor	Cómplice de asesinatos
Hernández Montero, Julián	Alcalde de Canillas. Uno de los máximos dirigentes	Participó en el asesinato de un Comandante del Ejército
Hernández, Julián	Antiguo afiliado de la CNT	Multitud de asesinatos
Hinojosa Barrios, José	Miliciano	Detención, torturas y asesinatos
Hurtado Fajardo, Antonio (El Chato)	Miembro del Comité de Defensa	Más de trescientos asesinatos
Jiménez Ruiz, Pedro	Miliciano	Intervención directa en multitud de asesinatos
Juana del Olmo, Tomás	Miliciano	Detención, torturas y asesinatos

Apellidos y nombre	Filiación o cargo dentro del Ateneo	Delito o acusaciones
King Nonato, Conrado	Miliciano	Multitud de asesinatos
Llanos Ibáñez, Constantino	Miliciano	Multitud de asesinatos
López Catarelo, Antonio	Miliciano	Intervención directa en multitud de asesinatos
López García, Francisco	Miliciano	Detenciones y asesinatos
López Vilches, Diego	Miliciano	Multitud de asesinatos
Lozano Talaya, Jesús	Dirigente	Intervino en el asesinato del farmacéutico Germán Pérez Carrasco
Martín Expósito, Braulio	Miliciano	No se especifica
Martín, Elías	Antiguo afiliado de la CNT. Concejal	Multitud de asesinatos
Martínez Conesa, Manuel	Miliciano	Intervino en la detención de Alfredo Chelvi
Matesanz Fernández, Matilde	Miliciana	No se especifica
Monasterio García, Joaquín	Miliciano	No se especifica
Morlanes Cereijo, Manuel Carlos (*Carlines*)	Dirigente. Soldado	Detenciones, saqueos y asesinatos, como el del diputado de la CEDA Bernardo Aza
Muñoz de la Fuente, José	Directivo	No se especifica
Muñoz de la Fuente, Mercedes	Limpiadora	Participó en diferentes asesinatos
Muñoz Martínez, Paula	Portera en el núm. 55 de la carretera de Aragón	Delatar a personas de derechas
Muñoz Tenajas, Fermín	Miliciano	Intervención directa en multitud de asesinatos
Navarro Moreno, Manuel	Miliciano	Multitud de asesinatos en el Cementerio del Este
Nieto García, Nicolás	Adscrito a la Comisaría de Cuatro Caminos	No se especifica
Nieto Ramos, Baldomero	Secretario del Juzgado Municipal de Quintanar de la Orden	Colaborar en las delaciones
Palomares Sánchez, Ángel	Miliciano	Intervenir en una saca de la Prisión de Ventas
Pastor Pastor, José	Miliciano	Intervenir en una saca de la Prisión de Ventas

Apellidos y nombre	Filiación o cargo dentro del Ateneo	Delito o acusaciones
Pedrosa Puertas, Tomás	Conductor	Cómplice de asesinatos
Pérez Rueda, Manuel	Miliciano. Sargento de Sanidad	Delatar a personas de derechas
Pina Rodríguez, Nicolás	Sección de Abastos	No se especifica
Plaza, Emilio	Miliciano	Asesinato de curas en Guadalajara
Querol, Manuel *(El Pequeño)*	Grupos secretos anarquistas	Delitos al servicio del Ateneo de Ciudad Lineal
Quesada Pastor, Juan	Miliciano	Multitud de asesinatos
Ramos Rodríguez, José	Delegado en la Federación Local de Ateneos Libertarios	No se especifica
Roa Martínez, Calixto	Miliciano	No se especifica
Rubio Acosta, Gregoria	Miliciana	Participó en registros, saqueos y posiblemente en asesinatos
Ruiz Aragonés, Vicente	Conductor	Cómplice de asesinatos
Ruiz Mota, Félix	Secretario	No se especifica
Salinas Fernández, Antonio	Presidente. Concejal Delegado de Abastos de Canillas	Robos y planificación de asesinatos
Sarroca Tomás, Pablo	Excura castrense. Servicios Especiales del Ministerio de Guerra	Suministrador de armas, chantajes, delaciones, complice de asesinatos
Villar Sánchez, Manuel	Miliciano	Asesinatos
Villaverde Petralanda, Jesús	Directivo	Robos e incautación de bienes. Intervino en el asesinato del diputado Bernardo Aza
Villaverde Petralanda, José Luis	Conserje	Intervención directa en multitud de asesinatos
Villaverde Petralanda, Justo	Miliciano	No se especifica
Yuntas Castejón, Emilio	Miliciano	Multitud de asesinatos

Fuente: elaboración propia a partir de los expedientes 13 (caja 1530) y 71 (caja 1534), de la Causa General, Archivo Histórico Nacional

FUENTES ARCHIVÍSTICAS, HEMEROGRÁFICAS Y BIBLIOGRÁFICAS

Archivos

Archivo Central de la Curia de la Archidiócesis de Madrid, A. s. caja 291.

Archivo del Cementerio de la Almudena.

Archivo del Ministerio del Interior. Expedientes penitenciarios de Gabriel Carmona Campillo, Antonio Hurtado Fajardo, Pablo Sarroca, Josefa Delgado Paredes y Florentina García Martínez.

Archivo General de la Administración (Alcalá de Henares), Justicia, Tratamiento Penitenciario.

Archivo General Militar de Segovia, Sección Guerra Civil, legajo S-173-14.

Archivo Histórico de Defensa de Madrid, Sumarios 13950 (legajo 5233), 13234 (legajo 7586), 107812 (legajo 3956), 27196 (legajo 260).

Archivo Histórico Nacional, Causa General, cajas 126 (expediente 27), 145 (expediente 5), 183 (expediente 2), 199 (expediente 29), 1530 (expediente 13) y 1534 (expediente 71).

Archivo Histórico Provincial de Alicante.

Archivo Municipal de Alcalá de Henares.

Centro Documental de la memoria histórica (Salamanca), Político-Social Madrid, Serie Militar, carpetas 171, 287, 859, 910 y 1644.

Prensa

Abc.

Diario de Alcalá.

Diario Oficial del Ministerio de la Guerra.

El Sol.

La Época.

La Nación.

La Vanguardia.

Libros y artículos

Aguilera Povedano, Manuel: «El suceso Yagüe: el problema de los controles obreros en la defensa de Madrid», en María Encarna Nicolás Marín y Carmen González Martínez (eds.): *Ayeres en discusión: temas claves de Historia contemporánea hoy*, Murcia: Congreso de la Asociación de Historia Contemporánea, 2008.

Arendt, Hannah: *Los orígenes del totalitarismo*, Madrid: Alianza Editorial, 2013.

BARAIBAR, Álvaro y COHEH, Shai: «Nuevas tecnologías y redes sociales en la investigación en humanidades», *La Perinola*, núm. 16 (2012), pp. 155-164.

BASILIO, Miriam M.: *Visual propaganda, exhibitions and the Spanish Civil War*, Burlington: Ashgate, 2013.

BERNALTE VEGA, Francisca: *La cultura anarquista en la guerra civil: los Ateneos Libertarios de Madrid*, Madrid: Universidad Complutense de Madrid, 1991.

BLAIR, Elsa: «Los testimonios o las narrativas de la(s) memoria(s)», *Revista de Estudios Políticos*, núm. 32 (2008), pp. 85-115.

BORRERO, Mercedes *et al.*: *El miedo en la historia*, Valladolid: Universidad de Valladolid, 2013.

BOURKE, Jean: *Fear: a cultural history*, Londres: Virago, 2005.

CALVEIRO, Pilar: «Testimonio y memoria en el relato histórico», *Acta Poética*, México: Universidad Autónoma de México, núm. 27, 2006, pp. 65-86.

CANO, Isabel: «La supresión del cuerpo de capellanes en prisiones durante la Segunda República», *Anuario de Derecho Eclesiástico del Estado*, núm. 25 (2009), pp. 155-173.

CÁRCEL ORTÍ, Vicente: *La Segunda República y la guerra civil en el Archivo Secreto Vaticano [II]. Documentos del año 1932*, Madrid: Biblioteca de Autores Cristianos, 2012.

CARRERA, Elena: «El miedo en la historia: testimonios de la Gran Guerra», *Rubrica Contemporánea*, vol. 4, núm. 7 (2015), pp. 47-66.

CERUTTI, Mónica: «La memoria de las víctimas: testimonios para una reflexión ética», en Varios autores: *La ética ante las víctimas*, Barcelona: Anthropos, 2003, pp. 243-266.

CERVERA GIL, Javier: *Contra el enemigo de la República... desde la Ley. Detener, juzgar y encarcelar en guerra*, Madrid: Biblioteca Nueva, 2015.

CONTRERAS MAZARIO, José María: *Régimen jurídico de la asistencia religiosa a las fuerzas armadas en el sistema español*, Madrid: Ministerio de Justicia, 1989.

DEL ARCO BLANCO, M. A.; C. FUERTES, C. HERNÁNDEZ y J. MARCO (eds.): *No solo miedo: actitudes políticas y opinión popular bajo la dictadura franquista*, Granada: Comares, 2013.

DEL ARCO BLANCO, Miguel Ángel: «El secreto del consenso en el régimen franquista: cultura de la victoria, represión y hambre», *Ayer*, núm. 76 (2009), pp. 245-268.

DELUMEAU, Jean: *El miedo en Occidente (siglos XIV-XVIII): una ciudad sitiada*, Madrid: Taurus, 1989.

GARCÍA FERNÁNDEZ, Hugo: «Relatos para una guerra: terror, testimonio y literatura en la España Nacional», *Ayer*, núm. 76 (2009), pp. 143-176.

GIL PECHARROMÁN, Julio: *La Segunda República: esperanzas y frustraciones*, Madrid: Historia 16, 1997.

GIL VICO, Pablo: «Ideología y represión: la Causa General. Evolución histórica de un mecanismo jurídico-político del régimen franquista», *Revista de Estudios Políticos* (nueva época), núm. 101 (julio-septiembre de 1998), pp. 159-189.

GONZALBO, Pilar; Anne STAPLES y Valentina TORRES (eds.): *Una historia de los usos del miedo*, México: Universidad Iberoamericana/COLMEX, 2009.

Guzmán, Eduardo de: *Madrid rojo y negro: milicias confederales*, Barcelona: Tierra y Libertad, 1938.

Jiménez Herrera, Fernando: «Ateneos Libertarios. Centros de educación alternativa. Estudios de caso del Puente y Villa de Vallecas», *Congreso internacional La Segunda República: Culturas y Proyectos Políticos*, organizado por el Grup d'Estudis República i Democràcia y celebrado en Bellaterra los días 13, 14 y 15 de abril de 2016.

Jiménez Herrera, Fernando: «El Comité Provincial de Investigación Pública a través de la documentación custodiada en el Archivo General Militar de Madrid», *Hispania Nova. Revista de Historia Contemporánea*, núm. 12 (2014).

López Zapico, Misael Arturo y Antonio César Moreno Cantano: «Imágenes de odio y miedo. ¡Así eran los rojos! Una exposición anticomunista en la España franquista (1943)», *Historia del Presente*, núm. 27 (2016), pp. 19-33.

Manzanero Puebla, Antonio L.: *Psicología del testimonio: una aplicación de los estudios sobre la memoria*, Madrid: Pirámide, 2008.

Martínez Leal Juan y Miguel Ors Montenegro: «En el Reformatorio de Adultos de Alicante», *Revista Canelobre*, número 31-32 (1995), pp. 24-31.

Montero, Feliciano; Antonio César Moreno y Marisa Tezanos: *Otra Iglesia: clero disidente durante la Segunda República y la guerra civil*, Gijón: Trea, 2014.

Núñez Díaz-Balart, Mirta y Antonio Rojas: *Consejo de guerra: los fusilamientos en el Madrid de la posguerra (1939-1945)*, Madrid: Compañía Literaria, 1997.

Plamper, Jan: *The history of emotions: an introduction*, Oxford: Oxford University Press, 2015.

Robin, Robin: *Fear: the history of a political idea*, Nueva York: Oxford University Press, 2004.

Rodríguez Velasco, Hernán: *Una derrota prevista: el espionaje militar republicano en la guerra civil*, Granada: Comares, 2012.

Ruiz Vargas, José María: «Trauma y memoria de la guerra civil y de la dictadura franquista», *Hispania Nova*, núm. 6 (2006).

Ruiz, Julius: «*Incontrolados* en la España republicana durante la guerra civil: el caso de Luis Bonilla Echevarría», *Historia y Política* (Madrid), núm. 21 (enero-junio de 2009), pp. 191-218.

— «Defending the Republic: the García Atadell Brigade in Madrid, 1936», *Journal of Contemporary History*, vol. 42 (1), 2007, pp. 97-115.

Sagarra, Pablo: «Apuntes históricos-jurídicos sobre la jurisdicción Eclesiástica Castrense», *Aportes. Revista de Historia Contemporánea*, núm. 72 (2010), pp. 51-81.

Sánchez Recio, Glicerio: «El control político de la retaguardia republicana durante la guerra civil. Los tribunales populares de justicia», *Espacio, Tiempo y Forma*, serie V, Historia Contemporánea, t. 7 (1994), pp. 585-598.

Sarroca, Pablo: *Al Gobierno Provisional de la República Española. En testimonio de profunda admiración y de adhesión sincera*, Sin editorial, 1931.

Sevillano Calero, Francisco: «Política y criminalidad en el *nuevo Estado* franquista. La criminalización del *enemigo* en el derecho penal de posguerra», *Historia y Política: Ideas, procesos y movimientos sociales*, núm. 35 (2016), pp. 289-311.

— *Rojos: la representación del enemigo en la guerra civil*, Madrid: Alianza, 2007.

SORIA VERDE, Miguel Ángel: *Psicología jurídica: un enfoque criminológico*, Madrid: Publicaciones Delta, 2006.

STERNBERG, Robert y Karin STERNBERG: *The nature of hate*, Cambridge: Cambridge University Press, 2008.

«No todos eran iguales»: chequistas anarquistas, chequistas comunistas y chequistas entre las fuerzas del orden

Javier Cervera Gil
Universidad Francisco de Vitoria

INTRODUCCIÓN

Este libro trata de analizar las posiciones a partir de las cuales el bando vencedor acusó a los vencidos para hacerles pagar sus culpas (o su derrota, en realidad) y otros, los vencidos, trataron de defenderse de esa represión judicial y lo que esta generó. Ello nos conduce a una historia de las emociones y los sentimientos en unos y otros, y, además, de los recursos para salir de una situación muy peligrosa o comprometida o los efectos de la tensión y la presión en los acusadores/juzgadores y los acusados/condenados. Dentro de ese marco general, en este capítulo[1] nos vamos a centrar en comparar tres ámbitos *chequistas* muy marcados, buscando elementos coincidentes y discrepantes entre unos y otros: los anarquistas, los comunistas y la actuación chequista de un centro de la guardia civil. Como *chequistas*, por limitaciones propias de este trabajo, hemos seleccionado tres figuras sobresalientes de esos ámbitos en el Madrid de la guerra: Mariano García Cascales en el caso anarquista, Álvaro Marasa Barasa en el comunista y el guardia civil Ambrosio Rueda García. Los criterios de selección han sido la relevancia de su papel en la actividad de esos centros represivos y otros, y también la existencia de fuentes para poder analizar, porque en otros casos no se encuentran o no son tan sustanciosas o lograron huir de la represión franquista en 1939.

A partir de investigaciones anteriores[2] constatamos que los vencedores franquistas aplicaron criterios arbitrarios para juzgar y condenar a quienes defendieron la República derrotada. Por ello nuestro planteamiento inicial parte de la hipótesis de que en las acusaciones y condenas finales contra estos *chequistas* tuvo peso y marcó diferencias la condición de anarquista, de comunista o de guardia civil. Al final, estableceremos hasta qué punto ello fue de esta manera.

[1] Este trabajo se encuadra en el proyecto de investigación con referencia HAR2015-70256-P, financiado por el Ministerio de Economía y Competitividad de España, en el marco del Plan Estatal de Investigación Científica y Técnica y de Innovación 2013-2016.

[2] A este respecto, véase Javier Cervera Gil: «La represión judicial de las fuerzas del orden en la posguerra: cuando el uniforme marca el destino», en Glicerio Sánchez Recio y Roque Moreno Fonseret: *Aniquilación de la República y castigo a la lealtad*, Alicante: Publications Universitat d'Alacant, 2015, pp. 223 a 260.

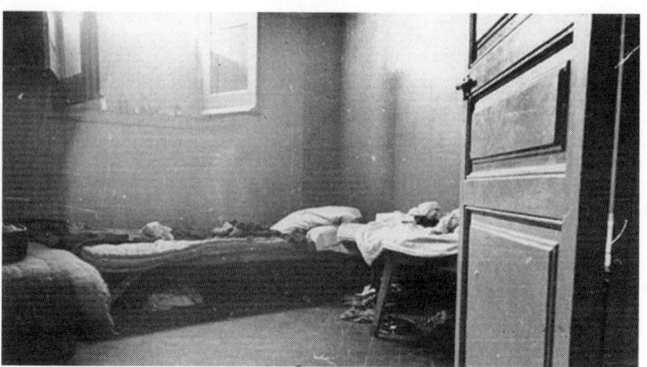

Celda de la checa de Marqués de Riscal de Madrid.
Fuente: Archivo Histórico Nacional

El material estudiado han sido las acusaciones o denuncias a partir de las cuales se juzga a estos personajes, las conclusiones acusadoras de jueces instructores, fiscales y sentencias finales y las declaraciones de estos *chequistas* para tratar de salvar la situación lo mejor posible. Esta documentación la hallamos, por un lado, en la Causa General, pero por otro también en los consejos de guerra llevados a cabo por los vencedores a partir de 1939 (y que en parte, en algunos casos, son incorporados a la Causa).

Se trata de analizar el discurso de quienes, en unos primeros meses de posguerra, llenos de tensión acusatoria y, por qué no decirlo, de cierto deseo de venganza o de imponer la victoria, acusaban e imputaban de las peores actuaciones y comportamientos a aquellos españoles derrotados, y más aún si se trataba de integrantes de las llamadas *checas*. De desentrañar cómo influye el recuerdo de la muerte —violenta, injusta o arbitraria o las tres cosas a la vez— o del sufrimiento padecido durante el periodo de la guerra (en especial en la etapa inicial del conflicto) y causado, o entendido como causado, por aquellos ahora derrotados en 1939. Además, también se trata de analizar cómo y cuánto juega el sufrimiento experimentado por los juzgadores o cuando, en aquellos que no vivieron esa trágica experiencia, sí empatizan con quienes del propio bando sufrieron esa violencia por los *chequista* del enemigo ahora derrotado. Finalmente, se trata también de estudiar cómo articularon su defensa ante esas acusaciones esos *chequistas* acusados en esas tensas situaciones y cómo gestionaban el miedo y/o el odio contra sus juzgadores en esa coyuntura o trataban de justificar su actuación ante quienes iban a emitir una condena que podía ser fatal e irreversible.

CONTENIDOS Y ARGUMENTOS PARA ACUSAR Y RECURSOS PARA DEFENDERSE

Antes del análisis de los argumentos de los acusadores y los mecanismos y recursos para defenderse de los acusados debemos tener en cuenta los condicionantes que influyen en las posiciones de unos y de otros.

Por una parte, los que acusaban, fueran víctimas o familiares de las víctimas, policías, fiscales o jueces lo hacían fuertemente influenciados por vivencias poderosamente traumáticas que pudieron haber generado miedo en su momento, pero que a partir de 1939 generaban odio, deseo de venganza en no pocas ocasiones o voluntad de hacer pagar los sufrimientos padecidos a esos ahora derrotados.

En el otro lado, no debemos olvidar que quienes declaraban ante unos agentes de policía, ante un juez o ante un consejo de guerra lo hacían sometidos a una tremenda tensión mezclada con la enorme presión que suponía que sobre ellos sobrevolara la posibilidad cierta de una pena de muerte o, con suerte, una pena de cárcel muy larga; más aún si, como es el caso en este trabajo, a esa condición sumaban la actuación en un cuartel/centro que hubiera actuado de forma similar a una checa al aplicar una represión clandestina al margen de los cauces reglados por la ley.

En ambos casos, es pertinente recordar que los testimonios de unos y otros reconstruyen los hechos, los sentimientos y la actividad durante la guerra civil pero con los condicionantes expuestos y en el marco de la justicia franquista. Esto influye indudablemente en el elevado tono condenatorio de quienes acusan y en la dificultad de defenderse y de tener claridad de pensamiento en quienes, acusados, se enfrentan posiblemente a que su condena termine con su vida.

Los ejemplos referentes escogidos son Mariano García Cascales, que estaba vinculado a la checa de Narváez; Álvaro Marasa Barasa, que lo estaba a la checa de San Bernardo, y Ambrosio Rueda García, que lo estaba a la checa Espartacus.

Mariano García Cascales era un mecánico de militancia anarquista que tenía veinte años cuando comenzó la guerra. Vallecano, es el personaje más importante del Ateneo Libertario de Retiro, de alguna manera el que lo dirigía. Este local, antes Colegio del Sagrado Corazón en los números 18 y 20 de la calle de Narváez, fue conocido como la *checa de Narváez* y era de adscripción anarquista. En octubre, García Cascales se trasladaría al restaurante Cóndor de la calle de Jorge Juan.

Álvaro Marasa Barasa era calefactor de profesión y la sublevación de julio de 1936 le sorprendió trabajando al servicio de un madrileño que vivía en la calle Conde de Peñalver. Antes de la guerra estaba afiliado a la UGT, y no fue hasta ya iniciada la guerra cuando se afilió al PCE. A mediados de agosto de 1936 ingresó como agente de policía y quedó adscrito a la comisaría del Puente de Vallecas bajo órdenes del conspicuo comunista Santiago Álvarez, que se lo llevó con él y otros a la checa de San Bernardo, en la iglesia del 72-74 de esa calle madrileña, que era el Radio 8 del PCE.

Ambrosio Rueda García era guardia civil desde 1922, pero durante la República había manifestado posiciones cercanas al PSOE. En julio de 1936 tenía 38 años y era un simple guardia asignado como escolta del general Núñez de Prado, director de aviación. Él estaba encuadrado en la 3.ª Compañía, que estaba adscrita al cuartel de la Batalla del Salado, en Madrid, y ascendió con rapidez hasta capitán. Fue vocal del Comité Central de la Guardia Civil (luego GNR) e integrante de la Comisión Depuradora del Cuerpo, para lo cual se adscribió al edificio que se habilitó como cárcel para guardias civiles en la calle de Santa Engracia y que era conocido como *checa Espartacus*.

En las páginas que siguen repasaremos por un lado los motivos, las razones, el tono de las imputaciones, los intereses, etcétera que se manifiestan en las acusaciones contra estos *chequistas* cuando comparecen delante de los agentes policiales y las instancias judiciales. A continuación, tocará el análisis de los testimonios o declaraciones que hicieron estos tres personajes acusados para intentar defenderse y minimizar lo más posible el castigo que inevitablemente esperaban. En ambos casos analizaremos la subjetividad y las intenciones o condicionantes que se traslucen de las palabras y posiciones que las distintas personas manifiestan.

Los acusadores: de la condena previa al juicio

Comencemos por las acusaciones o denuncias contra Mariano García, Álvaro Marasa y Ambrosio Rueda. Como se ha anunciado, nos interesa el análisis de las causas u origen que explican esas imputaciones (un ajuste de cuentas, venganza, odio o desprecio, pura crueldad, el repudio a la mera condición de *chequista*, la relevancia del papel jugado por el personaje en la guerra…); y, derivado de ello, algunas características peculiares de las personas o las instancias que acusaban (la dureza o no de la policía o de las instancias judiciales, el peso de la dinámica represora de los primeros tiempos…). Pretendemos detenernos en comprobar coincidencias, comparaciones o diferencias entre cómo y con qué intensidad se acusaba a un *chequista* anarquista, a otro comunista y a un guardia civil que actuó como tal.

El final de la guerra civil aquel 1 de abril de 1939 abrió la puerta, es sabido, a la aplicación de una política de victoria sobre los derrotados. Esto se tradujo en la aparición del ajuste de cuentas y/o la venganza más bien disfrazada de aplicación de lo que pretendía pasar como justicia. Esta realidad aflora con más facilidad y asiduidad en las fechas más cercanas a aquel final oficial de la guerra.

Así, Álvaro Marasa, detenido inmediatamente, comparece en la Brigada Político-Social ya el 11 de abril de 1939, donde un abogado madrileño, José María Aransay Álvarez, enterado de la presencia allí de Marasa, acude expresamente para acusarle del *paseo* de Fernando García Bastarrica en la Ciudad Universitaria al comienzo de la guerra. El denunciante quiere hacer pagar la muerte de su amigo y señala a Marasa junto con el policía Lino Delgado Sanz.[3] Poco más de una semana después, se repite la historia. En el mismo lugar se presenta un señor de 65 años, vallisoletano de Peñafiel, que viene hasta Madrid e imputa a Marasa la muerte de sus cuatro hijos: Eustaquio, José, Augusto y Roberto Lagunero de la Torre, que habían sido víctimas de una *saca* de

---

[3] Archivo General e Histórico de la Defensa (en adelante, AGHD); Fondos de Madrid; SUMARIO 2570; LEGAJO 5193: Comparecencia ante la Brigada Político Social de José María Aransay Álvarez (11/04/1939); f. 133.

la cárcel de Ventas el 29 de noviembre y asesinados en Paracuellos del Jarama.[4] Ahora un padre, seguro que desgarrado por el dolor, quiere que pague por ello: en su testimonio no asoma duda de que es Marasa.

Casi un año después, un informe de la Comandancia de Madrid de la Guardia Civil[5] revela que los mandos que lo redactan desean que sea declarado culpable y no dudan en exagerar el número de asesinados o emplear expresiones como *asesinatos en masa*.

Ese deseo no escondido de hacer pagar a los derrotados no pocas veces se entremezcla con sentimientos de odio y/o descalificación contra estos *chequistas*. En este caso, es más habitual que el acusador fuera de la nueva policía franquista. El 29 de julio de 1939[6] se ensañan con Mariano García porque lo consideran como la figura más importante de la checa de Narváez y una de las más relevantes entre los anarquistas que actuaron en Madrid. Ese odio al *chequista* se traduce en que los agentes cargan las tintas de lo negativo para incrementar la culpa y el castigo. Tal es el caso de imputar, de forma inesperada y sin que hallemos otro testimonio que lo corrobore, la organización de un supuesto grupo terrorista en el barrio de Retiro a Mariano García hacia el final de la guerra. Nada apunta a que esto fuera verdad.

Esa animadversión cercana al odio contra un acusado provoca que Avelino Álvarez y Fernández, de Oviedo, se desplace a Madrid para denunciar[7] ante la Auditoría de Guerra de Madrid que Marasa es responsable de las penalidades de un sacerdote de los trinitarios, José María de Inchaurbe y Aldama, que —obsérvese el lenguaje— «fue detenido por la horda marxista en fecha 5 ó 6 de septiembre de 1936 en el restaurante 'Madrid', calle de la Cruz, 35». Según el denunciante, «practicó la detención el pseudopolicía Álvaro Marasa Barasa que actualmente se encuentra encarcelado en la Brigada Social, Serrano 108». Las palabras rezuman odio, desprecio, animadversión.

A veces, ese sentimiento lo genera únicamente la militancia ideológica, como cuando un oficio de la DGS emite una información[8] que vincula su condición de comunista a que «se dedicaba a dar 'paseos'. Ingresó como Agente en la policía marxista». Ob-

---

[4] Está absolutamente confirmada la saca de presos de la cárcel de Ventas del 29 de noviembre de 1936 (ver en Javier Cervera Gil: *Madrid en guerra: la ciudad clandestina (1936-1939)*, Madrid: Alianza Editorial, 2006, 2.ª edición, p. 90. Y, por otro lado, son varias las fuentes que confirman la presencia de estos cuatro hermanos en esa expedición de presos, por tanto, su asesinato: en Causa General de Madrid en declaraciones de testigos contenidas en caja 1526. Ramo primero (Cárcel de Ventas) y caja 1527. Expediciones Paracuellos y Torrejón, y en dentro del Archivo Histórico Nacional en los fondos de la Audiencia Territorial de Madrid, Serie Criminal: legajo 35/1; sumario 353/936.

[5] AGHD; Fondo de Madrid: sumario 68430; caja 2597: Informe del Jefe de la Comandancia de Madrid al juzgado (24.02.1940); f. 6 reverso.

[6] AGHD; Fondos de Madrid: sumario 48416; legajo 5641; caja 6321/9: Comparecencia ante la Brigada Político Social del Ministerio de Gobernación (29/07/1939); ff. 17 y 18.

[7] AGHD; Fondos de Madrid; sumario 2570; legajo 5193: Denuncia ante la Auditoría de Madrid de Avelino Álvarez y Fernández (1/05/1939); f. 113.

[8] AGHD; Fondos de Madrid; sumario 2570; legajo 5193: oficio núm. 6743 de «Informaciones» de la DGS (26/02/1940); f. 44.

sérvese, además, el matiz atribuido a la policía republicana, claramente descalificante, censurador: no es el servicio de seguridad de un Estado, sino el de un credo ideológico.

Ese odio o desprecio hacia estos *chequistas* resalta la maldad, la crueldad o el siniestro panorama que también dibujan no pocas veces los acusadores para describir la actividad de estos represores.

En su primera comparecencia ante la brigada policial, sobre Mariano García Cascales,[9] al vincularlo a la checa de Narváez, se carga una lista de «infinidad de asesinatos» que fueron cometidos en ese local (entre ellos tres sacerdotes cuya condición se especifica intencionadamente) y luego se le recuerda su participación en las *sacas* de presos de noviembre y diciembre de 1936, así como numerosos saqueos y detenciones. Es decir, los agentes presentan un siniestro paisaje de violencia en el que García Cascales tuvo mucho que ver porque líneas después le atribuyen ser «jefe absoluto de la checa» hasta que fue nombrado consejero de la Junta de Defensa el 7 de noviembre de 1936. Es llamativo que cuando se hace referencia a los asesinatos y la violencia ya no se denomina al local *ateneo*, sino *checa*, y que la alusión a la etapa en que García Cascales fue consejero de la Junta de Defensa es mínima: sobre su papel como consejero, los policías acusadores no se detienen. Solo interesa su faceta de asesino y García Cascales adquiere de nuevo importancia cuando se aportan datos acusatorios que lo relacionan con el caso del asesinato del diplomático belga Jacques Borchgrave.[10]

En cambio, en el caso de Álvaro Marasa, la posible crueldad en su actividad *chequista* se resalta no en instancias policiales, sino en las judiciales. Son el instructor y el fiscal quienes insisten en la maldad o la crueldad de la actividad de Marasa durante la guerra. Y ello, indudablemente, contribuyó a que sufriera la máxima condena y además imposibilitó un indulto posterior y conduciría a Barasa a la ejecución sin remedio. Más aún cuando la sentencia,[11] el 12 de junio de 1940, suma en los hechos probados a esos asesinatos de Marasa su pertenencia al PCE y ser agente *rojo*. Condenado a la pena de muerte, Marasa sería ejecutado el 9 de agosto de 1940.[12]

En el caso del guardia civil Ambrosio Rueda, la imputación de los hechos más graves sí que aparece desde los informes[13] que elabora la propia Comandancia de la Guardia Civil y que facilita al juez instructor. La maldad que se trata de cargar sobre Rueda se vincula a su actividad como vocal del Comité Central y de la Comisión Depuradora de la GNR, porque en esas instancias, además de cesantías y expulsiones, «se cometieron asesinatos en masa». Además, se acentúa el episodio más grave y sanguinario con una clara intención de incrementar el castigo y culpa para Ambrosio: «los ochenta y tantos

---

[9] AGHD; Fondos de Madrid: causa 48416; legajo 5641; caja 6321/9: Comparecencia ante la Brigada Político Social del Ministerio de Gobernación (29/07/1939); ff. 17 y 18.

[10] Para este caso, véase Javier Cervera Gil: *Madrid en guerra...*, pp. 233-237.

[11] AGHD; Fondos de Madrid; sumario 2570; legajo 5193: sentencia (12/06/1940); f. 143.

[12] AGHD; Fondos de Madrid; sumario 2570; legajo 5193: oficio de la sección de «Enterados» de la Auditoría de Guerra de la 1.ª Región Militar (27/03/1943); f. 147.

[13] AGHD; Fondos de Madrid: sumario 68430; caja 2597: Informe del Jefe de la Comandancia de Madrid al juzgado (24.02.1940); f. 6 reverso.

Jefes, Oficiales e individuos de tropa» que en noviembre de 1936 fueron sacados de la prisión de Santa Engracia y luego asesinados en las tapias del cementerio del Este. Se *infla* la cantidad de asesinados y se vincula a Rueda con esa matanza.

Diez días después, el 6 de marzo de 1940, la Brigada Político Social remitía otro informe[14] al juez instructor en el que se acentuaba la maldad de Rueda porque en un caso que se contaba se negó a prestar el auxilio que pedía una señora.

Cuando el proceso alcanza ya instancias judiciales, el fiscal, en sus conclusiones provisionales,[15] exagera sobre los hechos de los que había venido siendo acusado Rueda para incrementar la impresión de maldad sobre el acusado. Por ejemplo, mantiene la falsa cifra de 80 guardias civiles asesinados en la *saca* de la prisión de Santa Engracia. Y la sentencia[16] del 27 de diciembre de 1940 es muy contundente contra Rueda, aunque, curiosamente, sí rebaja a su número ajustado la cantidad de guardias civiles sacados de la checa Espartacus. Condena a Ambrosio a la pena de muerte, y es fusilado a las siete y media de la mañana del 8 de febrero de 1941 en las tapias del cementerio del Este por un piquete que mandaba un excompañero, un teniente de la Guardia Civil.[17]

Esa intención de resaltar la crueldad se relaciona con tratar de presentar a los *chequistas* como gente con deseos de matar. Al mes de terminar la guerra, un denunciante[18] se refiere al asesinato de un sacerdote e insiste en que Marasa llevaba varios días especialmente interesado en localizarlo, lo que es una forma de recargar las tintas sobre la inquina especial de Marasa contra el religioso. Además, diez meses después, un oficio de la DGS[19] incrementa esa impresión de que Marasa era alguien deseoso de matar franquistas: se lo presenta responsable de la muerte de varios inquilinos de la casa donde vivía y de 14 detenidos de la cárcel de Ventas que luego aparecieron asesinados y como alguien que «se distinguió como de los que más martirizaban a los detenidos».

En el caso del anarquista García Cascales, también sus acusadores resaltan la facilidad con que este *chequista* recurría al asesinato. Un oficio de la DGS[20] de enero de 1940 destaca que se había vanagloriado de dar *paseos* y, después de unas menciones menores, resalta que García Cascales, «Jefe del Ateneo Libertario sito en Jorge Juan, esquina Lope de Rueda», realizó saqueos, así como que «existen antecedentes de haber estado en contacto con la checa de Retiro, donde se cometieron innumerables asesina-

[14] AGHD; Fondos de Madrid: sumario 68430; caja 2597: oficio de la Brigada Político-Social al juzgado (6.03.1940); f. 7

[15] AGHD; Fondos de Madrid: sumario 68430; caja 2597: Conclusiones finales del fiscal (¿?.12.1940); f. 16.

[16] AGHD; Fondos de Madrid: sumario 68430; caja 2597: sentencia (27.12.1940); f. 32.

[17] AGHD; Fondos de Madrid: sumario 68430; caja 2597: Certificado de ejecución de la sentencia de la causa 68430 (8.02.1941); f. 37 y 39.

[18] AGHD; Fondos de Madrid; sumario 2570; legajo 5193: Denuncia ante la Auditoría de Madrid de Avelino Álvarez y Fernández (1/05/1939); f. 113.

[19] AGHD; Fondos de Madrid; sumario 2570; legajo 5193: oficio núm. 6743 de «Informaciones» de la DGS (26/02/1940); f. 44.

[20] AGHD; Fondos de Madrid: sumario 48416; legajo 5641; caja 6321/9: Oficio de la DGS (24/01/1940); f. 225.

tos». En las conclusiones que presenta el fiscal[21] el 18 de noviembre de 1941, y por las que pide la pena «de reclusión perpetua a muerte» para García Cascales, se menciona especialmente el informe de la DGS. Es decir, el castigo a García Cascales procedería sobre todo de su actividad en la checa de Narváez como jefe de la misma y participante en detenciones, saqueos y asesinatos, y no tanto de su actividad el resto de la guerra.

Esta realidad explica que podamos afirmar que los acusadores sobredimensionan la condición de *chequistas* por encima de otras actuaciones en la guerra cuando acusan a estas personas. En la redacción de la sentencia que condena a muerte a Mariano García Cascales, las razones por las que es condenado se concretan mucho más y se reduce el abanico de *maldades* o *atrocidades* realizadas al periodo de su actividad *chequista*, y por consiguiente a lo peor de lo que era lo peor: los asesinos de la retaguardia. Se le acusa, sobre todo, de que era él, en la checa, quien llevaba en la mayoría de los casos la iniciativa y la facultad decisiva. Y esto tiene tanto peso que la misma sentencia reconoce que fue consejero de la Junta de Defensa y «favoreció eficazmente a algunas personas derechistas», pero ello no impediría que fuera condenado a muerte y finalmente ejecutado.[22]

En cambio, en el caso del comunista Marasa va a pesar más otra actividad asesina antes que la de *chequista*. El comisario general de la DGS firma un informe[23] requerido por el juez de Instrucción del Jugado Militar Permanente número 20 de Madrid para averiguar «si es cierto (que Marasa) era comunista, agente rojo y organizador de cinco expediciones de presos de la Cárcel de Ventas». A partir de esa petición, en la DGS consultan sus archivos y se informa al juzgado de que efectivamente era agente *rojo*, que «es de ideas marxistas y entusiasta de dicha causa» y que pertenecía al PCE y a la UGT. Queda claro que la militancia o las ideas son motivos suficientes para una acusación y, en su caso, para una condena. Pero sobre todo se confirma que Marasa tomó parte en las *sacas* de la cárcel de Ventas y se recuerda que en las declaraciones él ha reconocido su intervención en las expediciones de presos, adonde llevó los oficios para efectuarlas, aunque, eso sí, se matiza que presenció los asesinatos pero no los ejecutó. Después, el 28 de mayo de 1940 el Juez instructor firma un auto resumen[24] y manifiesta que se apoya en «abundantes informes» y «declaraciones de numerosos testigos» para considerar probado todo lo anterior. Además, indica el juez que estos hechos se corroboran en un certificado del subdirector de la Prisión Provincial de Madrid, cuyo fundamento es que se basa en el testimonio «de una persona de derechas detenida durante el periodo rojo». Obsérvese que ser de derechas se considera aval de fiabilidad en el testimonio. A partir de esto, y solo de esto que es en lo que resume el

---

[21] AGHD; Fondos de Madrid: sumario 48416; legajo 5641; caja 6321/9: Conclusiones provisionales del fiscal jurídico militar (18/11/1941); f. 388.

[22] AGHD; Fondos de Madrid: sumario 48416; legajo 5641; caja 6321/9: sentencia (20/03/1944); f. 577.

[23] AGHD; Fondos de Madrid; sumario 2570; legajo 5193: oficio ref. 23854 de la DGS firmado por el Comisario General (7/03/1940); ff. 47 y ss.

[24] AGHD; Fondos de Madrid; sumario 2570; legajo 5193: Auto resumen del Juez instructor (28/05/1940); f. 137.

juez todas las acusaciones contra Marasa, le imputa un delito de adhesión a la rebelión; pero aquí no aparece la checa de San Bernardo, en la que Marasa también actuó. Después llegan las conclusiones del fiscal militar[25] y, a partir de estas acusaciones, se solicita la pena de muerte para Álvaro Marasa Barasa.

También hemos comprobado que el papel dirigente o destacado tanto en las organizaciones políticas o sindicales como en los locales/checas donde actuaron estos represores tiene un excesivo peso en las acusaciones. En cambio no influye en exceso en la resolución final condenatoria de Marasa, aunque se cite su militancia en el PCE. Sin embargo, la declaración inculpatoria inicial de los policías contra García Cascales resalta que fue «el fundador y eje del tan repetido Ateneo» y que fue un directivo de la CNT y de la Federación Peninsular de las JJLL y activo agitador con actos de violencia callejera en las huelgas y movilizaciones antes de julio de 1936; es decir, un tipo cuya personalidad presenta una alta carga ideológica y que desde luego no es alguien que cuando llegue julio de 1936 no supiera lo que hacía ni con qué compañías actuaba.

Caso muy distinto es el de Ambrosio Rueda, que aunque actuara como un verdadero *chequista* en el Comité Central de la GNR era guardia civil y luego GNR. El informe[26] del jefe de la Comandancia de la Guardia Civil en Madrid al juzgado ya detallaba una relación de acusaciones contra Rueda y especialmente que, aun siendo guardia civil, antes de julio de 1936, adscrito al cuartel de Batalla del Salado,[27] ya era de ideas muy izquierdistas, lo cual se vincula torticeramente al dato de que antes de la Revolución de 1934 se le había abierto expediente por introducir hojas clandestinas, del partido socialista, incitando a que los guardias civiles secundaran la revolución. Por esto fue dado de baja y separado del Cuerpo hasta que «al iniciarse nuestra Santa Cruzada» volvió a ingresar en la Guardia Civil «por disposición del Gobierno del Frente Popular» y se acentuó su ideal izquierdista y demostró gran interés por el marxismo. Obsérvese la intención de acentuar la animadversión hacia el acusado: un guardia civil del lado republicano no servía al Gobierno de España… sino al del Frente Popular. Los acusadores franquistas consideran que es injustificable que un guardia civil no se sume a la sublevación.[28]

Unos meses después, el juzgado de contraespionaje de la calle Piamonte de Madrid, recibe otro informe[29] que reitera destacadamente que Ambrosio Rueda era un guardia civil de ideas izquierdistas y que se le tiene conceptuado como «un elemento peligroso». Además, se acusa a Rueda por su condición de vocal de la Comisión Depuradora de la

---

[25] AGHD; Fondos de Madrid; sumario 2570; legajo 5193: Conclusiones de la Fiscalía del Ejército de Ocupación (4/06/1940); f. 140.

[26] AGHD; Fondo Madrid: sumario 68430; caja 2597: Informe del Jefe de la Comandancia de Madrid al juzgado (24.02.1940); f. 6 reverso.

[27] En concreto, Ambrosio pertenecía a la 3.ª Compañía en dicho cuartel.

[28] Véase Javier Cervera Gil: «La represión judicial de las fuerzas del orden en la posguerra: Cuando el uniforme marca el destino…», en Glicerio Sánchez Recio y Roque Moreno Fontseret: *Aniquilación de la República…*, pp. 228-242.

[29] AGHD: Fondos de Madrid: sumario 68430; caja 2597: Información al Juez de Contraespionaje de Madrid (3.07.1940); f. 9 (reverso).

Guardia Civil, pero intencionadamente se destaca que ello no condujo a la mera expulsión de jefes, oficiales y tropa de la Guardia Civil, sino que estaba vinculado claramente a que «más tarde (fueron) asesinados en las tapias del cementerio del Este». Es claro que se carga sobre Rueda el gravísimo suceso de la saca de presos de la cárcel de Santa Engracia del 19 de noviembre de 1936.[30]

Cuando el juez instructor del proceso contra Ambrosio Rueda da por finalizado su trabajo y eleva las actuaciones,[31] introduce algunos matices interesantes. El primero es que afirma que «al estallar nuestra Santa Cruzada y por disposición del Frente Popular logra llegar a la categoría de capitán, demostrando en todo momento su acendrado marxismo». Se observa que no se refieren a un civil que se convierte en policía o miliciano voluntario que ejerce la represión, sino que se trata de un guardia civil cuyo reconocimiento profesional no es producto, como debería ser, de su buen hacer, sino de su implicación ideológica en el marxismo. Es más, de nuevo, no es el gobierno o instancias de la administración del Estado quienes promueven su ascenso, sino una coalición electoral: el Frente Popular.

Defenderse bajo la presión de la muerte

Estos *chequistas* detenidos comparecían en instancias policiales para conocer de qué se les acusaba y debían tratar de defenderse, de alegar explicaciones, pruebas, aclaraciones que pudieran minimizar las serias acusaciones que les caían encima así como la grave pena a la que sospechaban que podrían ser condenados. En esas declaraciones o testimonios recurrían a diversas estrategias que variaban tanto en función del tipo y gravedad del hecho del que se les acusaba como del momento procesal (la primera comparecencia por la denuncia, la declaración ante el juez, una alegación escrita…) en que se realizaba la declaración o se aportaba el testimonio.

Uno de los recursos que hallamos en las declaraciones de García Cascales es que él afirmaba haber tratado de hacer las cosas bien y no secundar la violencia reinante ni los asesinatos, pero que muchas veces ello resultaba difícil de creer.[32]

Por un lado, García Cascales trata de eludir su condición *chequista* y de presentarse como alguien alejado de los ámbitos de la toma de decisión de esas entidades tan negativamente consideradas por los vencedores. Así, en julio de 1939, en su declaración[33] comienza exculpándose de cualquier participación en las huelgas y desórdenes

---

[30] AGHD; Fondos de Madrid: sumario 68430; caja 2597: Diligencia de procesamiento de Ambrosio Rueda García (19.08.1940); f. 11.

[31] AGHD; Fondos de Madrid: sumario 68430; caja 2597: Elevación de las actuaciones del juez instructor (20.08.1940); f. 12.

[32] AGHD; Fondos de Madrid: caja 6321/9, legajo 5641: sumario 48416: Instancia de Mariano García Cascales desde la prisión (7/11/1942); f. 574.

[33] Centro Documental de la memoria histórica de Salamanca; Causa General de Madrid (en adelante, Causa General de Madrid); caja 1530; exp. 3; folio 21 y ss.

previos a la sublevación y dice que él se limitó a reunirse con compañeros para diseñar cómo montar un Ateneo Libertario, es decir, una institución con intención cultural/social. Pasó por el frente, pero pronto regresó a Madrid porque debía colaborar en la fundación de aquel Ateneo Libertario de Retiro que tenían en proyecto. Ahora bien, García Cascales afirma que, cuando se formó un primer comité, él no figuró en él, ni fue el responsable de los primeros asesinatos que se cometieron tras la incautación de una Residencia de Estudiantes Católicos de la calle de Narváez, 11, algo en lo que sí intervino, no teniendo en cambio nada que ver en la violencia posterior. Relata a renglón seguido hasta una decena de detenciones sucedidas por asesinatos o incautaciones que siempre fueron responsabilidad u ordenadas por el Comité... del que él no formaba parte todavía. Es decir, García Cascales estaba en el Ateneo, pero las cosas malas las hacían otros. Todo ello era debido a que por «la falta de organización que existía se han cometido muchos hechos sin control y nacidos de la iniciativa particular de los afiliados...».

Para reforzar esa idea de que no tenía nada que ver con los asesinatos, García Cascales asegura que él decidió participar de un «Comité de Defensa» que se formó en el Ateneo para «ordenar todas las detenciones, registros, incautaciones y asesinatos», aunque reconoce que individuos del Comité, «cada uno particularmente», habrían tenido intervención en otras detenciones, asesinatos, etcétera. En este punto, García Cascales cita más de veinte nombres de afiliados al Ateneo que realizaron actos censurables, pero reitera que en todo caso él no participó en ellos. Obviamente, es poco creíble de quien había participado en la configuración del Ateneo y ocupó papel directivo que la actividad de aquél recayera en todos los demás, más aún si tenemos en cuenta que García Cascales era una figura relevante del anarquismo madrileño.

Pero es que, además, García Cascales pretende hacer creer a sus acusadores que él no deseaba esos cargos relevantes. Así, declara que en noviembre de 1936 lo nombraron consejero en la Junta de Defensa, pero dice: «Nunca me agradó [...] apartarme de la vida sencilla y del trabajo y comprendiendo que esto que me encargaban no encuadraba con mi forma de ser y de pensar, comuniqué al citado comité mi disconformidad con tal encargo, haciéndoles ver, además, que se habían equivocado con tal elección». Aquella era una forma de marcar distancias con el compromiso ideológico que los vencedores castigaban. De hecho, García Cascales acabó por afirmar que su cargo de consejero fue una exigencia que le impusieron y a la que no se podía negar. Eso sí, mantuvo que su labor en la consejería era nula porque la información (título de su departamento) la efectuaban directamente los estados mayores. Es decir, se exculpó de haber colaborado en este cargo con el enemigo, porque no hizo nada[34]. Por otro lado, para subrayar su lejanía con respecto ese cargo, en enero de 1940 se refirió al organismo encabezado por Miaja como Junta *Delegada* de Defensa, denominación que no es la correcta hasta diciembre de 1936, cuando García Cascales ya no estaba

---

[34] AGHD; Fondos de Madrid: caja 6321/9, legajo 5641: sumario 48416: Declaración (04/1939); f. 165.

en la consejería.[35] Este mismo error vuelve a aparecer en otra declaración del 11 de noviembre de 1941.[36]

En esa declaración,[37] García Cascales afirma asimismo que «no tomaron ningún acuerdo concreto en relación con las checas»; es más, «coincidieron todos en la necesidad de que terminase el estado de terror que había en la capital, adoptando el Consejero de Orden Público las medidas que tuvo por conveniente"». Es decir, no solo no colaboró en esa represión, que es la gran acusación que pesa sobre él, sino que participó en la Junta que trató de poner coto a aquella violencia, aquel terror, aquellos asesinatos...

También Álvaro Marasa acudía al mismo recurso de escurrir el bulto cuando en sus comparecencias tenía que referirse a la represión. Él no niega haber participado en el *paseo* de Fernando García Bastarrica,[38] pero declara que «él personalmente, en unión de Lino Delgado Saez, sacaron del propio domicilio a don Fernando García Bastarrica, calle de Galileo, número cincuenta y siete, principal, centro derecha, entregándolo a continuación a la checa de comunicaciones, donde fue asesinado». Obsérvese que cuando se refiere al asesinato emplea la tercera persona: lo cometieron otros.

Otra fórmula para eludir la responsabilidad es la apelación a que el acusado cumplía órdenes. El 12 de mayo de 1939, Marasa ya comparece ante un juez[39] y se refiere a la detención de un sacerdote que fue llevado a la checa de San Bernardo (aunque Marasa nunca la llama así). Asimismo, trata de trasladar la responsabilidad al conocido comunista Santiago Álvarez Santiago, al que señala como jefe de una brigadilla creada por la DGS para efectuar las detenciones y de la que él (Marasa) formaba parte. Informa de que fue Álvarez quien le ordenó averiguar el paradero de este sacerdote, el padre Inchaurbe, al que localizó en una pensión; y seguidamente relata que fue de nuevo Álvarez quien, a los dos días, ordenó a Marasa que fuera a detener al sacerdote, lo que Marasa hizo acompañado de dos más. Lo condujo a la checa de San Bernardo y lo entregó a Santiago Álvarez, que fue quien, en presencia de Marasa y de otro, interrogó al sacerdote. Después, asegura Marasa que ya no volvió a verlo y que se enteró de que fue asesinado a los pocos días. Tenemos, en consecuencia, dos cosas: una, que lo que Marasa hacía era cumplir órdenes; y, dos, que él únicamente detenía a quienes le ordenaban, pero que la barbaridad (el asesinato sin formación de causa) la cometían otros.

También se pueden esquivar las responsabilidades recurriendo a que cuando sucedieron los hechos no se estaba presente. Marasa declara[40] el 26 de diciembre de 1939 que en su destino en la comisaría del Puente de Vallecas «permaneció hasta los últimos días

[35] Causa General de Madrid; caja 1530; Exp. 3 (f. 3). Ya en la declaración de Julio de 1939 (folio 21 y ss. de este expediente) había utilizado la errónea denominación de Junta *Delegada*...

[36] Causa General de Madrid; caja 1531; exp. 17; (ff. 96 y 97): Declaración del 11/11/1941.

[37] Causa General de Madrid; caja 1531; exp. 17; (ff. 96 y 97): Declaración del 11/11/1941.

[38] Causa General de Madrid: caja 1530; exp. 5 (f. 67).

[39] Causa General de Madrid: caja 1530; exp. 5 (ff. 66 —reverso— y 67): declaración (12/05/1939). También en AGHD; Fondos de Madrid: legajo 5193; sumario 2570 (f. 121).

[40] Causa General de Madrid: Caja 1530: exp. 5 (f. 65 –reverso- y 66): declaración (26/12/1939). También en AGHD; Fondos de Madrid: legajo 5193; sumario 2570 (f. 111).

del mes de septiembre, practicando servicios de calle en el turno de día». Esta puntualización del turno de día no carece de importancia, porque lo exonera de culpa ya que los *paseos*, tan habituales en esas fechas, tenían lugar de noche-madrugada.

El 24 de enero de 1940 Marasa declara[41] y se acuerda del día en concreto en que comenzó a actuar como agente provisional en la comisaría de Vallecas. En cambio, hay otras fechas de esa misma época que no recuerda con tanta concreción, como por ejemplo su ingreso en el PCE. Así, por ejemplo, si en una declaración de julio de 1939 afirma que ingresó en el PCE en el mes de septiembre de 1936, en otra declaración del 24 de enero siguiente la fecha que señala de adhesión a los comunistas es un mes antes: agosto de 1936. Según su declaración, Marasa estaría poco tiempo en la comisaría de Vallecas y en ese poco tiempo se ganaría la confianza de un conspicuo comunista como Santiago Álvarez. ¿Nos creemos su lejanía hacia el compromiso comunista, al que llega algo tarde con respecto a los demás, pero que, a pesar de ello, gozó de la confianza de un dirigente del PCE? Es difícil.

En sus intentos de eludir responsabilidades, los *chequistas* acuden a excusas que muchas veces son muy difíciles de creer.[42] García Cascales no puede negar su relación con el episodio de la desaparición del diplomático belga Borchgrave en diciembre de 1936, pero al querer desvincularse de su asesinato elabora un relato que contiene algunas incongruencias: primero, que la Junta de Defensa se disolvió antes de este caso de Borchgrave, cuando en realidad fue en abril de 1937 y lo que pasó fue que a comienzos de diciembre se transformó en Delegada y sus consejeros en delegados. En segundo lugar, García Cascales quiere que parezca que desconoce mucho de lo que pasaba en los Servicios Especiales del Ministerio de Guerra, donde era nada menos que segundo jefe. Y, en tercer lugar, sorprende que quien viene de ser consejero en la Junta de Defensa pase a ser segundo de otro, César Ordax Avecilla, que le da órdenes como trasladar un preso que no es cualquiera sino un diplomático y del que García Cascales afirma ignorar las razones por las que está detenido y haberlo entregado sin más a otros en la calle Serrano sin garantizar la seguridad de un personaje tan relevante. Todo es muy rocambolesco y se transforma en un intento de eximir la responsabilidad en los sucesos de Borhgrave que es muy poco creíble.

Más aún, cuando García Cascales declara[43] dos años largos después, el 11 de noviembre de 1941, se refiere al caso de Borchgrave y su versión ha cambiado: ahora atribuye su encuentro con el diplomático belga a la casualidad. Nuevamente, esa declaración manifiesta que García Cascales tenía un papel relevante en esos Servicios Especiales. Y es que tantas declaraciones acaban por provocar que García Cascales entre en contradicciones entre unas y otras que los tribunales no tendrían dificultad en comprobar.

Cabe pensar que el paso del tiempo encerrado en una celda, pendiente de un destino que era muy complicado y con el peso de la posibilidad de la pena de muerte, debió

---

[41] AGHD; Fondos de Madrid: legajo 5193; sumario 2570; (f. 104): declaración (24/01/1940).

[42] Causa General de Madrid; caja 1530; exp. 3; (f. 21 y ss.): declaración (07/1939).

[43] Causa General de Madrid; caja 1531; exp. 17; (ff. 96 y 97): declaración (11/11/1941)

hacer mella en la solidez de estos *chequistas*. El 7 de noviembre de 1942, cuando García Cascales ya llevaba más de tres años detenido, remitió un escrito al abogado del acusado César Ordax Avecilla. En ese texto alegó que, cuando se refería al caso Borchgrave, «mi supuesta declaración me fue arrancada en los calabozos de la Comisaría del Ministerio de la Gobernación usando de la violencia y malos tratos a consecuencia de los cuales ingresé en la enfermería de la Prisión Provincial». Más adelante añade que posteriormente «me fui obligado» a ratificar ante el juez esas declaraciones que había realizado ante la policía, «siempre bajo la coacción y amenaza de ser nuevamente entregado a ella».[44] En suma, García Cascales trata de restar validez a declaraciones que había prestado anteriormente y hacer creer que era ante los jueces cuando se sentía más libre.

García Cascales fue quien más uso hizo del recurso de poner excusas poco creíbles. Hemos visto que Marasa trató de eludir sus responsabilidades, pero este recurso de las excusas difíciles de creer no aparece en sus declaraciones.

En cambio, sí hallamos alguna en boca del guardia civil Ambrosio Rueda. Cuando se refiere en su declaración[45] a la matanza de los guardias civiles que en noviembre de 1936 fueron sacados de la prisión de la calle de Santa Engracia, afirma que él fue el único en oponerse a tal acción entre los veinte integrantes que, como él mismo enumera en esa misma comparecencia, formaban el Comité Central de la GNR. Resulta poco creíble, en primer lugar, porque él era un personaje relevante en ese comité (formaba parte también de la Comisión Depuradora, que integraban únicamente siete miembros), y en segundo lugar porque Rueda no mete en el grupo de los *humanitarios* a ningún otro compañero: en lugar de ello, se cuelga la medalla del *quijote*; del único capaz de enfrentarse a todos. Sin embargo, en su declaración en la Causa General una semana después, otro de los guardias civiles que formaban parte de aquel Comité Central, Higinio Pérez,[46] considera falsas todas las acusaciones que contra él vierte Ambrosio Rueda e indica que es falso no solo que este fuera el único opuesto a la *saca* de guardias civiles, sino también que esa acción fuera una decisión del Comité Central, donde no recuerda que aquel asunto se discutiera. Otro integrante del Comité Central, Restituto Castilla González, declara a su vez esos mismos días «que, oficialmente, no tiene conocimiento alguno de la matanza de guardias civiles que procedentes de la cárcel de Santa Engracia (Cuartel de Espartacus) se efectuó al ser trasladados según se decía a Guadalajara».[47]

Los jueces de la Causa General recibieron estas tres declaraciones en el pequeño lapso de una semana de junio de 1939, pero Rueda, dos años y medio después de los hechos, narró de nuevo, y ahora con más detalle, el episodio de esta matanza, lo cual sorprende en quien dice que no participó en la ejecución.[48] Rueda argumenta que se

---

[44] AGHD; Fondos de Madrid: caja 6321/9; legajo 5641: sumario 48416: Instancia de Mariano García Cascales desde la prisión (7/11/1942); f. 574.

[45] AGHD; Fondos de Madrid: caja 2597; sumario 68430 (f. 9): Declaración del 11 de febrero de 1940. Esto mismo lo había declarado el 14 de junio de 1939; en Causa General de Madrid: Caja 1530; Exp. 11 (ff. 3 y4)

[46] Causa General de Madrid: caja 1530; exp. 11 (f. 11): Declaración de Higinio Pérez Rodríguez (22/06/1939)

[47] Causa General de Madrid: caja 1530; exp. 11: Declaración de Restituto Castilla González (16/06/1939)

[48] Causa General de Madrid: caja 1530; exp. 11 (ff. 3 y 4)

opuso a la matanza de los guardias civiles, pero que es todo lo que hizo, y que no tomó parte en su ejecución. Es decir, trata de quitarse la responsabilidad del que es el más grave delito por el que se le procesa... y por el que acabará condenado a muerte. Al mismo tiempo, atribuye la decisión de la matanza de guardias civiles a un gran número de personas, y cuando declara[49] el 14 de junio de 1939 trata de minimizar su responsabilidad informando a sus juzgadores de que quien presidía el comité era García Gumilla. También refiere quién lo vicepresidía, quién era el secretario, etcétera y que él era un simple vocal, como lo eran Higinio Pérez o Restituto Castilla y otros integrantes señalados por las organizaciones del Frente Popular (entre ellos Santiago Carrillo por la JSU). Rueda hace una enumeración de hasta 17 vocales más los otros tres que dirigían, es decir, los veinte nombres, lo cual es una forma de diluir sus responsabilidades en la decisión colectiva. Entre muchos, la responsabilidad se dispersa.

Tal línea de defensa, Rueda la mantiene cuando el 16 de diciembre de 1939, en una declaración manuscrita,[50] hace una prolija relación de personas —la mayoría de la Guardia Civil— a las que, gracias a la información que le proporcionaba su puesto en el Comité Central de la GNR y en la Comisión Depuradora del Cuerpo, ayudó de diversas formas (avisándoles de que iban a ser expulsados del cuerpo, detenidos o cosas peores) a fin de que ese comité fuera mucho menos efectivo en la represión. Se trata de darle la vuelta a la situación: es verdad, sí pertenecía al Comité Central de a GNR y a la Comisión Depuradora, lo cual le convertía en *chequista*, porque ese comité funcionaba como la checa Espartacus, pero lejos de ser un asesino o de organizar o dirigir asesinatos, Rueda se sirvió de ese puesto para ayudar a mucha gente perseguida. De todas maneras, no encontramos declaraciones de esos citados que corroboren sus manifestaciones, con lo cual probablemente los juzgadores no le creyeron.

Cuando hay muchos testimonios y pruebas que lo sitúan en escenarios de asesinatos o matanzas masivas, la estrategia del *chequista* consiste siempre en reconocer que estuvo allí, pero porque no lo pudo evitar o porque fue sin saber adónde iba, y que en todo caso nunca disparó.

El anarquista García Cascales no niega su relación con la checa de Narváez y tampoco haber asistido a algún *paseo*,[51] como en octubre de 1936 con Avelino Cabrejas, quien dirigía «una brigada de policía» en el «Edifico de Intendencia Confederal» en la calle Génova.[52] Líneas más abajo, se refiere a las *sacas* de presos de la cárcel de Ventas, de las que llega a reconocer que se efectuaron «con el visto bueno del Comité de Defensa del Ateneo Libertario de Retiro», y relaciona unos nombres de quienes realizaron las ejecuciones «sin que el declarante interviniera directamente en los asesinatos». Independientemente de que en esta misma declaración (ver más arriba) ha asumido que él formaba parte de ese comité —luego es responsable—, García

---

[49] Causa General de Madrid: caja 1530; exp. 11 (ff. 3 y 4)

[50] AGHD; Fondos de Madrid: caja 2597; sumario 68430 (f. 24 y ss.): Declaración (16/12/40).

[51] Causa General de Madrid; caja 1530; exp. 3; (f. 21 y ss.): Declaración (07/1939).

[52] Javier Cervera Gil: o. cit. (p. 70).

Cascales otorga un tono de normalidad a la ejecución de asesinatos y/o *paseos* y los presenta como algo que sucedía habitualmente en aquel periodo de la guerra y estaba fuera de su responsabilidad y de sus posibilidades de evitarlo. Transmite asimismo que, cuando alguna vez tuvo relación con ello, fue porque se encontró con las decisiones tomadas, pero se limitó a asistir a los hechos y no tuvo poder de decisión sobre ellos ni tampoco los ejecutó. Alguien cuya relevancia y autoridad en estos organismos había sido acreditada debería haber ofrecido explicaciones mucho más satisfactorias que limitarse a decir que no disparó. Probablemente, la presión derivada de ser consciente de las consecuencias a las que se exponía (la pena de muerte) bloqueara su capacidad de encontrar excusas o explicaciones que fueran convincentes a la hora de minimizar su culpa.

Problemas similares para justificar la asistencia a determinados episodios de la represión en Madrid los tiene el comunista Álvaro Marasa. El 19 de abril de 1939 no le fue posible negar su relación con la *saca* de presos de la cárcel de Ventas del 30 de noviembre de 1936 a Paracuellos del Jarama: «El declarante formó parte del grupo de milicias, aun cuando él era agente de la fuerza roja que efectuó la conducción de los detenidos al sitio donde fueron asesinados». Cuando llegaron a Paracuellos, «los detenidos, en dicho lugar, fueron colocados en línea a lo largo de una zanja que ya estaba abierta, y acto seguido fusilados y enterrados en la misma. Que el que dirigió la ejecución fue el mencionado Vicente Gil, manifestando el declarante que él no llegó a disparar contra los asesinados».[53] Nótese que Marasa utiliza la tercera persona y el término *rojo* para calificar al bando republicano, un gesto de aceptación de la terminología ideológica de los vencedores y, en suma, de aceptar la victoria como hecho consumado, probablemente con la intención de ganar algo de buena voluntad de quienes le acusan y le van a juzgar.

En su declaración del 26 de diciembre de 1939,[54] Marasa relata los acontecimientos con una precisión que no había tenido siete meses antes y añade nuevos datos que, lejos de exonerarle de la más grave culpa (ejecutar los asesinatos), hacen menos creíble su posición de mero espectador.

En primer lugar, sitúa la fecha de la primera *saca* en la que participó (lo haría en cinco más) en el 27 de noviembre de 1936.[55] Llama la atención que en dos declaraciones de seis y cuatro meses antes respectivamente —por lo tanto, más cerca de los acontecimientos que narra—, Marasa no recuerde la fecha exacta de la primera *saca* de la cárcel de Ventas: en ambos casos alude a «el veintitantos de noviembre de 1936» e incluso duda de si se trataba del mes de diciembre.[56] Además, se presenta como un mero trans-

---

[53] Causa General de Madrid: caja 1530; exp. 5 (f. 67); declaración (19/04/1939).

[54] Causa General de Madrid: caja 1530; exp. 5 (f. 65 —reverso— y 66): declaración (26/12/1939). También en AGHD; Fondos de Madrid: legajo 5193; sumario 2570 (f. 111).

[55] Podemos confirmar que el 27 de noviembre de 1936, efectivamente, tuvo lugar la primera de las sacas de presos que terminaron en ejecuciones de todos los integrantes en Paracuellos del Jarama; en Javier Cervera Gil: *Madrid en guerra...*, p. 90.

[56] AGHD; Fondos de Madrid; legajo 5193; sumario 2570 (f. 24): declaración (19/06/1939) y (f. 92) declaración del 16/08/1939

misor de los oficios que se utilizaron para las *sacas* de presos, a las que acompañaba, y asegura que, al llegar al lugar de la matanza, él pasaba a segundo plano y se limitaba a presenciar los hechos. Es más, en la declaración del 16 de agosto de 1939, Marasa dice textualmente que él únicamente «presenció desde la camioneta» los asesinatos.[57] ¿Cómo puede ser que quien porta las órdenes de su jefe (Serrano Poncela) vea cómo se desobedecen sin hacer nada, es decir, con su anuencia? Además, Marasa pretende hacer creer que, al llegar el momento más decisivo de estos episodios (los asesinatos masivos), los policías de la DGS que habían montado todo el operativo se echaban a un lado y lo ejecutaban milicias. Como forma de convencer de que no tenía responsabilidad en estos hechos es muy torpe, pero es que además Marasa trata de deslizar la idea de que todos cuantos intervenían en una *saca* (las milicias ejecutoras, los agentes que hacía la selección de los presos, los delegados de la DGS en la cárcel, el director de la prisión) sabían del trágico final del proceso, pero que él no o al menos no la primera vez: lógicamente, las otras cinco ocasiones en que participó en la organización de las *sacas*, Marasa ya era consciente de que la posibilidad de una matanza era real, porque así había sucedido en la primera.

No es creíble el testimonio de Marasa, que a partir de este punto trata de mostrarse colaborador e indica a sus interrogadores que ha sido él quien ha señalado en un plano que le han presentado los jueces de la Causa General «las zanjas en que fueron enterrados» los asesinados en Paracuellos. Por otro lado, señala a quienes eran los delegados en las cárceles de Porlier (Urresola) y San Antón (Agapito Sainz), pero curiosamente no se presenta como delegado en Ventas, que es lo que era, y presenta así esa cárcel como la única que no contaba con esa figura.

El intento de Marasa de eludir la responsabilidad en las matanzas de Paracuellos es muy poco consistente. Marasa se ubica en una posición que se observa en muchos *chequistas*: ante la imposibilidad de desvincularse de una relación con hechos represivos injustificables, marcar distancias con las ejecuciones de las muertes. «Estaba, lo vi, pero yo no lo hice».

Para un guardia civil es relativamente fácil justificar que detuviera a gente: lo complicado es argumentar que esas personas acabaran ejecutadas sin formación de causa. Y eso es lo que niega Ambrosio Rueda. Así, a comienzos de 1940, el 17 de enero, hace una relación de personas detenidas por él pero precisa que no asesinaba a nadie ni era responsable de ellos: se limitaba, dice, a poner a los detenidos a disposición de sus superiores, pero ignoraba qué suerte corrían después.[58]

Ya antes, el 19 de agosto de 1939, Rueda había afirmado[59] que «siempre procuró echar por tierra la actuación de dicho comité» (se refiere al Comité Central de la GNR), y a finales de ese mismo año, el 16 de diciembre, en otra declaración,[60] había sido todavía

---

[57] AGHD; Fondos de Madrid; legajo 5193; sumario 2570 (f. 92): declaración del 16/08/1939.
[58] AGHD; Fondos de Madrid: caja 2597; sumario 68430 (f. ¿?): Declaración (17/01/1940).
[59] AGHD; Fondos de Madrid: caja 2597; sumario 68430 (f. 12): Declaración (19/08/1939).
[60] AGHD; Fondos de Madrid: caja 2597; sumario 68430 (f. 23).

más prolijo en su negación de su implicación en asesinatos. Afirmaba entonces que no solo su actividad represiva se redujo a realizar detenciones, sino que podía acordarse de una serie de casi veinte nombres de cuando estaba en el Comité Central de la GNR, lista que encabezaba el general Núñez Llanos[61] y cerraban algunos guardias rasos a los que evitó «molestias y persecuciones, entre las innumerables denuncias rotas y destruidas por mis propias manos». Además, añadía que había escondido e inutilizado una denuncia que llegó al comité contra 300 guardias civiles en diciembre de 1936 y que su acción *salvadora* le había costado ser amonestado, pero que había evitado que esos trescientos fueran expulsados, detenidos o cosas peores.

Es conocida la rivalidad, incluso el enfrentamiento, que medió entre anarquistas y comunistas en la retaguardia republicana. Tal rivalidad siguió manifestándose después de la guerra en los intentos de defenderse por parte de los *chequistas* que comparecieron ante los vencedores. Así, cuando García Cascales se refiere a actuaciones represivas ejecutadas cuando ya las autoridades republicanas habían recuperado bastante control sobre la retaguardia o sobre el monopolio de la violencia política, a partir de la primavera de 1937 más o menos, carga la responsabilidad sobre instituciones controladas por los comunistas o directamente sobre el PCE, el enemigo interno de los anarquistas. En su declaración de julio de 1939, al recordar el caso de la detención del quintacolumnista Grupo de los 195 y otras actuaciones,[62] García Cascales las atribuye al SIM. Traslada de ese modo la idea de que no fueron ellos, los anarquistas, quienes persiguieron a los enemigos de la República emboscados, o sea a la quinta columna, sino el SIM controlado por los comunistas. En suma, que los peores enemigos de los franquistas en la retaguardia madrileña habían sido los comunistas del SIM, no los miembros del Comité de Defensa de CNT.

Sin embargo, lo que hace el guardia civil Ambrosio Rueda, cuando trata de defenderse de las acusaciones de haber participado en la expedición de más de cincuenta guardias civiles que terminaron asesinados en el cementerio del Este el 19 de noviembre de 1936, es aclarar que Luzón, principal ejecutor de la misma, era de CNT. De esta manera, añade un detalle que introduce una connotación más negativa hacia la figura de este anarquista, lo cual proporciona una explicación razonable para los acusadores franquistas, que eran sabedores del enfrentamiento de los anarquistas y los comunistas y socialistas como Rueda.[63] En suma, los *chequistas*, puestos ante sus juzgadores, tratan de utilizar los enfrentamientos internos del bando republicano para confundir sobre la responsabilidad en los hechos más censurables: los asesinatos. Y los centros de represión más significados en la represión más reprobable por su crueldad eran las

---

[61] El general Fernando Núñez Llanos era jefe de la 2.ª Zona de la Guardia Civil en julio de 1936 («Diario Oficial del Ministerio de Guerra»; 1936; tomo 3-4; núm. 149), pero no debía de generar confianza a los mandos de la Guardia Nacional Republicana, porque el 23 de septiembre de 1936 fue declarado *disponible forzoso*. («Diario Oficial del Ministerio de Guerra»; 1936; núm. 201; p. 37). En este sentido sí parece creíble que sufriera persecuciones u hostigamiento, como indica Ambrosio Rueda.

[62] Causa General de Madrid; caja 1530; exp. 3; (f. 21 y ss.).

[63] AGHD; Fondos de Madrid: caja 06173; sumario 8385 (f. 9): Declaración (11/02/1940).

checas.En línea con ello, otro recurso de los *chequistas* era desvincular el local donde actuaban del término y la significación que encierra la palabra *checa*. García Cascales afirma que «frecuentaba con bastante asiduidad el Ateneo del Retiro por estar próximo a mi domicilio y agradarme leer en la biblioteca que allí había instalada». «Nunca tuve —dice— cargo en el citado Ateneo, pero por ser bastante conocido, al llevar años viviendo en la misma barriada, se me consultaba con frecuencia».[64] Pero otra declaración posterior contradice esa afirmación, porque García Cascales relata que en las primeras semanas habían acudido (y habla así, en primera persona) al local de las escuelas que había en la calle de Narváez, 18 y habían hablado con el sacerdote que estaba al frente, «don Fernando […] y voluntariamente se lo dejó y facilitándole un aval como afecto al régimen rojo, con el sello del Ateneo». Es decir, ellos no habían ocupado las escuelas a la fuerza ni con una violencia que tampoco habían empleado contra el sacerdote, al que incluso habían dado protección. En suma, se habían portado bien. García Cascales trata de minimizar la imagen del Ateneo como *checa* y asevera que al trasladarlo a la calle de Jorge Juan esquina con Lope de Rueda «establecieron un comedor colectivo, talleres de sastrería y otros servicios de la CNT». Después, insiste en que «la misión oficial del Ateneo fue la de destinarse a un fin cultural» y que además «allí establecieron escuelas y daban funciones de cine y de teatro».[65]

También Marasa, en varias de sus declaraciones, evita utilizar la denominación de *checa*. En el episodio de la detención y asesinato del padre Inchaurbe, referido más arriba y sobre el que declara[66] el 12 de mayo de 1939, Marasa evita hablar de checa de San Bernardo y alude a ella como «el convento de la Calle de San Bernardo, 72» hasta en dos ocasiones. En una tercera lo denomina «ese local». Es evidente que Marasa es consciente de que en nada le beneficia, sino que más bien le perjudica, que se vincule su actividad durante la guerra en Madrid a una checa, aunque dos meses después declara[67] que a finales del mismo agosto fue enviado «a una dependencia que estaba situada en la calle de San Bernardo, 72, donde existía una checa de carácter comunista, pero que obraban completamente independiente de ella». Es decir, ya no niega con tanta contundencia que lo que había en esa calle era una checa, pero mantiene que él no era *chequista* por más que en esa misma declaración reconozca que sí realizaba labores policiales y de represión (aunque únicamente detenciones). Y en enero de 1940 vuelve a acudir, en su testimonio, al mismo recurso exculpatorio.[68] En conjunto, su versión es bastante poco creíble.

Tampoco venía mal como recurso para la defensa aceptar lenguaje o esquemas mentales de los vencedores franquistas, y en las declaraciones estos *chequistas* lo hacen

---

[64] AGHD; Fondos de Madrid: sumario 48416; legajo 5641; caja 6321/9: Declaración (s.f., 1939); f. 166.

[65] Causa General de Madrid: caja 1531; exp. 17; (ff. 96 y 97): Declaración (11/11/1941).

[66] Causa General de Madrid: caja 1530; exp. 5 (ff. 66 y 67): Declaración (12/05/1939). También en AGHD; Fondos de Madrid: Legajo 5193; Sumario 2570.

[67] Causa General de Madrid: caja 1530; exp. 5 (f. 4): declaración (12/07/1939).

[68] Causa General de Madrid: caja 1530; exp. 5 (f. 65): Declaración (24/01/1940). También en AGHD; Fondos de Madrid: legajo 5193; sumario 2570; (f. 104).

empleando palabras o expresiones que es impensable que pudieran utilizar antes del 1 de abril de 1939.

Cuando García Cascales relata su actuación durante los primeros días de la sublevación, afirma que «no actuó en la sofocación del Movimiento en Madrid porque salió con los primeros camiones de milicianos rojos para los frentes mencionados»:[69] no habla de rebelión, sino de *movimiento*, y se refiere al ejército miliciano del principio como *rojos*, algo que claramente es impostado, porque no es propio de un anarquista, pero que muestra acercamiento o empatía hacia los juzgadores. En fecha tan cercana al final de la guerra como el 4 de mayo de 1939 también recurre a la misma terminología: afirma «que ha salvado a algunas personas de las cárceles rojas».[70]

En la declaración de enero de 1940,[71] García Cascales se refiere a los sucesos de julio de 1936 como los momentos en que «estalló la revolución». Utiliza la expresión *revolución* y no *guerra* y acepta en consecuencia la tesis de los vencedores de que lo que se inició en julio de 1936 fue un *movimiento* contra una revolución en ciernes. Es cierto que, para el anarquismo, 1936 también fue el inicio de una revolución, pero también lo es que lo fue en un sentido distinto al que tenían en la cabeza los golpistas de 1936. Sea como sea, probablemente García Cascales prefería en 1940 que sus juzgadores dieran a sus palabras un sentido más afín al franquista, lo cual entra en la lógica de la presión de quien está tratando de salvar la vida.

También Álvaro Marasa se preocupa de adaptarse a ese lenguaje. Así, se refiere al bando republicano que ha defendido en la guerra como *rojo* y en su declaración de diciembre de 1939 reitera que el 18 de julio trabajaba como calefactor en una casa en la calle Conde de Peñalver, pero se apresura a aclarar: «Hoy, avenida de José Antonio». No es probable que en el Madrid de 1939 fuera necesario aclararle a un juez cuál era la citada calle del barrio de Salamanca y cómo se llamaba en ese momento, pero el nombre de la misma no era baladí, sino el de uno de los iconos del nuevo régimen, y pronunciándolo, el vencido ahora juzgado asumía implícitamente su condición de derrotado ante esos vencedores que lo juzgaban. Puede parecer pequeño, pero es un gesto muy significativo.[72]

Más aún, en su declaración del 24 de enero de 1940, Marasa, un comunista de indudable lealtad al Frente Popular en 1936, relata qué actividad desarrollaba cuando «se inició el Glorioso Movimiento Nacional».[73] Es obvio que, en julio de 1936, Marasa jamás hubiera denominado así a la sublevación contra la que entonces se oponía.

En el caso de Ambrosio Rueda encontramos un comportamiento similar. En su declaración del 17 de enero de 1940, Rueda se refiere al comienzo de la guerra como «el

---

[69] AGHD; Fondos de Madrid: caja 6321/9; legajo 5641: sumario 48416: Declaración (4/05/1939); f. 168.

[70] AGHD; Fondos de Madrid: caja 6321/9; legajo 5641: sumario 48416: Declaración (4/05/1939); f. 168.

[71] Causa General de Madrid; caja 1530; exp. 3; (f. 3).

[72] Causa General de Madrid: caja 1530: exp. 5 (f. 65 —reverso— y 66): Declaración (26/12/1939). También en AGHD; Fondos de Madrid: legajo 5193; sumario 2570 (f. 111).

[73] AGHD; Fondos de Madrid: legajo 5193; sumario 2570; (f. 104): Declaración (24/01/1940).

Alzamiento Nacional»; y en esa misma declaración, cuando termina relatando cómo fue detenido, informa de que fue detenido en Alicante porque allí «estaba preparado para rehuir la justicia del Generalísimo».[74] Parece claro que esto responde a la presión del miedo, porque un hombre como Ambrosio Rueda no podía profesar ese respeto o reverencia al hombre que hacía unos meses había derrotado a la República que él había defendido convencido.

La presión y la dramática situación en la que los acusados prestaban sus declaraciones a los vencedores dificultaban en ellos la claridad de ideas. Un año después de terminada la guerra, García Cascales reconocía haber acudido al lugar donde se había producido un *paseo*, pero negaba haber participado e incluso que tuviera conocimiento previo del mismo. ¿A qué fue, entonces? No lo explica, y eso lo hace incapaz de generar dudas sobre su responsabilidad en los juzgadores. Que él conocía los asesinatos, pero todo lo hacían otros, es muy difícil de aceptar si no se aportan argumentos sólidos, pero el acusado no es capaz de hacerlo.[75]

Otras veces, la presión conduce al reo a incurrir en contradicciones. García Cascales tan pronto defiende que el Ateneo era esencialmente un centro cultural como afirma en la misma declaración[76] que contaba con milicias que actuaban asiduamente, con lo cual muy culturales no parece que fueran las intenciones del Ateneo.

La presión también afloró en Álvaro Marasa en no pocas ocasiones, consciente como era de lo negro que era el futuro que se dibujaba para su vida. Cabe pensar que tal presión debió de ser más fuerte cuanto más cerca del final de la guerra se produjo la declaración, porque el recuerdo de lo sucedido era más vivo y los deseos de los vencedores de hacer pagar a los derrotados eran indudablemente más fuertes. El tiempo (y se nota en la evolución de las condenas por los tribunales franquistas) fue atemperando o ablandando los castigos a los derrotados,[77] y la presión, por tanto, cediendo.

Solo tres meses después de concluir la guerra, las heridas están aún muy abiertas y Marasa declara acerca de los asesinatos de un grupo de personas detenidas en una pensión en la calle Eduardo Dato y que acabaron en la checa de San Bernardo «a finales de agosto o primeros de septiembre de 1936». ¿No se acuerda o no quiere acordarse para dar impresión de lejanía con los hechos? Curiosamente, sí se acuerda perfectamente del día de otra detención por esas mismas fechas y que relata inmediatamente después de ese otro episodio, lo cual es contradictorio. La tensión no le permite actuar con habilidad y lo hace torpe a la hora de tratar de defenderse. Acto seguido, vuelve a aludir a su actividad en la checa de San Bernardo (que continúa sin denominar así: ahora la llama *dependencia*), que afirma que abandonó a mediados de septiembre de 1936, y reconoce que «durante el tiempo que [...] prestó servicios

---

[74] AGHD; Fondos de Madrid: caja 2597; sumario 68430 (f. ¿?): Declaración (17/01/1940).

[75] Causa General de Madrid; caja 1527 (f. 93): Declaración (04/1940).

[76] Causa General de Madrid; caja 1531; exp. 17; (ff. 96 y 97)): Declaración (11/11/1941).

[77] Véanse diversos capítulos de Glicerio Sánchez Recio y Roque Moreno Fonseret: *Aniquilación de la República...*

en San Bernardo se efectuarían 30 ó 40 detenciones, de las cuales tiene conocimiento [de que] se trasladaron a Dirección General de Seguridad 13 personas, unas 7 u 8 puestas en libertad y el resto desconoce lo que fueran de ellas».[78] Esto plantea una contradicción (de nuevo la tensión/presión) con respecto a otras declaraciones aquí recogidas porque, por lo que afirma aquí, parece ser que cuando policías como Marasa, en esa checa, tenían voluntad de llevar detenidos a la DGS lo hacían, pero que lo hicieron únicamente con menos de la mitad de los que ellos detuvieron. ¿Cómo es posible que perdieran el control de entre 17 y 27 detenidos en San Bernardo que, por tanto, acabarían en manos de los *chequistas*? Lo lógico es pensar que ello se deba a connivencia con los *chequistas* o, lo que es más verdad, a que Marasa es en realidad un policía que actúa como *chequista*.

Las reiteradas comparecencias de los acusados para declarar permitían a los jueces detectar contradicciones o distintas versiones de unos mismos hechos y detectar los relatos falsos de los acusados. Así, por ejemplo, en su declaración[79] de diciembre de 1939 Álvaro Marasa afirmaba que estuvo en la comisaría de Vallecas hasta finales de septiembre, pero meses antes había afirmado que había sido hasta «últimos de agosto». El motivo es que en esta declaración ignora u oculta su paso por la checa de San Bernardo, sin duda el episodio que más problemas le podía generar. Afirma además que de la comisaría pasó directamente a la Sección de Personal de la DGS, donde realizaba informes que le pasaban de la Comisaría General. No es verdad, y dada la actividad en la checa no parece que fuera un olvido involuntario.

También la presión o la tensión que soportaba pueden explicar algunos errores de Marasa, que si bien se presenta como un comunista «de última hora», ya que se afilió al partido después de iniciada la guerra, cuando se refiere a los momentos finales de la misma y concretamente a marzo de 1939, se equivoca al vincularse a los comunistas. En su declaración[80] del 26 de diciembre de 1939 (es decir, menos de diez meses después del golpe de Casado) reconoce que días después «de los sucesos comunistas» fue detenido por la Brigada Social y que así ha permanecido hasta el tiempo presente. Si fue detenido después del golpe de Casado es porque estuvo del lado de los comunistas, algo que no gustaría nada a los juzgadores franquistas ante los que hacía esta declaración. Además, ello entrañaba cierta contradicción con su intento, manifestado en otras declaraciones, de mostrarse como poco vinculado al partido comunista. Sea como sea, pasan los meses y Marasa vuelve a declarar... y reaparecen las contradicciones. El 24 de enero de 1940 afirma que en la checa de San Bernardo (que sigue sin denominar así) únicamente estuvo diez días, que su actividad se limitaba a pasar informes a Santiago Álvarez y que «la única detención que practicó fue la

---

[78] Causa General de Madrid: caja 1530; exp. 5 (f.4): Declaración (12/07/1939).

[79] Causa General de Madrid: exp. 5 (f. 65 —reverso— y 66): Declaración (26/12/1939). También en AGHD; Fondos de Madrid: legajo 5193; sumario 2570 (f. 111).

[80] Causa General de Madrid: Exp. 5 (f. 65 —reverso— y 66): Declaración (26/12/1939). También en AGHD; Fondos de Madrid: legajo 5193; sumario 2570 (f. 111).

del padre Inchausti» (se refiere a Inchaurbe). Resulta que en declaraciones anteriores había reconocido que su brigadilla realizó entre cuarenta y cincuenta detenciones: la contradicción es, pues, manifiesta[81].

En el caso de Ambrosio Rueda, la presión le hizo perder la prudencia a la hora de declarar. El 17 de enero de 1940 comparecía en el juzgado de guardia y en un momento de su declaración[82] se dedicó a enumerar sus sucesivos ascensos hasta el grado de capitán. Era una torpeza porque era lógico pensar que los acusadores franquistas, en primer lugar, castigaban con más dureza al que tuviera más alta graduación y por tanto mayor responsabilidad; y en segundo lugar porque un mayor número de ascensos era síntoma de sintonía o lealtad con el régimen enemigo republicano, con lo cual Rueda trasladaba una imagen de mayor identificación con esos *rojos* ahora tan denostados. Ese mismo error ya lo había cometido en una declaración anterior[83] el 19 de agosto de 1939, aunque en aquella ocasión no hizo la relación de ascensos sino que se limitó a reconocer que alcanzó el grado de capitán.

CONCLUSIONES: NO HAY DIFERENCIAS TAN MARCADAS

Del análisis reflejado en las páginas anteriores, una primera conclusión es que, si bien es cierto que en los tribunales franquistas los criterios que se aplicaban para juzgar y condenar a aquellos que habían defendido la República derrotada no eran siempre coherentes ni por supuesto ecuánimes, no parece haber diferencias notables derivadas de la ideología del reo ni entre los pertenecientes a alguna de las organizaciones del Frente Popular y quien formaba parte de un cuerpo como la Guardia Civil. Honestamente, el planteamiento inicial de este trabajo únicamente se ha confirmado en parte, o al menos no se ha confirmado en toda la dimensión que al plantear nuestra hipótesis inicial esperábamos. Sí se aprecian diferencias en el trato de acusadores, fiscales y/o jueces a los *chequistas* en función de si se trataba de un anarquista, de un comunista o de un guardia civil de la checa Espartacus, pero no al nivel que habíamos apreciado en trabajos anteriores a este con respecto a las diferencias entre el trato dispensado a, por ejemplo, un guardia civil, un guardia de asalto o un carabinero.[84] De hecho, hemos observado cómo tanto Mariano García Cascales (anarquista) como Álvaro Marasa Barasa (comunista) y Ambrosio Rueda García (guardia civil) fueron condenados a muerte y ejecutados sin posibilidad de perdón o benevolencia. Y revisados otros casos, que por exceder las posibilidades de este trabajo no podemos

---

[81] Causa General de Madrid: caja 1530; exp. 5 (f. 65): Declaración (24/01/1940). También en AGHD; Fondos de Madrid: legajo 5193; sumario 2570; (f. 104).

[82] AGHD; Fondos de Madrid: caja 2597; sumario 68430 (f. ¿?): Declaración (17/01/1940).

[83] AGHD; Fondos de Madrid: caja 2597; sumario 68430 (f. 12): Declaración (19/08/1939).

[84] Como ya hemos citado al principio del capítulo esto puede constatarse en Javier Cervera Gil: «La represión judicial de las fuerzas del orden en la posguerra...».

incluir aquí, no hallamos diferencias significativas en el castigo a estos *chequistas* en función de sus características ideológicas personales o de su condición de agente del orden público.[85]

Aun así, podemos notificar algunas diferencias en relación con cuáles eran los elementos o argumentos acusatorios más importantes que se imputaron a los *chequistas* anarquistas, a los comunistas o a los que pertenecían a la Guardia Civil (pronto Guardia Nacional Republicana); y también qué tipo de argumentos esgrimieron unos y otros ante acusadores y tribunales cuando trataron de defenderse de tales acusaciones.

La primera conclusión es que las mayores diferencias entre unos *chequistas* y otros la hallamos en el ámbito de las acusaciones que sobre ellos cargaban los vencedores. Los ciudadanos denunciantes o los integrantes de instancias oficiales policiales o judiciales que acusan parecen estar más interesados en ajustar cuentas con ellos, especialmente en los casos del *chequista* comunista y del guardia civil. Este factor de venganza se observa mucho menos en el caso del anarquista. En cambio, el odio, el desprecio, la descalificación y la insistencia en la maldad o crueldad del reo están más presentes en las acusaciones hechas contra el *chequista* de CNT, García Cascales, y sobre el comunista, Marasa, que en las realizadas contra el guardia civil acusado de actuar en la checa Espartacus.

La condición de *chequista* también se sobredimensiona o se le otorga más peso en el caso de García Cascales. En el del comunista Álvaro Marasa, su papel protagónico en otros hechos de violencia, como las *sacas* de presos de noviembre de 1936 resta importancia a su actividad en la checa en el conjunto de acusaciones que sobre él recaen y que lo acaban condenando. En cuanto a Ambrosio Rueda, el peso de su actuación como *chequista* es importante, pero en un sentido distinto a lo que sucede con García Cascales: es su condición de guardia civil lo que parece hacer inaceptable su actuación como represor *chequista*. Parece hacérsele en tanto guardia civil una exigencia suplementaria de dignidad que, al no ser satisfecha, se transforma en un agravante de las imputaciones que los denunciantes y los acusadores vuelcan sobre él. Hay menos contundencia en las acusaciones contra el *chequista* anarquista y el comunista, posiblemente porque en los esquemas mentales o ideológicos de los juzgadores franquistas resulta más sencillo entender un comportamiento criminal y/o violento en un ácrata o un bolchevique que en alguien que lleva un uniforme de la Guardia Civil y del que, de entrada, tampoco consiguen entender cómo pudo ponerse del lado de la demonizada República.En el momento de defenderse de las acusaciones y tratar de salir lo más airoso posible del trance de la represión judicial, las diferencias entre el *chequista* anarquista, el comunista y el de la Guardia Civil son mucho menores. En general, acuden a recursos similares para minimizar su castigo. No obstante, quien más recursos trata de poner en juego

---

[85] Hemos realizado un análisis de un gran número de sumarios de los fondos de Madrid del AGHD en los cuales se juzga y condena a otros *chequistas* anarquistas, comunistas o guardias civiles de la checa Espartacus, y lo que priman son las durísimas condenas, muchas a muerte o a largas penas, sin que la condición del sentenciado tenga un peso relevante en el fallo.

para defenderse de sus cargos es el anarquista. García Cascales no niega su relación con la checa a la que se le vincula, pero elude las máximas responsabilidades y niega haber participado en las actividades más censuradas o reprobadas por parte de los franquistas: la ejecución de personas sin formación de causa, es decir, los conocidos *paseos*. En esto, en todo caso, se parecen los tres *chequistas*: todos reconocen su vinculación a esos locales de represión no reglada pero rechazan que o bien para ellos esos locales fueran una checa, o bien que ellos desarrollaran una actividad represora que sí ejecutaban otros que frecuentaban el lugar.

Tampoco son diferentes el anarquista, el comunista y el guardia civil cuando tratan de empatizar o mostrar menos hostilidad con la causa franquista vencedora al aceptar las tesis y el *lenguaje nuevo* de los juzgadores: en sus testimonios hablan de *movimiento*, de *rojos*, etcétera. Sin embargo, en ningún caso deja de ser algo impostado y producto de la presión y la tensión que sufren al atisbar con cierta seguridad que la sentencia contra ellos va a ser durísima y probablemente una condena a muerte.

Esa situación de tensión siempre acaba por aflorar, y en todos los *chequistas* aquí estudiados aparece, provocando que en sus contestaciones a interrogatorios y/o declaraciones para defenderse entren en contradicciones e incurran en errores que acaben por complicarles su futuro o que modifiquen versiones de una declaración a otra en un lapso de solo unos meses. Es evidente que la presión de una posible condena a muerte nubla la claridad de ideas y debilita los recursos de defensa. No obstante, quienes emplean recursos para defenderse menos creíbles son el anarquista y el guardia civil, que alegan excusas pobres o echan la culpa de las actuaciones represivas inmorales a otros sectores ideológicos del marco republicano, y especialmente en ambos casos a los comunistas.

En este punto, podría valorarse la justicia franquista de la inmediata posguerra y la dureza de las penas aplicadas a quienes se alinearon con la República en la retaguardia frente a quienes lo hicieron en el campo de batalla, pero eso requeriría otro largo análisis y otro trabajo que contribuyera a ir completando el panorama del castigo que los vencedores franquistas impusieron a los vencidos en la España de los años cuarenta.

FUENTES ARCHIVÍSTICAS, HEMEROGRÁFICAS Y BIBLIOGRÁFICAS

Archivos

Archivo General e Histórico de la Defensa (en adelante, AGHD); Fondos de Madrid.
Centro Documental de la memoria histórica (antiguo Archivo Histórico Nacional; Sección Guerra Civil) de Salamanca.
Causa General de Madrid. Archivo Histórico Nacional.
Fondos de la Audiencia Territorial de Madrid, Serie Criminal.

Hemerotecas

Hemeroteca Municipal de Madrid; Colección del Diario Oficial del Ministerio de Guerra (años 1936 a 1939).

Libros y artículos

Cervera Gil, Javier: *Madrid en guerra: la ciudad clandestina (1936-1939)*, Madrid: Alianza, 2006.

Ledesma Vera, José Luis: «Tercera parte. Una retaguardia al rojo. Las violencias en la zona republicana», en Francisco Espinosa Maestre: *Violencia roja y azul: España (1936-1950)*, Barcelona: Crítica, 2010.

Preston, Paul: *El holocausto español: odio y exterminio en la guerra civil y después*, Barcelona: Debate, 2011.

Ruiz, Julius: *El terror rojo*, Barcelona: Espasa, 2012.

— *Paracuellos: una verdad incómoda*, Barcelona: Espasa, 2015.

Sánchez Recio, Glicerio y Roque Moreno Fontseret: *Aniquilación de la República y castigo a la lealtad*, Alicante: Publications Universitat d'Alacant, 2015.

El radio del Sector Oeste del PCE y la checa de San Bernardo

Carlos Fernández Rodríguez
Universidad Complutense de Madrid

INTRODUCCIÓN

El golpe de Estado del 18 de julio de 1936 desembocó en las calles del Madrid republicano en una respuesta violenta por parte de una población y unos grupos políticos, sindicales y sociales que intentaron resistir al movimiento golpista. En aquel ambiente revolucionario en que Madrid estaba envuelto, se formaron unas entidades y colectivos que, con diferentes poderes, ocuparon el vacío político dejado por las autoridades republicanas. Aquellos grupos revolucionarios que disfrutaban de mayor autonomía desde sus centros políticos y sindicales (ateneos libertarios, casas del pueblo, agrupaciones socialistas, comités, radios o células comunistas), calificados por algunos como *checas* (no siendo comparables estas sedes políticas a la conocida policía bolchevique rusa), tomaron el control policial, del orden público y de la justicia contra aquellos que eran afines a los sublevados, luchando también contra el gobierno republicano por el control del poder y de la situación en la retaguardia republicana.

La autoridad y los mecanismos de control estaban situados en la calle, en cada barrio madrileño y en un contexto social y cultural concreto, el del distrito de Chamberí y el centro o radio comunista del Sector Oeste en la calle San Bernardo, 72. Se trata aquí de analizar los hechos desarrollados en el interior de la checa, su configuración interna, la ideología política y las actividades llevadas a cabo por sus miembros, que fueron los actores principales de la trayectoria social y política acaecida en el verano y otoño de 1936.

El régimen franquista utilizó la Causa General como herramienta de persecución sobre los enemigos republicanos, queriendo dar un carácter legal al aparato jurídico represivo puesto en marcha para juzgar los hechos delictivos cometidos. Sin embargo, tenía un enfoque arbitrario en cuanto a la utilización e interpretación de las denuncias y manifestaciones tanto de víctimas y familiares como de detenidos, obtenidas estas últimas de manera violenta.

El presente estudio también pretende reflejar las experiencias emocionales de los represaliados y en particular sus sensaciones de temor ante el odio y el rencor de unos represores que querían obtener unas declaraciones, subjetivas en su gran mayoría, que justificaran el golpe de Estado y su política represiva contra los vencidos. Una situación

Miembros de la checa de San Bernardo en el comedor del mismo.
Fuente: Archivo General e Histórico de Defensa de Madrid

de estigmatización y marginación contra los vencidos, sometidos al castigo físico y, consecuentemente, al psicológico, así como a ser considerados responsables de todo el mal realizado, derivando todo ello en una memoria silenciada durante muchos años.

MADRID, VERANO Y OTOÑO DE 1936

La convulsión y agitación vivida en Madrid tras el estallido de la guerra civil dio paso a una rápida formación de organismos heterogéneos entre sí, con un espacio de actuación localista, un origen revolucionario en sus acciones y unas estructuras internas mal delimitadas. Sus líneas de actuación violentas fueron llevadas a cabo por patrullas, comités y grupos sin ningún tipo de impunidad y de manera bastante represiva. Las detenciones, los encarcelamientos, las *sacas*, los *paseos* y los asesinatos estaban a la orden del día en las calles madrileñas y en un primer momento no había en torno a ello ningún tipo de control por parte del gobierno republicano, encarnado en sus políticos y en las fuerzas del orden.

Los poderes revolucionarios representaban a las principales organizaciones políticas y sindicales de izquierda que defendían el sistema republicano, que a través de sus organismos, comités y centros políticos se apoderaron, a su manera, del control policial y judicial de los barrios madrileños, ejerciéndolo paralelamente al desplegado por las autoridades republicanas. Con sus acciones y proyectos, cada grupo actuaba de forma independiente e incontrolada. Las acciones represivas buscaban el control de la autoridad y acabar con todos aquellos que se habían sublevado contra un régimen democrático republicano.

El ambiente vivido en Madrid en el verano y otoño de 1936 era de gran desconcierto, la confusión reinaba entre aquella parte de la población susceptible de ser detenida. El aniquilamiento del fascismo, la caza del adversario quintacolumnista, las *sacas* y los asesinatos extrajudiciales fueron la nota en toda una amalgama de poderes políticos y sindicales que trataba de resistir el golpe de Estado y terminar con el contrincante político en la retaguardia republicana.[1] El poder estaba en la calle y se ejercía en un entorno local; en cada distrito y barrio madrileño y desde los centros políticos, que gozaban de una gran dosis de libertad. En el caso de los comunistas, las conocidas popularmente como *checas* eran los radios o células de cada uno de los sectores en los que estaba estructurado el Comité Provincial del PCE de Madrid. Dichos centros, locales o comités desarrollaron un campo de acción y unas dinámicas propias respecto a sus centrales sindicales y políticas en lo que fue el período (conocido como el *terror rojo*) de mayor violencia y represión de toda la guerra. La mayor parte de los asesinatos perpetrados en la retaguardia republicana madrileña tuvo lugar en estas fechas. La cuantificación del número de víctimas es bastante difícil de estimar debido a la problemática que conlleva la desaparición de un gran número de asesinados. No obstante, las personas que perdieron la vida en aquellos meses de julio a diciembre de 1936 han de contarse por miles.

Las acciones represivas practicadas desde estos centros obedecían muchas veces a odios personales y venganzas contra aquellas personas enemigas de la Segunda República (eclesiásticos, militares, periodistas, industriales conservadores, etcétera) que, una vez frustrado el golpe de Estado, buscaron refugio y escondites en casas particulares, pensiones y embajadas, cambiando en ocasiones su aspecto físico y obteniendo identidades falsas. Las detenciones eran realizadas por miembros de las organizaciones políticas y sindicales tras presentarse denuncia y consultarse los ficheros de Matices Políticos ubicados en la Dirección General de Seguridad (DGS).[2]

Así era el día a día de los grupos que formaban parte de las patrullas y brigadas destinadas a cometer los asesinatos, en muchas ocasiones perpetrados de manera clandestina, puesto que los cuerpos no fueron encontrados. Estos nuevos órganos revolucionarios, hervidero de poderes paralelos al poder estatal, ocuparon el vacío dejado por el gobierno republicano desde sus sedes políticas y comités locales; y organizaron la vida en los distritos y barrios madrileños instituyendo modelos propios y alternativos

---

[1] Javier Rodrigo: *Hasta la raíz: violencia durante la guerra civil y la dictadura franquista*, Madrid: Alianza, 2008, pp. 35-40.

[2] Javier Cervera Gil: «Violencia en el Madrid de la Guerra Civil. Los *paseos* (julio a diciembre de 1936)», *Studia histórica, Historia Contemporánea*, núm. 13-14, 1995-1996, p. 66.

según sus ideales y principios, tanto sociales como jurídicos y de control del orden público y diferentes a los sostenidos por el Estado, siendo calificado el poder estatal como burgués por parte de los colectivos. Sin embargo, el sistema político republicano llevó a cabo una serie de tácticas y toma de decisiones para intentar recuperar el orden público y paralizar esa justicia revolucionaria.[3]

El 25 de julio, el Ministerio de Gobernación publicó unas órdenes prohibiendo llevar y usar armas, pero dicha medida no tuvo repercusión alguna, ya que se siguieron cometiendo asesinatos. Para controlar los desmanes producidos en las detenciones, a finales de agosto de 1936 el Comité Provincial de Investigación Pública emitió una serie de normas para todas las organizaciones y milicias que hacían registros y detenciones. Se buscaba así evitar actos de venganza personal. Dichas normas (exigencia de un aval de las denuncias por un organismo responsable; no tramitación de denuncias individuales; restricción de lo incautado en los registros a aquellas cosas que fueran de utilidad, que sería entregado al Comité de Investigación Pública; que las denuncias las gestionase personalmente el Comité; petición de garantías acerca de la procedencia de las denuncias) debían ser respetadas por todas las milicias, organizaciones y partidos y las organizaciones centrales tendrían que facilitar al Comité su relación completa de radios, ateneos, centros, etcétera, con sus domicilios y teléfonos. Igual que pasó con las anteriores medidas, el efecto fue nulo, ya que las milicias no hicieron caso a la normativa y los partidos políticos y sindicatos tampoco entregaron las listas de sus centros y direcciones. En los discursos dados por las autoridades republicanas y reflejados en editoriales y artículos de prensa se puede observar su propósito de hacer ver que la legalidad era representada por ellos y que las leyes había que respetarlas, aunque en la práctica no fuera así.[4] Un ejemplo de ello fue un artículo titulado «Una conducta conveniente a la Revolución española» publicado en el periódico *Abc* y cuyo contenido resumido era:

> El gobierno encarna el poder ejecutivo de ese Estado, que es la legítima representación de España y por tanto se rige por las leyes que de manera formal se ha dado a sí mismo el pueblo. La ley como tal ha de ser respetada y cumplida por todos, inexorablemente, de ahí nace nuestra autoridad moral, ante el mundo, sobre los facciosos pues todos los actos cometidos bajo la esfera del Gobierno, en los sitios donde actúa, tienen que estar avalados por la legalidad constituida que es lo que representa a España.[5]

A pesar del alto grado de libertad con que actuaron aquellos comités locales, tanto entre los diferentes partidos políticos y organizaciones sindicales y con sus órganos directivos superiores, sus miembros no funcionaron de manera individual y espontánea, sino que sus comportamientos, razones y disposiciones deben ser contextualizados en un momento concreto (el período convulso y revolucionario de los primeros días de

---

[3] Ídem: *Contra el enemigo de la República desde la Ley: detener, juzgar y encarcelar en guerra*, Madrid: Biblioteca Nueva, 2015.

[4] Ídem: «Violencia en el Madrid...», p. 70.

[5] *Abc*, 25 de agosto de 1936, p. 1 y p. 9.

la guerra tras el golpe de Estado), en un espacio preciso (el ámbito local de las calles y barrios madrileños), en un panorama político y social delimitado (los grupos políticos y sindicales con sus diferentes formas de actuar) y en unos lugares determinados (en nuestro caso los comités o radios comunistas y, más concretamente, la checa de San Bernardo). Debido a ello, nos detendremos en las acciones desarrolladas en el seno de sus sedes, la estructura interna de las mismas y los trabajos desplegados por sus ocupantes, actores principales de lo acontecido en aquellos días. Analizaremos la microhistoria del interior de los comités o checas, observando los acontecimientos y sus personajes y elaborando un recorrido interno con una perspectiva localista del propio centro y su prolongación a los fenómenos sociales acaecidos sin olvidar, el aspecto emocional de los actores y cómo a través de sus declaraciones (subjetivas en muchos casos por la manera represiva de obtenerlas), el régimen franquista justificó sus acciones contra ellos e hizo una reconstrucción del pasado y de los acontecimientos a su manera.

LAS ACTIVIDADES DESARROLLADAS POR LOS MILICIANOS EN SUS CENTROS Y SEDES

En el recorrido interno que vamos a reproducir de aquellos centros y las acciones de los milicianos y sus integrantes, veremos paulatinamente el proceso de lo acontecido hasta que aparecía el cadáver, respondiendo por lo general a unas pautas de comportamiento homogéneas y similares en casi todos los locales, y las compararemos más adelante con lo ocurrido en la checa de San Bernardo, 72.

La detención de las víctimas se producía en la mayoría de los casos en el lugar donde estaban hospedadas, aunque otras veces también en la calle o en sus centros de trabajo. Las pesquisas sobre los posibles sospechosos eran obtenidas sobre todo a partir de denuncias, muchas anónimas, de personas que las presentaban contra quienes tenían una ideología derechista, eran religiosos o tenían ideas cercanas a principios clericales. También se acudía a los archivos y registros del Ministerio de Gobernación y de centros policiales, en los que había información de personas susceptibles de ser detenidas. Las detenciones eran practicadas por elementos de los centros, que formaban unas brigadillas de entre dos y cuatro miembros, aunque a veces podían llegar hasta diez. Los milicianos no solían presentar acreditación alguna en el momento de la detención (en alguna ocasión enseñaban placas identificativas o el carné de su organización política, haciendo referencia a su estado de policías, milicianos de vigilancia o agentes de la autoridad). Antes de llevarse al detenido, regularmente se solían hacer registros para obtener algún tipo de prueba que les pudiera imputar más delitos. En ocasiones se solían confiscar y requisar pertenencias, alhajas, mobiliario, etcétera para repartirlo entre los miembros de los centros y conseguir recursos económicos que, obtenidos mediante su venta, iban a parar a los aparatos directivos de las organizaciones políticas y sindicales.

Con posterioridad, el detenido era trasladado a la checa, y en algunas ocasiones —pocas, en todo caso— los milicianos comunicaban a sus parientes adónde los llevaban, sin que aquellos volvieran a ver a su familiar en la mayor parte de las ocasiones. Una vez en el interior de la checa, al detenido, que muchas veces no llegaba ni al local ya que era asesinado un poco después de su detención, podían pasarle varias cosas tras ser interrogado: que el interrogatorio durara varios días y los miembros del tribunal encargado de *juzgar*, conocido como *tribunal sentenciador*, decidieran que obtuviera la libertad (esto sucedía las menos de las veces y no impedía que el reo pudiera ser detenido en otro momento por otra checa distinta); que fuese condenado a prisión, trasladado a la Dirección General de Seguridad (DGS) y de allí llevado a la cárcel o —esto era lo que ocurría normalmente— que fuese condenado a muerte y su ejecución se produjese de manera inmediata. Los detenidos eran llevados en coches a las afueras de Madrid y allí se los hacía bajar de los vehículos para matarlos y darles el tiro de gracia. Tras la detención de una persona, sus familiares comenzaban la búsqueda por distintas checas y centros (aunque algunas por temor no lo hacían), encontrando casi siempre negaciones y amenazas a sus indagaciones. Si no encontraban al ser querido, iban a la Dirección General de Seguridad a consultar las fotos de los cadáveres encontrados y si tenían suerte de identificarlos, podían enterrar a su familiar.[6]

En 1940 el régimen franquista procedió a instruir una causa o proceso judicial (la Causa General) a través de su ministro de Justicia, Esteban Bilbao Eguía. Se trataba de recoger todos los delitos y crímenes ocurridos en todo el territorio nacional durante la llamada *dominación roja*. La realización de este proceso se le encomendó a la Fiscalía General del Estado, siendo fiscal del Tribunal Supremo Blas Pérez González y regulándose la cuestión a través del decreto de 26 de abril de 1940. La investigación se realizó como un sumario judicial, dividido en once piezas que recogían 1953 legajos archivados en 4000 cajas. Cada una de las provincias españolas tuvo que elevar un sumario provincial de las investigaciones que se realizaron (actividades de los individuos, delitos que hubieran cometido, militancia, etcétera). Con los resultados provinciales logrados de cada uno de los fiscales, el fiscal instructor enviaba un resumen a la Inspección de la Causa General. De las once piezas la más extensa era la denominada Pieza Principal o Primera, en la cual aparecen hechos delictivos cometidos en las provincias tales como asesinatos, desapariciones, torturas, saqueos, quema de iglesias, etcétera. La que más nos interesa a nosotros para este estudio es la Pieza Cuarta, denominada «Checas» y en la que las indagaciones y la obtención de información se basaron en el funcionamiento y organización de esos centros, de las patrullas de control y de los Servicios de Información Militar (SIM), queriéndose dar una visión subjetiva y estereotipada de las acciones sangrientas de los colectivos revolucionarios en el denominado *terror rojo*.

Con la Causa General el régimen quiso dar carácter *legal* y unas garantías a ese proceso jurídico. Se recopilaron miles de declaraciones de posibles sospechosos y se

---

[6] Javier Cervera Gil: *Madrid en Guerra: la ciudad clandestina (1936-1939)*, Madrid: Alianza, 2006.

compilaron indagaciones sobre la violencia y acciones revolucionarias en la retaguardia republicana, quedando todo ello archivado en miles de cajas con nombres de individuos *rojos* proclives a ser represaliados. El franquismo edificó un aparato de control y poder totalitario utilizando diferentes estrategias en el que las piedras angulares serían la represión y el sometimiento de la población a través de la violencia y el uso de las armas. Los vencedores enmendaban así lo ocurrido en la guerra y justificaban su violencia contra los que con tanto rencor habían luchado. Igualmente, utilizaron sus herramientas de propaganda para difundir a la opinión pública, no solo en España, sino a nivel internacional, los hechos sangrientos y violentos desarrollados por los republicanos. Pero todo ello con una visión parcial de lo ocurrido basada en estimaciones exageradas de las cifras de víctimas y desaparecidos y las denuncias y declaraciones, muchas de ellas obtenidas con medios represivos. Hay que tener cuidado a la hora de acercarnos a las fuentes de la Causa General y ser prudente con la valoración histórica e interpretativa que hagamos de ellas debido a la subjetividad de las mismas.[7]

Entre noviembre de 1940 y marzo de 1941, el Ministerio de la Gobernación franquista ordenó a través de la Dirección General de Seguridad y el cuerpo policial de Investigación Policial que se hiciera una relación de las checas, locales, ateneos, centros políticos, agrupaciones sindicales, cuarteles de milicias, etcétera que funcionaron en Madrid durante la contienda civil, con su dirección y una breve explicación de cada una de ellas. En la realización de esos listados colaboraron los agentes de la policía urbana conjuntamente con los serenos de los distintos barrios madrileños, las tenencias de alcaldía por distritos del Ayuntamiento de Madrid y el 14.º Tercio de la Guardia Civil, con la Brigada de Investigación que formaba parte de la 2.ª Comandancia. Estos listados iban destinados al fiscal delegado instructor de la Causa General, apellidado De Miguel, que tuvo su residencia en la calle Núñez de Balboa, 67 (el edificio fue ocupado en la guerra por la Federación Anarquista Ibérica) y en la calle Marqués de la Ensenada, 1. En octubre de 1943, la Delegación Provincial de FET y de las JONS de Madrid actualizó dicha relación dividida en los distintos distritos de Madrid desde su sección de Información e Investigación.

EL RADIO NÚMERO 8 DEL SECTOR OESTE Y LA CHECA DEL PCE DE LA CALLE SAN BERNARDO, 72

En la calle de San Bernardo hubo varios centros y locales que fueron utilizados por las milicias comunistas. En el número 7, cerca de la actual glorieta de Ruiz Giménez, había una radio comunista que actuaba como una especie de comisaría de policía. En el número 14 tenía su sede el batallón *Vanguardia Roja*. En el número 20 se instaló un

---

[7] José Luis Ledesma: «La Causa General: fuente sobre la violencia, la guerra civil (y el franquismo)», en *Spagna Contemporánea* (Turín, Italia) núm. 28, XVI (2005), pp. 203-220.

lavadero del PCE. En el número 44 se utilizó como cuartel comunista de la 42 Brigada Mixta. En el número 58, estaban las oficinas y el teatro del SRI. En el número 72 estaba la checa de San Bernardo, en el convento de las Salesas. El radio número 8 del Sector Oeste del PCE estaba ubicado en el número 74 y en el número 99, ocupando un antiguo colegio de monjas Visitadoras, se instaló un batallón de *Uníos Hermanos Proletarios* (UHP), del radio del PCE de Chamberí.

Los edificios de la calle San Bernardo, número 72 y 74 en aquellos momentos y actualmente ocupan toda una manzana y estaban encuadrados entre las calles Daoiz y Divino Pastor y en la parte de atrás por la calle Monteleón. La checa de San Bernardo estaba situada en el convento de la Salesas (conocido también como las Salesas Nuevas por ser el segundo edificio que tenían en Madrid las religiosas de la orden de San Francisco de Sales). El convento fue fundado en 1798 por doña María Luisa Centurión y Velasco, marquesa de Villena y Estepa, y levantado sobre sus propiedades, que había adquirido a don Ángel de Carvajal Zuñiga y Lancaster, duque de Abrantes y Linares. Parece ser que la construcción del edificio se debió al arquitecto Manuel Bradi en 1801. En 1837, debido al proceso desamortizador, las monjas tuvieron que abandonar el edificio y fue utilizado para instalar algunas facultades de la Universidad Central de Madrid hasta 1843, año en que regresó el personal religioso.[8]

El convento fue ocupado el 20 de julio de 1936 por milicianos del radio comunista número 8 del Sector Oeste, formando parte de un edificio de dos alas con la iglesia en medio. La otra parte era el número 74, donde se instauró el radio del PCE. La checa funcionó de julio a finales de diciembre o principios de enero de 1937, momento en que fue ocupada como cuartel por la brigada de Valentín González, *el Campesino*. Esta estuvo allí radicada durante unos cuatro meses y tras abandonar el centro fue sustituida por unos batallones del Quinto Regimiento que instalaron en la planta alta del edificio un hospital venéreo. Ambos edificios tenían tres plantas y un gran patio en la parte posterior. El edificio pegado a la iglesia tenía comunicación con el centro religioso a través de una puerta que fue tapiada para que los milicianos no pudiesen ver lo que había en ella. En la planta baja del inmueble se instaló un batallón comunista denominado Capitán Benito. También había un gran comedor para los que dependían del centro (aunque a veces dieron comidas a personas que no prestaban servicios en el edificio) y otros departamentos o salas donde se instalaron los talleres de carpintería, de costura, salas de lavado y planchado, barbería y un lugar donde se dejaban algunos de los géneros incautados en los registros de las casas de los detenidos. En un primer momento y en la misma planta, una de las habitaciones más grandes fue destinada a los detenidos, aunque posteriormente fueron subidos a la segunda planta. En el primer piso estaban las habitaciones y oficinas destinadas para las reuniones de las distintas células que componían el radio. En la segunda planta se ubicó una brigada de policía comunista denominada No Pasarán. En esta altura se colocó el tribunal sentenciador

---

[8] <http://manuelblasmartinezmapes.blogspot.com.es/>.

por donde pasaban los detenidos que iban a ser *juzgados*. Estos estaban en celdas habilitadas para ello y había cerca de treinta. Los pisos altos no tenían rejas en las ventanas, pero debido al suicidio de varios de los detenidos tuvieron que ponerlas. El convento de las Salesas fue utilizado como almacén donde se depositaban las pertenencias y muebles de mayor tamaño que se confiscaban en los registros practicados. En los sótanos del edificio estaba el cementerio de las monjas. Parece ser que este fue profanado y las cajas mortuorias sacadas de los nichos, con algunos cadáveres al descubierto.[9]

En la puerta del edificio había durante todo el día una guardia con un mínimo de tres milicianos para impedir que nadie pudiera escaparse y que ningún familiar de los detenidos entrara en el inmueble. Los milicianos también hacían turnos para vigilar a los detenidos de la segunda planta. Dependiente del radio y checa comunistas y en relación con la brigada de policía No Pasarán estaba el radio del PCE de la calle San Bernardo, 7, que tenía funciones de comisaría de policía. Aquí se practicaron algunas detenciones y con posterioridad los detenidos eran trasladados a la checa. Según un oficio de la Jefatura Superior de Policía enviado al comandante juez instructor del juzgado eventual número 24 de Madrid en relación con el radio y la checa comunista que estamos analizando, estos estaban vinculados a otro local del mismo radio número 8 situado en la calle Princesa, 27, desde donde llevaban a los detenidos (confirmado en la declaración de la testigo Julia Martínez Pérez sobre la detención de su marido Patrocinio Ramón Sánchez).[10] El Garaje Modelo, situado en la calle San Bernardo, 95, fue utilizado por los milicianos tanto para guardar los coches que usaban los principales dirigentes como para llevar a los detenidos a los lugares donde iban a ser ejecutados. Según uno de los detenidos en la checa, Ángel Aizpuru Maristany, el radio contaba entre sesenta y setenta vehículos y formaban parte del mismo más de cien milicianos. Por último, en la calle José Antonio Armona estaban instaladas las factorías mecánicas Ferrobellum, central metalúrgica dedicada a la industria bélica y que contaba con diferentes talleres de carpintería, fundición, montaje, etcétera. La influencia del PCE era preponderante: el director de esta factoría era elegido entre miembros de dicho partido. Las alhajas y joyas que decomisaban los milicianos en los registros de diferentes checas eran llevadas al centro comunista, donde había un joyero platero apellidado Mombiela que se encargaba de clasificarlas, y las de mayor valor eran transportadas (con la ayuda de un miliciano apellidado Linares apodado el *Chepa*) en camiones al taller de fundición de Ferrobelum denominado Pasionaria (el de carpintería se llamaba Ódena), donde según declaración de José Curiel Sánchez, que trabajaba en dicha fundición y era uno de los miembros de la mencionada checa (fue condenado a veinte años), eran fundidas en lingotes y llevadas al Comité Central del PCE en la calle Serrano, 6, para después transportar dichos lingotes a Rusia con la finalidad de pagar los alimentos y el armamento que llegaba en los barcos. Otra parte de las alhajas confiscadas en las casas

---

[9] Archivo Histórico Nacional, Fondos Contemporáneos, Fiscalía del Tribunal Supremo, Causa General, Caja 1530, Expediente 5, pieza separada radio comunista de la calle San Bernardo, pieza núm. 4.

[10] Ibídem.

de los detenidos era repartida entre algunos de los integrantes del centro comunista, al igual que otras pertenencias como ropas y muebles (depositados en el convento de las Salesas). No hay prueba que justificara que todo el oro y plata que pudiera obtenerse de fundir las joyas incautadas fueran a parar al Comité Central del PCE y mucho menos de que su destino fuera el pago de los envíos rusos, más si cabe con el enfrentamiento en esos primeros meses de contienda entre las autoridades republicanas y las diferentes organizaciones revolucionarias.[11]

Como se ha señalado anteriormente —y siendo cautelosos a la hora de tratar las fuentes de la Causa General, las declaraciones de los testigos y encausados y la evaluación histórica de lo expresado en sus piezas—, nos detendremos pormenorizadamente en el expediente número 5 de la pieza separada del radio comunista de San Bernardo y en algunas otras piezas que tuvieran que ver con dicho radio (pieza principal o primera, pieza tercera denominada de cárceles y sacas y pieza décima que trataba la persecución religiosa) para observar los hechos cotidianos y acontecimientos ocurridos en este centro comunista. El expediente número 5 recogía la investigación llevada a cabo a través de declaraciones y pesquisas de los miembros del radio comunista de San Bernardo, 72 para posteriormente juzgarlos por los hechos delictivos ocurridos durante la guerra civil.

El expediente recoge un total de ochenta y tres denuncias de víctimas y familiares realizadas entre julio de 1939 y octubre de 1940 que afectaron a noventa y ocho personas. En las declaraciones no se ha podido obtener toda la información y los datos deseados para realizar un análisis más descriptivo y pormenorizado de la checa, por lo superficial de algunas manifestaciones, porque son un ejemplo pequeño del total de detenciones y asesinatos que pudo producirse y porque no se puede obviar la subjetividad y parcialidad de las fuentes y testimonios. Sin embargo, sí examinaremos con algunas cifras los hechos ocurridos entre julio y diciembre de 1936.

La víctima de más edad que aparecía en las declaraciones de cuantos reos la manifestaron (tanto los familiares de las víctimas como los detenidos que fueron puestos en libertad) tenía 58 años; el de menor edad, 15. El grupo de edad con más víctimas es el de los comprendidos entre los veinte y treinta, con un total de nueve personas, seguido por el de treinta a cuarenta años, con seis personas, el de cuarenta a cincuenta, con cinco personas, y el de menores de veinte años, con cuatro personas. Casi el 40% de las víctimas que hemos analizado oscilaba entre los veinte y los treinta años. Las profesiones mayoritarias de las víctimas por orden de mayor a menor de un total de treinta y un ejemplos fueron: estudiantes (ocho), militares (cinco), personal de Correos (tres), abogados (dos), agentes comerciales (dos), funcionarios (dos), empleados (dos), propietarios (dos), sa-

---

[11] Archivo General e Histórico de Defensa de Madrid, Causa núm. 27 567, Declaraciones de José Curiel Sánchez en Archivo Histórico Nacional, Fondos Contemporáneos, Fiscalía del Tribunal Supremo, Causa General, caja 1530, expediente 5, Biblioteca Nacional, Hemeroteca Nacional, Publicaciones Periódicas, Prensa, Ferrobellum (Madrid), núm. 25, p.8, 18 de julio de 1938 y Pío Baroja: *Miserias de la guerra: las saturnales*, Madrid: Caro Raggio, 2006, p. 81.

cerdotes (dos), un ayudante de Obras Públicas, un ingeniero y un labrador. Destacan los estudiantes con casi un 28 % del total, seguidos de los militares con un 18 %.

Con los datos obtenidos de las detenciones que se referencian en dicho expediente (59) ocurridas por la checa de San Bernardo entre julio y noviembre, el 40 % de los detenidos lo fueron en el mes de septiembre y casi el 36 % en el mes de agosto. Algunas detenciones y órdenes de registro iban selladas por el comité del radio número 8.[12] Según declaraciones del detenido Ángel Aizpuru Maristany, hubo algunos arrestos en los que se encontraron en el lugar de detención milicianos de distintas organizaciones políticas y sindicales que discutían entre ellos para ver quién era el que finalmente se llevaba al detenido. En otras ocasiones, los milicianos del Partido Sindicalista de Ángel Pestaña que tenían su local en la calle San Bernardo, 68, cercana al radio que estamos analizando, acudieron a este para reclamar algún detenido y trasladarlo a su local.

El parentesco de los familiares de las víctimas que elaboraron las denuncias y de los que tenemos registro (un total de 59) fueron los siguientes: hermanos y hermanas (18), padres y madres (15), mujeres (12), cuñados (tres), primos (dos), sobrinos (dos), patrones (dos), tías (dos), hijo (uno), suegro (uno) y novia (uno). Destaca el parentesco de hermanos y hermanas con un casi 31 %, seguido por el de padres y madres con un casi 26 % y en tercer lugar el de mujeres de las víctimas, que representan un 20 % del total.

Respecto a la cuantificación de los lugares donde fueron detenidos y de los que hay testimonio (48), destacan sobre todo los domicilios donde se hospedaban las víctimas con 26 detenciones (no todas las residencias eran las casas de las víctimas, sino que también eran detenidos en pensiones donde se alojaban). Luego fueron detenidas 11 personas en la calle, cinco en sus lugares de trabajo (ministerios, bancos, etcétera) y cuatro en cafés y restaurantes. Más del 54 % de los detenidos lo fueron en sus residencias, seguidos por un casi un 23 % que fueron detenidos en la calle.

Los denunciantes eran sobre todo compañeros de trabajo (hay tres casos de denuncias por el comité de Correos), algunas denuncias y —en palabras textuales del denunciante Emilio Yusta Llamas sobre la desaparición de su yerno Ricardo Faure Yusta, que fue denunciado por otro compañero de su misma sucursal de Monte de Piedad— «resentimientos profesionales». También hubo denuncias de porteras, de vecinos y por venganzas pasadas. Entre las causas de detención que hemos analizado estaba sobre todo la pertenencia a Falange (miembros pertenecientes a la primera línea o jefes de centuria o escuadra). También se detenía por tener simpatías por el partido de Acción Popular de José María Gil Robles o estar afiliados al partido derechista y conservador Renovación Española u otros grupos tradicionalistas. No hay que olvidar que aparte las referencias ideológicas y políticas derechistas y conservadoras como motivo de las detenciones y la afinidad a los golpistas, también era importante la referencia religiosa como otro de los orígenes de la motivación de sus detenciones.

---

[12] Declaraciones de Ladislao Antón en Archivo Histórico Nacional, Fondos Contemporáneos, Fiscalía del Tribunal Supremo, Causa General, caja 1530, expediente 5.

No en todos los registros efectuados en las casas de las víctimas se incautaron objetos y pertenencias. En varias ocasiones fueron los miembros de otros centros los encargados de realizar los registros tras haberse llevado al detenido al radio comunista de San Bernardo.

El número de milicianos que realizaban las detenciones variaba, siendo generalmente de dos a cuatro, aunque hubo casos en que fueron hasta ocho los integrantes que efectuaron las detenciones, como los de Jesús del Valle y José Manuel de la Vega Rivas. Desde el lugar de detención eran desplazados en vehículos hasta la checa de San Bernardo. Las manifestaciones hablan de dos o cuatro vehículos utilizados y hasta ocho o diez para las distintas brigadillas (mencionaban un coche modelo Opel y otro C1441), cuyos vehículos estaban en el Garaje Modelo en la calle San Bernardo, 95. El tribunal sentenciador entregaba una nota a los distintos grupos en el que se indicaba qué piquete de ejecución tenía que llevarse a los ocupantes de las celdas con tal número, ya que no conocían los nombres de sus víctimas, sino solamente el número de los calabozos. Los piquetes de ejecución estaban formados por cuatro o cinco miembros de tres brigadillas distintas: la del Amanecer (brigada fundada por el socialista Agapito García Atadell y que fue llamada así porque a esas horas era cuando cometían los asesinatos), la de los Leones Rojos y la banda de Popeye. Las dos primeras brigadas actuaron en diferentes centros.

Algunos de los testigos que pasaron por la checa de San Bernardo (Emilio Mateo Galán, Antonio Melgarejo Baillo, Francisco Camacho López de la Manzanara, Clemente Paramio Redondo y Lourdes Bueno Méndez) declararon cómo oyeron desde sus celdas los gemidos y lamentaciones de detenidos que eran sometidos a torturas y maltratos físicos (parece ser que usaban a un boxeador para golpear más fuerte y una de las celdas fue bautizada con el nombre de *Celda de las Niñas*). En diversos cuerpos de asesinados se pudieron ver signos de violencia física antes de su asesinato (casos como los de Miguel Blanco Rodríguez, Fernando García Bastarrica y Manuel González de Aledo). En el caso de que el tribunal sentenciador decidiera que los presos fueran condenados a prisión eran llevados a las cárceles Modelo, Toreno, Ventas, Duque de Sexto y Porlier.

Los asesinatos o desaparecidos (37) señalados en las declaraciones empezaron en el mes de agosto con siete, en el mes de septiembre se contabilizaron 23, en octubre hubo tres (una persona trasladada a la cárcel Modelo desde la checa de San Bernardo) y en noviembre fueron contabilizados cuatro asesinatos (trasladado de la checa a Paracuellos del Jarama). El número de cadáveres que aparecieron fue de 28 y el de desaparecidos de 18, para un total de 46 (aparecen nueve más de lo que comentamos antes porque hay declaraciones en las que no se especifica el mes de asesinato o desaparición). Entre todos ellos solo aparece el nombre de una mujer, Dolores Teresa Pérez Villaverde. De igual manera que sucede con las detenciones, el mes de septiembre fue el más activo en cuanto a asesinatos y desapariciones en la checa que nos ocupa, ya que según los datos que constan en el expediente, casi el 60 % de los mismos se cometieron en este mes. El oficio de la Jefatura Superior de Policía enviado al juez instructor encargado de la investigación del radio del Sector Oeste del PCE calculaba el número de fusilamientos realizados diariamente entre veinte y treinta en relación a la checa analizada (algunos detenidos subían el número a trescientos, otros a cien y otros a cincuenta fusilados diarios). Si tenemos en cuenta que el centro empezó a funcionar a los pocos días del inicio del golpe de Estado del 18 de julio de 1936 y que estuvo funcionando hasta finales de diciembre del mismo año, con los datos indicados tendríamos unas cifras de entre tres mil y cuatro mil quinientos asesinados en la checa de San Bernardo (hubo presos que indicaron que se habían aprobado entre diez mil y veinte mil penas de muerte). Si nos atenemos a lo manifestado por los testigos y al análisis realizado sobre que los meses con más asesinatos fueron agosto, sobre todo septiembre, octubre y noviembre y utilizamos la media indicada por el oficio policial de veinte a treinta fusilados diarios, serían entre dos mil cuatrocientos y tres mil seiscientos los fusilados totales en la checa. Dichas cifras nos parecen unas estimaciones exageradas y desmesuradas teniendo en cuenta que la información aportada para el cálculo había sido obtenida de las declaraciones y manifestaciones de los testigos de la Causa General, su imparcialidad y la gran dificultad a la hora de contabilizar las víctimas asesinadas en la retaguardia republicana.

Los lugares donde aparecieron los cuerpos de los asesinados (28) son variados. Destaca por encima de todos la carretera de Madrid al Pardo (principalmente en la zona de Somontes, en el kilómetro 10 de dicha carretera), con 13 asesinados. En segundo lugar, donde más cuerpos se hallaron fue en la Ciudad Universitaria, con cinco, y en Puerta del Hierro, con el mismo número. Otros parajes donde también se cometieron asesinatos fueron la Pradera de San Isidro, Dehesa de la Villa, Carretera de Alcobendas, Carretera de La Coruña y el final de la calle Serrano. La carretera de Madrid a El Pardo ocupó el primer lugar con un 46 % de los lugares donde fueron cometidos los asesinatos, seguido por casi un 18 % en la Ciudad Universitaria y por el mismo porcentaje Puerta de Hierro.

Al no aparecer las víctimas, sus familiares las buscaban por diferentes checas y centros. Algunos sabían que habían sido trasladados a la calle San Bernardo y se presentaban allí para indagar sobre los detenidos, obteniendo poca información, siendo reprochados, insultados y en ocasiones amenazados con su detención si no dejaban de preguntar. Las familias, cuando no sabían el paradero de los detenidos, iban a la Dirección General de Seguridad, situada en la Puerta del Sol, y a la calle Velázquez, 16 para consultar el fichero de fotos de los asesinados. La mayor parte de estos eran enterrados en el cementerio del Este, como lo serían con posterioridad los represaliados por el franquismo en Madrid.

LOS ACTORES PROTAGONISTAS DE LA CHECA

En el recorrido interno que estamos desarrollando toca ahora visitar a los actores principales del centro; conocer el entorno humano y el desarrollo social de estos personajes con sus comportamientos, sus ideologías, sus políticas y sus propias emociones y temores. Ángel Aizpuru Maristany declaró en la Causa General que todo el barrio de la calle de San Bernardo conocía la existencia y lo acontecido en la checa situada en el número 72 de la citada calle y que no tuvo noticias de que familiares de presos fueran al centro, bien por temor, bien por desconocimiento del paradero de sus allegados.[13]

Eusebio Rams Catalán fue el fiscal secretario de la pieza número 4 de las checas para la Causa General de Madrid encargado de estudiar los antecedentes e investigaciones abiertas desde su local situado en el Palacio de Justicia de Madrid. El 16 de agosto de 1936, el cabo de la Guardia Civil José Palacios Gamino fue detenido por miembros del radio comunista de San Bernardo y a los cuatro días parece ser que pudo escapar. Al terminar el conflicto civil, José Palacios ascendió hasta jefe de la Brigada de Investigación de la Primera Comandancia del 14.º Tercio de la Guardia Civil y fue el responsable de la detención, entre finales de mayo y primeros de julio de 1939, de 42 individuos sospechosos de ser miembros de la checa de San Bernardo. El consejo de guerra de los detenidos tuvo lugar el 18 de agosto de 1943. Asistieron todos a excepción de los que murieron en prisión antes de la celebración del juicio.

Las personas con mayor autoridad de la checa de San Bernardo, 72 y que actuaban de manera independiente de la misma y del radio del Sector Oeste del PCE fueron varios miembros y policías de la Dirección General de Seguridad. Varios de ellos, junto a otros comunistas, habían sido formados en cursos de instrucción política para integrar un aparato clandestino formado por cuadros especiales para que desde el interior de la Dirección General de Seguridad se encargaran de la selección de presos, de controlar milicias comunistas de Vigilancia de la Retaguardia, de la organización de sacas y de la eliminación de enemigos. Entre ellos estaban Santiago Álvarez Santiago, Ramón Torrecilla Guijarro, Andrés Urresola Ochoa, Agapito Escanilla de Simón y Lucio Santiago.[14] El que tenía mayor mando en el radio comunista era el comunista cántabro Santiago Álvarez Santiago, *Santi*, que participó en la fundación del Partido Comunista de Euskadi (EPK). Santiago Álvarez era uno de los secretarios del Sector Oeste del Comité Provincial del PCE de Madrid y jefe de la guardia que protegía el edificio del Comité Central comunista en la calle Serrano. El 7 de noviembre de 1936 formó parte del Consejo de la Dirección General de Seguridad, creado por Santiago Carrillo dentro de la Junta de Defensa de Madrid. Tuvo a su cargo una brigada especial, junto a otras dos brigadas más entre finales de 1936 y principios de 1937, encargada de la detención, el interrogatorio y el asesinato de elementos sospechosos, labor que ya puso en práctica en la checa de San Bernardo. Antes de terminar la guerra se exilió a Rusia con su mujer Matilde. Después estuvo en la sección española del Socorro Rojo Internacional y participó en labores contables y de archivo en Radio España Independiente. Se trasladó a vivir a Bucarest con su mujer y se encargó de la seguridad personal de Dolores Ibárruri

---

[13] Archivo Histórico Nacional, Fondos Contemporáneos, Fiscalía del Tribunal Supremo, Causa General, caja 1530, expediente 5.

[14] <http://elpais.com/elpais/2012/05/14/opinion/1336994556_676295.html>.

cuando esta estuvo en la capital rumana, llegando incluso a alojarse con el matrimonio. Regresó a España durante la dictadura franquista y murió en 1974.[15]

Otro de los miembros pertenecientes a la Dirección General de Seguridad y que estuvo presente en los interrogatorios de presos fue Andrés Urresola Ochoa. Nació en Miravilles (Bilbao) y era el policía encargado de las detenciones y el control de los presos de la cárcel de Porlier en Madrid. Parece ser que se exilió a Cuba porque su cuñada, Pura de Pablo Garrido, recibió algunas cartas suyas desde La Habana, así como por la petición del juzgado número 17 de Madrid de que compareciese ante el juez militar de la calle Piamonte, 2, siendo declarado en rebeldía.[16] El jefe de los interrogatorios era Manuel Tellado, que puede tratarse del comunista sevillano Manuel Tellado Bertole, nacido en Tocina (Sevilla) en 1913 y que al terminar la guerra emigró a Santo Domingo y luego a México en febrero de 1944. Otro de los que también estuvo en el tribunal sentenciador fue Álvaro Marasa Barasa, natural de León y calefactor de profesión. Ingresó como agente provisional de policía en la comisaría de Vallecas y luego fue trasladado a la checa comunista de San Bernardo. Sus declaraciones ante la Brigada Social de la policía y ante el juzgado número 7 fueron extensas sobre el funcionamiento interno de la checa, las actividades desarrolladas y las posteriores sacas y asesinatos de Paracuellos del Jarama, en los cuales participó. Acabó siendo fusilado el 9 de agosto de 1940.[17] En las declaraciones también se nombra a otros policías que estuvieron en la segunda planta del centro comunista. Sus nombres eran Mario, Víctor y Lucas.

El comité del Sector Oeste del PCE estaba formado por Agapito Escanillas de Simón como secretario general, su hermano Carlos como su mano derecha y vocal, Diego Romanillos Merino como secretario de agitación y propaganda, uno llamado Eloy (empleado de los ferrocarriles del Norte) como secretario de organización y Francisco Burgos Lecea como secretario de Sanidad.

Agapito Escanilla nació en Ciudad Rodrigo (Salamanca) el 12 de septiembre de 1906. Vivió con sus padres y sus cinco hermanos en Salamanca y luego se trasladó a Madrid, donde se puso a trabajar como delineante en el Ayuntamiento. Se afilió primero a la Juventudes Socialistas y luego pasó al PCE. Se casó con la onubense Filomena Hernández Carmona y tuvieron cinco hijos. Tuvo amistad con Dolores Ibárruri y antes de comenzar la guerra civil, en una ocasión que estaba el matrimonio con Pasionaria, esta, ante la llegada de un control policial, le dijo a Filomena que escondiera una pistola que

---

[15] Centro Documental de la memoria histórica (CDMH), Fichero de la Secretaria General Sección Político Social, fichero 3, ficha de Santiago Álvarez Santiago, 94 823 y 94 825 y Tribunal especial de la Represión de la Masonería y el Comunismo, Ficha del encausado Santiago Álvarez Santiago, 70.2301914 y 74.2400896, Mariano Asenjo y Victoria Ramos: *Malagón: autobiografía de un falsificador*, Madrid: El Viejo Topo, 1999, p. 28 y <http://labibliotecafantasma.es/cartadebatalla/?p=268&>.

[16] Archivo General e Histórico de Defensa de Madrid, Causa núm. 24 556 y Centro Documental de la memoria histórica (CDMH), Fichero de la Secretaria General Sección Político Social, fichero 66, ficha de Andrés Urresola Ochoa, 14.209 y Tribunal especial de la Represión de la Masonería y el Comunismo, ficha del encausado Andrés Urresola Ochoa, 71.2339031 y 75.2515707.

[17] Archivo General e Histórico de Defensa de Madrid, Causas núm. 2570 y 103 461.

llevaba entre sus ropas. Durante el conflicto bélico la familia, por temas de seguridad, se cambió varias veces de domicilio. Como se ha señalado, Agapito formó parte de un cuadro especial de miembros de la Dirección General de Seguridad y en abril de 1937 fue nombrado teniente de alcalde de Chamberí representando a la JSU y luego la Junta de Defensa de Madrid lo nombró miembro de la Comisión de Fomento, cuyo presidente fue el socialista Juan Gómez Egido. El 8 de marzo de 1939, Agapito Escanilla salió desde Cartagena en dos buques ingleses hacia el norte de África junto a otros miembros del Comité Central del PCE y varios asesores soviéticos. Filomena fue detenida estando embarazada e internada en la cárcel de Ventas.

Agapito Escanilla de Simón.
Fuente: cesión de su hijo Celso

Gracias a la ayuda de una amiga suya monja que le dejó un hábito y le ayudó a salir de la cárcel, pudo irse en un tren de mercancías con sus tres hijas pequeñas a la casa de su madre en Sevilla. Agapito, desde tierras africanas, se trasladó a un país del norte de Europa donde estuvo un tiempo y luego terminó en Moscú. Estudió traducción e interpretación de idiomas, trabajó en doblajes de películas y en Radio España Independiente. Después rehízo su vida con una mujer rusa llamada Olga, también traductora e intérprete, y fue comunicándose con sus hijos a lo largo de los años a través de cartas a nombre de Elena Legar. Parece ser que intentó pasar a España clandestinamente con otros españoles en plena dictadura, pero no pudo pasar por Barcelona. Murió en Moscú el 18 de noviembre de 1972.[18]

Carlos Escanilla de Simón nació también en Ciudad Rodrigo y era compositor y pianista. Se afilió al PCE un mes antes de empezar la guerra y fue agente de policía en la Dirección General de Seguridad. Instaló junto a otros policías una Brigada de Investigación en la calle Lisboa, luego trasladada a la calle Gaztambide y más adelante a Chamartín de la Rosa (Puerta del Zarzal). Al terminar el conflicto intentó escapar al extranjero y fue detenido en Alicante, siendo traslado a Madrid. Ingresó en la prisión provisional de las Comendadoras y murió el 14 del mismo mes debido a una tuberculosis pulmonar.

Diego Romanillos Merino nació en Villacorza (Guadalajara). Afiliado al PCE cuando entró en la checa como voluntario, repartió primero vales de comida y controló las salidas y entradas de enseres procedentes de los registros. Estuvo dos meses en el radio (según declaraciones de su hermana Esperanza, que fue detenida y murió en la cárcel

---

[18] *Abc*, 25 de abril de 1937, p. 11 y entrevista a Celso Escanilla Hernández, 25 de octubre de 2016.

antes de celebrarse el juicio, siendo sobreseída su causa, llevaba a casa un maletín con objetos de oro y plata de los registros) y luego fue destinado a Albacete a un centro de recuperaciones de soldados como administrativo. Regresó a Madrid e ingresó en el Hogar del Cuerpo de Seguridad hasta septiembre de 1938, incorporándose por su quinta a la 42 Brigada Mixta en el frente de Ciudad Universitaria. El 26 de marzo de 1939 se fue a Alicante, donde fue detenido y llevado al campo de concentración de Albatera, de donde salió gracias a unos avales del jefe de Falange de Sienes (Guadalajara). Se fue a su pueblo, donde se escondió, pero al saber que era reclamado por la policía y por las presiones de su padre se presentó en la comisaría del distrito de Centro y fue encarcelado. A pesar de presentar avales de un párroco y la presidenta de la cofradía de la Virgen del Pilar de Madrid, no consiguió la libertad y fue condenado a muerte y ejecutado el 22 de enero de 1944.[19]

Francisco Burgos Lecea nació en Jerez de la Frontera (Cádiz) en 1898. Se trasladó a Madrid, donde trabajó como funcionario en el Ayuntamiento, dirigió el periódico de literatura *Frente Literario* y fue autor de varias obras literarias y de teatro. Burgos Lecea fue militante del PCE y al terminar la guerra civil fue detenido. En la cárcel de Burgos colaboró con otros poetas y escritores como Marcos Ana o Luis Alberto Quesada en el grupo de teatro *La Aldaba*. Salió en libertad en 1950 con algún trastorno psicológico y se suicidó el 5 de marzo de 1951.[20]

Como ya se ha señalado, las brigadillas o piquetes de ejecución que participaron en la checa de San Bernardo pertenecían a los grupos denominados del *Amanecer* y de los *Leones Rojos* y a la banda del *Popeye*. Este individuo fue uno de los más nombrados, y después de los más buscados, por parte de las autoridades franquistas. En un primer momento se creyó que era José Curiel Sánchez (por declaraciones del conserje Edmundo Rodríguez), pero se demostró que no era él. Los testigos le describían como un hombre alto (1,80 centímetros), fuerte y moreno, que fumaba en cachimba y era muy educado; que fue estudiante de derecho y que luego estuvo en la flota republicana. Puede tratarse del comunista Manuel Carnero Muñoz, que trabajó como redactor en los periódicos *Voz*, *El Sol* y *El Imparcial* y en el seminario *Pueblo*. Al inicio de la guerra civil participó en el asalto al Cuartel de la Montaña en Madrid (aquí coincidió con Santiago Álvarez Santiago, tal y como lo contaba en un artículo que escribió sobre sus recuerdos de aquellos días) y fue uno de los creadores del Quinto Regimiento. Terminado el conflicto se exilió a Francia, luego pasó a Santo Domingo y de allí a La Habana (Cuba), donde dirigió la revista *Hora de España*. Regresó a España en 1977 y colaboró en varias revistas, como *Tiempo de Historia*.[21] Otros de los milicianos de la banda de *Popeye* fue-

[19] Archivo General e Histórico de Defensa de Madrid, causa núm. 27 567, legajo 2347.
[20] Entrevista a Marcos Ana, 28 de octubre de 2016, y <http://www.jerezsiempre.com/index.php/Francisco_Burgos_Lecea>.
[21] Manuel Carnero Muñoz: «Recuerdos de un testigo: del Cuartel de la Montaña al Quinto Regimiento», Tiempo de Historia (Madrid), núm. 45 (1 de agosto de 1978), pp. 4-11 y <http://labibliotecafantasma.es/cartadebatalla/?p=268&>.

ron Eloy de la Figuera González, que fue detenido y fusilado en el cementerio del Este el 27 de abril de 1940,[22] y Ladislao Antón Sanz, que estaba afiliado al Sector Oeste del PCE. Estuvo en la checa de San Bernardo hasta febrero de 1937, cuando ingresó como policía escolta en la Brigada Social, y fue detenido, condenado a muerte y fusilado el 22 de enero de 1944 en Ocaña (Toledo). Ladislao estaba casado con Clementina Vargas García, *Peque*, que fue miliciana en los frentes de la sierra. Trabajó en la limpieza de la checa y fue acusada de acompañar a los milicianos a matar a los presos. Fue condenada a pena de muerte y conmutada a treinta años.

Balbino Carvajal Gómez (apodado *Sor Remedios* porque se creía que era homosexual, aunque estaba casado con Pilar Plaza Fernández, que trabajó en el servicio de limpieza y lavandería de la checa y fue condenada a doce años), policía de la comisaría de Cuatro Caminos, fue detenido y condenado a pena de muerte que luego le fue conmutada a treinta años. Ramón Ardura Fradejas fue policía voluntario junto a su hermano Antonio Ardura (murió en la cárcel antes de celebrarse el juicio), fue detenido en Alicante cuando intentaba escaparse al extranjero y seguidamente condenado a treinta años.[23] Aquilino Gerboles Pastor era un madrileño que entró como miliciano en la checa de San Bernardo, 72 haciendo guardias en la puerta y en la galería donde estaban los calabozos de los detenidos. Fue condenado a pena de muerte que le fue conmutada a treinta años. Otros que también formaron parte de la brigada fueron Vicente Díaz Fernández, *Piedra*; José Lechuga Soto, Tomás del Castillo, uno llamado Benito (podría tratarse de Benito Martín Villasala), uno apodado *Tuerto* y otro al que se conocía como *Barrendero*. Epifanio Ortega Alario estuvo en el servicio de vigilancia de la checa (sería condenado a pena de muerte y esta le sería conmutada a treinta años).[24]

Una pareja que tuvo mucha repercusión en la checa fue la formada por el conserje Edmundo Rodríguez y su mujer Resurrección García Ruiz. Edmundo era natural de Quintanar de la Orden (Toledo) y constructor de mosaicos. Afiliado al PCE en enero de 1936 y por mediación de un amigo suyo ferroviario, visitó a Agapito Escanillas, quien le facilitó el puesto de conserje del Sector Oeste. Resurrección nació en el mismo pueblo que su marido y dentro de la checa era la responsable de todas las mujeres de la limpieza. Los dos fueron acusados de pertenecer a los piquetes de ejecución y ella de repartir los objetos requisados en los registros. Edmundo fue condenado a muerte y ejecutado a garrote vil el 27 de enero de 1944, mientras que Resurrección fue sentenciada también a muerte, pero esta le sería conmutada a treinta años.

Había también un grupo de chóferes y responsables de los coches del radio comunista. Telesforo López Fernández fue voluntario en el Parque Central de Automóviles y destinado como chofer de Agapito Escanilla hasta finales de noviembre de 1936. Fue

---

[22] Archivo General e Histórico de Defensa de Madrid, causa núm. 48 310 y memoria histórica (CDMH), Fichero de la Secretaria General Sección Político Social, Fichero 21, Ficha de Eloy de la Figuera González, 111628 y ocho más.

[23] Archivo General e Histórico de Defensa de Madrid, causa núm. 27 567.

[24] *Abc*, 17 de junio de 1939, p. 12.

acusado de llevar a los detenidos para que fueran ejecutados, y por ello fue condenado a pena de muerte que le fue conmutada a treinta años (su novia era Pilar Pérez Rodríguez, que trabajaba en el servicio de limpieza del radio y ayudaba a la secretaria femenina de la checa, llamada Delfina Conde Pelayo. Pilar fue condenada a seis años). Agustín Arnal Elegido era otro chofer de la checa que conducía una camioneta para el reparto de víveres al radio, terminando la guerra con este mismo empleo pero para el Ayuntamiento de Madrid. Fue detenido y condenado a treinta años. Los vehículos que usaban en la checa estaban guardados en el Garaje Modelo, donde uno de los responsables fue Víctor Martín Juárez, que fue detenido y condenado a veinte años. Los coches que solicitaba Carlos Escanillas eran conducidos por Alberto Salinero (chófer del anterior dirigente, conducía un Opel. Acudió en varias ocasiones a la embajada rusa y fue condenado a treinta años) y Nicomedes Saugar Martín, que a partir de 1938 fue el responsable de todos los coches del Comité Central del PCE y de los garajes que tenían en Madrid durante un tiempo. Tras ser detenido, fue condenado a veinte años. Otro chófer era un individuo conocido por *Papín*.

Uno de los talleres que estaban instalados desde agosto de 1936 en la planta baja de la checa era el de carpintería. Entre sus trabajadores estaban Julio Frutos Maldonado (condenado a pena de muerte conmutada a treinta años), Cayetano Domínguez López (estuvo trabajando allí hasta agosto de 1937, siendo condenado a pena de muerte después conmutada a treinta años), Isidro Carpintero García (trabajó en la checa hasta febrero de 1937, año en que pasó a los talleres del *Campesino*, y no llegó a presentarse al juicio porque murió en la cárcel), Paulino Eduardo Martín Sáez y Fernando Bañuelo Martín (estuvo trabajando hasta enero de 1937, siendo sobreseída su posible condena). Todos estos carpinteros fueron acusados de matar a personas y aunque tuvieron penas de cárcel largas, ninguno fue fusilado.

En la planta baja también estaban situadas las cocinas, cuyo máximo responsable era José Araque Ruiz, que junto con su mujer Dolores Carbonell Martín vivía en una de las habitaciones de la checa. Dolores y Resurrección eran las mujeres que controlaban los servicios de limpieza y comida del centro. El responsable de los comedores era Pedro Acevedo Zapatero, el carnicero de la checa era Ceferino Bueno Santiago (condenado a doce años) y Telesforo Pérez Manrique era el encargado de la barbería (condenado a doce años). El café *Aquarium*, situado en la calle Alcalá, 39 (hoy 35), daba servicio al comedor sirviendo las comidas tres camareros: Pedro Parras, Enrique Cornas y Ángel Sánchez Pascual (condenado a doce años).

Guadalupe Olivera Bernal fue la responsable del cuarto de costura y plancha del radio (parece ser que fue la secretaria general de la célula comunista núm. 154, luego fue oficial de prisiones en las cárceles de Conde de Toreno y San Rafael y en Alicante fue la encargada de animar a las tropas en el llamado *Altavoz del Frente*. Fue condenada a treinta años). Había otro individuo que fue muy nombrado en las declaraciones de los detenidos al que llamaban el *Pasaportes* y que era el encargado de facilitar el trabajo a las mujeres que confeccionaban la ropa.

Comedor de la checa de San Bernardo con sus integrantes.
Fuente: Archivo General e Histórico de Defensa de Madrid

En el servicio de limpieza, comidas, fregar platos, planchado y costura había muchas mujeres que trabajaban por necesidades económicas: Aurelia Aguado Fernández (condenada a veinte años), Concha Navazo Tapia, Carmen del Río Martín (hermana de madre de Dolores Carbonell y esposa de Pedro Parra), Jacinta Benito Fernández, Manuela López León, Matilde Hernando Tapia, Berta Domingo Benito, Concepción García Gómez (trabajó cuando se instaló la Brigada del *Campesino* y en el hospital venéreo), Lucrecia Casanova, Rafaela Baigorri Ibáñez (murió en la prisión de Ventas por enfermedad el 23 de agosto de 1943), Carmen del Castillo Treceño, Aurelia Aguado Fernández (condenada a veinte años), Enriqueta Toledo Vargas, Ramona Torres Sánchez, Martina Rubio Miguel, María Moya Ruiz (condenadas a seis años) y Milagros Pérez Blanco (tenía quince años y fue absuelta).

Ángel Aizpuru Marystani, hijo del general Luis Aizpuru Mondéjar, cuyos hermanos también fueron militares, se presentó en el Ministerio de Guerra republicano para conseguir trabajo, designándosele como comisario de compañía tras afiliarse al PCE, y fue destinado a la checa de San Bernardo, ya que había sido presidente del comité de vecinos de la casa donde vivía en la calle San Bernardo, 89. Ángel fue detenido y condenado a treinta años:[25] era el contable y pagador de la checa, encargado con la ayuda de otro militante llamado Manuel Lorenzo de pagar a los que trabajaban en local del radio comunista.

---

[25] Archivo General e Histórico de Defensa de Madrid, causa núm. 4016.

También había una serie de personas que ayudaban y colaboraban con la checa. Julio Romanillos Merino, hermano de Diego, visitaba a su hermano llevándose algunos objetos de registros. Manuel Díaz Sanz y Antonio Caballero Méndez colaboraron en algunas actividades, Víctor García Gómez era el presidente de vecinos y del comité de la calle donde residía cerca de la checa y colaboraba en la denuncia de personas de derechas y María Luisa del Carmen García Rodríguez fue acusada de lanzar amenazas contra sospechosos. Todos ellos fueron condenados a doce años. Margarita Marrot Bulli visitaba la checa para obtener comida y parece ser que hizo manifestaciones contrarias a los golpistas, y fue condenada a seis años. Matías de Juan Arroyo fue detenido por servir de gancho para realizar detenciones, y había un individuo cubano llamado Ramón de la Campa que era responsable de los vales de la comida y el pan que se emitían en el radio para la gente que iba a por comida.[26]

TESTIMONIOS Y DECLARACIONES BAJO REPRESIÓN COMO INTENTO DE JUSTIFICACIÓN DEL RÉGIMEN FRANQUISTA

La nueva España salida del final de la guerra civil quiso extirpar todo aquello que representara el bando republicano y que fuera en contra del nuevo Estado que se pretendía construir. No solo desde un punto de vista interno, sino también de cara a la opinión internacional usando sus técnicas de propaganda y difundiendo la violencia ejercida en la retaguardia republicana. El franquismo estructuró una red de denunciantes, soplones y confidentes entre militares, falangistas, eclesiásticos y gentes de derecha que extendió sus tentáculos entre personas procedentes de la España vencida. Las delaciones simbolizaban la involucración con el nuevo régimen represor: por ello se buscaba la participación y colaboración ciudadana. Los buenos patriotas debían incriminar con sus denuncias a los enemigos de la patria. Las venganzas, resentimientos y animadversiones personales permitieron y justificaron las acciones llevadas a cabo. Como se ha analizado, el instrumento que utilizó el aparato franquista para espolear las denuncias y que sirvió como herramienta de persecución del bando vencedor sobre los republicanos fue la Causa General. Muchas de esas denuncias eran falsas y los denunciados no podían hacer nada por evitarlas. La delación constituía el primer acto de compromiso y responsabilidad con el nuevo orden represor. Todos los informes de los servicios de vigilancia y seguridad redactados por falangistas, eclesiásticos y gentes afines al nuevo Estado demostraban y daban testimonio del grado de complicidad e implicación de la población en las estrategias represivas. Sin toda esa participación y colaboración ciudadana, la violencia represiva

[26] Todas las declaraciones de los detenidos y sus condenas están recogidos en la causa número 27 567, que debido a la gran cantidad de detenidos está desglosada en varios legajos, siendo el principal el 2347 (legajos núm. 5245, 5630, 5436, 4289, 5390, 6553, 6119 y 7013), guardados en el Archivo General e Histórico de Defensa de Madrid, causa núm. 27 567.

del Estado franquista se hubiera quedado en una praxis de dominación y contención.

El recurso sistemático a torturas, palizas y amenazas para conseguir declaraciones e inculpar a los detenidos, o de ellos mismos para librarse o poner fin a la tortura, estuvo a la orden del día. Las experiencias emocionales, sobre todo si han sido traumáticas y violentas, manifestadas en episodios de represión física y psicológica, pueden producir recuerdos imborrables. El miedo puede ser una respuesta inherente y natural a unos síntomas directos de peligro. Puede ser revelador de una acción concreta en un tiempo histórico determinado y un sentimiento

Recorte de prensa con un edicto de citaciones en el juzgado. Fuente: Archivo General e Histórico de Defensa de Madrid

de pánico que perdure durante toda la vida, que se haga crónico por la experiencia vivida y que sus protagonistas puedan o no controlarlo según el grado emocional experimentado. La interpretación de esas experiencias emocionales (como el pánico, el miedo, la angustia, etcétera) en el marco social de las sensaciones y de los sentimientos tiene su reflejo en las pautas y normas de conducta humanas y en las costumbres vitales del individuo. El Estado, utilizando diferentes instrumentos de control, podía intentar que los ciudadanos se asustaran ante una amenaza concreta, sobre todo usando mecanismos violentos que generaban sentimientos de miedo y temor en las formas de comportamiento de sus habitantes. Se encargaba de concebir imágenes perversas y malignas del enemigo; representaciones de odio y rencor hacia los adversarios que hacían a estos simbolizar el mal.[27] La administración franquista es el Estado y el franquismo, como vencedor, pretendía enmendar lo ocurrido en la guerra y así actuar violentamente contra los que con tanta animadversión se había luchado. Las estrategias impuestas por ese Estado iban acompañadas de un amplio abanico de procedimientos de propaganda que, legalizado por un sistema jurídico represivo, se extendió con la enseñanza de la sumisión, la pasividad y la subordinación de los vencidos, contando con la política penitenciaria y la reclusión masiva como uno de los elementos disuasorios contra los represaliados. La dictadura desarrolló una política de venganza y persecución contra una *Antiespaña* poblada por laicos, masones, marxistas y revolucionarios. La propaganda, la difusión y la práctica de las políticas del terror llevadas a cabo por el nuevo Estado indujeron a pensar que los verdaderos culpables e inductores de lo que se llevaba a cabo eran los *rojos* y la puesta en marcha de sus ideas desde la proclamación de la Segunda República. Entraban en juego antiguas disputas, venganzas y desagravios

---

[27] Antonio César Moreno Cantano: «Propaganda del odio y del miedo. Una exposición anticomunista en la Francia de Vichy: Le bolchevisme contre l'Europe (1942)», en *Diacronie, Studi di Stori Contenmporanea*, núm. 25, 1 (2016), pp. 1-20.

personales que utilizaron la humillación y la intimidación de sus adversarios políticos, generalizándose un temor social a ser detenido y represaliado.

La violencia política ejercida contra los enemigos de la nueva patria fue generalizada y estuvo marcada por sentimientos de odio y rencor hacia *rojos* y *antiespañoles*. Para justificar estas acciones represivas, el régimen franquista se valió en muchos casos de denuncias y delaciones falsas, obtenidas no solo por una parte de la población afín a los golpistas sino también entre los vencidos bajo presión y tortura física y psicológica. Algunos autores señalan que la tortura no es suficiente para obtener información y declaraciones, ya que la misma tortura genera confesiones adulteradas por parte de unas víctimas desesperadas y atormentadas para librarse de una angustia posterior. La obtención de las denuncias puede venir incluso del entorno de las propias víctimas. El hecho de la denuncia es un reflejo de colaboración (en este caso con la dictadura franquista) que puede ser desde informal hasta institucionalizado, como lo eran las programadas por países (fueron muy utilizadas en el primer franquismo tanto para evidenciar los hechos de la guerra civil y la represión violenta y vengativa ejercida como para ir en contra de aquellos que decidieron luchar contra el franquismo).[28]

Las experiencias personales de sufrimiento por ser víctimas de malos tratos (ya observados en los torturados por las organizaciones revolucionarias) se repetían de nuevo, pero esta vez apoyadas en una dictadura represora que disponía de una serie de instrumentos violentos y de control hacia una parte de la población apoyados en un sistema judicial militar. El miedo y el temor que padecían esas víctimas tenía en tanto trauma personal su contrapunto en el odio y el aborrecimiento hacia el verdugo responsable de su represión física. Y la violencia era una violencia institucionalizada que tenía el cometido de juzgar los desmanes y abusos llevadas a cabo por la *barbarie roja*, obteniendo manifestaciones, muchas de ellas falsas, cuyo objetivo era presentar como necesario el golpe de Estado del 18 de julio y reconstruir a su manera lo ocurrido en el conflicto bélico.

Las detenciones y la obtención de las primeras declaraciones de los miembros de la checa de San Bernardo, 72 fueron realizadas por José Palacios Gamino, jefe de la Brigada de Investigación de la Primera Comandancia del 14.º Tercio de la Guardia Civil, que junto a la Brigada Social de la policía fueron los encargados de los interrogatorios y torturas de los detenidos. José Palacios realizó un informe en enero de 1940 a partir del cual la Jefatura Superior de Policía emitió un oficio para el juez instructor del juzgado eventual número 24. Este oficio fue utilizado por Eusebio Rams para realizar su resumen de las checas para la Causa General. Las mismas declaraciones inculpatorias serían luego utilizadas por el fiscal militar y posteriormente por el juez militar, el coronel de infantería Luis Anel y Ladrón de Guevara en la causa judicial 27 567 (el juicio se celebró en agosto de 1943). Dichas declaraciones fueron elementos comunes dentro de los mecanismos utilizados por el sistema judicial franquista para encausar a los miembros de la checa.

---

[28] Stathis N. Kalyvas: *La lógica de la violencia en la guerra civil*, Madrid: Akal, 2010, pp. 247-251.

José Palacios había sido detenido en agosto de 1936 por miembros de la checa comunista analizada (era cabo de la Guardia Civil) y estuvo cuatro días en las celdas hasta que pudo escapar, siempre según sus propias declaraciones (resulta sorprendente que fuera el único caso de evasión de la checa de todas las manifestaciones recogidas, sabiendo la seguridad y vigilancia en el centro comunista). Podemos hacernos una idea de las ganas de venganza y del sentimiento de odio de Palacios hacia los que le habían detenido tres años antes. En las declaraciones policiales de los presos más destacados y cuya culpabilidad en los hechos juzgados era mayor, se observa exageración y diferencias entre las cifras indicadas de asesinatos y penas de muerte firmadas por el tribunal sentenciador. La policía afirmaba que Edmundo Rodríguez había intervenido en el asesinato de seiscientas personas junto a la banda de *Popeye*, dando unos trescientos *paseos* diarios, y que el total de asesinatos era de más de veinte mil. A Ladislao Antón se le culpa primero de unas trescientas cuarenta muertes y luego de seiscientas, indicando que se paseaba diariamente a unas cien personas y que el tribunal firmó más de diez mil penas de muerte entre guardias civiles, religiosos y personas de derechas. Según los interrogatorios, Diego Romanillos también había ejecutado a muchas personas y era el responsable de más de nueve mil penas de muerte. Aquilino Gerboles era acusado de haber participado en el asesinato de quinientas personas. Si seguimos leyendo las acusaciones de los detenidos, en la gran mayoría de los casos se les acusaba de haber intervenido en malos tratos a las víctimas y haber presenciado los asesinatos de varias de ellas. Analizando dichas manifestaciones, se percibe un exagerado baile de cifras según quien declarase, tanto en el número de los paseados diariamente (unos hablan de trescientos, otros de cien; la mujer de Edmundo, Resurrección García, indicaba unos cincuenta diarios y otros detenidos aludían a entre veinte y treinta *paseos*). No menos exageradas son las cifras del total de víctimas y sentencias de muerte dictadas por el tribunal sentenciador, indicando Edmundo unas veinte mil en una manifestación y menos de la mitad en otra. Lo que está claro es que fueron declaraciones obtenidas bajo tortura y martirio. Si las comparamos con las declaraciones efectuadas ante el juez antes de celebrarse el juicio, casi todos los procesados indicaban que no estaban de acuerdo con las acusaciones que se vertían sobre ellos (decían que no habían participado en el asesinato de nadie, no sabían que en la checa hubiera detenidos, no participaban en piquetes de ejecución, tampoco habían denunciado a nadie, etcétera, demostrando la discrepancia existente con las acusaciones y manifestaciones policiales) y que se retractaban de ellas. Diego Romanilllos declaró: «Hice una anterior declaración por causas ajenas al sumario por haber sido víctima de procedimientos violentos».[29]

Si las acusaciones hubieran sido reales en todos los casos según las denuncias indicadas, el número de condenas a muerte hubiera sido superior. Los mecanismos represivos franquistas no hubieran dejado de castigar con la máxima pena a aquellos individuos que hubieran cometido crímenes y asesinatos contra personas proclives al nuevo régi-

---

[29] Archivo General e Histórico de Defensa de Madrid, causa núm. 27 567.

men. Sin embargo, se dictaminaron 11 penas de muerte y se conmutaron ocho, siendo fusilados Edmundo Rodríguez, Ladislao Antón y Diego Romanillos en enero de 1944. Tampoco hay que olvidar que algunas declaraciones efectuadas ante el juez se hacían para evitar que las condenas fueran mayores, reduciendo las acciones realizadas e indicando que algunas se habían hecho bajo la presión de sus superiores o responsables de checa. Fue el caso de Ladislao Antón, quien dijo que había sido amenazado por los miembros del tribunal; de Julio Frutos Maldonado, que indicó que le obligaban a subir en los coches cuando llevaban a los presos, y de Aquilino Gerboles, que señaló que incluso fue detenido por sus compañeros al no quererse manchar las manos de sangre.

Otras veces se pone de manifiesto que algunas declaraciones, aparte de ser exageradas ya de por sí, eran tergiversadas y manipuladas por las fuerzas del orden franquistas para que aparecieran en las manifestaciones de los detenidos y que estos las desmintieran delante del juez. Incluso haciendo la misma pregunta a otros miembros de la checa que convivieron con ellos negaban lo ocurrido. Un ejemplo era la visita que supuestamente (una de las afirmaciones indicó creer haberla visto) hizo varias veces Dolores Ibárruri a la checa para excitar y alentar a los hombres y mujeres a «dar duro» y que no dejaran vivo a ningún componente ni a todo aquello que oliera a quinta columna (las declaraciones fueron de Cayetano Domínguez y Diego Romanillos, que manifestaron luego ante el juez que no eran ciertas y que no habían visto nunca a *Pasionaria*).

La subjetividad, no solo de las declaraciones de los detenidos sino también de algunas acciones efectuadas por ellos y de las denuncias realizadas por los familiares de víctimas en la Causa General, se observa en las mismas denuncias y manifestaciones. De las 83 declaraciones de víctimas y familiares recogidas en la Causa General correspondiente al expediente número 5 —relacionado con la checa de San Bernardo, 72—, hay 35 que manifiestan que sus seres queridos estuvieron en dicha checa por suposiciones y sospechas según lo investigado por ellos y por declaraciones de porteros, amigos y cartas recibidas que les dijeron que habían sido trasladados al radio comunista de San Bernardo. Examinando los testimonios se observa la utilización de verbos y expresiones de hipótesis como *parece*, *tenía sospechas*, *creyendo que*, *hace suponer*, etcétera. Son expresiones y frases ambiguas que lo único que hacen es conjeturar con hechos, sin afirmaciones ni asegurando en todos los casos las denuncias ni las acusaciones de los detenidos.[30]

En muchas de las acusaciones, los policías de la Brigada Social, la guardia civil y más adelante el fiscal militar y el secretario judicial encargados de redactar las acusaciones, informes y testimonios sobre los detenidos empleaban descalificaciones y agravios en la manera de describir y narrar las acciones de los adversarios (algunos de ellos supuestos) como una manera más de humillación y marginación al *rojo*. Ejemplos de esas declaraciones son los siguientes: Jacinta Benito fue calificada como persona

---

[30] Archivo Histórico Nacional, Fondos Contemporáneos, Fiscalía del Tribunal Supremo, Causa General, caja 1530, expediente 5.

de malos instintos, indeseable y que trataba mal a las personas de derechas; Lucrecia Casanova *posiblemente* pudo participar junto a otras mujeres de la limpieza de la checa en la muerte de un sacerdote que se tiró por la ventana al patio y que, como no murió, fue brutalmente apaleado, metiéndosele en un saco y siendo llevado hasta un lavadero donde murió a manos de dichas mujeres. Dolores Carbonell fue considerada como la mujer más complicada, peligrosa y marcadamente marxista de todas las que formaban parte del radio y de Martina Rubio se decía que alardeaba de ser una *roja* y que tenía una moral censurable, porque se iba a dormir fuera con algunos milicianos. Todas estas detenidas desmintieron dichas afirmaciones y descalificaciones ante el juez.

CONCLUSIONES

Los números 72 y 74 de la calle San Bernardo de Madrid albergaron de julio a diciembre de 1936 un radio comunista del Sector Oeste del Comité Provincial del PCE de Madrid y una checa. Uno de los inmuebles pertenecía al convento de las Salesas, en cuya planta baja se instaló un batallón llamado Capitán Benito y todas las dependencias de la checa (comedor, talleres de costura, limpieza, habitaciones, etcétera). En la segunda planta había una brigada de policía denominada No Pasarán que compartía instalaciones con las celdas de los detenidos y la sala del tribunal sentenciador donde se enjuiciaba a los presos. Los máximos cargos políticos que actuaron en la checa pudieron exiliarse, igual que algunos de los miembros de los piquetes de ejecución que llevaron a cabo los asesinatos de personas de derechas y afines a los golpistas. Dichos miembros eran milicianos que vivieron en el ambiente revolucionario y convulso de los primeros días de conflicto bélico, formando parte de unos colectivos políticos y sociales que actuaron de forma violenta aplicando el control policial y su propia justicia contra aquellos enemigos fascistas. Todo ello tuvo lugar en las calles y barrios madrileños, donde las distintas organizaciones políticas y sindicales actuaban de manera independiente y cada centro y radio funcionaba de manera autónoma en relación con su organismo político superior. El análisis y el estudio de esos hechos está hecho a partir de la microhistoria del centro comunista, de su ámbito espacial de barrio, de la estructura interna de la checa y de las actividades desarrolladas por sus actores principales.

Analizando las manifestaciones de testigos, familiares de víctimas y detenidos y teniendo en cuenta la subjetividad de las fuentes y la cautela a la hora de tratarlas dentro de la Causa General, se ha podido constatar que en los hechos ocurridos en la checa de San Bernardo, 72 predominaban las víctimas que tenían entre veinte y treinta años, siendo sus profesiones mayoritarias la de estudiante y la de militar. Las detenciones efectuadas por los miembros de la checa se produjeron sobre todo en sus lugares de residencia y en la calle. En el mes de agosto, y especialmente en el de septiembre, es cuando se produjeron más detenciones y asesinatos, siendo encontrados los cadáveres sobre todo en la carretera de El Pardo y contabilizándose el número de *paseos* diarios en veinte o treinta en los cuatro meses de duración de la checa según un informe policial, debiendo tenerse en cuenta la dificultad en la cuantificación de las víctimas y la parcialidad de las fuentes.

Las acusaciones realizadas por las autoridades y fuerzas del orden franquistas contra los miembros del radio comunista eran muy similares: conocían la existencia de personas detenidas en la checa, participaron en los asesinatos, hicieron amenazas y denuncias a personas de derechas, observaron sin detenerla la muerte de las personas, etcétera. Las manifestaciones correspondientes se obtenían bajo tortura y amenazas con el doble objetivo de, por un lado, inculpar lo más posible a los autores de la represión republicana y justificar la violencia propia ejercida, y por otro satisfacer el deseo de venganza de los martirizados contra sus represores. Dichas declaraciones subjetivas, de igual manera que las denuncias realizadas, están llenas de ambigüedades, hipótesis, sospechas y conjeturas, y en consecuencia no aseguraban que aquellos acontecimientos y acciones hubieran sido realizados de la manera que se indicaba.

Todas estas afirmaciones se pueden extrapolar a otros períodos y coyunturas históricas en que la subjetividad de los testimonios es evidente debido a las experiencias traumáticas y personales vividas y las principales emociones que operan son el miedo y el terror ante una represión institucionalizada y que deja el rastro de una memoria silenciada debido a la represión física y psicológica.

FUENTES ORALES, HEMEROGRÁFICAS, ARCHIVÍSTICAS Y BIBLIOGRÁFICAS

Orales

Celso Escanilla Hernández, 25 de octubre de 2016.
Marcos Ana, 28 de octubre de 2016.

Hemerográficas

ABC y *Ferrobellum* (Madrid).

Archivos

Archivo General e Histórico de Defensa de Madrid.
Biblioteca Nacional (Madrid).
Hemeroteca Nacional (Madrid).
Archivo Histórico Nacional. Fondos Contemporáneos (Madrid).
Centro Documental de la memoria histórica (CDMH, Salamanca).

Libros y artículos

Asenjo, Mariano y Victoria Ramos: *Malagón: autobiografía de un falsificador*, Madrid, El Viejo Topo, 1999.

Baroja, Pío: *Miserias de la guerra: las saturnales*, Madrid: Caro Raggio, 2006,

Bourke, Joanna: *Sed de sangre: historia íntima del combate cuerpo a cuerpo en las guerras del siglo XX*, Madrid: Crítica, 2008.

Carnero Muñoz, Manuel: «Recuerdos de un testigo: del Cuartel de la Montaña al Quinto Regimiento», *Tiempo de Historia* (Madrid), núm. 45 (1 de agosto de 1978), pp. 4-11.

Cervera Gil, Javier: *Contra el enemigo de la República desde la Ley: detener, juzgar y encarcelar en guerra*, Madrid: Biblioteca Nueva, 2015.

— *Madrid en guerra: la ciudad clandestina (1936-1939)*, Madrid: Alianza, 2006.

— «Violencia en el Madrid de la guerra civil: los *paseos* (julio a diciembre de 1936)», *Studia histórica, Historia Contemporánea*, núm. 13-14 (1995-1996), pp. 63-82.

Galán, Luis: *Después de todo: recuerdos de un periodista de la Pirenaica*, Barcelona: Anthropos, 1988.

Gómez Bravo, Gutmaro y Jorge Marco Carretero: *La obra del miedo: violencia y sociedad en la España franquista (1936-1950)*, Barcelona: Península, 2011.

González Calleja, Eduardo: *Las guerras civiles: perspectivas de análisis desde las ciencias sociales*, Madrid: La Catarata, 2013.

Kalyvas, Stathis N.: *La lógica de la violencia en la guerra civil*, Madrid: Akal, 2010.

Ledesma, José Luis: «La Causa General: fuente sobre la violencia en la guerra civil (y el franquismo)», *Spagna Contemporánea* (Turín [Italia]), núm. 28, XVI, 2005, pp. 203-220.

— «La santa ira popular del 36: la violencia en guerra civil y revolución, entre cultura y política», en Javier Muñoz, José Luis Ledesma y Javier Rodrigo (coords.): *Culturas y políticas de la violencia: España, siglo XX*, Madrid: Siete Mares, 2005, pp. 147-192.

— «Una retaguardia al rojo. Las violencias en zona republicana», en Francisco Espinosa Maestre (ed): *Violencia roja y azul: España (1936-1950)*, Barcelona: Crítica, 2010, pp. 147-247.

Moreno Cantano, Antonio César: «Propaganda del odio y del miedo. Una exposición anticomunista en la Francia de Vichy: *Le bolchevisme contre l'Europe* (1942)», *Diacronie, Studi di Stori Contenmporanea*, núm. 25, 1 (2016), pp. 1-20.

Moreno Cantano, Antonio César y Misael Arturo López Zapico: «¡Así eran los rojos! Una exposición anticomunista en la España franquista (1943)», *Historia del Presente* (Madrid), núm. 27 (2016), pp. 19-33.

Rodrigo, Javier: *Hasta la raíz: violencia durante la guerra civil y la dictadura franquista*, Madrid: Alianza, 2008.

Ruiz, Julius: *El terror rojo*, Barcelona: Espasa, 2012.

Socialistas vallecanos ante el golpe de Estado: la Casa del Pueblo del Puente de Vallecas y su comité en el verano-otoño de 1936

Fernando Jiménez Herrera
Universidad Complutense de Madrid

INTRODUCCIÓN

En el presente capítulo se va a proceder a analizar la participación de los centros socialistas del Puente de Vallecas en la organización de la retaguardia. Su reconstrucción se hará a través del análisis de las funciones que llevaron a cabo sus militantes, así como mediante distintos documentos internos del centro que permiten entender su funcionamiento. El tipo de labores en que intervinieron los socios y socias de la Casa del Pueblo del Puente de Vallecas, principal centro socialista del municipio,[1] fue muy amplio, superando las llevadas a cabo durante la Segunda República. A las labores culturales, sociales y políticas realizadas por los militantes se añadieron las funciones humanitarias (relacionadas con la organización del abastecimiento de la barriada) y las represivas-judiciales. Estas últimas fueron las que tuvieron una mayor repercusión social, sobre todo tras finalizar la contienda, lo que produjo que el centro fuera catalogado como *cheka*.[2]

La Casa del Pueblo del Puente de Vallecas fue el centro más relevante del municipio. A lo largo de los años de la Segunda República y durante el conflicto se fueron creando nuevos centros, como el Círculo Socialista de Entrevías-Picazo y la Casa del Pueblo y la agrupación socialista de la Villa de Vallecas. Al igual que esta última, la Casa del Pueblo del Puente de Vallecas albergó la agrupación socialista de la misma barriada, aunque cada una tuvo su propio espacio y sus propias funciones.

El estudio de la violencia no busca justificarla o legitimarla, sino conocerla. Analizar las causas y las motivaciones de la violencia nos ayudará a conocer mejor nuestro pasado reciente; y al igual que la exposición y explicación de causas de la violencia no

---

[1] El municipio madrileño de Vallecas fue independiente de la capital hasta el decreto del 22 de diciembre de 1950.

[2] Cheka, abreviatura de *Vserossiskaya Cherezvitchainaia komissia po bor'by s kontr'revoliutsii, spekuliatsei i sabotagem*, en castellano «Comisión Pan-rusa Extraordinaria de Lucha contra la Contrarrevolución, la Especulación y el Espionaje». Esta institución fue creada por el gobierno bolchevique en diciembre de 1917 a fin detener a las fuerzas contrarrevolucionarias rusas y a militantes de izquierda no bolchevique. Fue la policía política del nuevo régimen soviético.

Participaciones de militantes, agrupaciones y sindicatos en el pago de vales para la compra y construcción de la Casa del Pueblo en el Puente de Vallecas (calle Concordia, 6) en agosto de 1933. Fuente: Centro Documental de la Memoria Histórica

implica su justificación o defensa (todo acto de violencia debe ser repudiado), tampoco la presencia de nombres de protagonistas de esa violencia busca la incriminación de ninguna persona. Conociendo a las personas que ejercieron esa violencia se conocerán de forma más precisa las motivaciones y causas de la misma.

El presente capítulo se divide en cinco apartados contando este de introducción. A través de ellos, se va a analizar la actuación socialista en la barriada del Puente de Vallecas en particular y en la retaguardia madrileña en general. En un primer apartado se analizarán los centros que existieron en el municipio antes de que se produjera el golpe de Estado a fin de conocer su funcionamiento y, posteriormente, cómo cambió ante el golpe de Estado. A continuación se estudiará con mayor detalle el comité que se constituyó en la Casa del Pueblo de Vallecas, para después pasar al análisis del resto de centros socialistas de la barriada durante la guerra. Para cerrar este capítulo, se recogerá una serie de conclusiones.

CONTEXTUALIZACIÓN: ESPACIOS SOCIALISTAS DEL MUNICIPIO DE VALLECAS

El Partido Socialista Obrero Español (PSOE) y la Unión General de Trabajadores (UGT) fueron los instrumentos políticos y sindicales que tuvieron mayor presencia en el municipio de Vallecas desde principios del siglo XX. La corriente socialista venía teniendo una gran implantación en el término municipal desde 1905. La UGT tenía su principal baluarte en los trabajadores de la construcción. En esta primera década, y como muestra de esa implantación en el Puente de Vallecas, se constituyó la agrupación socialista de la barriada; y pocos años después se erigió la agrupación de Juventudes Socialistas de la misma zona, presidida por un adolescente llamado Teodoro Medina que años más tarde sería presidente del comité constituido dentro de la agrupación socialista de la zona durante los primeros meses de la contienda y de la agrupación de forma simultánea. En 1917 se tiene constancia de que hay otra agrupación en el municipio de Vallecas: la de Villa. Ambas se mostraron muy activas en la huelga obrera de aquel mismo año.[3] En los años veinte empezó a tener presencia en Vallecas el Partido Comunista (PCE), que alcanzaría su mayor expansión durante la Segunda República,[4] igual que la Confederación Nacional del Trabajo (CNT), que durante el régimen del 14 de abril volvió a la legalidad recuperando gran parte de la militancia perdida durante la dictadura de Primo de Rivera. Ambas corrientes ideológicas, unidas a sus respectivos órganos políticos y sindicales, compitieron con el PSOE y la UGT por el monopolio en el seno del mundo obrero. Estas discrepancias y tensiones también se hicieron presentes en los grupos asentados en el municipio de Vallecas.[5]

La agrupación socialista del Puente de Vallecas carecía de un espacio propio, porque tenía que compartirlo con la Casa del Pueblo de la barriada. La Casa del Pueblo se encargaba de tratar de solucionar un grave problema que existía en Vallecas: la falta de centros educativos para jóvenes y trabajadores.[6] A través de la constitución de este tipo de centros, que contaban con bibliotecas, los trabajadores recibían clases de cultura general independientemente de la edad o el sexo. También surgieron iniciativas para construir escuelas de primera enseñanza con modelos pedagógicos alternativos al estatal, como el racionalista. Estas medidas iban encaminadas a paliar la falta de infraestructuras y medios mejorando el nivel cultural de sus asistentes y preparándolos intelectual y políticamente para el futuro.[7] En el primer tercio del siglo XX existían en el Puente de Vallecas seis centros escolares (el primero de ellos inaugurado en 1915), tres de niños y tres de niñas, además de un instituto de instrucción secundaria destinado generalmente a población con recursos insuficientes para pagar los costes de este tipo de enseñanza a sus hijos (no obstante, no fue construido hasta la década de los años veinte). En el caso de Villa de Vallecas, la iniciativa era privada. El caso más relevante fue el de la vecina Dolores Humanes, que creó un centro educativo para mujeres y fomentó de esa forma la extensión de la cultura entre un sector social muy castigado por

---

[3] Matilde Fernández Montes (ed.): *Vallecas: historia de un lugar de Madrid*, Madrid: Ayuntamiento de Madrid, 2002, p. 300.

[4] Luis H. Castellanos y Carlos Colorado: *Madrid, Villa y Puente: historia de Vallecas*, Madrid: El Avapiés, 1988, p. 69.

[5] Matilde Fernández Montes (ed.): *Vallecas: historia de un lugar...*, p. 302.

[6] Aunque siguiendo la norma gramatical castellana predomine el empleo del masculino a lo largo del presente trabajo para hacer referencia a detenidos, sospechosos, socios o milicianos, hay que recalcar que en todos estos cargos hubo mujeres y que el uso se debe entender de forma amplia, inclusiva: no tener en cuenta este factor desvirtuaría la presente investigación. La participación de la mujer en estos acontecimientos es de gran relevancia, ya que muchas mujeres consiguieron alcanzar grandes cuotas de poder dentro de las instituciones estatales y revolucionarias.

[7] Las cuales llegaron a recibir subvenciones estatales. *Abc*, 2 de julio de 1936, p. 45.

una sociedad masculinizada que limitaba el acceso femenino a la educación.[8] La población infantil escolarizable del municipio fue incrementándose según fueron pasando las primeras décadas del siglo XX. Por ejemplo, de seis mil niños y niñas en 1920 se pasó a diez mil en 1930. Otro problema era el incremento de escuelas en la Villa de Vallecas con respecto al Puente de Vallecas, aunque la primera tenía menos menores en edad escolar que la segunda. Dicho problema permitió la participación de otras instituciones en la educación, como los casos anteriormente mencionados de las escuelas racionalistas de iniciativa socialista, pero también anarquista. No obstante, este desarrollo no se produjo hasta la década de los treinta, con la proclamación de la Segunda República.[9]

Tanto socialistas como anarquistas emprendieron una ardua labor educativa a través de sus representantes en la barriada (encuadrados en el caso socialista en la Casa del Pueblo y en el caso anarquista en los ateneos libertarios) y crearon centros educativos de enseñanza primaria cuyo propósito principal era diferenciarse de la educación religiosa ofrecida por los colegios católicos. En esta labor también participaron las Misiones Pedagógicas apoyadas por el Estado, cuyo objetivo fue llevar la cultura al mundo rural. El Ayuntamiento dirigido por el socialista Amos Acero, maestro, mostró su preocupación por la escolaridad de los niños y niñas de la zona y, entre otras medidas, favoreció la creación de colegios e inauguró la primera Biblioteca Pública Municipal en la zona a finales de 1933. En 1936, con el estallido de la guerra civil, la Biblioteca Pública Municipal cerró sus puertas y la labor educativa se complicó cuando Madrid fue el centro de los combates a partir de noviembre de 1936.[10]

Con la proclamación de la Segunda República el 14 de abril de 1931 se abrió un período de cambio con respecto a la etapa anterior. El régimen del 14 de abril supuso un intento real de democratización la sociedad española que posibilitase la participación de amplios sectores sociales en la vida política del país. No obstante, la Segunda República nació en un tiempo en que las democracias europeas sucumbían ante modelos políticos totalitarios debido a las dificultades económicas vinculadas con la crisis económica mundial de 1929. La situación económica produjo un incremento notable del paro. Esta situación dio lugar a una elevada conflictividad social que tuvo su mayor reflejo en Vallecas en la huelga de octubre de 1934, huelga en que se involucró el Ayuntamiento con el alcalde socialista Amos Acero a la cabeza, lo que le costó el consistorio.[11] La proclamación de la Segunda República suscitó esperanzas en la población; unas esperanzas que se irían trasformando en frustración con el paso de los años, ya que las promesas de cambio no llegaban a materializarse o eran muy lentas.

Amos Acero, como alcalde de Vallecas desde abril de 1931, intentó paliar los efectos de la falta de liquidez del Ayuntamiento y reducir el paro obrero, además de nutrir de una serie de servicios mínimos al municipio de Vallecas, junto con su gabinete formado

---

[8] Luis H. Castellanos y Carlos Colorado: *Madrid, Villa y Puente...*, pp. 88-89.
[9] Matilde Fernández Montes (ed.): *Vallecas: historia de un lugar...*, p. 311.
[10] Ibídem, pp. 313-314.
[11] Ibídem, p. 302.

por Julián Vinagre Peinador, Manuel Ruiz Baisabén, Juan Antonio Torbellino Torres, Eusebio Vázquez Cascajero, y Pedro Pintó Pomeda (todos ellos destacados socialistas del Puente de Vallecas). La cantidad de concejales socialistas se redujo en 1936, tras la victoria del Frente Popular, a cuatro, siendo los ediles vallecanos un total de 11. El resto se repartió así: tres para los comunistas, otros tres para Izquierda Republicana (con una buena base a través de los militantes del Partido Republicano Radical Socialista, PRRS) y uno de Unión Republicana (UR).[12]

La Segunda República, al ser un régimen democrático, permitió que la población participase en el juego político con partidos de masas. Esta participación de la población en la política generó nuevos espacios de discusión y encuentro. Se multiplicaron los partidos y sindicatos políticos. En el municipio de Vallecas destacaron por su número de afiliados la UGT y el PSOE, la CNT y, posteriormente, el PCE. La representación obtenida por los partidos republicanos de izquierdas en las primeras elecciones durante la Segunda República fue escasa y minoritaria, destacando el PRRS, como se ha mencionado anteriormente, y en menor medida UR. Todos estos partidos o sindicatos estuvieron representados en Vallecas, ocupando a través de sus centros o sedes espacios físicos y simbólicos en la lucha por el poder en el municipio.

El golpe de Estado del 17 de julio de 1936 generó en todas aquellas zonas que permanecieron fieles al gobierno de la Segunda República una situación inesperada: la pérdida de atribuciones por parte del Estado y de sus representantes. El Gobierno perdió el poder real en las calles y ese espacio lo ocuparon los comités que se formaron a partir de los centros políticos, culturales y sindicales de partidos de izquierda, principalmente obreros. Estos comités surgieron de forma improvisada y con funciones cambiantes para dar respuesta a una serie de problemas cotidianos inesperados, producto de la convivencia en guerra de las zonas donde actuaron. Los partidos y sindicatos asumieron una serie de funciones que nunca hubieran imaginado antes del golpe, por lo que la improvisación se hizo patente. Estos comités no tenían un plan preparado para la toma del poder y la conquista de las instituciones. Muestra de esta situación fue que la actuación de estos centros se limitó a los barrios, municipios y pueblos donde se instalaron y donde sus milicianos habían tenido experiencias de vida y militancia a través de su pertenencia a sindicatos o partidos políticos o habían participado en sus diversos espacios culturales.

En otras palabras, los comités se instalaron en general en aquellas zonas donde los colectivos que los constituyeron habían tenido fuerza en los años precedentes al golpe de Estado, lo cual no excluye el traslado de milicianos a otras poblaciones y barrios ni la creación de centros en ellos. Los comités y sus milicias fueron creados a partir de personal perteneciente a centros locales de cada ideología, como ateneos libertarios en el caso anarquista, radios comunistas o agrupaciones, casas del pueblo o círculos socia-

---

[12] Fundación Pablo Iglesias (en adelante, FPI). AH-17-14 Correspondencia con la Agrupación Socialista de Puente de Vallecas (30-03-1936/18-11-1938) Contiene: Cartas de la Sociedad de Albañiles El Trabajo-UGT a la CE del PSOE, (11-02-1938).

listas. Las personas que fueron designadas o que decidieron la formación y pertenencia a un comité lo hicieron a título personal dentro de su movimiento, es decir, ejercieron dicho cargo al margen del ateneo, radio o casa del pueblo. Por lo tanto, y aunque compartiesen local y militancia, se produjo una división de tareas entre los comités y los centros donde se instalaron. Esto no quiere decir que dejasen necesariamente de actuar como socios o militantes en estos centros culturales o políticos, sino que las labores que desempeñaron para el comité las realizaron de forma independiente a las realizadas para sus respectivos centros de militancia.

LA CASA DEL PUEBLO DEL PUENTE DE VALLECAS ANTES DE LA GUERRA CIVIL ESPAÑOLA

La sede por excelencia de los socialistas en el Puente de Vallecas fue la Casa del Pueblo situada en la calle Concordia, 6, sede al mismo tiempo de la agrupación socialista de la localidad. No obstante, y como se ha mencionado anteriormente, esta no fue siempre la sede del socialismo vallecano, sino que fue cambiando hasta asentarse en el verano de 1934 en Concordia. La primera sede de la Casa del Pueblo fue un sótano en la calle Peña Prieta. En 1916, ante el aumento de la militancia socialista en Vallecas y la acuciante necesidad de espacio, la casa y la agrupación se trasladaron juntas al barrio de San Diego, concretamente a una casa donada por un militante tras su fallecimiento. Este domicilio se caracterizó por ser:

> Una casa baja de una planta. Constaba de tres salas, dos grandes y una más pequeña [...] Había dos pequeños patios donde estaban situados dos servicios [...] Los muebles de dichas salas eran muy viejos y carecían de toda comodidad [...] En el verano abrasador era imposible la estancia en dichas salas. Los bajos tejados y la escasez de ventanas al exterior impedían la entrada de aire [...] Y en los inviernos se mitigaba un poco el frío con la ayuda de una estufa de serrín que daba más humo y lágrimas [...] que calor en los cuerpos ateridos.[13]

Una década después, la Casa del Pueblo seguía instalada en el mismo domicilio, aunque la calle había cambiado de nombre: semejante fuerza tenía el socialismo en el lugar que en esos años se consiguió que recibiera el nombre del fundador del PSOE. La dirección pasó a ser Pablo Iglesias, 7, donde también se instaló en los años veinte, y por iniciativa de maestros socialistas, una escuela racionalista que recibiría el mismo nombre. En dicha escuela ejerció como maestro durante seis años Amós Acero, futuro alcalde del municipio desde 1931 hasta 1934 y desde 1936 hasta 1939.[14] Dados los pro-

---

[13] Francisco de Luis Martín y Luis Arias González: *Casas del Pueblo y centros obreros socialistas en España*, Madrid: Pablo Iglesias, 2009, p. 299.

[14] Para conocer más datos sobre Amós Acero, véase: <http://www.fpabloiglesias.es/archivo-y-biblioteca/diccionario-biografico/biografias/862_acero-perez-amos>.

blemas que ofreció el local donde la escuela estaba instalada, en 1933 se decidió comprar un solar y edificar una nueva Casa del Pueblo. En este caso, se decidió comprarlo en la calle Concordia por valor de 40 000 pesetas. Para poder pagarlo, los militantes aportaron su mano de obra o donativos.[15]

Aunque progresivamente las Casas del Pueblo se fueron ligando a militantes y socios exclusivamente socialistas, siempre fueron concebidas como espacios de confluencia para los vecinos del barrio, pudiendo estos ser socios independientemente de su filiación política, excepto si esta era de partidos u organizaciones de derechas.[16] Empezaron siendo un espacio de socialización, reunión y formación, objetivo para el que se contaba con medios muy diversos que iban desde la conversación improvisada hasta la organización de reuniones, charlas, conferencias y mítines. También celebraciones simbólicas, como el Primero de Mayo, o actividades culturales, como obras de teatro o coros. Ejemplo de esto último fue la actuación de los coros socialistas de la Casa del Pueblo del Puente de Vallecas en el Stadium Racing-Vallecas a favor de los trabajadores parados, una actuación conjunta con la banda municipal destinada a todo tipo de público y con entradas cuyo coste iba desde los cincuenta céntimos hasta las dos pesetas.[17] A través de estas actividades se generaba un sentimiento de comunidad; de unidad de grupo en torno a pautas e ideas comunes. A estas funciones primarias se unía una labor cultural concebida para combatir la ignorancia de los trabajadores. Con este propósito, las Casas del Pueblo se fueron dotando de bibliotecas y espacios de lectura y enseñanza, como las clases para adultos o posteriormente las escuelas racionalistas para los hijos e hijas de los trabajadores.[18] Se calcula en un mínimo de 137 el número de socios de la agrupación según los datos de votaciones que se han podido consultar (durante los años de la Segunda República, no obstante esta cifra está sujeta a fluctuaciones temporales).[19]

La constitución de una Casa del Pueblo dependía de la situación económica de cada sección, de la voluntad de sus miembros, del apoyo de algún sindicato fuertemente establecido en la zona (eran los miembros de los sindicatos ugetistas los que, en general, llevaban la iniciativa a la hora de instalar una Casa del Pueblo y no la agrupación socialista local) o el apoyo de alguna figura destacada del socialismo. Siempre se mantuvo una gran libertad de iniciativa, sin directriz alguna desde la Casa del Pueblo de Madrid o la capital de provincia.[20]

La constitución de un centro de estas características siempre producía en la localidad y sus alrededores la aparición de otros similares por emulación o por simpatía,

---

[15] Francisco de Luis Martín y Luis Arias González: *Casas del Pueblo...*, p. 300. Un ejemplo de las papeletas que se usaron para financiar la nueva sede son las mostradas en la imagen introductoria de este capítulo.

[16] Ibídem, p. 82.

[17] *Abc*, 17 de julio de 1931, p. 30.

[18] Francisco de Luis Martín y Luis Arias González: *Casas del Pueblo...*, pp. 104-105.

[19] FPI. AH-17-14 Correspondencia con la Agrupación Socialista de Puente de Vallecas (30-03-1936/18-11-1938) Contiene: Cartas de la Sociedad de Albañiles El Trabajo-UGT a la CE del PSOE, (11-02-1938).

[20] FPI. AH-17-14 Correspondencia con la Agrupación Socialista de Puente de Vallecas (30-03-1936/18-11-1938) Contiene: Cartas de la Sociedad de Albañiles El Trabajo-UGT a la CE del PSOE, (11-02-1938).

pero para que se mantuviesen a lo largo del tiempo era necesaria una militancia comprometida, además de una base receptora amplia. Para poder sufragar los gastos de construcción y/o constitución de una Casa del Pueblo, los promotores recurrían a una amplia gama de formas de conseguir fondos. La principal era la emisión de acciones, pero no era la única. Otras formas eran el endeudamiento hipotecario y la aportación de mano de obra gratuita por parte de los militantes.

Las agrupaciones eran más exclusivas al tener un carácter netamente político y organizativo. Sus miembros eran militantes de las organizaciones socialistas, ya fuese de la rama política, —el PSOE— como de la sindical —UGT—. Aunque en el Puente de Vallecas la Casa del Pueblo y la agrupación compartóan sede, cada una desempeñaba su función de forma paralela y sin intromisiones mutuas. La organización política quedaba en manos de la agrupación y la extensión de la cultura y la formación de escuelas en la Casa del Pueblo.

Pero la Casa del Pueblo del Puente de Vallecas y su agrupación socialista no eran los únicos centros socialistas en la barriada. Hubo otros como el Círculo Socialista de Entrevías-Picazo, que fue registrado en el Libro Registro de la Provincia de Madrid el 8 de abril de 1936 por Apolinar Frutos.[21] Apolinar fue elegido presidente del círculo en la junta general ordinaria celebrada pocos días después de su registro, el 13 de abril, notificando también su cambio de sede a la calle Mejorana, 3. Como miembros del comité fueron elegidos Julio Fernández López como secretario, Juan Gómez Fernández como vicesecretario, Pablo Muñoz Yorsa como tesorero-contador y Luis Ejido Ortiz, Joaquín Fernández y Domingo Segovia Eusebio como vocales.[22] Este comité será el que se mantenga durante los primeros meses de la contienda. También estuvo la Casa del Pueblo de Villa de Vallecas, pero sobre este centro no se cuenta con información suficiente. Sí se sabe que se pusieron en contacto con la ejecutiva central del PSOE de Madrid para informar de la constitución de un radio comunista en Villa y de la de un Ateneo Libertario en la zona en abril de 1936, así como para manifestar su preocupación por conseguir un buen entendimiento entre los diversos colectivos y consultar cómo proceder ante la solicitud del radio comunista de una unificación con la Casa del Pueblo de la Villa. A través de esta correspondencía se ha podido certificar que su presidente fue Mariano González y su secretario Esteban Cantarero. Este último jugó un papel importante en la formación y el funcionamiento del comité responsable de gestionar la Villa de Vallecas durante la guerra. El puesto de Esteban lo ocupó en 1937 Manuel Atalaya, otro de los socialistas involucrados en la organización del comité. La presidencia de la agrupación recayó en Agustín del Rey.[23]

---

[21] Archivo General de la Administración, (en adelante, AGA), Libro registro de asociaciones de la Provincia de Madrid (08) 030.000, libro 36/03118.

[22] FPI. AH-16-45. Correspondencia con el Círculo Socialista de Entrevías-Picazo (Puente de Vallecas) (18-12-1935/27-04-1936).

[23] FPI. AH-17-19. Correspondencia con la Agrupación Socialista de la Villa de Vallecas (31-03-1936/02-08-1937).

EL COMITÉ DE LA AGRUPACIÓN SOCIALISTA EN LA CASA DEL PUEBLO DEL PUENTE DE VALLECAS

En la Casa del Pueblo del Puente de Vallecas, situada en la calle Concordia, 6 también estuvo la sede de la agrupación socialista de la barriada, como se ha mencionado anteriormente. La agrupación fue quien asumió el control de las funciones relacionadas con el orden público y la justicia llevada a cabo por los socialistas en el Puente de Vallecas tras el golpe del 18 de julio de 1936 a través de la creación de diversos comités, como el de incautaciones, aunque todo apunta a que el que asumió en exclusiva esas funciones fue el comité ejecutivo formado antes del golpe y encargado de la dirección de la agrupación. Se buscaba organizar una mejor defensa de la barriada y de los intereses de cuantos de sus habitantes de clase obrera o trabajadora apoyaron a los socialistas. No obstante, todo hace indicar que la agrupación socialista compartió las funciones represivas con el cuartel de milicias Pablo Iglesias, situado en la avenida de la República en el antiguo colegio del Niño Jesús. Fue allí donde dispusieron de mayor espacio para albergar sus dependencias y los espacios de reclusión de los sospechosos antes de que sus casos fuesen valorados por el Comité de la Agrupación. Este último dato referente al traslado apoyaría la hipótesis de la improvisación y la falta de espacios dentro de la Casa del Pueblo. Los miembros de la agrupación y sus comités eran gente de la barriada, socios de la Casa del Pueblo. Esta relación, unida al hecho de haber compartido sede en los primeros momentos del golpe, sirvió al franquismo para inculpar a todas aquellas personas que trabajaron en la Casa del Pueblo y en el cuartel Pablo Iglesias. Todos sin excepción fueron relacionados con los actos de justicia revolucionaria y violencia protagonizados por cualquiera de ellos, y más concretamente por su comité ejecutivo y las brigadas a su servicio.

Así, una violencia que había sido ejercida de forma minoritaria por solo algunos de los miembros de la Casa del Pueblo sirvió al franquismo para inculpar a una gran mayoría. El verdadero delito era ser socialista o pertenecer a sus centros, como la Casa del Pueblo, que nada tuvo que ver con este tipo de funciones, sino que siguió desempeñando su labor cultural y educativa, aunque también colaboró con el Gobierno participando, por ejemplo, en campañas de donación para el Ejército. El 17 de agosto de 1936, la agrupación socialista del Puente de Vallecas donó 500 pesetas al Estado para llevar a cabo fines sociales. Lo mismo hizo el Círculo Socialista de Pacífico con 400 pesetas y el hospital de sangre dirigido por el Círculo con 446,23 pesetas.[24] Este último centro, el Círculo Socialista de Pacífico, recurrió a *El Socialista* para publicar diversos llamamientos a su militancia tal como hicieron otros centros de la misma ideología. Estuvo situado en la calle Sánchez Barcáiztegui número 24, adonde también se trasladaría la sede de la centralita del CIEP.[25]

---

[24] *El Socialista*, 18 de agosto de 1936, p. 5.

[25] *El Socialista*, 30 de octubre de 1936, p. 3. Para referencias a llamamientos de militantes en *El socialista*, 29 de octubre p. 3 y 3 de noviembre, p. 3.

EL COMITÉ DE LA AGRUPACIÓN SOCIALISTA DEL PUENTE DE VALLECAS

El comité que se constituyó en la sede de la Casa del Pueblo para hacerse cargo de las funciones relacionadas con el orden público y la justicia tuvo a su servicio una brigada compuesta por miembros de la Casa del Pueblo, en su mayor parte militantes socialistas, pero puesta bajo la dirección del Comité de la Agrupación. Estas personas que conformaron la brigada del comité se encargaron de llevar a cabo detenciones de sospechosos y registros domiciliarios en busca de pruebas que fundamentasen las denuncias o acusaciones contra el sospechoso, así como el cumplimiento de las deliberaciones tomadas por los miembros del comité, salvo en caso de considerar al detenido no culpable y que este fuese puesto en libertad. Fueron los encargados de llevar a cabo los traslados a los espacios penitenciarios bajo control estatal y de trasladarlo a lugares apartados, principalmente de noche, para cumplir la condena a muerte acordada por los miembros del comité, al igual que las dos brigadas del comité de defensa constituido en el Ateneo Libertario del Puente de Vallecas. Un espacio preferente para las ejecuciones fue el cementerio de Villa de Vallecas. También se recurrió a las carreteras de salida del pueblo.

El 18 por la noche llegaron a la Casa del Pueblo el comandante La Calle y el capitán Barrios con la intención de hacerse cargo de la zona de Pacífico y del Puente de Vallecas. El comandante afirmó que bajaría a la Casa del Pueblo un camión con unos quinientos fusiles, repartiéndose en la secretaria a los afiliados al PSOE o a la UGT que se encontraran en las inmediaciones de la Casa del Pueblo a la espera de recibir noticias y armas para defender la República. El objetivo del comité antes del golpe era todo lo relacionado con aspectos políticos, sociales y administrativos del PSOE en la barriada, estando en comunicación con el PSOE de la capital. Las detenciones se realizaban bajo las órdenes de La Calle, Barrios y del comité sobre la base de las denuncias que se recibían en este último organismo y ante milicianos del cuartel de Pablo Iglesias. Los militares y milicianos del cuartel eran los encargados de llevar a cabo los interrogatorios de los sospechosos y de juzgar si era necesario su traslado a la DGS o tenían que ser fusilados.[26]

Al frente del comité estuvo en un principio Teodoro Medina Tejeira, un hombre de confianza dentro de la agrupación socialista y de la Casa del Pueblo del Puente de Vallecas. De oficio entarimador, natural de Toledo, aunque llevaba doce años viviendo en Madrid y su provincia, tenía cuarenta y un años en el verano de 1936. Según su testimonio, fue militante del PSOE y de la Casa del Pueblo del Puente de Vallecas, adonde acudió cuando recibió la noticia del golpe de Estado. Seguidamente fue nombrado presidente de la agrupación socialista del Puente de Vallecas hasta diciembre de 1938 y formó también parte del comité de incautaciones de fincas, donde se ocupó de la recaudación. Desde septiembre de 1938 ejerció como concejal del municipio por el PSOE, y todo parece indicar que se mantuvo en el cargo hasta el final de la guerra.

---

[26] Archivo General e Histórico de la Defensa (en adelante, AGHD). Fondo Madrid, sumario 53213, legajo 5453.

Aunque defendió que fue movilizado en noviembre de ese mismo año, esta afirmación entra en contradicción con otra en la que defendió que estuvo cuatro meses como concejal del Ayuntamiento.[27] El Comité de la Agrupación Socialista del Puente de Vallecas estaba compuesto por Teodoro Medina García como presidente, como se acaba de mencionar, Mariano San Juan Sancho como vicepresidente, Álvaro Artigas Pascual como secretario, Ángel Turrión Cordero como segundo secretario, Victoriano Lozano como tesorero, Miguel Jiménez Chamón como contador y Rufino Bodega como vocal, así como José Vázquez y Víctor Marinero.[28]

La mano derecha de Teodoro Medina dentro del comité era Mariano San Juan Sancho, vicepresidente del comité. Contaba con 36 años cuando empezó la guerra, era natural del Puente de Vallecas y trabajó como ferroviario en los talleres del mediodía de la línea Madrid-Zaragoza-Alicante (MZA).[29] Se afilió a la UGT en 1921 y al PSOE en 1932, siendo nombrado vicepresidente de la agrupación desde 1935 hasta 1938. El golpe le sorprendió desempeñando su oficio en MZA. En ese momento fue requerido por su partido para participar en la derrota de la sublevación. Para ello acudió a la Casa del Pueblo del Puente de Vallecas, donde le asignaron la función de expedir salvoconductos de circulación durante tres meses. Posteriormente, hasta marzo de 1937, se encargó del proceso de evacuación. Tras el cumplimiento de estas funciones, pasó a trabajar para la Casa del Pueblo realizando diversas tareas relacionadas con cuestiones societarias. Al finalizar estos servicios ingresó en el Servicio de Información Militar (SIM), en el destacamento de Ocaña primero y en el de Quintanar de la Orden después, participando en la detención de soldados desertores que se dirigían a Alicante para conseguir un barco que los sacase de zona republicana. Antes del golpe de Estado, había sido despedido en su empresa en 1934 como consecuencia de su actuación dentro de las movilizaciones de octubre de ese año, reincorporándose en 1936 tras la victoria del Frente Popular.[30]

Miguel Jiménez Chamón fue otra de las personas que señaladas por sus compañeros como miembros del comité. En su declaración, Jiménez alegó que fue nombrado presidente del mismo en el año 1938, más concretamente en noviembre, pero que desde un mes antes del golpe de Estado ejercía funciones de contador al servicio del Comité de la Agrupación al que pertenecía. Tenía cuarenta y cinco años cuando empezó la guerra y ejercía de carpintero. Era natural de Madrid, pero vivía en Vallecas con su mujer. Se afilió al PSOE en 1929, ocupando el puesto de vicepresidente de la sección de Oficios Varios del Puente de Vallecas antes del golpe de Estado. Producido este se mantuvo en su cargo como contador del comité, siendo conocedor y partícipe de las reuniones de Gregorio *el Goye* con el personal del propio comité. Según su testimonio, contaba con protección dentro del local, ya que en la puerta de la sala donde se reunía habitualmente el comité había siempre un miliciano armado. La labor de contador, la compaginaba

---

[27] AGHD. Fondo Madrid, sumario 29975, caja 1299, número 4.
[28] AGHD. Fondo Madrid, sumario 53213, legajo 5453.
[29] AGHD. Fondo Madrid, sumario 29118, caja 1912, número 4.
[30] AGHD. Fondo Madrid, sumario 66719, legajo 5390.

con la obtención de madera, dada su profesión, para las tahonas de la localidad, facilitando también desde Guadalajara materias primas y ganado lanar y cabrío al gremio de las carnes. Desde septiembre de 1936 hasta mayo de 1937 tuvo que dejar su puesto en el comité como consecuencia de una enfermedad que lo apartó de sus tareas y obligaciones. Una vez reincorporado, fue nombrado recaudador en la Administración de Fincas Incautadas por el Estado en el Puente de Vallecas y delegado de la misma en agosto de 1938 y hasta noviembre de ese mismo año, momento en que fue nombrado presidente de la agrupación.[31] Antes de acabar la guerra también fue nombrado concejal en el Ayuntamiento del Puente de Vallecas.[32]

Como miembro del comité fue consciente de lo que ocurrió con los detenidos por orden de este organismo. Según alegó en su declaración, al principio de la guerra los sospechosos eran detenidos por iniciativa de los milicianos del centro, que trasladaban a los sospechosos al cuartel Pablo Iglesias para que fuesen juzgados e interrogados (de esta forma quitó responsabilidades al comité en el proceso de ejecución de detenidos) y luego pasaban al comité, que luego ponía a los detenidos a disposición del teniente coronel La Calle para los interrogatorios y, si no, al capitán Barrio, ignorando lo que sucedía con los detenidos. Cuando los militares y milicianos del cuartel Pablo Iglesias se marcharon, los detenidos pasaron a ser presentados ante el comité. Si eran desconocidos, se los llevaba al cuartel Pablo Iglesias, donde eran interrogados por militares, obrando estos en consecuencia. Si eran conocidos (es decir, personas que hubieran tenido una relación de amistad, vecindad o laboral antes del golpe de Estado con algún miembro del Comité), los interrogaba el Comité, que decidía a continuación su sentencia.[33]

Como se ha podido leer anteriormente, otro de los miembros del comité era Ángel Turrión Cordero, que fungía como segundo secretario tras dejar el puesto de secretario, que había ocupado desde enero de 1936, y de volver al comité unos meses después. Era natural de Canillas (Madrid), aunque se trasladó a Vallecas con su mujer en 1930. En 1924 se afilió a la UGT y en 1935 lo hizo en el PSOE. Tenía cuarenta y cuatro años de edad cuando empezó la guerra y trabajaba como mecánico. Dejó su puesto en el comité al poco de iniciarse la guerra, tras lo cual volvió a su puesto en los depósitos de máquinas de la MZA y pasó a ir al comité solo a recoger las dotaciones de tabaco para los milicianos. En septiembre se incorporó al sindicato y volvió al comité, donde presenció y participó de comidas y cenas con Gregorio *el Goyo*. Parte de su trabajo dentro del comité consistía en la realización y entrega de salvoconductos a los vecinos y vecinas que lo solicitasen.

Álvaro Artigas Pascual fue quien sustituyó a Ángel Turrión Cordero en el puesto de secretario del Comité de la Agrupación Socialista del Puente de Vallecas tras produ-

---

[31] AGHD. Fondo Madrid, sumario 53213, legajo 5453.
[32] Archivo de Villa de Madrid (en adelante, AVM), rollo 856/88. Libro de Actas. (Ayuntamiento de) Vallecas, tomo 443, año 1937. Acta de reunión del 03-12-1937 y del 10-12-1937.
[33] AGHD. Fondo Madrid, sumario 53213, legajo 5453.

cirse el golpe de Estado. Era natural de un pequeño pueblo de la actual provincia de Zaragoza y tenía treinta años cuando empezó la guerra. Ejerció como maestro en el Puente de Vallecas, donde vivía con su mujer. Tras su paso por el comité, fungió como comisario político de batallón en la 49.ª Brigada y llegó a ser nombrado concejal en el Ayuntamiento de Vallecas.[34] Muestra de su buen hacer en la retaguardia es que una monja le avaló al finalizar la guerra en agradecimiento a haberla destinado al servicio de cocinas del Círculo Socialista del Puente de Vallecas.

Otro maestro socialista que fue encausado en la posguerra por su posición de profesor de enseñanza laica fue Benito Rodríguez Núñez, de cuarenta años de edad en 1936, casado y natural de Badajoz. Trabajó en la Escuela de Oficios Varios hasta que fue su quinta fue llamada a filas en enero de 1939. Su delito fue ser maestro de primera enseñanza en un centro laico y obrero y haber ocupado cargo en la Sociedad de Profesionales de la Enseñanza Laica: el de tesorero en 1934.[35] Su caso es buena muestra de cómo el franquismo intentó erradicar uno de los principales baluartes de la Segunda República: la enseñanza laica.

LA BRIGADA DE LOS *CINCO DIABLOS ROJOS* Y SU LABOR REPRESIVA

La brigada del comité estuvo formada por cinco individuos que, según las fuentes consultadas, se hicieron llamar *los cinco diablos* o *los cinco diablos rojos*.[36] No obstante, a la hora de estudiar la composición de este grupo, se encuentran numerosas dificultades. Fue común que en los interrogatorios de la posguerra las autoridades franquistas relacionasen a miembros de la Casa del Pueblo del Puente de Vallecas con esta brigada. Un ejemplo de acusación recurrente de pertenecer a los Cinco Diablos Rojos fue la realizada a José Pérez Sanz el Cuadrado y Lucio González García *el Sereno*, contra quienes se lanzó la acusación de ser miembros de dicha brigada sin prueba alguna. Ambos fueron albañiles afiliados a la UGT, pero no participaron en acciones encuadradas dentro del Comité de la Agrupación Socialista del Puente de Vallecas, sino dentro de sus vecindarios en los comités de vecinos o movilizados en el ejército.[37] La acusación fue infundada y realizada sin prueba alguna.

Se plantearon dudas en los consejos de guerra sobre quién fue el *encargado* de la brigada, su líder. Casi todos los testimonios de la época apuntan a que fue Gregorio García Sánchez, apodado *el Goyo*, quien la lideró, aunque hay relatos que relacionan dicho cargo con la figura de Vicente de Pablo Ricote. No obstante, al haber conseguido De Pablo exiliarse en Francia, no disponemos de su versión de los acontecimientos. De él solo se sabe que trabajó antes del golpe como guardia municipal del Ayuntamiento

---

[34] AGHD. Fondo Madrid, sumario 53213, legajo 5453.
[35] AGHD. Fondo Madrid, sumario 60798, caja 3238, número 7.
[36] AGHD. Fondo Madrid, sumario 48537, legajo 2541.
[37] AGHD. Fondo Madrid, sumario 67460, caja 2479, número 2.

de Vallecas y que al finalizar la guerra había alcanzado el grado de general del ejército.[38] Todo parece indicar que fue Gregorio *el Goyo* quien lideró a este grupo, ya que los únicos testimonios que relacionaron a Vicente de Pablo con el cargo de responsable provinieron de los consejos de guerra del propio *Goyo*[39] y de uno de los integrantes del grupo, Enrique *el Soso*.[40]

Gregorio García Sánchez, *el Goyo* era natural de Alcalá de Henares. Tenía veinticinco años cuando tuvo lugar el golpe de Estado y trabajaba de panadero en una tahona de la localidad. Pertenecía a la UGT desde los dieciocho años, es decir, desde 1929. Cuando se produjo el golpe de Estado, se personó en la Casa del Pueblo del Puente de Vallecas, donde le ordenaron presentarse en los días sucesivos en el local de la calle Concordia, número 6. Allí estaban llegando desde el día 19 de julio camiones con armas, principalmente fusiles para repartir entre los afiliados. Ante la falta de fusiles, le hicieron entrega de un mosquetón. Una vez armado fue destinado al servicio de guardias en la sede de la Casa del Pueblo, donde permaneció quince días aproximadamente, dos horas al día. Seguidamente fue nombrado escolta de un juez municipal encargado de ir junto al alguacil y el secretario del depósito a reconocer los cadáveres que aparecían en el municipio. Compaginó esta labor con el servicio de patrullas dos noches a la semana, generalmente por la carretera de Valencia, pidiendo la documentación a transeúntes y ocupantes de vehículos. La duración de este servicio, no se sabe con certeza, ya que el testimonio del juez municipal con el que trabajó habla de un mes o mes y medio, pero el de Gregorio *el Goyo* lo eleva hasta los tres meses. La violencia protagonizada por los comités en la retaguardia republicana se extendió temporalmente hasta diciembre, por lo que ambas podrían ser veraces. No obstante, la necesidad de personal fiable para la defensa de la Casa del Pueblo o para el cumplimiento de las órdenes del comité en otras labores hace pensar que la cifra facilitada por el juez municipal se acercaría más a la realidad que la ofrecida por *el Goyo*. Además, alegando que actuó tres meses en el desempeño de semejantes labores, se aleja de su paso por *los cinco diablos*, ya que casi todos comités fueron clausurados en enero de 1937 por imperativo legal, y en los meses previos las atribuciones del personal que componía los comités y las de los que cumplían sus órdenes —entre ellos las personas que formaban las brigadas— se habían reducido.[41]

Alegó asimismo *el Goyo* que tras finalizar sus servicios de escolta, entró a formar parte de la brigada junto con los que fueron los cinco diablos: Vicente de Pablo, su encargado; Enrique *el Soso*; Julián García, presidente de las Juventudes Socialistas Unificadas (JSU) de la barriada, organización socialista-comunista que, teniendo su sede en la Casa del Pueblo del Puente de Vallecas, se incautó de varios espacios y entre ellos

---

[38] AGHD. Fondo Madrid, sumario 48537, legajo 5554.

[39] AGHD. Fondo Madrid, sumario 48537, legajo 2541.

[40] AGHD. Fondo Madrid, sumario 48537, legajo 2541.

[41] Javier Cervera Gil: *Contra el enemigo de la República… desde la ley: detener, juzgar y encarcelar en guerra*, Madrid: Biblioteca Nueva, 2015, p. 78.

de unos talleres situados en la calle García Hernández, 1, en los que se hacían llamamientos a sus bases, incluidas las mujeres;[42] Emiliano Soriano y el chófer, un tal Julio.

Sostuvo *el Goyo* que con el grupo de los *cinco diablos* participó solo en detenciones. De entre ellas ofrece detalles de dos, una de ellas en el pueblo madrileño de El Escorial por orden del comité. Alegó asimismo que estuvo actuando dentro de la brigada un mes aproximadamente, pasando en enero de 1937 a la comisaría de policía de Hospicio en calidad de agente. Desempeñó este cargo durante siete meses y trascurrido ese tiempo fue nombrado agente en la comisaría de Puerto Lápice, un pueblo de la provincia de Ciudad Real. Allí, de servicio, le pilló el final de la guerra. Intentó trasladarse a Valencia, pero en Tarancón le interceptaron tropas italianas que se incautaron del armamento. Como agente en Madrid solo intervino en patrullas, y en Ciudad Real, solo en controles.

Una de las personas que mejor conoció a Gregorio *el Goyo* fue su cuñado Jesús Gabriel Valverde Albarran, transportista afiliado a la UGT hasta que, durante la guerra, le incautaron su vehículo. Al conseguir otro realizó las mismas labores para el Ayuntamiento hasta finales de 1937 y también para Alianza Republicana. Tenía veintiséis años cuando empezó la guerra y era natural del Puente de Vallecas.[43]

En el consejo de guerra contra él se le llegó a acusar de haber participado en el fusilamiento de mil quinientas víctimas, una cifra cuando menos disparatada, ya que se baraja para todo Madrid más de ocho mil personas hasta diciembre, aunque hay otras cifras que elevan el número de víctimas a trece mil para ese periodo de tiempo.[44] En ambas cifras se contabilizan las matanzas ocurridas en Paracuellos del Jarama y Torrejón de Ardoz entre noviembre y diciembre de 1936, que costaron la vida a entre dos mil y dos mil quinientas personas.

Aunque en su tercera declaración niega todo lo relacionado con los Cinco Diablos, hay numerosas declaraciones que le sitúan como miembro activo de dicha brigada. Él, en su última declaración, defendió que no perteneció a los *cinco diablos* pero que sí que actuó bajo las órdenes del responsable del comité, Teodoro Medina, quien le ordenó participar en doce detenciones. De sus guardias, contó que las llevaba a cabo de cinco a seis de la tarde hasta las dos o tres, hora en la que entraba a trabajar.

Enrique Burgos Risueño, conocido como *el Soso*, fue otro de los integrantes de la brigada de los *cinco diablos rojos*.

Sobre la procedencia del mote de este hombre hay varias teorías. La primera, la franquista, sostiene que se debía a que *solo* mató a 700 personas en comparación al resto de sus compañeros de brigada, que participaron en un mayor número de ejecuciones.

---

[42] *El Socialista*, 24 de octubre de 1936, p. 3. Otro edificio que también tuvo su sede en la barriada fue la Sociedad de Oficios Varios en la confección Julia. *El Socialista*, 8 de octubre de 1936, p. 3.

[43] AGHD. Fondo Madrid, sumario 101729, legajo 5254.

[44] José Luis Ledesma: *Los días de llamas de la revolución: violencia y política en la retaguardia republicana de Zaragoza durante la guerra civil*, Zaragoza: Instituto Fernando el Católico, 2003, pp. 263-265; Paul Preston: *El holocausto español: odio y exterminio en la guerra civil y después*, Barcelona: Debate, 2011, pp. 384-385.

Por su parte, Enrique *el Soso* alegó que recibió el mote por no involucrarse en las ejecuciones llevadas a cabo por su brigada y por mostrar una actitud reticente ante las mismas. La primera teoría es totalmente falsa, ya que eso implicaría que Enrique *el Soso* participó en todas las ejecuciones que se produjeron en todo el municipio de Vallecas (según las fuentes franquistas)[45] a lo largo de los tres años de guerra. La segunda versión puede aproximarse más a los acontecimientos ocurridos. No obstante, el apodo podía ser familiar o deberse a la actitud de Enrique antes de la guerra, así que no hay manera de asegurar cabalmente su procedencia.[46]

En cuanto a los datos personales de Enrique *el Soso*, sabemos que era poco mayor que Gregorio *el Goyo*, ya que tenía veintisiete años al empezar la guerra. Trabajaba de fundidor en la fundición Gareño, aunque cuando empezó la guerra estaba sin trabajo. Estaba casado y vivía en Vallecas con su mujer antes de producirse el golpe de Estado.[47] Una vez este se produjo acudió a la Casa del Pueblo, de donde era socio, al igual que Gregorio *el Goyo*. En este centro se unió como voluntario al servicio del comité, donde le facilitaron un fusil y le destinaron al servicio de vigilancia del local de la Casa del Pueblo, sede también del comité. Ejerció esta función durante unos días, aproximadamente cuatro o cinco, hasta que marchó al frente del Guadarrama con el batallón Pablo Iglesias, organizado por el cuartel del mismo nombre instalado en la avenida de la República. Volvió del frente a los diez o doce días de estar allí por resultar herido en la contienda, y una vez recuperado declaró que Vicente de Pablo se presentó en su domicilio para ordenarle que fuera con él y con tres personas más: Gregorio *el Goyo*, Emiliano Soriano Agodia *el Manteca* y Julio *el Corzo*, que hacía las funciones de chófer y del cual no se dispone de más información debido a que murió en Barcelona durante un bombardeo de la ciudad por la aviación franquista.[48] Participó en el traslado de un detenido al cementerio de Vallecas, donde el reo fue fusilado por sus compañeros. No volvió a participar en actos semejantes y en septiembre de 1936 fue nombrado agente dentro de las Milicias de Vigilancia de Retaguardia (MVR), de reciente creación ya que se constituyeron el 16 de septiembre de 1936.[49] Dentro de las MVR, actuó como agente al servicio de la comisaría del hospital hasta febrero de 1937, en turno de noche: el mismo destino que Gregorio *el Goyo*, aunque este en turno de mañana.[50] Finalmente, *el Soso* se incorporó a la DGS en calidad de agente de la Guardia de Asalto, y estaba allí cuando lo sorprendió el final de la guerra en el barrio de las Cuarenta Fanegas.

En otro proceso aclaró que él no perteneció a los *cinco diablos rojos*, aunque los conocía y se tomó cervezas con ellos. Los acompañó —dijo— solo una vez, la comen-

---

[45] AGHD. Fondo Madrid, sumario 61130, legajo 6109.
[46] AGHD. Fondo Madrid, sumario 48537, legajo 2541.
[47] AGHD. Fondo Madrid, sumario 48537, legajo 5554.
[48] AGHD. Fondo Madrid, sumario 48537, legajo 5554.
[49] *Abc*, Madrid, 17 de septiembre de 1936, edición de la mañana, p. 8.
[50] AGHD. Fondo Madrid, sumario 48537, legajo 2541.

tada anteriormente. Aseguró que el quinto miembro de la brigada fue Julián García, presidente de las JSU. También afirmó que los *cinco diablos* no actuaron a las órdenes del Comité Provincial de Investigación Pública (CPIP), sino que se incorporó él a este centro encuadrado dentro de una brigada de las JSU de la localidad. Estuvo a las órdenes del CPIP hasta septiembre, cuando recibió un aval para entrar en la comisaría madrileña del barrio del Hospital en calidad de agente de las MVR.[51] Es decir, solo, de los *cinco diablos*, actuó él en el CPIP.

Como se ha podido ver a lo largo de los dos últimos apartados del presente capítulo, la violencia fue ejercida por unas pocas personas pertenecientes a la agrupación socialista y/o la Casa del Pueblo del Puente de Vallecas (el personal que compuso el comité y su brigada). Otro factor a tener en cuenta es que la violencia ejercida por estas personas no perduró más allá de diciembre de 1936, al perder el comité entonces las atribuciones de justicia y orden público ganadas al Estado en el verano de ese mismo año. En ningún caso los miembros del comité y su brigada consideraron que estuvieran ejerciendo este tipo de funciones de forma aleatoria o incontrolada: actuaban —decían— en nombre de la *justicia del pueblo*,[52] una justicia «por consenso»[53] que consideraban necesaria para implantar la revolución y ganar la guerra. Este modelo de justicia revolucionaria difería del modelo estatal en sus formas y tiempos, ya que la rapidez en los procesos era una de sus señas de identidad. Uno de los motivos por los cuales estas personas ejercían este tipo de actividades era su consideración la justicia republicana como *burguesa* y por lo tanto al margen de los intereses de la clase trabajadora.[54]

Valorar la incidencia de la violencia ejercida por el comité y su brigada en el verano y el otoño de 1936 es una tarea compleja al carecerse de fuentes relacionadas con la represión. El radio de acción de la brigada de los *cinco diablos rojos* fue principalmente el Puente de Vallecas, aunque también hubo traslados a la capital y a los pueblos cercanos. Esta actuación dependía de las denuncias que recibiera el comité sobre personas sospechosas. Las motivaciones que generaban las denuncias eran muy diversas.[55] En general, este centro era percibido por la población afín como un nuevo centro de justicia, y la gente acudía a él para denunciar a personas conservadoras relacionadas con el golpe (de forma real o ficticia). De forma mayoritaria, las denuncias eran formuladas verbalmente a milicianos que hacían guardia en el centro, a las personas del comité o a los miembros de la brigada. En ese momento se iniciaba el proceso de localización de sospechosos. Las personas que formaban la brigada acudían generalmente a los domicilios de los acusados, donde a través de registros

---

[51] AGHD. Fondo Madrid, sumario 48537, legajo 5554.

[52] José Luis Ledesma: *Los días de llamas de la revolución...*, p. 236.

[53] Víctor Alba: «De los Tribunales Populares al Tribunal Especial», *en Justicia en guerra: jornadas sobre la administración de justicia durante la guerra civil española, instituciones y fuentes documentales*, Madrid: Ministerio de Cultura, 1990, pp. 224-225. Este autor fue el que acuñó el término *justicia por consenso*.

[54] Javier Cervera Gil: *Contra el enemigo de la República...*, pp. 124-128.

[55] Maria Thomas: *La fe y la furia: violencia anticlerical popular e iconoclastia en España (1931-1936)*, Granada: Comares, 2014.

conseguían documentación que pudiese relacionar al encausado con la denuncia. En este proceso también se podía proceder a la incautación de bienes o alhajas como forma de obtener dinero para el centro o donarlo al Estado para pagar la guerra. Si se encontraban pruebas, se llevaban detenido al sospechoso con la excusa de tomarle declaración. En general, los reos conducidos al centro donde se había recibido la denuncia, pero hubo casos en los que el detenido fue llevado a lugares apartados para darle el *paseo* y fusilarlo en el acto.[56]

En la mayor parte de los casos, los detenidos eran llevados al centro receptor de la denuncia, y allí, junto con las pruebas obtenidas en el registro, el comité valoraba la culpabilidad del detenido. En caso necesario, los miembros del comité podían llamar al detenido para que expusiese su versión de los acontecimientos y pudiera defenderse de las acusaciones formuladas contra él. También los familiares, amigos y allegados al detenido se encargaban de reunir avales para salvar al acusado.[57] Tras la valoración del caso, el comité decidía el destino del detenido: quedar libre ante la falta de pruebas suficientes o por los avales recibidos, ser trasladado a un centro oficial para el cumplimiento de pena de cárcel o la aplicación de la pena capital.[58] En este último caso, el detenido era trasladado en el *paseo* a un lugar apartado para fusilarle. En el caso de Vallecas, uno de los sitios donde se produjeron más ejecuciones fueron las tapias del cementerio.

El perfil de las víctimas era muy diverso. Los colectivos más afectados eran el personal eclesiástico, los militantes de partidos conservadores, las personas pertenecientes a los cuerpos estatales de orden público, el Ejército y también pequeños y medianos comerciantes, profesionales liberales (pertenecientes a las clases medias urbanas), propietarios, clases altas, patronos y trabajadores relacionados con partidos y sindicatos conservadores o religiosos o defensores de los intereses de sus superiores frente a los de sus semejantes. Pero como se ha mencionado anteriormente, ningún colectivo fue perseguido de forma arbitraria, sino que había toda una serie de motivaciones detrás de cada denuncia que llevaba a la detención y/o ejecución de los detenidos. Algunos grupos sociales fueron detenidos en mayor número por su relación con las fuerzas contrarrevolucionarias: fue el caso de la Iglesia, del Ejército y de las clases altas.[59]

---

[56] Javier Cervera Gil: *Madrid en guerra: la ciudad clandestina (1936-1939)*, Madrid: Alianza, 2006, pp. 72-73.

[57] Centro Documental de la Memoria Histórica (en adelante, CDMH), PS-Madrid, caja 991, expediente 164.

[58] Para el caso del Comité Provincial de Investigación Pública, véase Julius Ruiz: *El Terror rojo: Madrid (1936)*, Barcelona: Espasa, 2012.

[59] José Luis Ledesma: «Una retaguardia al rojo. Las violencias en la zona republicana», en Francisco Espinosa Maestre (ed.): *Violencia roja y azul: España (1936-1950)*, Barcelona: Crítica, 2010, pp. 176-179; ídem: *Los días de llamas de la revolución...*, pp. 244-294; Paul Preston: *El holocausto español...*, p. 322 y p. 384; Maria Thomas: *La fe y la furia...*, pp. 233-238.

MILICIANOS AL SERVICIO DEL COMITÉ O DE LA CASA DEL PUEBLO DEL PUENTE DE VALLECAS

Dentro del grupo de milicianos cercanos al comité estaba Alejandro Lorrio Martínez, metalúrgico de profesión de mediana edad —unos treinta y cinco o treinta y seis años en 1936—, casado y natural de Monteagudo de las Vicarias (Soria). En 1921 se afilió al PSOE y en 1925 a la agrupación socialista, ocupando varios cargos dentro de esta institución, el último el de conserje en 1934. Era por lo tanto una persona de confianza del personal que componía el comité de la agrupación. Fue nombrado policía, pero antes fue visitador de hospitales por mandato del comandante del batallón Pablo Iglesias. Poca información más se conoce de él.[60] Otra persona que ejerció el mismo cargo de visitador de hospitales fue Marcelino Dianez Merino, vendedor ambulante de lotería de cuarenta y cuatro años de edad, casado y natural de la capital. Ejerció esta labor hasta que fue llamado a filas en marzo de 1937. Se había afiliado al PSOE y a la UGT el mismo año: 1932.[61]

José Noez Martínez, apodado *el Abisinio*, un hombre soltero, natural de Murcia y de cuarenta y cinco años de edad al producirse el golpe, fue otro miliciano cercano al comité de la agrupación. Según su propio testimonio, era el encargado de llevar la comida a los miembros del comité, ya que antes de la guerra había ejercido como taxista. Lo relacionaron por semejante condición con *los cinco diablos*, acusaciones que negó. Sí reconoció haberlos tratado, porque aseguró en la sede del comité, sus miembros se reunían con ellos. Afirmó Noez asimismo que cuando se producían estas reuniones ponían guardias, quedándose solos en la sala. También aseguró que en el coche de los *cinco diablos* había dos inscripciones: «la justicia del tio (sic.) paco» y «los cuatro diablos». José *el Abisinio* fue también chófer en la evacuación de los familiares de los ferroviarios, negando cualquier implicación en *paseos* o detenciones. A los tres meses del golpe ingresó en el ejército, siendo destinado en la columna La Calle como chófer y pasando posteriormente a la 35.ª Brigada hasta el final de la guerra.[62] Las dudas referentes al número de miembros que compusieron la brigada de los *diablos* hacen ver que esta fue evolucionando y cambiando y que no estaba preparada para actuar antes del golpe, sino que se fue constituyendo e improvisando durante los primeros días tras el golpe de Estado. El motivo del cambio del número miembros también puede ser un problema en la trascripción de la declaración o un añadido de los interrogadores, que desconocían el número exacto de miembros de la brigada pero que buscaron la implicación de José *el Abisinio* en los actos llevados a cabo por esta brigada.

Una vez analizado el centro, el comité y las personas allegadas a este último, procedemos a analizar la relación de todas aquellas personas que se unieron a las milicias

---

[60] AGHD. Fondo Madrid, sumario 53213, legajo 5453.
[61] AGHD. Fondo Madrid, sumario 67487, legajo 7116.
[62] AGHD. Fondo Madrid, sumario 53213, legajo 5453.

socialistas en función de la documentación consultada, ello como forma de conocer las funciones que ejercieron, quién las ordenó y quiénes fueron las personas que las llevaron a cabo y de, en el caso de los que se pueda, descubrir las motivaciones que les llevaron a unirse a las milicias. Entre las personas que se sumaron a la actividad armada en defensa de las instituciones socialistas, ya sea como milicianos en la retaguardia o en la vanguardia, estuvieron los hermanos Joaquín (de veinticinco años de edad, casado y al igual que su hermano natural de Manzanares, un pueblo de Ciudad Real) y Ginés Rodríguez Luján o Gregorio Mesonero Rodríguez,[63] conocido por los apodos de *el Peri*[64] o *el Misionero*.[65] Gregorio tenía treinta y dos años de edad cuando se produjo el golpe de Estado y era natural del Puente de Vallecas, donde vivía con su mujer. Tanto Joaquín como Gregorio pertenecían al Sindicato de Artes Blancas de la UGT: su profesión era panaderos-galleteros. Ginés era conductor desde 1928, el mismo año en que se incorporó a las filas de la UGT como militante.

A los tres se los relaciona con *el Goyo* y con Vicente de Pablo. Gregorio alegó conocer a *Goyo* por pertenecer ambos al mismo sindicato al ejercer el mismo oficio: panaderos. Él se había afiliado a la UGT en 1924 y, tras el golpe, siguió ejerciendo su oficio en la tahona donde trabajaba durante siete u ocho días,[66] siendo movilizado forzosamente en agosto por su sindicato y destinado como comisario político de un batallón durante dieciséis meses. Este cargo lo ocupó por ser enfermo crónico de colitis, lo cual le impidió prestar servicio de armas e hizo que se le nombrase delegado de compañía y posteriormente de batallón. En diciembre de 1937 se fusiló a dos anarquistas de la CNT del batallón, acusados de pillaje y de saqueo. Ante semejante acto, Gregorio fue acusado por la CNT de fascista, razón por la que fue juzgado y condenado a doce años y entró interno en la cárcel de San Antón durante siete meses. Pasado este tiempo en San Antón, fue destinado al 2.º Batallón Disciplinario en el Puente de los Franceses en Madrid. Tras el golpe de Casado, le ofrecieron el cargo de jefe del batallón, que él rechazó, y a primeros del mes de marzo partió hacia Alicante para poder embarcar y salir de España. De antes de la guerra tenía antecedentes que lo relacionaban con el asesinato de un patrón panadero desde noviembre de 1933 hasta agosto de 1935. Tras el inicio de la contienda había pasado a vivir a un hotel en Villalba, donde aseguró que pagaba el alquiler.[67]

Los hermanos Joaquín y Ginés Rodríguez Lujan se dirigieron a la Casa del Pueblo cuando tuvieron noticia de que se había producido un golpe de Estado protagonizado por militares en el protectorado marroquí español. Joaquín se alistó en el batallón Pablo Iglesias, que se había formado por iniciativa del personal de la Casa del Pueblo-agrupación socialista y por el recién formado cuartel de milicias Pablo Iglesias de la

---

[63] AGHD. Fondo Madrid, sumario 48537, legajo 2541.
[64] AGHD. Fondo Madrid, sumario 21801, legajo 5108.
[65] AGHD. Fondo Madrid, sumario 48537, caja 874, número 4.
[66] AGHD. Fondo Madrid, sumario 48537, caja 874, número 4.
[67] AGHD. Fondo Madrid, sumario 21801, legajo 5108.

avenida de la República para ir al frente, a la sierra madrileña;[68] aunque en un principio no partió al frente, sino que se quedó en la retaguardia haciendo labores como miliciano, incluyendo su participación en un par de detenciones promovidas por Gregorio *el Goyo* en las cuales participó con su hermano Ginés como chófer. A ambos les desagradaron este tipo de funciones, por lo que marcharon al frente a la 49.ª Brigada. Joaquín llegó a sargento y su hermano Ginés se trasladó a una unidad de tanques con sede en Valencia. Aunque ambos se vieron involucrados en estas detenciones y en sus ejecuciones, negaron su pertenencia a la brigada de *los cinco diablos*.[69] Sin embargo, hay que tener en cuenta que Enrique *el Soso* y Gregorio *el Goyo* pudieron participar en diversas ejecuciones con la ayuda o asistencia de otros milicianos, ya que los miembros de la brigada pudieron contar con el apoyo del comité de la agrupación socialista y extenderles documentación para que los miembros de los servicios de vigilancia o controles y patrullas participasen y asistieran a los demandantes de esa ayuda en las ejecuciones.[70] Otro de los milicianos de los que se tiene constancia de que actuó a las órdenes de la agrupación en la defensa armada de la Casa del Pueblo fue Pablo Velilla Díaz, jornalero de cincuenta y dos años de edad afiliado a la UGT.[71]

Otros milicianos que actuaron a las órdenes del comité fueron Vicente Calleja Corbella, Pilar Pérez Pinagua, Valeriana Algodía Ruiz, Cruz López Peñalver, Mariano Fernández Fernández, Francisco Moreno Rico, Florencio Ayuso *el Chulo* y Julio Sánchez Martínez *el Patatero*.[72]

ACTUACIÓN DE OTROS CENTROS SOCIALISTAS DEL PUENTE DE VALLECAS

Además de las personas que intervinieron y organizaron la vida en retaguardia desde la Casa del Pueblo, pero principalmente desde el comité de la agrupación socialista, hubo otros centros socialistas que también participaron en este proceso. En el siguiente apartado se va a proceder a analizar el cuartel de milicias Pablo Iglesias y el círculo socialista de Entrevías en función de la documentación consultada.

Domingo Mármol Prado fue la máxima autoridad civil dentro del cuartel de milicias Pablo Iglesias, constituido tras la incautación de un centro religioso: el colegio Niño Jesús, reconvertido en convento durante la Segunda República ante la prohi-

---

[68] Los miembros del cuartel también se preocuparon por el paradero de los milicianos que enviaron al frente. Un ejemplo de ello es la nota publicada en *El Socialista* preguntado por Andrés Ordóñez Arroyo. En esa misma nota llaman al centro *cuartel general* (*El Socialista*, 17 de septiembre de 1937, p. 3). También se interesó por sus desaparecidos en el frente el círculo socialista de Pacífico, quien derivó a sus militantes al cuartel Pablo Iglesias para ir al frente, siendo uno de los primeros tenientes-coroneles en el cuartel Lacalle (*El Socialista*, 6 de octubre de 1936 p. 3).

[69] AGHD. Fondo Madrid, sumario 48537, legajo 2541.

[70] CDMH. PS-Madrid, caja 464, expediente 111.

[71] AGHD. Fondo Madrid, sumario 59733, caja 128, número 8.

[72] AGHD. Fondo Madrid, sumario 48537, legajo 2541.

bición a las instituciones religiosas de que impartiesen clases. Antes de la guerra, Domingo Mármol había sido guarda de parques y jardines de Madrid. Tenía treinta y dos años en 1936, estaba casado y vivía en el Puente de Vallecas, aunque había nacido en un pueblo de la provincia de Jaén. Durante las movilizaciones de 1934 fue despedido debido a su participación en ellas, reincorporándose al trabajo tras la victoria del Frente Popular. Cuando empezó la guerra, acudió a la Casa del Pueblo del Puente de Vallecas, de la cual era socio, y se enroló en las milicias, encargándose de su organización y distribución e instalándose para ello en el cuartel Pablo Iglesias una vez que se apropiaron del colegio Niño Jesús. Mármol alcanzó la graduación de capitán o comandante durante la guerra.[73] No obstante, se desconocen más datos sobre su persona o sus actividades, ya que todo parece indicar que consiguió exiliarse al finalizar la contienda. Uno de los conductores que tuvo a su servicio Domingo Mármol fue Juan Madrid Martínez, *el Bartilillo*.[74]

Dentro del cuartel recibieron instrucción diversos milicianos que actuaron en la retaguardia. Fue el caso de Ángel Cuellar García, Juan García Rueda y Agapito Peñafiel Blasco, todos ellos nacidos en el pueblo de Escarbajosa (Ávila), miembros de la UGT y en el caso de Ángel y Juan del PCE. Todos ellos tenían una edad similar: veintiséis, veintisiete y veinticinco años respectivamente. Ángel fue voluntario de milicias desde el 10 de agosto hasta diciembre de 1936, cuando tuvo que dejarlo al resultar herido. Juan se enroló como voluntario el día 22, cuando ya estaba operativo el cuartel. Finalmente, Agapito se incorporó más tardíamente que sus convecinos y amigos (trabajaban juntos en una carnicería de su propiedad) al batallón Líster. Agapito era el único que tenía antecedentes penales de antes del golpe: había sido detenido por ir montado en una moto portando la bandera comunista en 1936.[75] También pasaron por el cuartel Bernardo Salcedo Asenjo[76] y Juan Carretero Roldan,[77] aunque a ambos se los relacionó también con la Casa del Pueblo, en cuya organización y protección trabajaron.

Diego García Pérez también cumplía órdenes de Domingo Mármol Prado dentro del cuartel de milicias Pablo Iglesias. Tenía treinta y cuatro años cuando empezó la guerra, estaba casado, era natural de la provincial de Murcia y trabajaba desde 1931 como inspector de guardias municipales en Vallecas. Un año antes de ejercer como inspector se había afiliado al PSOE y en 1928 lo había hecho en la UGT. Cuando empezó la guerra se mudó con su familia a una vivienda incautada por el PSOE. Declaró que se alistó voluntario en el batallón Pablo Iglesias y que en noviembre lo movilizaron al frente, llegando a ser comandante. Antes de movilizarlo le encargaron en alguna ocasión proceder al traslado de material incautado, principalmente muebles al cuartel. También participó en el traslado y custodia de los muebles que un industrial de la zona entregó a *los cinco*

---

[73] AGHD. Fondo Madrid, sumario 42431, legajo 5883.
[74] AGHD. Fondo Madrid, sumario 59289, legajo 6097.
[75] AGHD. Fondo Madrid, sumario 66052, caja 2537, número 2.
[76] AGHD. Fondo Madrid, sumario 102773, legajo 6568.
[77] AGHD. Fondo Madrid, sumario 59289, legajo 6097.

diablos recibiendo un resguardo como justificante y realizando cinco viajes con un camión. Para semejante actuación, el grupo de Gregorio *el Goyo* traía un volante de la Dirección General de Seguridad (DGS).[78]

También los sindicatos asociados a la UGT actuaron en la organización de la retaguardia. En el caso de la zona estudiada, el municipio de Vallecas, el Sindicato de Trabajadores de la Tierra jugó un papel importante en el proceso de colectivización de la tierra, su incautación y la de material de labranza. Se intentaba así cumplir un doble objetivo: socializar la tierra garantizando lo que no había conseguido la reforma agraria y abastecer a la retaguardia y al frente. Mariano de la Fuente Alcaraz, un joven que contaba veintitrés años cuando se produjo el golpe de Estado, miembro de esta rama sindical de la UGT desde 1935, mulero de profesión y natural de la provincia de Cuenca, fue enviado por su sindicato a casa de una mujer con el objetivo de incautarse de todo el material de labranza para destinarlo a una de las colectividades organizadas por el sindicato. En octubre de 1936 dejó de trabajar para el sindicato al ser nombrado guardia de asalto.[79] Pocos datos más se conocen de su persona o de sus funciones durante la contienda.

Con el golpe de Estado y el empoderamiento de los trabajadores ante la derrota de la sublevación con la obtención de armas, los sindicatos ugetistas procedieron a la incautación de edificios y a la constitución de nuevos centros obreros. Ya se ha comentado anteriormente el caso del cuartel de milicias Pablo Iglesias, instalado en el antiguo colegio del Niño Jesús. Los socialistas también crearon nuevos centros y se incautaron de antiguos edificios eclesiásticos o políticos de derechas para instalar sus centros. Ejemplo de esto último es el del círculo socialista de Entrevías, barrio del Puente de Vallecas. Este centro, conocido como Entrevías-Picazo, fue registrado en el Libro Registro de la Provincia de Madrid por Apolinar Frutos el 8 de abril de 1936, es decir, poco más de tres meses antes de que se produjese el golpe de Estado.[80] El responsable del centro fue un tal Emilio Onteniente. Poco se sabe de él.

Juan Ortega García fue uno de los milicianos que actuaron a las órdenes de Onteniente en el círculo que se instaló en un antiguo centro educativo eclesiástico en la calle Peironcely. Tenía treinta y tres años cuando se produjo el golpe y era chófer, razón por la cual trabajó para este centro realizando transporte de suministros, primero con una camioneta y posteriormente con un coche ligero, hasta que se incorporó al Ejército, concretamente al cuerpo de trenes. Trabajó para el círculo unos cuatro meses aproximadamente.

Evaristo Tecles Morant fue compañero de Juan Ortega en el círculo. De unos cuarenta años de edad aproximadamente, era mecánico y natural de Alicante. Cuando se produjo el golpe de Estado se encontraba trabajando. Al recibir la noticia del golpe acudió a la Casa del Pueblo del Puente de Vallecas esperando toda la noche a que les

---

[78] AGHD. Fondo Madrid, sumario 2407, legajo 5176.
[79] AGHD. Fondo Madrid, sumario 61821, legajo 5696 y sumario 60215, caja 2109, número 1.
[80] AGA, Libro registro de asociaciones de la Provincia de Madrid (08) 030.000, libro 36/03118.

entregaran un arma y al no recibirla se marchó al círculo socialista de Entrevías, del cual era miembro y donde le dio un fusil su presidente Emilio Onteniente, realizando guardias en el mismo centro. Ejerció estas funciones de guardia hasta el día 25 de agosto de 1936 por marchar al frente, a Somosierra. Otra función que ejerció en este centro cuando no estaba Emilio Onteniente fue la de hacerse cargo del teléfono, así como la de recoger los recados.[81]

CONCLUSIONES

A lo largo del presente capítulo se ha analizado la actuación y la militancia de la Casa del Pueblo del Puente de Vallecas durante la guerra civil española, una actuación que debe analizarse y comprenderse en clave global, relacionando los acontecimientos que sucedieron en Madrid y sus alrededores durante la contienda con los vividos por este centro. El desarrollo de la guerra y la actuación de los sucesivos gobiernos dieron lugar la pérdida de las atribuciones obtenidas tras el golpe de Estado del 18 de julio de 1936, principalmente en relación al orden público y la justicia. Los gobiernos que se fueron sucediendo tras la sublevación persiguieron el objetivo de que los comités no impartieran justicia. Las leyes que se promulgaron para conseguir este objetivo fueron muy variadas: desde la prohibición de la tenencia de diversos tipos de armas hasta la restricción de la circulación nocturna o la prohibición a las brigadas de los comités de que realizasen detenciones. No obstante, hasta el gobierno de Largo Caballero y fundamentalmente hasta la aparición de la Junta Delegada de Defensa (para el caso madrileño), estas iniciativas no causaron el efecto deseado por el Gobierno. Con la llegada de los socialistas al poder, la identificación de los milicianos (principalmente socialistas y comunistas: los anarquistas no lo apoyaron hasta noviembre, cuando entraron en el Gobierno) con el Estado favoreció el cumplimiento de las nuevas reformas afrontadas por el gabinete en materia de orden público. Además, durante el gobierno del republicano Giral se crearon distintos organismos que hicieron que poco a poco los comités fueran perdiendo la condición de representantes del pueblo. La principal institución fueron los Tribunales Populares, los cuales incluyeron elementos revolucionarios dentro de la justicia estatal. Finalmente, el Estado consiguió imponerse a los comités y arrebatarles el ejercicio de las funciones represivas. Esto no quiere decir que tras enero de 1937 dejasen de ser operativos. El comité de la agrupación socialista de la Casa del Pueblo del Puente de Vallecas siguió funcionando y volvió a ocuparse exclusivamente, como antes de la guerra, de sus funciones políticas en relación a la barriada donde estaba instalado.

Otro aspecto a destacar del presente estudio es el análisis de las funciones sociales emprendidas por la Casa el Pueblo durante la contienda; funciones que han quedado oscurecidas (por los relatos franquistas) por las funciones represivas llevadas a cabo por

---

[81] AGHD. Fondo Madrid, sumario 101895, legajo 2375.

los miembros del comité. El reparto de alimento, la gestión de cooperativas, la construcción de nuevos centros de educación primaria, la elaboración de cursos, mítines y conferencias o el realojo de personas que huían de la zona sublevada fueron funciones que la Casa del Pueblo mantuvo hasta el final de la contienda, y que la propaganda franquista silenció frente a las represivas.

Aunque creemos haber realizado un estudio en profundidad sobre la Casa del Pueblo del Puente de Vallecas y su militancia durante la contienda, somos conscientes de que aún queda mucho trabajo por hacer a este respecto. Todavía son muchos los aspectos sobre los que desconocemos de la retaguardia republicana en general y de los comités en particular. Este es un objeto de estudio que poco a poco irá abordándose en un mayor número de trabajos y del que iremos conociendo más datos.

FUENTES ARCHIVÍSTICAS Y BIBLIOGRAFÍA

Archivos

Archivo General de la Administración (AGA).
Archivo General e Histórico de la Defensa (AGHD).
Archivo de la Villa de Madrid (AVM).
Centro Documental de la Memoria Histórica (CDMH).
Fundación Pablo Iglesias (FPI).
Hemeroteca de *Abc*.
Hemeroteca de *El Socialista*.

Libros y artículos

ALBA, Víctor: «De los Tribunales Populares al Tribunal Especial», en *Justicia en guerra: jornadas sobre la administración de justicia durante la guerra civil española, instituciones y fuentes documentales*, Madrid: Ministerio de Cultura, 1990.

CASTELLANOS, Luis H. y Carlos COLORADO: *Madrid, Villa y Puente: historia de Vallecas*, Madrid: El Avapiés, 1988.

CERVERA GIL, Javier: *Contra el enemigo de la República... desde la ley: detener, juzgar y encarcelar en guerra*, Madrid: Biblioteca Nueva, 2015.

— *Madrid en guerra: la ciudad clandestina (1936-1939)*, Madrid: Alianza Editorial, 2006.

FERNÁNDEZ MONTES, Matilde (ed.): *Vallecas: historia de un lugar de Madrid*, Madrid: Ayuntamiento de Madrid, 2002.

LEDESMA, José Luis: *Los días de llamas de la revolución: violencia y política en la retaguardia republicana de Zaragoza durante la guerra civil*, Zaragoza: Instituto Fernando el Católico, 2003.

— «Una retaguardia al rojo. Las violencias en la zona republicana», en Espinosa Maestre, Francisco (ed.): *Violencia roja y azul: España (1936-1950)*, Barcelona: Crítica, 2010.

Martín, Francisco de Luis y Luis Arias González: *Casas del Pueblo y centros obreros socialistas en España*, Madrid: Pablo Iglesias, 2009.

Ruiz, Julius: *El Terror rojo: Madrid (1936)*, Barcelona: Espasa, 2012.

Preston, Paul: *El holocausto español: odio y exterminio en la guerra civil y después*, Barcelona: Debate, 2011.

Thomas, Maria: *La fe y la furia: violencia anticlerical popular e iconoclastia en España (1931-1936)*, Granada: Comares, 2014.

Las milicias del comandante Barceló:
la checa de las Milicias Segovianas Antifascistas

Santiago Vega Sombría
Universidad Complutense de Madrid

INTRODUCCIÓN

«Continúan cayendo en poder de la policía autores de asesinatos y robos»: así titulaba el *Abc* del 30 de abril de 1939 la detención de 94 personas entre las que se encontraba Felipe Fuentenebro Moreno, quien en «unión de seis individuos más, formó parte de las patrullas del Centro Segoviano, de Madrid, autores de numerosos asesinatos».[1] En el falangista *Arriba*, una sección diaria titulaba «Captura de malhechores» incluía el listado de detenidos y las atrocidades cometidas por cada uno. Por su parte, el órgano de la Asociación de la Prensa de Madrid, la *Hoja del Lunes*, encabezaba: «Continúan las detenciones por asesinatos de personas de orden» bajo el titular «Los crímenes durante el periodo rojo».[2] El relato de los vencedores sobre el Madrid de la dominación marxista que aparecía en la prensa triunfante enlazaba con las crónicas recargadas y alarmantes de los medios conservadores durante la primavera de 1936: robos, ataques a iglesias, profanaciones, asesinatos; en definitiva, la *violencia roja* denunciada en el Parlamento por el diputado de la minoría monárquica autoritaria Calvo Sotelo. Obviamente, el protomártir de la Cruzada omitía su cuota de responsabilidad en la creación de un clima de enfrentamiento político que justificara la necesidad de un golpe de Estado.

La publicación en prensa de la detención de los siete segovianos activó el mecanismo de la colaboración ciudadana en la represión franquista. Así, Rosa López Fernández fue a declarar al juzgado militar donde se había iniciado el sumario contra dichos individuos que habían detenido a su hermano Francisco y que se lo habían llevado

---

[1] Entre las crónicas diarias de los cientos de detenciones, anotamos un par de ejemplos. El primero, publicado en *Abc*, 30 de abril de 1939, p. 11, es el siguiente: «Víctor Martínez Aranda, se ha suicidado con una correa, que ató al tubo de una cañería, Paulino Sanz García, que sustrajo dos lápidas del cementerio de Torrelaguna y colocó en un despacho de leche que estableció en la ermita de San Bartolomé, Margarita Moreno Arias, de las Juventudes Socialistas, que se apoderó de un manto de la Virgen de la Soledad, en Torrelaguna y se confeccionó un vestido. Emiliano Arranz Sauje, tabernero y vocal del Socorro Rojo Internacional que tuvo en su tienda una checa clandestina». El segundo ejemplo es de *Arriba*: «Teófilo Torres Burguillo, uno de los asesinos de José Antonio, José Cuenca Pestaña, comisario *rojo* que se jactaba de haber firmado más de 850 penas de muerte [...] Ángel Sánchez Portela que se ha confesado autor de 600 asesinatos [...] Pedro Carreño Gómez, que igualmente se ha confesado autor de 700».

[2] *Hoja del Lunes*, 1 de mayo de 1939, p. 3.

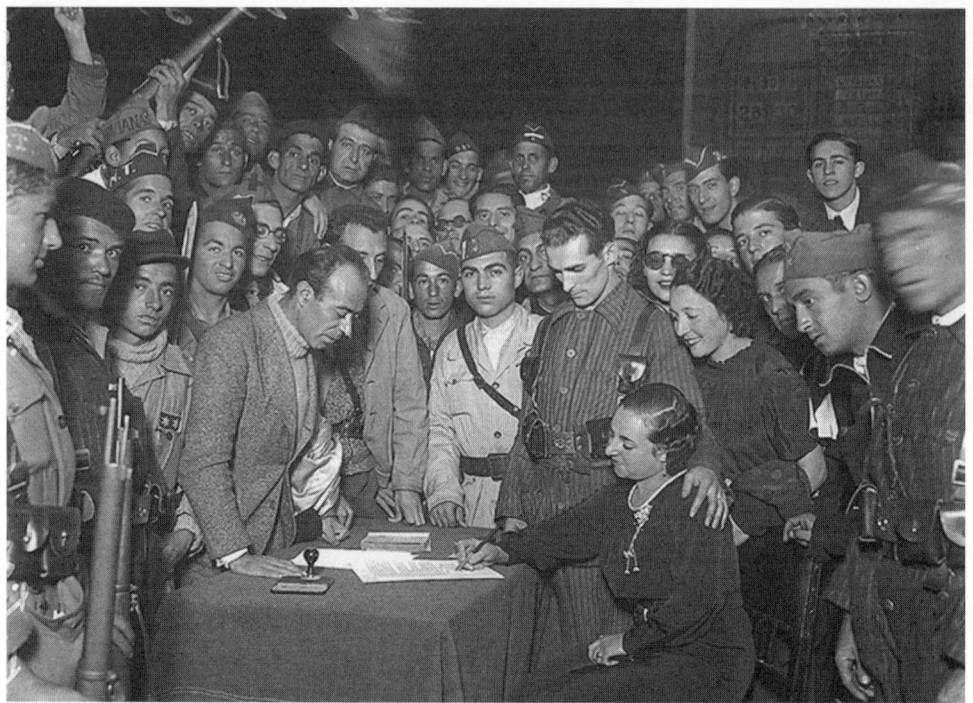

Boda de un miembro de las Milicias Segovianas ante Emiliano Barral.
Fuente: Archivo General de la Administración, Cultura

en un coche matrícula HU-1047, con un letrero que indicaba: «Milicias Segovianas Antifascistas».[3] Como ella, otros cientos de familiares de desaparecidos y asesinados en la retaguardia republicana denunciaban asesinatos, detenciones y requisas de bienes, pero también comportamientos perfectamente legales en un Estado democrático, como militancias políticas y/o sindicales o actuaciones de obediencia ante las autoridades republicanas. Siendo indudable la legitimidad de la exigencia de justicia, se inició una riada de denuncias alentadas por el clima de venganza que no se correspondía con el discurso oficial de la *justicia del Caudillo*: «Nada ha de temer quien no tenga las manos manchadas de sangre». Las detenciones de los denunciados no se hacían esperar: así, el 6 de abril había oficialmente 2348 apresados en Madrid, y eso que tales detenciones se venían practicando con una «gran serenidad y sin precipitaciones para evitar de esta forma las naturales molestias».[4] A estas cifras, claramente insuficientes, habría que añadir los miles de soldados republicanos del Ejército del Centro, hacinados en los campos de concentración organizados en los alrededores de la capital para la reclusión y clasificación de los desmovilizados.

[3] AHMD, sumario 8067.
[4] *Hoja del Lunes* de Madrid, 6 de abril de 1939, p. 2.

1 DE ABRIL DE 1939, LA HORA DE LA VICTORIA

El primero de abril no llegó la paz: se impuso la Victoria sobre los derrotados. El 2 de abril de 1939, Radio Nacional proclamaba: «Españoles, alerta: la paz no es un reposo cómodo y cobarde ante la historia: la sangre de los que cayeron por la patria no consiente el olvido, la esterilidad ni la traición. Españoles alerta. España sigue en pie de guerra contra todo enemigo del interior o del exterior».[5] La dictadura reclamaba un estado de tensión constante para mantener la unión de sangre conseguida con la guerra.

El ambiente de venganza inundaba un país destrozado por una guerra cruel en la que junto al idealismo más puro habían aflorado los peores instintos criminales; una atmósfera de odio alejada de las esencias del cristianismo que inspiraba la dictadura nacional-católica pero que era alimentada por la prensa, que impregnaba de rencor sus columnas y utilizaba el mismo tono escabroso para informar de las detenciones de los protagonistas de los asesinatos en zona republicana como de cualquier otro asunto relacionado con ese periodo. Los titulares relativos a los asesinatos eran de este orden: «En el pueblo de Tabernas, durante la barbarie roja, fueron echadas a los pozos unas ochocientas personas», «LAS VÍCTIMAS ERAN ARROJADAS CON VIDA, PROFANACIÓN DE TUMBAS Y PASEO MACABRO»…; y alternaban con otros de la vida cotidiana durante una guerra, elevados a la categoría de crímenes: «Los rojos se comieron o mataron de hambre a la casi totalidad de las fieras». Se resaltaban también los daños sufridos por los parques y jardines: «La horda taló más de diez mil árboles en el Retiro», refería el diario *Arriba*, ante lo que el jardinero mayor, Cecilio Rodríguez, «con lágrimas en los ojos al contemplar tantas muestras de barbarie, promete a los madrileños restituirles sus bellos parques y jardines».[6]

En esta atmósfera de victoria cargada de rencores hacia los vencidos, el nuevo Estado buscó y encontró la colaboración de miles de ciudadanos, mayoritariamente anónimos, para aglutinarlos en el entramado represivo. Ello constituía un buen modo de fortalecer las bases de la dictadura: se hacía sentir al denunciante que se integraba en la construcción de una nueva España libre de todos los elementos que impedían esta obra.

Desde la sublevación de julio, las autoridades militares habían venido reclamando la ayuda de los ciudadanos para la persecución de los adversarios políticos. Estos llamamientos, continuos y constantes, utilizaban todos los medios de comunicación y pretendían el concurso de los particulares en todos los campos de la represión. El gobierno de Burgos tenía un gran interés por implicar a una mayoría de la población en la labor depuradora de la sociedad, de tal manera que incitaba a que cualquier ciudadano denunciara a los presuntos sospechosos. Era una suerte de *pacto de sangre* que ayudaba a consolidar el nuevo régimen, pues cuantas más personas se vieran manchadas de sangre, más sólida y duradera sería la dictadura.[7]

---

[5] *El Adelantado de Segovia*, 2 de abril de 1939.

[6] *Arriba*, 18 y 19 de abril de 1939, respectivamente.

[7] A. Reig Tapia: «Los mitos políticos franquistas de la guerra civil y su función: el espíritu del 18 de julio», en J. Aróstegui y F. Godichot (coords.): *Guerra civil española y políticas de memoria*, Madrid: Marcial Pons, 2006.

Es indudable que un sector importante de los españoles participó y colaboró con el régimen en las labores represivas, pero no se debe olvidar que la intensidad y extensión de la represión consiguió el objetivo de la paralización por el terror, lo que contribuyó en gran medida a la consecución de ese *consenso* ante la dictadura. Los paisanos debían estar alerta y denunciar a vecinos, compañeros de trabajo e incluso desconocidos *sospechosos* que vieran por la calle. Entre los enemigos de Franco que nombraba el gobernador civil de Segovia, Pérez Mirete, estaban «los cobardes en denunciar a los malos españoles». Había que denunciar sin ningún reparo ni rubor. La intervención de unas personas acusando a otras y las delaciones anónimas —amparadas por las autoridades— originaron ejecuciones, prisión, depuración, incautación…; en fin, represalias que sin la colaboración ciudadana no se hubieran podido llegar a producir.[8] En estas situaciones de terror generalizado, el miedo a lo que les pudiera ocurrir hizo que muchas personas, que en otras condiciones no hubieran colaborado, denunciaran para no ser señaladas o perseguidas por desafectas. Pero como es natural, también hubo demasiadas personas que aprovecharon con gusto la posibilidad de denunciar con total impunidad cualquier tipo de actividad de alguien con quien tuvieran alguna enemistad personal.

El final de la guerra unificó y extendió la persecución hacia los derrotados. Se percibía con fuerza hasta en las provincias que se habían sumado desde el inicio a la sublevación, donde la profilaxis se había verificado completamente. Así, por ejemplo, el maestro Ulpiano Domínguez, que había sido cesado el 7 de septiembre de 1936 por no haberse reincorporado a su puesto debido a su estancia de vacaciones en zona republicana al inicio de la guerra, se encontró con un recibimiento que no esperaba cuando en abril de 1939 volvió a su destino en la localidad segoviana de Aldea Real: fue detenido por un guardia civil, que coincidió en el autobús con el maestro, porque varios vecinos, al verle, «se abalanzaron a él, por el mal comportamiento que había tenido durante su primera estancia en el referido lugar». De tal manera, fue detenido «al objeto de evitar un conflicto que hubiera tenido lugar caso de haberse apeado dicho maestro en aquella residencia».[9] Tras la detención vino el traslado a la cárcel de Segovia (no les frenó que el maestro tuviera setenta años). Paralelamente, se le instruyó el expediente de depuración, que finalizó con su separación definitiva del cargo.

Una emoción rencorosa inundaba la denuncia firmada en Villacastín por seis madres de caídos por Dios y por España contra su vecino Saturnino García, «uno de los rojos más distinguidos, huido en los primeros días del movimiento por no entregarse a la justicia, donde en su casa fueron alladas armas y carné socialista e iscriciones donde

---

[8] Para los procedimientos de expropiación de bienes, Conxita Mir: *Vivir es sobrevivir: justicia, orden y marginación en la Cataluña rural de posguerra*, Lérida: Milenio, 2000; Julio Prada: *Marcharon con todo: la represión económica en Galicia durante el primer franquismo*, Madrid: Biblioteca Nueva, 2016; S. Vega Sombría: *La política del miedo*, Barcelona: Crítica, 2011, donde además se constata esa colaboración ciudadana en otros ámbitos represivos: fusilamientos extrajudiciales, depuraciones, responsabilidades políticas y coacción de los comportamientos.

[9] AHMD, diligencias previas 1824.

decía así Viva la república, viva el comunismo. Prestó servicio y alluda a los rojos» [sic]. La fundamentación de la delación no podía ser más justificada: «Siendo madres de hijos muertos por su culpa, denunciamos a usted el echo de que cierto individuo se alle en libertad entre nosotros creyéndole uno de los responsables de tantas vidas perdidas, se dice no haberse manchado las manos de sangre nadie lo puede asegurar porque durante su ausencia solo el lo sabrá» [sic]. Las mujeres pedían la detención inmediata del acusado por ser «madres doloridas por la pérdida de nuestros queridos hijos muertos por su culpa», para evitar «males mallores« [sic].[10]

Unos «males mayores», estos, que sí ocurrieron en Mudrián cuando otras madres de caídos, acompañadas del resto del pueblo, pretendieron ajusticiar a Tomás Gómez. Era el 9 de abril de 1939, Tomás acababa de llegar del *campo rojo* y el alcalde le tenía encerrado para evitar su linchamiento. Pedro, hermano del detenido, tuvo que marchar rápidamente a la localidad vecina de Navalmanzano para pedir ayuda a la Guardia Civil. «Con la rapidez posible» acudió la Benemérita, «encontrando al llegar a la plaza mayor todas las autoridades locales y gran número de personas que a la presencia de la fuerza rompió a gritar pidiendo justicia y que se matara al individuo en cuestión por traidor a la patria y ser el más grande de los sinvergüenzas y peligrosos comunistas». Tomás era dirigente de la Casa del Pueblo y, para evitar las represalias de los primeros momentos de la guerra, se enroló en una centuria de Falange de la que se pasó a filas republicanas, «desde donde por sus indicaciones fueron atacadas nuestras filas causando en ellas algunas bajas».[11]

En el Madrid liberado, los rencores alcanzaban un nivel de intensidad superior. José Lagunero (padre del catedrático Eustaquio Lagunero y sus hermanos Augusto, Ruperto y José, estudiantes, sacados el 30 de noviembre de 1936 de la cárcel de Ventas y asesinados en Paracuellos) se *atrevió* a visitar (con la autorización de los mandos policiales de la Dirección General del Seguridad) al que suponía asesino de sus hijos en las dependencias de la Brigada Político Social en Serrano, 108. El acusado, Leandro Blasco Alonso, murió pocas horas después de la visita, el 12 de julio de 1939. El 17 de septiembre, Lagunero reconoció que al aproximarse al detenido, «con intención de agarrarlo por la solapa de la americana, éste se echó hacia atrás, cayéndose sobre la mesa, donde había una máquina de escribir y dándose un golpe con ella». Una vez levantado, se «desvaneció cayendo otra vez al suelo». Pero resultó que la víctima, según el informe de la autopsia, mostraba en el cuello «señales indiciarias de estrangulamiento [...] existen signos de probabilidad de haber sido hecho en vida [...] el surco ha debido ser hecho con un cordel delgado y doble».[12]

El 1 de abril de 1939 se presentaron en la comisaría del distrito Centro dos miembros de la directiva del Centro Segoviano en Madrid: Valentín Cardiel, médico y vi-

---

[10] AHMD, causa 60 539. Carta fechada el 20 de abril de 1939 y firmada por seis madres cuya caligrafía no coincide con la que aparece en el texto. Se ha respetado la ortografía del original.
[11] AHMD, causa 37 970.
[12] AGHD, causa 35/7852.

cepresidente, y el tesorero Florentino García Salgado. Denunciaron que habían sido despojados del local social por unos individuos entre los que figuraban el escultor socialista (autor del mausoleo a Pablo Iglesias) Emiliano Barral, el concertista de guitarra clásica y recuperador del folclore castellano y militante comunista Agapito Marazuela, el presidente de Izquierda Republicana —huido de Segovia— José Carrasco, el cerrajero comunista Eugenio Gómez, el funcionario del Ministerio de Agricultura y militante de Unión Republicana Eduardo Tuya y otros individuos, quienes «pistola en mano les desalojaron», «organizaron las milicias segovianas» y «planearon diversos asesinatos y saqueos de derechistas segovianos».[13] Como resultado de esta denuncia, fueron encarcelados los citados Agapito Marazuela y Eduardo Tuya. Del resto de los procesados, unos habían fallecido, como Emiliano Barral, y otros estaban en prisión por otras acusaciones. A lo largo del proceso no volvió a aparecer una sola mención sobre los asesinatos y saqueos apuntados en la delación.

Al día siguiente, 2 de abril, el denunciado era otro protagonista del centro, Alejandro González González, «elemento de los más destacados contra el movimiento» en Segovia, pues era dirigente del PCE y de la Casa del Pueblo de aquella capital. Luis Martín García, jefe local de FET de Segovia, se desplazó a Madrid para detener —y posteriormente denunciar y presentar— a Alejandro en la comisaría de Centro.

LAS MILICIAS ANTIFASCISTAS SEGOVIANAS

En la capital de la República, ciudad de acogida de originarios de todo el país, desde antiguo había locales de reunión de carácter regional o provincial. Las casas regionales cumplían una función muy atractiva para los forasteros en Madrid: servían como lugar de reunión y difusión de noticias de ámbito local o provincial que de otro modo no llegarían a los ausentes de sus localidades de origen. El Centro Segoviano, fundado el 6 de mayo de 1920, contaba con algunos millares de socios en la primavera de 1936. Sus variadas actividades siempre habían estado alejadas de la realidad política de España.[14] Disfrutaba de una inmejorable ubicación en el número 1 de la Calle Mayor, esquina con la Puerta del Sol. El 15 de agosto, el golpe de Estado transformado en guerra civil aún no había afectado a los socios del centro regional, por lo que un grupo de segovianos más concienciado con la gravedad del momento se hizo con el control de la institución (de unos 1500 metros cuadrados) y organizó las Milicias Segovianas Antifascistas. Esta iniciativa no era única, sino que en todos los centros regionales se tomaron similares iniciativas. Al tiempo que se creaban batallones de partido, sindicato o agrupaciones de barrio, se organizaban las milicias burgalesas, abulenses, salmantinas...

---

[13] AHMD, sumario 15.639.

[14] En la prensa provincial aparecían crónicas sobre sus actividades. En *El Adelantado de Segovia* se hacían eco de la *fiesta del niño*, en febrero de 1936. En el *Heraldo Segoviano*, todas las semanas había una columna firmada por Valentín Contreras, que hacía las veces de corresponsal.

En el Centro Segoviano se estableció también un comité del Frente Popular. La pluralidad democrática que defendía la Segunda República se mantenía en todos los ámbitos de poder: gobierno central, provincial, local… La diversidad política y sindical se trasladaba a la defensa de la legalidad frente a la sublevación militar. La represión en zona republicana también fue plural: encarcelaron y ejecutaron milicias republicanas, socialistas, comunistas y anarquistas. El nuevo comité directivo del Centro Segoviano quedó así: presidente, Emiliano Barral, socialista; vicepresidente, Valentín Contreras, de Izquierda Republicana; tesorero, Francisco Martín de Antonio (candidato a diputado por Segovia en febrero), de Unión Republicana; vocales, Agapito Marazuela y Eugenio Gómez, del Partido Comunista, y José Carrasco y Eduardo Tuya, de Izquierda Republicana.

Inmediatamente se organizaron las Milicias Segovianas Antifascistas a través de un comité de milicias que reclutó voluntarios de la provincia (residentes en Madrid y evadidos). El objetivo inicial era terminar con las actividades frívolas del Centro Segoviano, donde al mes de iniciada la rebelión «se seguía jugando como si no pasara nada». Había también un objetivo más difícil de realizar pero de mayor idealismo: «liberar el territorio segoviano».[15] Un mes después aparecía en *Abc*: «A punto de finalizar la instrucción del batallón de las Milicias Antifascistas Segovianas, se requiere a los segovianos y simpatizantes que quieran alistarse lo hagan a la mayor brevedad».[16]

El local se constituyó en sede de milicias durante cuarenta días, hasta que los milicianos fueron trasladados al cercano Frontón Madrid, situado en la calle Doctor Cortezo. En dicho frontón se instaló también un hospital de sangre para los heridos de las Milicias Segovianas. En el marco de la realidad bélica, la dotación de material para las milicias provenía de requisas: armas, toda clase de vehículos —automóviles, camiones, motocicletas—… «Por el presente volante se autoriza al compañero, Pablo Herrero para que en nombre de estas milicias se incaute de un fusil cuyo paradero conoce». Igual mecanismo se empleaba para requisar un coche «para el servicio de urgencia de estas milicias». Las incautaciones también se hacían para hacer más cómoda la estancia de los milicianos en retaguardia: «Para autorizar al miembro de este comité Eustaquio Ruiz para requisar los colchones que encuentre, con destino a estas milicias, donde los encuentre». Se requisaban también libros para mejorar la biblioteca del Centro Segoviano, muebles de la asociación de Estudiantes Católicos (ubicada en el mismo portal) o tambores y bombos para la banda de música.[17]

En el Centro Segoviano tenía su despacho el citado Alejandro González con su secretario Fernando Llorente. Desde allí seleccionaba a los segovianos elegidos para

---

[15] *El Heraldo de Madrid*, 22 de noviembre de 1936.

[16] *Abc*, 19 de septiembre de 1936. Las cifras de milicianos segovianos varían entre 219 integrados en la Columna Prada durante la defensa de Madrid y 566 reseñados en la relación de milicias de la Comandancia General a comienzos de 1937. Más información en *Segovianos al servicio de la República*, Foro por la Memoria de Segovia, con la colaboración del Ministerio de Presidencia, 2011.

[17] Fechados el 3 de septiembre de 1936, CDMH, fondo 1146, legajo 103, folios 93, 94 y 96, respectivamente.

participar en las agrupaciones guerrilleras y en el servicio de espionaje. También debía investigar e informar sobre los prisioneros y evadidos de Segovia. En un principio, los huidos de Segovia pasaban detenidos desde el puesto de mando republicano del lugar de la sierra en el que se hubieran presentado (Rascafría, Navacerrada, Cercedilla) al cuartel de Conde Duque. Allí permanecían el tiempo necesario hasta que llegaran informes o avales necesarios que acreditaran la ideología y/o militancia antifascista y facilitaran la liberación. Organizaban la información desde el Centro Segoviano. Así, muchos de los evadidos, una vez liberados de Conde Duque, se alistaban en las Milicias Segovianas. Tal es el caso de Antonio y Victoriano Gil, Francisco y Victoriano Barreno, Santiago Cubo y otros siete originarios de Zarzuela del Monte que se pasaron en el mismo grupo.[18] Más adelante, los huidos y detenidos en el frente eran enviados al Depósito de Prisioneros y Evadidos de Corralejos, habilitado en 1937 en las cercanías de Barajas. Por allí pasaron los evadidos Eleuterio Muriel, Bernardo de Pablos y Francisco Berzal así como los detenidos en las acciones de los guerrilleros en zona sublevada.

LA CHECA DE LOS SEGOVIANOS EN LA CÁMARA DE LA PROPIEDAD

La sublevación militar chocó con la contundente resistencia de las organizaciones obreras, que fueron armadas, a veces demasiado tarde, por los gobernadores civiles y por los asaltos a los cuarteles. Allí donde fue reprimido el golpe, el Estado democrático saltó en pedazos y aparecieron multitud de parcelas de poder dirigidas por los partidos y sindicatos que habían derrotado a los sublevados. Por todo el territorio leal al Gobierno surgieron comités de Salud Pública, del Frente Popular, de milicias antifascistas, de huelga, consejos municipales, provinciales, regionales… Cuanto más habían tenido que luchar para vencer a los golpistas, más fuerza tenían las milicias y menos poder ejercían las instituciones del Estado, que pretendía mantener la legalidad de un estado democrático de derecho.

Cada organización política y sindical organizó su propia milicia con su cuartel correspondiente y, en muchos casos, una sección de Investigación y Vigilancia. Protagonizaban las acciones represivas: detenciones, registros, expropiaciones y en muchos casos, ejecuciones. No eran grupos *descontrolados*, pero tampoco estaban organizados ni dirigidos por el Gobierno. En los primeros meses de guerra, las milicias de partidos y sindicatos utilizaron centros de detención, denominados por sus víctimas *checas* debido a su parecido con las soviéticas de la *Chrezvicháinaya Komissia*. En los interrogatorios, los detenidos podían sufrir vejaciones y torturas, y muchos de ellos fueron sacados para ser asesinados. La Causa General inventarió en Madrid unas doscientas checas de las que el Comité Provincial de Investigación Pública fue la más célebre,

---

[18] *Abc*, 25 de febrero de 1937, p. 16. Reportaje con foto del soldado Victoriano Gil, evadido de zona sublevada, que manifiesta su deseo de incorporarse a las Milicias Segovianas Antifascistas.

conocida como Fomento o Bellas Artes por estar ubicada sucesivamente en la calle y en el círculo del mismo nombre. Curiosamente, en el *Abc* del Madrid republicano las únicas citas encontradas con esta denominación se refieren a que los requetés de San Sebastián organizaron también su «checa» y los falangistas «disfrutan de otra para su servicio». También se menciona a la checa del Círculo Gaditano en aquella ciudad.[19]

En las casas regionales también se transformaron algunas dependencias en lugares de detención e interrogatorio, pues las comisarías y cárceles rápidamente se vieron desbordadas. Cumplían la función de agilizar los procedimientos esclarecedores, pues a ellas eran derivados los originarios de esa provincia, donde se los podía conocer, o al menos recabar más fácil y rápidamente informes sobre su filiación política. Allí llevaban por un lado a los sospechosos detenidos por sus simpatías golpistas, denunciados por vecinos u organizaciones políticas y sindicales, y por otro a los muchos que huían de zona sublevada escapando de la represión.

Las Milicias Segovianas Antifascistas tenían asignada la oficina de Investigación y Vigilancia establecida en la Cámara de la Propiedad, situada en el número 4 de la plaza de San Martín. Fernando Llorente recuerda que, tras su paso por el cuartel de Conde Duque, fueron llevados allí los dos huidos (José Seoane y él). Recuerda que les atendieron los socialistas Pedro Barral, Celedonio y Francisco González Ortega y el dirigente del PCE Manuel Tamayo.

Inicialmente, las Milicias Segovianas, junto con las de partidos, ateneos o sindicatos, estaban integradas en el organigrama de la Inspección General de Milicias bajo el mando del comandante Barceló, con sede en un palacio incautado en el número 33 de la calle Ríos Rosas.[20] Constituidas las Milicias de la República y centralizada su inspección bajo su comandante, Barceló organizó grupos de milicias con función mixta de policía, frente y retaguardia, y tenía desde los primeros «instantes revolucionarios» grupos que se creaban con atribuciones de «tal índole que ni el mismo Ministro disponía del personal de las Milicias de Barceló, dotadas de carnets amarillos firmados por el Jefe».

En la estructura de las milicias, era el puesto 18, con sede en la plaza de San Martín, 4 —sede de la Cámara de la Propiedad—, el que correspondía a los dos grupos de policía segovianos, de diez miembros y con un chófer cada uno. A ellos habría que añadir otros que se integraron más adelante o pertenecían a otros grupos, y que se conocen por testimonios o documentación consultada: Víctor Lobo, Absalón Montero, Mariano Cristóbal, Pablo Herrero Manso, Primo Díaz, identificados en su declaración por el procesado Felipe Fuentenebro.

[19] *Abc*, 14 de diciembre de 1936. El titular era un expresivo «El terror fascista en San Sebastián. Se fusila a los nacionalistas vascos, entre ellos un centenar de sacerdotes». 17 de abril de 1937. Una vez ocupada Barcelona por las tropas franquistas, aparecen en *La Vanguardia* referencias a las checas del SIM en esta ciudad, 3 de febrero de 1939, p. 5.

[20] Allí tenían su puesto en la secretaría general, como capitán, Enrique Pérez Bonín, abogado dirigente del PSOE de Segovia; como alférez el abogado Antonio Linaje Revilla, gestor de la Diputación Provincial por Izquierda Republicana, y como sargento Primo Díaz Palacio, gestor del Ayuntamiento de Cantalejo por la UGT. Más adelante, Pérez Bonín será oficial inspector de la Oficina del Servicio de Investigación de la Inspección General de Milicias.

Ante la multiplicidad de milicias que detenían, incautaban, interrogaban y/o asesinaban, el gobierno de Largo Caballero creó en septiembre las Milicias de Vigilancia de Retaguardia. En la Causa General se recoge que «ante lo lucrativo y cómodo del servicio, todas las milicias actúan intensamente en la retaguardia de tal manera autónomas, que el gobierno no sabía cuántas eran, qué hacían y cómo funcionaban; la Dirección General es impotente para controlar el orden público y éste no existe».[21] Así pues, ingresan en las MVR, las Milicias Barceló, con sus «famosos puestos que funcionaron desde el 18 de julio y que se hicieron temibles». A partir de entonces se regularon y legalizaron los registros domiciliarios y las detenciones, que solo podían practicar «las Autoridades militares y gubernativas y sus Agentes», así como «los milicianos que posean carnet de Milicias de Vigilancia de Retaguardia» (ahora de color blanco), a lo que se añadía que los detenidos debían ser imperativamente conducidos a lugares designados por la Dirección General de Seguridad (DGS) y, tras un máximo de 72 horas, puestos en libertad o a disposición de los tribunales o de la propia DGS.[22]

El modus operandi oficial requería que todos los jefes de grupo de los puestos de vigilancia rindieran cuentas cada noche en Ríos Rosas, 33, donde despachaban con el teniente de asalto Barbeta[23] para dar cuenta de las incidencias surgidas durante el día y del estado de los detenidos y recibir órdenes de la Inspección. Barbeta era quien decidía sobre el destino de los detenidos, unos enviados a la Dirección General de Seguridad y otros a Fomento, lo que se «efectuaba contra entrega de volante». El responsable de grupo Antonio Pérez Herrera no negaba la posibilidad de que algunos puestos de vigilancia «decidieran o realizaran por sí, la ejecución de detenidos, pero desde luego, puede asegurar, que el régimen establecido era dar cuenta de las detenciones a la Inspección General y que esta resolviese».[24]

Poco a poco fueron ingresando en las MVR las milicias dependientes de la Inspección de Barceló y el resto de entes autónomos, como los Linces de la República, las Águilas de la República, la Brigada del Amanecer (dirigida por García Atadell), etcétera. A mediados de noviembre estaban organizados dos mil milicianos distribuidos en seis grupos que agrupaban a su vez a otros tantos puestos, dirigidos por el comunista Lucio de Santiago. Así vemos integrar el número 34 de las MVR al referido grupo 18 de segovianos, que ahora aparecen identificados con su edad y militancia política. Se observan algunos cambios con respecto al listado anterior: ya no están en el grupo, y tampoco pasan a otros de la misma estructura de MVR, Jacinto Paniagua, Francisco Álvarez, Celedonio González, José Delgado, Marcos Morcillo, Manuel Tamayo, Ángel de Frutos y Esteban Martín. En su lugar se incorporan otros milicianos. En el caso de Eustaquio

---

[21] Pieza núm. 4 «Checas», ramo 19, folio 11.

[22] *Gaceta de la República*, 17/9/1936; y órdenes ministeriales de 6 y 9 de octubre, *Gaceta de la República* 7/10/1936, pp. 224-225 y 11/10/1936, p. 294, respectivamente.

[23] Como aparece solo citado el apellido, no se ha podido averiguar si se trata de Alfonso o su hermano, también teniente de asalto. Vilches era el segundo apellido. Algunas fuentes lo implican en la muerte de Calvo Sotelo, pues era compañero del teniente Castillo, asesinado anteriormente.

[24] Pieza núm. 4…, folio 202.

Ruiz, parece que su ausencia está justificada porque asciende a inspector de un sector en el que se agrupan varios puestos de milicias. Así consta en la redistribución aportada por Javier Cervera de las sedes de los sectores donde existía un inspector.[25] En San Lorenzo, 15, el inspector era «un tal Pineda», que sabemos era el apodo de Eustaquio. Otro inspector conocido es «un tal Pastor» en el 10 de la calle Don Pedro. En este caso no podemos asegurar que sea Inocente Pastor, puesto que figura su continuación en el puesto 34, aparte de que *Pastor* puede ser un apellido o un apodo y que ese «un tal Pastor» podía hacer referencia a otra persona.

De agrupar a los milicianos por su adscripción político/sindical resulta el siguiente cuadro:

UGT	10
Comunistas	8
CNT	2
Comités del Frente Popular	3

Llama la atención la ausencia de militantes socialistas, lo minoritario de anarquistas y republicanos y el equilibrio entre el predominio sindical de UGT y los comunistas. Entre los sindicalistas son mayoritarios los panaderos de Artes Blancas Alimenticias: Pablo Herrero, Zacarías Parra, Isidoro Pérez y los hermanos Martín. Aunque en una nota se apunta que el puesto 34 operaba en Antonio López, 68 (cuyos responsables eran Francisco Parrondo y Miguel Frencio Guerola), en el documento donde aparecen los milicianos anteriores domiciliaba aún en plaza de San Martín, 4.

Pero los excesos cometidos por las milicias de Barceló, que se habían pretendido erradicar con la creación de las Milicias de Vigilancia de Retaguardia, no llegaron a subsanarse del todo, como explica perfectamente José Cazorla en su declaración ante la jurisdicción militar. El dirigente de JSU sustituyó en diciembre de 1936 a Santiago Carrillo en la consejería de Orden Público de la Junta de Defensa de Madrid, y exponía la problemática que había detectado en su funcionamiento. Desde los primeros momentos pudo apreciar que estas milicias estaban «minadas por las influencias de los partidos, sin que se pudiera establecer un mando eficaz sobre ellas», especialmente porque en los diferentes destacamentos se había «procurado reunir los de organizaciones más afines y solo obedecían las órdenes que de los mismos recibían». Como consecuencia, los destacamentos no eran «otra cosa que otros tantos lugares a los que se denominaban "checas" y donde los detenidos corrían la suerte que sus dirigentes a libre arbitrio determinaban». Es así como Cazorla propuso al director general de Seguridad, en la primera visita que le hizo en Valencia a mediados de enero de 1937, la «necesidad

---

[25] J. Cervera Gil: *Contra el enemigo de la República… desde la ley: detener, juzgar y encarcelar en guerra*, Madrid: Biblioteca Nueva, 2016.

de disolver estas milicias o si ello no fuera posible, encuadrarlas dentro de las dependencias de la policía». El dirigente de la JSU defendía que «ya Santiago Carrillo había corregido excesos durante su mando o por lo menos anomalías, y que al tomar posesión el declarante corrigió también anomalías hasta el punto de quitarlas su autonomía».[26]

Análisis similar hace el miliciano Juan Velasco en su declaración de descargo ante el juez. Acusaba que las MVR estaban encargadas de

efectuar las detenciones, paseos, robos y saqueos [...] veía con frecuencia en el local que estos individuos hacían entrega al que actuaba de secretario alhajas, etc. Sabe que al igual que este grupo actuaban independientemente al control de las Autoridades Rojas, otros siete u ocho grupos, los que sembraban de tal forma el terror por toda la capital que las autoridades rojas a últimos de 1936 ordenaron su disolución, incorporando algunos de sus elementos a las distintas comisarías.[27]

El 1 de mayo de 1937, las Milicias de Retaguardia pasaron a integrarse en las plantillas de las comisarías y los milicianos se convirtieron en agentes de policía o guardias de asalto si así lo solicitaban expresamente. Así, algunos continuaron su labor de policías durante la guerra, como Alejandro de Frutos, Juan Velasco y Eugenio Gómez. Otros muchos pasaron a unidades militares, y los segovianos al Batallón 167 de la 42 Brigada Mixta. Finalizaría de esta manera la existencia del grupo 34, heredero del 18, de las Milicias Segovianas Antifascistas.

LOS PROCESOS JUDICIALES-MILITARES

A través de las actuaciones de los juzgados militares se conoce la participación de la sección de investigación de las Milicias Segovianas en detenciones y que también fueron acusadas de algunos asesinatos, pero a pesar del enorme empeño de la justicia militar franquista en condenar a todos los defensores de la legalidad republicana en sus distintos grados de colaboración con el gobierno del Frente Popular y de las numerosas condenas a muerte basadas en una simple sospecha o en la declaración de un único testigo, ningún miliciano fue fusilado por su implicación en posibles ejecuciones atribuibles a las Milicias Segovianas. Es un hecho que sorprende, puesto que no era lo habitual en la España franquista. Menos de un mes llevó a la muerte a Crescencio Arranz Valle. Detenido el 23 de junio de 1939, acusado por un *camisa vieja* de distribuir unas hojas clandestinas, «concevida [sic] en términos que animaban a los obreros para que realizasen actos de sabotaje si se consideraban buenos anti-fascistas». El agente denunciaba que Crescencio la había entregado a Tomasa Mayor, propietaria de una tienda. De este modo, Tomasa se vio obligada, al día siguiente de la presentación de la denuncia por el

---

[26] En el cargo entre el 27 de diciembre de 1936 y el 23 de abril de 1937.
[27] AHMD, sumario 8067.

camisa vieja, a efectuar la suya, manuscrita a lápiz en un trozo de hoja y en la que identificaba a quien le había entregado las «ojas [sic] de propaganda izquierdista en la cual se incitaba al saboteo y todo lo que vaya en contra de los Nacionales, rompiéndolas yo abajo firmante pues me parecieron peligrosas».[28] Finalmente, Crescencio sería fusilado el 24 de julio, sin más actuaciones judiciales.

Los milicianos segovianos realizaban las detenciones, llevaban a los sospechosos a sus centros de detención y tras el correspondiente interrogatorio los trasladaban al Comité Provincial de Investigación Pública o a la Dirección General de Seguridad, de donde podrían salir para ser asesinados. En un informe de la Causa General se denuncia la muerte de José Uruñuela Herrera, estudiante de veinte años, detenido y llevado a la checa de la Cámara de la Propiedad y más tarde asesinado, así como la detención en la misma de los periodistas Antonio Creixell de Pablo y sus hijos Antonio, José y Ángel Creixell Luigui, después trasladados a Fomento de donde salieron para ser fusilados.

La composición mayoritaria de militantes de Artes Blancas genera que sus intervenciones y las acusaciones sobre posibles asesinatos cometidos se centren en industriales panaderos o incluso en compañeros trabajadores del sector. El ajuste de cuentas de conflictos sociales previos que habían dejado resquemor en trabajadores y empresarios es un aspecto propio de la violencia durante la guerra civil; una represión de clase que en zona republicana protagonizan los obreros frente a sus patronos y que ofrecía una versión contraria en zona sublevada, donde víctimas y verdugos intercambian sus papeles. El primer caso es la desaparición del esposo (sorprendentemente, ni en la denuncia, ni en la ratificación posterior ante el juez, ni siquiera en el auto resumen del sumario, consta la identidad de la víctima) de Genoveva Fernández Usero, industrial panadero. En su detención participó —junto a los milicianos de retaguardia del grupo número 18— un antiguo empleado de la víctima, Félix Martín, quien, según consta en el sumario, se había infiltrado en el sindicato de panaderos de Falange en 1934 por orden de UGT. Similar situación sufrió el desaparecido Pedro Manzano Díaz, propietario de una fábrica de pan detenido el 27 de octubre de 1936 por Mariano Navares y otros.[29]

Es posible que alguna de las detenciones fueran realizadas por milicianos que no estaban encuadrados en ningún puesto de vigilancia, pero que se valieran del uniforme para ajustar cuentas propias o encargos de otras personas. Así le ocurrió a Nicasio Pajares, acusado de estar al frente de un grupo de Milicias Segovianas que detuvo a Francisco López Gómez. Nicasio era un panadero que alcanzó el grado de teniente, primero de las Segovianas y después de la 42.ª Brigada Mixta, pero no había pertenecido a ninguno de los puestos de vigilancia referidos.[30] No fue probada su participación, por lo que su condena quedó en 12 años. Caso análogo protagonizó Pablo Herrero, militante de la sección de Repartidores de pan a domicilio, adscritos a Artes Blancas. Fue acusado de

---

[28] AHMD, sumario 28 151.
[29] Agentes C. Quevedo y F. Loeches, AHMD, sumario 14 870.
[30] AHMD, sumario 19 813.

ser el inductor de la desaparición de su compañero panadero Pedro Benito y el patrón de ambos, José Barrera. Tampoco se confirmó su implicación en estas desapariciones y recibió una pena de 20 años.

En el sumario del también panadero Zacarías Parra Peña aparece la detención de un empleado del diario *Época*, Martín González y Rosales, por las Milicias Segovianas, grupo 18, «cuyo jefe era un tal llamado Peña» el 6 de septiembre de 1936, conducido a la checa de Las Descalzas (en algunas fuentes aparece así denominado el puesto de la Cámara de la Propiedad) y de aquí a Marqués de Riscal, de donde desapareció. Su hijo Martín Rosales y Rodríguez de Rivera, estudiante, detenido por las mismas milicias que el padre, fue conducido a idéntico lugar y desaparecido el 18 de septiembre de 1936.[31] Como en los casos anteriores, no culminó su acusación y salió en libertad en 1941.

La multiplicidad de milicias y organismos que detenían hacía muy difícil la concreción de las acusaciones. La viuda del abogado Antonio Gil de Antonio acusaba a Mariano Navares, «vecino de Sepúlveda, comunista, del Centro Segoviano», por la detención de su marido el 12 de noviembre de 1936 por «agentes de vigilancia de la Brigada de Investigación Criminal», cuando Navares era miliciano del puesto 34 de las Milicias de Vigilancia de Retaguardia y no de la citada brigada.

El sumario 8067 procesó a la mayoría de segovianos miembros de las patrullas de vigilancia. El *modus operandi* de los interrogatorios franquistas y las delaciones que provocaba se plasma en el número (un total de 25 personas) y la identificación de los procesados. En primer lugar, llama la atención la inclusión de Santiago Carrillo, consejero de Orden Público de la Junta de Defensa de Madrid entre el 6 de noviembre y el 27 de diciembre de 1936 al que acusan algunos encausados de ser el responsable último de las detenciones. La mayor parte de los inculpados eran declarados *rebeldes*: unos exiliados (Santiago Carrillo, Celedonio González, Enrique Pérez), otros muertos (Antonio Linaje, Mariano Cristóbal) y el resto presos, aunque debido al abarrotamiento de las prisiones las autoridades no tenían constancia de todos sus encarcelados (Federico Manzano [Govantes, socialista, organizador de las MVR], Zacarías Parra, Pablo Herrero e Inocente Pastor).

La denuncia que originó el sumario y las detenciones citadas al inicio de este capítulo fue presentada por Pedro de Miguel Yagüe el 11 de abril de 1939[32] sobre la detención y asesinato de su hermano Fausto por la brigada de investigación creada en el Centro Segoviano. En la denuncia, De Miguel acusa a algunos de sus miembros, así como a otros que no tenían ninguna relación con la brigada, como el maestro del folclore Agapito Marazuela. Los acusados segovianos citados por el denunciante eran Primo Díaz, Juan Velasco, Absalón Montero, Crescencio Matesanz, Víctor Lobo («que sabía quién tenía el reloj de la víctima»), Quintín de la Fuente, Jerónimo Martínez, Juan Matey y Alejandro de Frutos. Algunos más que no estaban citados en el inicio del proceso se

---

[31] AHMD, sumario 12 768.

[32] A las 9 de la mañana ante los policías de la Brigada Político Social: Santiago Barreno Segoviano y José Montoya Lirola. AHMD, sum. 8067.

añadirían posteriormente. El asesinado, Fausto de Miguel Yagüe, era consejero delegado de la Asociación de Agricultores de España y había sido alcalde y juez municipal de Cabezuela.[33] Sufrió dos detenciones, la primera el 15 de septiembre y la definitiva el 11 de noviembre de 1936, en el momento crítico de la ofensiva franquista en Madrid. Juan Velasco afirmó que «aprovecharon que estaba enfermo en cama Barral, para llevárselo». Poco después, Fausto de Miguel apareció muerto en un descampado de la calle Andrés Mellado.

Otras dos víctimas figuran en el sumario: Francisco López Fernández, jefe de la Juventud de Renovación Española, y Guillermo Pujol Campo.[34] Como se apuntó al comienzo, la hermana del primero denunció que tras la detención se lo llevaron en un coche con matrícula HU-1047 y un letrero en el exterior: «Milicias Segovianas Antifascistas». El hermano del segundo alegó que lo detuvieron patrullas de las Milicias de Segovia y lo trasladaron a la Cámara de la Propiedad, y algún tiempo después apareció cadáver. En el resto de la causa militar no vuelve a aparecer ninguna mención a estos dos posibles asesinatos.

El procedimiento judicial militar reúne una serie de características comunes entre las que destaca la existencia de muy pocas certezas entre las denuncias, salvo la desaparición definitiva de las víctimas. Esta carencia de certidumbres provoca grandes dosis de arbitrariedad que llegan hasta el punto de la aplicación de la pena de muerte de los procesados sin más pruebas condenatorias que la acusación inicial. La multitud de sumarios genera, en muchos casos (especialmente durante los primeros meses de posguerra) la aceleración de los procedimientos, en los que, en caso de duda, no es *pro reo*, sino en contra, con la aplicación de las penas más severas: a muerte o treinta años. En cambio, a partir de 1940, el colapso judicial militar deriva en un largo proceso que puede beneficiar a los inculpados, puesto que las ansias condenatorias comenzaron a menguar.

En el sumario 8067 sorprende que la denuncia por la muerte de Fausto de Miguel se presente el 11 de abril y las primeras declaraciones de los inculpados se inicien el 24, doce días después. El desajuste con la publicación en prensa (30 de abril) es más normal debido a que era habitual no informar inmediatamente de todas las detenciones, sino sólo cuando los detenidos pasaban a prisión. Está comprobado en numerosos sumarios que la detención de la mayoría de los denunciados se hace en el mismo día de la presentación de la denuncia. Las únicas excepciones se producen cuando el denunciado ha muerto o marchado hacia el exilio o está ya preso en alguna de las múltiples variantes del universo penitenciario franquista. En este caso no se da ninguna de las anteriores. Una posibilidad podría ser la estancia en las dependencias de la Brigada Político Social (BPS) hasta que el imputado se *decidiera* a responder

---

[33] Según acusaba la Guardia Civil de Turégano, en la campaña electoral de febrero de 1936 algunos simpatizantes izquierdistas interrumpieron un acto organizado en esa villa por la candidatura conservadora, en el que participaba Juan de Contreras, marqués de Lozoya, diputado de Acción Popular por Segovia, y Fausto de Miguel.

[34] Archivo Histórico Nacional, Causa General, Checas, pieza principal núm. 8, folio 1437.

adecuadamente a las preguntas del interrogatorio. La práctica de torturas por la BPS está perfectamente documentada tanto en la sede central de la Puerta del Sol como en las dependencias auxiliares de Serrano, 108. A los testimonios de los allí detenidos (Marcos Ana, Melquesidez Rodríguez y otros) se añade la documentación que testifica las muertes allí producidas (Registro Civil de Madrid, sumarios militares y documentación policial).[35] La declaración inaugural del primer interrogado, Felipe Fuentenebro, es clarificadora pues desgrana absolutamente todo el entramado de los grupos de milicianos, desde la cúpula: el «jefe de toda la organización era Federico Manzano, al parecer en Valencia, donde fue destinado. Que todas estas órdenes eran dadas por un tal Santiago Carrillo». Hasta los de abajo, cómo se organizaban: cada grupo dividido en dos secciones de diez individuos más un responsable y un conductor. Identificó a la mayoría de sus compañeros (20 de 22 totales) y enumeró todos los crímenes (seis) que había conocido y los responsables de cada uno. Él se había limitado a ser el «coaccionado» chófer de los traslados al cuartel de Guzmán el Bueno (cinco víctimas en tres viajes) o la carretera de Ventas (la víctima era «un inválido»), donde se consumaron las ejecuciones. Como es lógico, las exculpaciones eran el comportamiento más habitual: la obediencia bajo coacción.

Eustaquio Ruiz Calle, apodado *Pineda* según Fuentenebro, era responsable de su grupo e inspector de siete más, cuyas sedes identifica. De ellas, algunas ya estaban corroboradas como centros de detención en otros estudios, caso de la Dirección General de Sanidad en la plaza de España, y otras reconocidas con la misma dirección pero con otro número: San Lorenzo, 12 (15 en César Alcalá[36]) y Duque de Medinaceli, 6 (2 en César Alcalá). El resto eran Barco, 9; Colegiata, 14; paseo del Prado, 6 (donde después se establecería el Tribunal Especial para la Represión de la Masonería y el Comunismo) y Fortuny, 4.

Fuentenebro afirmaba que los fusilamientos eran «acordados» por Pablo Herrero (que no integraba ninguno de los puestos de vigilancia: 18/34), Mariano Navares y Eustaquio *Pineda*, responsabilidad esta ratificada por Juan Velasco. Incluso «una vez oyó a Herrero que venía de la cárcel y había habido una sublevación de los presos y entre los que había matado estaba el doctor Albiñana. Herrero era el que más fusilamientos hacía». A pesar de estas declaraciones incriminatorias, Pablo Herrero no fue encausado en este sumario (constaba como rebelde), sino en otros dos por los que salió en libertad condicional en 1944, después de ser sobreseída la acusación por la muerte de un soldado en el batallón 167 de la 42 Brigada Mixta.[37] En el escalafón de la responsabilidad sobre las ejecuciones (siempre según el testimonio de Fuentenebro)

---

[35] Marcos Ana: *Decidme cómo es un árbol*, Barcelona: Umbriel, 2007; Melquesidez Rodríguez Chaos: *Veinticuatro años en la cárcel*, Madrid: Tapa Blanda, 1976; S. Vega Sombría: «Los siniestros orígenes de la Brigada Político Social», en *Colóquio Internacional sobre Violência Política no Século XX*, Lisboa, 2015.

[36] César Alcalá: *Las checas del terror: la desmemoria histórica al descubierto*, Madrid: Libroslibres, 2007, p. 168.

[37] AHMD, sumarios 32 050 (el soldado segoviano Donato de Lucas, al parecer había confesado a algún compañero que iba a pasarse a zona sublevada y a los pocos días se lo llevaron y fue fusilado) y 17 922 (desaparición de Pedro Benito Rivera y José Barrera Páez de la panadería en la que trabajaban).

los siguientes eran Zacarías Parra e Isidoro Perez Gaitán, *Chinchonero*, a quien se conocía así por ser originario de la localidad madrileña de Chinchón, extremo también ratificado por Juan Velasco.

El resto de encausados declaran dos días después, el 25 de abril. Esta demora tampoco es habitual en otros sumarios. Es posible que los interrogatorios se iniciaran el mismo día de las detenciones pero no se anotara el resultado hasta que la policía no lo considerase oportuno, cuando los acusados estuviesen ya *maduros* para declarar. A medida que se van desarrollando las declaraciones, nuevas identidades se incorporan a la instrucción y la tela de araña de la justicia va creciendo. A pesar de que todos los nombrados en los interrogatorios son detenidos inmediatamente, interrogados y añadidos al sumario, llama la atención la no inclusión de «un tal Maroto» ni sus dos sobrinos, uno de ellos participante en la detención que llevó a la muerte a Fausto de Miguel, según declaración de su sobrina.

Aspecto fundamental para el devenir judicial de los acusados eran los informes de las autoridades franquistas: alcalde o tenencia de alcaldía (en función de las dimensiones de la localidad originaria), Guardia Civil o Comisaría de Investigación y Vigilancia (si era un pueblo o una capital de provincia) y Falange. Los procesados que no procedían de Madrid contaban con una pequeña ventaja respecto a los que eran vecinos de la capital antes de julio de 1936. Como la información de la Guardia Civil de Segovia sobre los huidos es previa a la guerra, no conocieron su actuación en zona republicana, al menos durante los primeros momentos, salvo que fueran responsables de alguna ejecución cuyo familiar denunciara ante las autoridades franquistas. Además, la emisión de estos informes se demoraba, a veces durante meses.

UN CASO PARADIGMÁTICO: EL COMANDANTE PABLO HERRERO MANSO

Las circunstancias que concurren en este comandante de la 42.ª Brigada Mixta merecen cierta profundización. Ya se apuntó anteriormente la acusación al panadero Pablo Herrero de la desaparición de Pedro Benito, obrero panadero, y José Barrera, hijo del patrón. Al parecer, presentaron la denuncia unidos por la acusación de la novia del primero, que les animó a ponerse en contacto. Leandra, que pasó la guerra en Cáceres sin comunicación con Pedro, recibió la noticia del asesinato de su novio una vez tomado Madrid, y en la contestación al que iba a ser su suegro acusó a Pablo Herrero (del que no recuerda el apellido) porque alegaba que en «una ocasión le había amenazado». En consecuencia, pide al padre que visite la panadería donde había trabajado Pedro y pregunte al patrón si recuerda al referido Pablo. Cuál no será la sorpresa de ambos desafortunados familiares cuando descubran que su interlocutor ha sufrido la misma pérdida. El destino los une así para pedir justicia.

El 11 de mayo (la carta había salido el 27 de abril de Cáceres) comparecen padre y hermano para presentar la denuncia, y alegan que se han «personado juntamente por creer que el inductor es Pablo Herrero». Una de las características de este tipo de denuncias es que habitualmente los comparecientes van suficientemente informados sobre la identidad del acusado, en este caso «de unos 28 años, hijo de Anastasio y María […] que ha sido comandante de Infantería de la 42 Brigada Mixta, por cuyo concepto creen se halla en el campo de concentración de Cuatro Vientos». Pero el dato más importante, que puede ser determinante, es que Pablo había trabajado hasta 1935 en la panadería que unía a las dos víctimas, hasta que «fue despedido, pasando a ocupar su plaza Pedro Benito». Por si ello no fuera suficiente *móvil* para el crimen, se añadían «las arraigadas ideas derechistas de ambos, así como por cuestiones de carácter social y judicial referentes al trabajo en la panadería». Por estas razones, los comparecientes creían que Pablo había decidido la «eliminación de éstos». Curiosamente, en este caso coinciden también las procedencias geográficas de la provincia de Segovia, pues las familias de las víctimas son de La Matilla y el presunto inductor de los asesinatos, de Carbonero el Mayor.

Que los órganos represivos de Franco fueran expeditivos no significa que fueran eficientes. Casi un mes después de la denuncia inicial se produce la detención de Pablo Herrero Manso, pero se trata de un peletero de sesenta y ocho años, aunque de la misma procedencia, Carbonero el Mayor, y también de izquierdas. Por fin, el comandante Pablo Herrero ingresa en San Antón el 12 de agosto. Entretanto, los denunciantes amplían la información, resultando que Pablo había denunciado al patrono ante el Ministerio de Trabajo y que, como la denuncia había sido desestimada, había amenazado al hijo del dueño y al otro obrero. Le acusan de carácter «descarado y pendenciero», de que había «ostentado algún cargo en la sección de repartidores en la casa del pueblo» e incluso de que le habían visto «una vez […] sentado en un despacho». Alberto Benito, hermano de Pedro, había ido a la casa del pueblo, donde lo recibió Pablo Herrero con «actitud irónica al enterarse de la misión que les llevaba, les dio un papel para el ateneo comunista de la plaza de Olavide al cual pertenecía este».

El 18 de septiembre declaró Pablo Herrero y, como era de esperar, negó las acusaciones. Sí recordaba haber sido citado en el Ministerio de Trabajo a raíz de su despido y que había ocupado su plaza, precisamente, Pedro Benito. Recordaba también que había visto en el sindicato al hermano de Pedro preguntándole si «sabía algo de la detención, le indicó que no sabía nada ni le señaló donde pudiera informar». El juez presentó entonces la acreditación reseñada para que Alberto Benito pudiera informarse acerca de dónde estaba su hermano. No le quedó más opción al encartado que reconocer el documento, pero negando que supiera el paradero de Pedro ni el de José Barrera. Tras el *shock* recibido con la acreditación firmada con el sello del sindicato, apenas un mes después (21 de octubre), envió un escrito al juzgado. Pretendía descargarse de responsabilidad acusando al presidente de la sección de repartidores de pan (Ernesto Garrido, de la JSU) de haberse enfrentado en el juicio con Benito por haber acudido como testigo de cargo del patrón, así como de haber echado después a Pablo de la sede obrera «con algunas palabras».

En su defensa, Pablo Herrero presentó informes favorables de personas de orden perseguidas por la *barbarie roja*. De Ceferino Gómez dijo que «varias veces me pedía noticias de radio nacional que yo daba con alegría y él decía que propagaba», así como que además le proporcionó «comida en numerosas ocasiones, y eso que formábamos familia numerosa, incluido un primo que tenía escondido». A Manuel Ferrero los milicianos le querían requisar los muebles y Pablo le defendió, proporcionándole un coche y unos soldados para el traslado. «Amparó» al maestro Alfonso de Lucas (según informe de la Comisaría de Centro). Con José Andia trabajó unos meses «observando buena conducta» y «le considera —dice— incapaz de cometer actos delictivos». No tiene tampoco «el declarante noticias que se haya metido con ningún cliente de la casa, sabiendo el encartado que todos eran de ideología derechista».[38]

Entre octubre de 1939 y el 26 de agosto de 1941, el único movimiento procesal son los informes de las comisarías de Centro y Chamberí, en febrero de 1941. Su aportación se centra en que dos días antes del golpe, «salió armado y por lo visto de vigilancia, quizá obedeciendo órdenes de su sindicato, con motivo del ambiente anormal y precursor de acontecimientos». Una vez iniciada la guerra, «vistió de miliciano y armado de fusil con coche y formando parte de partidas de milicianos incontrolables, actuó durante las primeras semanas». Todavía pasan unos meses hasta que se firma el auto de procesamiento (26 de agosto de 1941). Sorprende que en estos casi dos años no haya ningún documento en el expediente, por lo que es muy probable que se beneficiara de la saturación de la justicia militar y que su causa quedara en el limbo todo ese tiempo, puesto que ya solo consta en el informe del fiscal que Pablo «es comunista, marchando voluntario a los primeros días, formó parte de las partidas de milicianos incontrolables de las primeras semanas del glorioso movimiento nacional, marchando al frente y alcanzando el grado de comandante». Sorprendentemente, ya no hay rastro de las muertes de Pedro Benito y José Barrera, por lo que, finalmente, fue condenado a 20 años de prisión.

A MODO DE CONCLUSIÓN

Los resultados del resto de procesos judiciales contra los integrantes de los grupos 18 y 34, relacionados con las Milicias Segovianas Antifascistas, fueron similares. Puestos en marcha todos los medios para esclarecer las desapariciones referidas a lo largo de este capítulo, en ninguna de ellas se responsabiliza a los milicianos denunciados. No obstante, debido al delito de adhesión y auxilio a la rebelión por el que fueron juzgados, sus condenas fueron elevadas: a 30 años (Eugenio Gómez, organizador de las Milicias Segovianas y miembro del comité del Frente Popular por el PCE), 20 años (Víctor Lobo y Felipe Fuentenebro) y 12 años (Juan Velasco, Crescencio Matesanz y Absalón Monte-

---

[38] Avales recogidos en el sumario 17 922, AHMD.

ro). Otros procesados en el sumario 8067 fueron condenados por otros procedimientos, caso de Agapito Marazuela a 12 años por la organización de las Milicias Segovianas y Primo Díaz a 20 años a pesar de «no haberse acreditado su participación en la detención, ya que su manifestación la hace por un tercero que a su vez lo sabía según él por manifestaciones de otras personas».[39]

Por otro lado, la Tenencia de Alcaldía del distrito Centro del Ayuntamiento de Madrid redactó en 1940 un listado de edificios incautados para centros políticos o sindicales en el que aparecían los atribuidos a las Milicias Segovianas el Frontón Madrid, de Doctor Cortezo, y el de Plaza de las Descalzas, que figuraba como *recuperación e instrucción*. Curiosamente sí dejaba claro que «no se efectuaron detenciones en ninguno de los dos». Tampoco se glosaba la sede del Centro Segoviano como un lugar de reclusión, y mucho menos de ejecución.

Entre los milicianos protagonistas de esta historia constan numerosos evadidos desde Segovia, confirmada como zona sublevada desde la mañana del 19 de julio: Manuel Tamayo, Celedonio González, Francisco Álvarez, Alejandro González, Enrique Pérez, Antonio Linaje, Primo Díaz, Absalón Montero, Crescencio Matesanz, José Delgado, Mariano Navares, Alejandro de Frutos y Juan Velasco, que estaba en viaje de trabajo igual que Felipe Fuentenebro.

En el análisis de los hechos violentos en que se vieron involucrados los puestos 18 y 34 de las milicias republicanas salen a la luz algunas características de la represión republicana que tuvieron su reflejo en la violencia ejercida en zona sublevada. En primer lugar, que la guerra civil tenía un importante componente de clase, pues pugnaban dos proyectos bien diferenciados de país cuyos protagonistas estaban enfrentados. Por un lado, los trabajadores, con sus proyectos políticos y/o sindicales, ya fueran reformistas o revolucionarios, apoyados por una porción de la pequeña burguesía y por profesionales liberales de carácter progresista que apostaban por la modernización de España en todos los aspectos (educativos, territoriales, libertad religiosa, acceso de los jornaleros a la tierra, redistribución de la riqueza, etcétera) encontraban enfrente a los grandes propietarios de la industria, la banca, la tierra, etcétera, que encarnaban los poderes tradicionales (económicos, políticos, militares, eclesiásticos, etcétera), que rechazaban cualquier reforma que alterase su control secular. En la violencia política se plasma esa represión de clase: mientras que los milicianos socialistas, anarquistas o comunistas ejecutan principalmente a propietarios agrarios, empresarios y miembros de la Iglesia, los falangistas ajustician mayoritariamente a jornaleros y obreros. Otro elemento habitual en la violencia en las retaguardias es el aprovechamiento del momento bélico y la posesión de armas para saldar cuentas anteriores relacionadas con los enfrentamientos políticos y sociales de un periodo democrático, pero que enconaron la vida pública del país. Como se ha narrado, el mitin conservador boicoteado por la izquierda en Turégano acentuó la enemistad entre los miembros del Frente Popular de la comarca y

---

[39] AHMD, sum. 19378, contra Primo Díaz Palacio.

Fausto de Miguel. También se han expuesto varios casos en los que obreros se vengan del patrón por no haber solucionado a su gusto el conflicto laboral previo a julio de 1936.

Para terminar, haría constar que en el estudio de la violencia ejercida en las reta-guardias durante la guerra civil hay una desigualdad significativa. Las investigaciones sobre la represión franquista han debido afrontar grandes impedimentos que incluso han perdurado en el periodo democrático, como la destrucción de documentación o el retraso en la apertura de los archivos militares, cuya accesibilidad todavía no es ni total, ni fácil. Por el contrario, la violencia ejercida en zona republicana se recoge en su práctica totalidad en la Causa General, el macroproceso dirigido por el fiscal general del Estado —con su inmenso aparato policial, judicial, militar…— y destinado a esclarecer todos los crímenes cometidos en zona republicana y condenar a todos sus responsables. Aunque las Naciones Unidas todavía no habían nacido, ni se habían formulado los conceptos básicos del derecho internacional (verdad, justicia y reparación), Franco fue un adelantado a su tiempo y los puso en práctica entonces. La *verdad* resultante de la Causa General eran unos estadillos enviados a todos los ayuntamientos de España y en los que se anotaban las identidades de todas las personas que «durante la dominación roja fueron muertas violentamente o desaparecieron y se cree fueron asesinadas». Ello sustanció miles de sumarios militares con los que se verificó la *justicia* que condenó a decenas de miles de procesados. Paralelamente, se procedía a las exhumaciones de las víctimas de la violencia republicana y a homenajes de todo tipo (placas en iglesias, en el callejero, en los cementerios, monumentos…) a los *mártires de la Cruzada*: en defi-nitiva, a la *reparación* que precisa toda víctima de una guerra. ¿Deberían tener derecho a un tratamiento similar las víctimas de la violencia franquista? ¿O sería considerado como revanchismo? ¿Acaso no eran tan españoles como los otros? Si han sido capaces de desfilar en una misma parada militar representantes de ambos ejércitos, ¿no sería justo que las víctimas de ambas zonas tuvieran al menos el mismo derecho a la verdad, la justicia y la reparación?

Anexo

Grupo 18 de investigación de la Inspección General de Milicias

Primer grupo	Segundo grupo
Francisco Tejedor Casas	Eustasio Ruiz Calle
Francisco Álvarez Matesanz, maestro, dirigente del PCE, responsable (sustituido después por Celedonio González)	Antonio Becerra Caballero
Celedonio González Ortega, metalúrgico, dirigente del PSOE, responsable	Juan Velasco
Ignacio López	Felipe Fuentenebro
José Delgado Gutiérrez, maestro de Turégano	Ángel de Frutos
Isidoro Pérez Gaitán	Esteban Marín (A)zuara

Primer grupo	Segundo grupo
Eugenio Gómez Lobo (UGT y PCE)	Antonio Guedán Mardomingo
Zacarías Parra Peña (UGT y PCE)	José Santiago Sánchez
Quintín de la Fuente Pascual	Inocencio Pastor Martínez
Marcos Morcillo Gandía	Jacinto Paniagua Delgado
Mariano Navares García	Lucio Maestre, conductor
Julián Santana Ruiz, conductor	
Manuel Tamayo Benito	

Grupo 34 de las Milicias de Vigilancia de Retaguardia

Antonio Becerra Caballero, 40 años, empleado, comunista

Antonio Guedán Mardomingo, 26 años, estudiante, comunista

Emilio Rodríguez Calderón, 23 años, dependiente, UGT

Eugenio Gómez Lobo, 49 años, comité Frente Popular por la CNT[40]

Felipe Fuentenebro Moreno, 26 años, chófer, UGT

Francisco Tejedor Casas, 30 años, comunista

Francisco Tomás Vela, 22 años, ebanista, comunista

Francisco Ugena Gallego, 26 años, calderero, UGT

Herminio Martín García, 26 años, empleado, UGT

Ignacio López Gómez, 39 años, comunista. Después guardián de prisiones

Inocencio Pastor Martín, 32 años, peluquero, UGT

Isidoro Pérez Gaitán, 23 años, comunista

Jesús Pérez Cifuentes, 33 años, Comité del Frente Popular

José Santiago Sánchez, 40 años, CNT

Juan Velasco Calvo, 30 años, trillero, comunista

Julián Santana Ruiz, 23 años, conductor, comunista

Lorenzo Gómez Llorente, 26 años, mecánico, UGT (hijo de Eugenio Gómez Lobo)

Lucio Maestro Rodríguez, 29 años, conductor, CNT

Manuel Peñalver López, 30 años, chófer, UGT (hermano de José Luis, preso en Segovia)

Mariano Navares García, 37 años, forjador, Comité Frente Popular

Quintín de la Fuente Pascual, 31 años, cerrajero, UGT

Zacarías Parra Peña, 24 años, panadero, UGT y PCE

[40] En el resto de documentación judicial consta como militante del PCE. Podría ser hermano de Daniel, presidente de la casa del pueblo de Cantalejo, asesinado por los falangistas en agosto de 1936.

Sumario 8067

Un tal Pastor (rebelde)

Federico Manzano (rebelde)

Santiago Carrillo (rebelde)

Manuel Mayor de Blas (rebelde)

Santana (rebelde)

Mariano Navares *Cherete* (rebelde)

Peña (rebelde)

Fuente (rebelde)

Eustaquio Sanz de Frutos (libertad)

Chinchonero (rebelde)

Un abogado Bonín (rebelde)

Celedonio *Cherete* (rebelde)

Mariano Cristóbal (rebelde)

José Santiago (rebelde)

Antonio Linaje (rebelde)

Delgado, maestro nacional (rebelde)

Martín (rebelde)

Herrero (rebelde)

Eustaquio Ruiz *Pineda*, jefe de checa

Celestino Alonso (rebelde)

Victoriano Castellanos (rebelde)

DESGLOSADO: Alejandro Sevillano Piquero

José León Pérez

Primo Díaz Palacio, *Ribera*, juzgado, 20 años

Antonio Guedán (rebelde)

FUENTES ARCHIVÍSTICAS Y BIBLIOGRÁFICAS

Archivos

Archivo Histórico de Defensa de Madrid

Libros

ALCALÁ, César: *Las checas del terror: la desmemoria histórica al descubierto*, Madrid: Libroslibres, 2007, p. 168.

ANA, Marcos: *Decidme cómo es un árbol*, Barcelona: Umbriel, 2007.

CERVERA GIL, Javier: *Contra el enemigo de la República… desde la ley: detener, juzgar y encarcelar en guerra*, Madrid: Biblioteca Nueva, 2016.

MIR, Conxita: *Vivir es sobrevivir: justicia, orden y marginación en la Cataluña rural de posguerra*, Lérida: Milenio, 2000.

PRADA, Julio: *Marcharon con todo: la represión económica en Galicia durante el primer franquismo*, Madrid: Biblioteca Nueva, 2016.

REIG TAPIA, Alberto: «Los mitos políticos franquistas de la guerra civil y su función: el espíritu del 18 de julio», en J. ARÓSTEGUI y F. GODICHOT (coords.).: *Guerra Civil española y políticas de memoria*, Madrid: Marcial Pons, 2006.

RODRÍGUEZ CHAOS, Melquesidez: *Veinticuatro años en la cárcel*, Madrid: Tapa Blanda, 1976.

VEGA SOMBRÍA, Santiago: *La política del miedo*, Barcelona: Crítica, 2011.

— *Segovianos al servicio de la República*, Foro por la Memoria de Segovia, con la colaboración del Ministerio de Presidencia, 2011.

— «Los siniestros orígenes de la Brigada Político Social», en *Coloquio Internacional sobre Violência Política no Século xx*, Lisboa, 2015.

La checa de Vallmajor, el Preventorio D

Pelai Pagès i Blanch
Universitat de Barcelona

INTRODUCCIÓN: A MODO DE PRESENTACIÓN

Cuando las tropas nacionales liberaron la ciudad de Barcelona del poder bárbaro y cruel que la tenía esclavizada, salió a la luz lo que hasta entonces había sido solamente materia de rumores confidenciales y temerosos.

En Barcelona había checas y en ellas los detenidos eran sometidos a torturas, científicamente imaginadas. La policía roja no disponía tan solo de aquellos procedimientos enérgicos y expeditivos que tienen todas las policías del mundo, sino que había hallado una serie de instalaciones, un verdadero sistema para quebrar la voluntad —y con la voluntad los huesos— del hombre más firme y más tenaz. Aquellos rumores habían llegado a los consulados y a las agencias informativas extranjeras, pero a pesar de ello no habían logrado trasponer la frontera.

Fue preciso que las armas de Franco conquistaran la ciudad, para, que se destacara ante Europa, ante el mundo entero, aquella ignominia de un Poder que se decía apoyado con normas constitucionales y que se mantenía, solamente, gracias a unos métodos que no habrían imaginado las tribus más salvajes y crueles.[1]

Con estos términos se iniciaba la información con que, a toda página, *La Vanguardia Española* daba a conocer el desarrollo del consejo de guerra contra Alfonso Laurencic, un personaje de nacionalidad francesa que, según todas las informaciones, había jugado un papel clave en la construcción de las checas que habían funcionado en Barcelona durante los últimos meses de la guerra, y especialmente de las checas de las calles Vallmajor y Zaragoza. El título de la noticia no podía ser más espectacular: «Luz en los misterios del S. I. M. rojo. El constructor de las "checas" comparece ante un consejo de guerra». Un consejo de guerra, este, en el que Laurencic no solo no negó el papel que había desempeñado en la construcción de las checas, sino que entró con todo lujo de detalles en las características de las celdas que había construido y los efectos que podían causar en los detenidos que entraban en ellas.

Pero, ¿quién era Alfonso Laurencic? Todos los testimonios existentes —incluidas sus propias declaraciones cuando fue juzgado— apuntan hacia las características de un

---

[1] *La Vanguardia Española*, 13 de junio de 1939.

aventurero sin prejuicios ni principios. De treinta y siete años de edad en el momento de ser juzgado, había nacido en Francia de padres austriacos, pero al disgregarse el Imperio austrohúngaro pasó a disponer de la nacionalidad yugoslava. La primera vez que estuvo en España fue en 1921 y dos años más tarde, en 1923, ingresó en la Legión Extranjera, donde llegó a ser sargento. Más tarde viajó por el extranjero como director de orquesta, y también pasaba por ser arquitecto. Hasta que regresó a España en 1933, trabajó en distintos trabajos y se afilió primero a la CNT, y después a la UGT. Al producirse el estallido de la guerra civil ingresó en la Comisaría de Orden Público en calidad de antiguo sargento, y puesto que conocía diversos idiomas, fue nombrado intérprete de los extranjeros. Al mismo tiempo, formó parte del Grupo de Información del Servicio Secreto de Información de la Generalitat de Cataluña, desde donde entró en el SIM, el Servicio de

Proceso de *resacralización* del edificio en el que se situó la checa de Vallmajor. Fuente: Arxiu Nacional de Catalunya

Investigación Militar, cuando se creó este organismo en agosto de 1937.

Fue en este contexto, si hemos de creer las declaraciones realizadas durante el sumario que condujo a su proceso, que en abril de 1938 se le encargó construir las celdas de castigo y tortura de los preventorios de las calles Vallmajor y Zaragoza de Barcelona. El encargo, según parece, vino directamente de Santiago Garcés Arroyo, que desde el mismo mes de abril había sido designado por Negrín jefe del SIM.[2] El objetivo era que «aquellas construcciones reuniesen determinadas condiciones que presionaran y forzaran el ánimo de los detenidos».[3] De esta manera se centró básicamente en la checa de la calle Vallmajor.

Dicha checa, que se hallaba ubicada en el número 29 de la calle Vallmajor, entre las calles Ravella, Modolell y Copèrnic, había sido un antiguo convento de la comunidad de las Magdalenas Agustinas, que tras el inicio de la guerra lo abandonaron. El edificio pasó a jugar entonces el nuevo rol de preventorio. Se lo denominó «Preventorio D», y junto a la de la calle Zaragoza fue la checa más famosa de Barcelona. Acabada la guerra, fueron numerosos los testimonios que se aportaron para describir la checa de

---

[2] Paul Preston: *El holocausto español: odio y exterminio en la guerra civil y después*, Barcelona: Debate, 2011, p. 552.
[3] *La Vanguardia Española*, 13 de junio de 1939.

Vallmajor, y en todos los casos se cebaron en los *horrores* que contenía el edificio. Ya en el mismo año 1939, poco después del juicio contra Laurencic —quien, por cierto, fue fusilado el 9 de julio de 1939 tras ser condenado a muerte por el tribunal militar que lo juzgó—, R. L. Chacón publicó un extenso resumen del proceso en *Por qué hice las chekas de Barcelona: Laurencic ante el consejo de guerra*.[4] El mismo año se publicaron dos testimonios más: Félix Ros, quien fuera preso en la misma checa, dejó su testimonio personal en *Preventorio D: ocho meses en el S.I.M.*,[5] mientras un boletín quincenal de información, publicado por el denominado Comité de Información y Actuación Social (Acción contra la Tercera Internacional) y titulado *Servicio antimarxista*, dedicaba distintas páginas de su número 32, del 15 de agosto de 1939, a la checa de Vallmajor. Disponemos además de un último testimonio, un poco más tardío, que se enmarca ya en la Causa General. Se trata de la diligencia de inspección ocular que llevaron a cabo en el edificio el día 18 de septiembre de 1941 el fiscal instructor delegado de la pieza núm. 4 de la Causa General de Barcelona y su provincia (checas), su secretario y los policías afectos a la misma Causa General, Joaquín Rezola Olivo y Miguel García Sobrino, acompañados de Luis Sánchez, el portero que a partir de marzo de 1941 se ocupó de enseñar a los visitantes los edificios que constituyeron la checa de Vallmajor. De dicha inspección ocular quedó constancia en un extenso informe firmado el mismo día por los responsables de la Causa.[6]

Según todos estos testimonios —que hemos cotejado—, el trabajo que había realizado Laurencic en el antiguo convento de la calle Vallmajor era bastante peculiar. En primer lugar, en la parte baja del edificio, donde anteriormente se hallaban ubicadas unas carboneras, se habían colocado tres celdas iguales de cincuenta centímetros de ancho por 40 de profundidad, construidas de madera a excepción de la parte posterior que era de cemento. Eran las denominadas *celdas-armario*, que muchos cautivos lamaban *la verbena*. Según parece, los reclusos debían permanecer en ellas sentados y entre las piernas se introducía una tabla de madera que les obligaba a permanecer en una posición forzada. Además, a la altura de los ojos se les situaba un foco eléctrico de gran potencia que les provocaba heridas en la retina y un intenso calor. Existía también, al nivel de la cabeza, un timbre eléctrico que funcionaba de manera continuada.

En el jardín del edificio, en una elevación del terreno, existía el sitio destinado a simular fusilamientos, donde además se había abierto una fosa para su previsible enterramiento. En uno de los extremos del jardín se abría una puerta que conducía a un lugar denominado *el pozo*, donde los presos sufrían el tormento del agua. Desde el pozo partía un pasaje subterráneo y estrecho que cruzaba la calle Vallmajor y trasladaba a los reclusos al patio del edificio de enfrente, en el edificio número 5 de la misma calle, que conducía a las celdas colectivas donde se recluían a los presos. Existían siete de estas celdas que carecían de asientos.

---

[4] Fue publicado por la Editorial Solidaridad Nacional, Barcelona, 1939.

[5] Publicado por la Editorial Yunque, Barcelona, 1939.

[6] Ver dicha diligencia de inspección ocular en Archivo Histórico Nacional, FC. Causa General, 1633, exp. 3.

Pero la principal peculiaridad de la checa de Vallmajor eran las denominadas *celdas alucinantes*, en cuyas paredes, según el fiscal instructor de la Causa General durante la visita que realizaron en septiembre de 1941, se apreciaban

> dibujos de diversas clases y colores entre ellos un tablero de damas o ajedrez, blanco y negro; varios círculos en colores y rayas horizontales, combinadas con otras verticales y oblicuas, en color amarillo. En la parte interior de la puerta se observa otro juego de ajedrez inclinado hacia un lado y sobre éste una espiral en color blanco negro. Todos estos detalles se conservan en buen estado en la actualidad. Según el guarda antes mencionado existía en dicha celda una bombilla roja que hacía contraste con unos cristales verdosos que iluminaban la celda, con un color verde alucinante.[7]

El tema de los colores era especialmente importante, porque, según declaró Laurencic en el juicio a que fue sometido, el color rojo «animaba, enardecía, calentaba los sentidos visionales, y, por consiguiente, el temperamento», el color azul «era una luz fría, calmante, recomendable para nerviosos y de temperamento histórico», el amarillo «que no producía efectos notables; que era el que más se parecía a la luz solar; que realzaba y embellecía los colores, y se empleaba mucho en decoraciones», mientras el verde «era triste, lúgubre, "como un día de lluvia", que predisponía a la melancolía y a la tristeza».[8] Parece que estas celdas tenían 2,50 metros de largo por 1,80 de ancho. Y en el suelo había ladrillos colocados de canto que impedían colocar los pies de manera cómoda. Estaban forradas de alquitrán para generar calor y la cama, de cemento, tenía una inclinación de unos 20 grados que a menudo provocaba la caída en el suelo del preso mientras dormía. En cada una de estas celdas existía además un reloj dispuesto de tal manera que durante el día solo marcaba cuatro horas, con el objetivo de hacer perder al recluso la noción del tiempo.

La checa se completaba con las celdas denominadas *duchas*, unos pequeños cuartos donde se hallaban instaladas unas mangueras a gran presión; las celdas denominadas *neveras*, recintos cuadrangulares construidos con cemento poroso y en cuya parte posterior se colocaba hielo de tal manera que los poros filtraran el agua helada; la *campana*, a la que se llegaba por una galería subterránea que terminaba en una escalera vertical que llevaba a un agujero colocado en el techo de la galería subterránea, y sobre el cual se abría una bóveda construida a base de ladrillos refractarios rodeados de cables eléctricos. Finalmente existían las celdas de incomunicación, colocadas en lo que había sido la capilla del Convento.

La complejidad de la checa, pues, parece indiscutible. Cuando se celebró el juicio contra Laurencic distintos reclusos que habían pasado por Vallmajor prestaron declaración sobre su experiencia: Manuel Goday Prats, que era el secretario del colegio de abogados de Barcelona; el médico Juan Juncosa, Julio Degollada, Guillermo Borgue,

---

[7] Ibídem.

[8] R. L. Chacón: *Por qué hice las chekas de Barcelona: Laurencic ante el consejo de guerra*, Barcelona: Solidaridad Nacional, 1939, p. 95.

Jaime Escola, Joaquin Gay y Rita Bermejo. Sus declaraciones, que aparecieron sintetizadas en *La Vanguardia Española*, fueron recogidas en el ya mencionado libro que publicó Chacón y han sido reeditadas también por aquella historiografía actual —denominada *revisionista*— que se ha creído a pies juntillas las interpretaciones que dio el franquismo en la inmediata posguerra sobre la represión republicana.[9] En todos los casos los testimonios de los declarantes fueron siempre muy escabrosos en relación a las torturas que sufrieron. Alternativamente, el tema de las checas ha sido relativizado por otra historiografía que podíamos denominar *revisionista de izquierda* y que resta importancia a la represión y niega su vinculación con el SIM o la política soviética.[10]

En cualquier caso, si analizamos los testimonios que aparecen en la Causa General, a buen seguro que las conclusiones a que podremos llegar —y avanzamos la hipótesis— podrían ser intermedias. No se puede negar su existencia y no se puede negar que allí se realizaron torturas y que fueron centros *especial* de reclusión, si bien parece evidente que al franquismo le interesó exagerar el papel que tuvieron en la retaguardia republicana durante la guerra civil.

LA CAUSA GENERAL, LAS DECLARACIONES DE LOS RECLUSOS

Efectivamente, disponemos de las declaraciones de unas 122 personas —90 hombres y 32 mujeres— que fueron interrogados a lo largo del año 1941 y parte de 1942 como excautivos en la Causa General, más en concreto en la pieza separada número 4, que se correspondía, justamente, al tema de las checas. En todos los casos, en algún momento u otro habían pasado por la checa de Vallmajor. Las más de estas personas —76 hombres y 28 mujeres— habían sido recluidas en ella a lo largo del año 1938, básicamente a partir de mediados de año. Unos pocos —6 hombres y una mujer— declaran su detención en 1937 y unos pocos más —8 hombres y tres mujeres— en enero de 1939, en general pocos días antes de la ocupación de Barcelona por parte del ejército franquista.

Puesto que el objetivo de la Causa General era demostrar la perversidad de los *rojos* en su actuación durante la guerra —y así se justificaba la represión franquista de la posguerra—, el cuestionario a que fueron sometidos los declarantes era muy preciso y pretendía ser también riguroso. Hemos encontrado en uno de los documentos de la Causa General las cuestiones concretas que debían responder:

1. Lugar donde se hallaba al iniciarse el Glorioso Movimiento Nacional y cargo, oficio y profesión que tenía.

---

[9] Ver especialmente los libros de César Alcalá: *Checas de Barcelona: el terror y la represión estalinista en Cataluña durante guerra civil al descubierto*, Barcelona: Belacqva, 2005 y *Las checas del terror: la desmemoria histórica al descubierto*, Madrid: Libroslibres, 2007.

[10] Este es el caso del libro reciente de José Luis Martín Ramos: *Territori capital: la guerra civil a Catalunya (1937-1939)*, Barcelona: L'Avenç, 2015.

2. Partido político a que pertenecía o había pertenecido el declarante.

3. Fecha y lugar de su detención y tiempo de privación de libertad sufrido por el declarante.

4. Motivos porque fue detenido.

5. Cárceles, checas, calabozos, campos de trabajo, y otros lugares donde estuvo recluido.

6. Martirios o malos tratos dados a otros presos en presencia del declarante.

7. Nombres, apellidos, paradero y demás circunstancias personales de los Directores, guardianes, interrogadores y personal subalterno de las checas, cárceles y demás establecimientos donde estuvo detenido el declarante, expresando la conducta de los mismos, y trato que daban a los presos.

8. Indicación de si alguna persona de la familia del declarante fue asesinada por los rojos, explicando cuanto sepa sobre dicho asesinato.

9. Indicación de cuanto sepa sobre el funcionamiento del SIM y sobre la actuación de la policía roja en esa población, así como todo cuanto sepa respecto a la organización y funcionamiento de las Patrullas de Control.[11]

De manera explícita, el cuestionario acababa con que «se advertirá al testigo y se hará constar por diligencias la facultad que le asiste de comparecer ante esta Causa General las veces que sean necesarias, a fin de ampliar la declaración que preste o facilitar nuevos datos». Ni que decir tiene que en la mayoría de casos se respondía a casi todas las cuestiones planteadas, y especialmente interesante es la que se refiere al conocimiento de los agentes, guardianes, policías, etcétera. Pero en el caso de los malos tratos y las torturas solo aparecen en las declaraciones de 28 de los hombres detenidos y en seis mujeres.

El primero en prestar declaración, el día 16 de enero de 1941, fue Carlos Abarca Abarca, un falangista valenciano que residía en Barcelona desde 1935, que se movilizó el 19 de julio de 1936 y que acabó siendo detenido el 5 de julio de 1938 y llevado a la checa pertinente, «donde después de tomarle declaración y desnudarlo casi por completo, le condujeron a la celda 29, de donde le sacaron a los cuatro días para llevarle a declarar. A fin de que el dicente delatara a sus compañeros de organización, los esbirros de la checa Vallmajor maltrataron de obra al declarante, golpeándolo reiteradamente y dándole una comida escasísima y en malas condiciones». Unos días después, en el mes de agosto, le trasladaron al vapor *Argentina*, un barco atracado en el puerto de Barcelona que también se utilizaba como prisión, para devolverle a la checa de Vallmajor en el mes de septiembre, «sufriendo igual trato que en las anteriores estancias», hasta que después de que le condenaran a muerte fue enviado a la cárcel Modelo, donde sufrió un trato más benigno.

---

[11] Archivo Histórico Nacional, FC-Causa General,1633, exp.5. La mayoría de las declaraciones de los antiguos detenidos en la checa Vallmajor aparece en esta fuente, en cualquiera de los expedientes 3, 4 y 5. Hemos optado por, para facilitar la lectura, no dar la referencia exacta a partir de este momento.

Dos días después prestó declaración un funcionario municipal originario de Murcia, José Adriá Conolige, que había sido detenido el 15 de junio de 1938 y que fue mucho más explícito sobre los malos tratos que recibió:

> Fue detenido en su domicilio por las patrullas del SIM. Seguidamente fue conducido a la checa de Vallmajor, siendo llamado al día siguiente a prestar declaración ante un tal Conde, el cual a la mitad del interrogatorio a que fue sometido sobre la venta de una pistola recibió el dicente tal golpe que perdió por completo el sentido, encontrándose al despertar en una jaula de madera que consistía en un pequeñísimo departamento en el que el detenido tenía que estar forzosamente en cuclillas, con una luz agrandada por un poderoso reflector que martirizaba la vista y unos maderos colocados de tal modo que inmovilizaban a la víctima.

Parece evidente que el declarante estuvo retenido en una de las *celdas-armario* de la checa, donde permaneció «un tiempo que no puede precisar porque a causa del sufrimiento perdió el sentido nuevamente».

> Al recobrar el conocimiento volvió a encontrarse el dicente delante del primitivo interrogador, donde le efectuaron diferentes preguntas y al cabo de poco rato fue sacado a puntapiés e ingresado nuevamente en una celda. Durante su permanencia en la checa de Vallmajor fue amenazado con meterlo al "baño de cristal" si no quería declarar. Dicho baño de cristal consistía en una bañera que contenía pedazos de vidrio roto con cuatro o cinco dedos de agua y con corriente eléctrica, cosa que no llegaron a efectuar por tener el dicente un pie amputado.

Más genéricas son las declaraciones que realizaron en el mes de febrero el arquitecto Francisco Albanell Brosa y el trabajador de comercio Jacobo Abollado del Río. El primero, que había sido detenido en dos ocasiones a lo largo del año 1937, fue finalmente enviado a Vallmajor, donde estuvo recluido seis meses. De su experiencia se limitó a contar que «la vida en la referida checa era extremadamente dura, bajo todos los puntos de vista, pues además de una alimentación escasa, se carecía de lo más indispensable para vivir, y sin asistencia médica de ninguna clase». Ninguna referencia, por tanto, a malos tratos. En cambio Abollado, detenido en octubre de 1938, dejó constancia en su declaración de que «fue brutalmente tratado de obra y de palabra, pues cada día era interrogado y al no querer delatar a sus compañeros de Falange era brutalmente apaleado».

Bastante más explícito fue el testimonio de Jorge Alegría Mayoral, un agente de seguridad que había sido detenido en junio de 1938 y que después de pasar por la checa denominada la Tamarita, fue enviado a Vallmajor, donde permaneció siete meses. En esta checa sufrió, según su testimonio, las torturas de la silla eléctrica, de la *campana* y de las *celdas alucinantes*.

> En esta última [se refiere a Vallmajor] fue sometido tres veces al conocido tormento de «la silla eléctrica», que le produjo tan terrible impresión que perdió el conocimiento, sufriendo además graves quemaduras.

Que también el declarante fue sometido al tormento de «la campana». Este consistía en introducir a la víctima en un hueco o depósito de forma esférica en el que tenía que entrar el paciente por la parte inferior, por medio de una trampilla, que lo ascendía hasta el interior de «la campana». Una vez ya en el interior se advertía que toda la concavidad estaba impregnada de brea o alquitrán y como al introducirle sus guardianes en tal depósito se le desnudaba previamente a la víctima, resultaba que la brea molestaba la piel y era imposible soportar el tormento que producía el contacto con la piel de dicha brea, que cree el declarante que era calentada eléctricamente. Tal tormento llegaba a producir la sensación de que el paciente moría por asfixia.

Que también sufrió tormentos de «las celdas ópticas» [...] Estas celdas ópticas fueron las que causaron mayor tormento al declarante, actuando de un modo verdaderamente insoportable sobre el sistema nervioso".

En algunos casos, las denuncias se limitaban a señalar los daños precisos que los reclusos habían sufrido en la checa. Así, Fernando Almagro Simó, que durante la dictadura de Primo de Rivera había formado parte del somatén y fue detenido a principios de junio de 1938, permaneciendo hasta finales de julio del mismo año en la checa, denunció que «fue objeto de malos tratos de obra y de palabra y debido a un fuerte puñetazo que le infirieron en la boca le hicieron saltar un diente de la mandíbula inferior». Por su parte, Antonio Baliarda, que fue detenido en junio de 1938 por pertenecer a Falange y a su grupo de información Círculo Azul, declaró que en la checa había pasado en cinco ocasiones por la *nevera*, otra por un baño de agua fría y una última por la *carbonera*, y además «sufrió diferentes palizas que le hicieron saltar dientes, así como tormentos en las uñas de los pies, de un dolor extremadamente vivo». Eduardo Aluja Alari, empleado municipal en el Ayuntamiento de Barcelona, detenido en agosto de 1938, denunció que había sido sometido a multitud de tormentos, «tales como el de hacerle saltar las uñas de los pies, con objeto de que dijera donde se encontraba su hijo, que estaba al servicio del Generalísimo Franco en calidad de jefe de espionaje» y también que «fue atormentado en los órganos genitales, cuya descripción y sufrimiento no pueden relatarse por haber perdido el que dice el sentido». En cambio Juan Aloy Sala, que había formado parte de un grupo de espionaje a favor del ejército franquista y que fue detenido el 31 de mayo de 1938, reconoció que en los interrogatorios que sufrió solo le amenazaban e insultaban:

En la checa de la calle de Vallmajor, a donde le sometieron a extensa declaración para que confesara pertenecer al grupo que se deja indicado, para que diera nombres de sus jefes y de los demás individuos que formaron dicho grupo, amenazándole e insultándole groseramente, sin llegar a pegarle y sí solo amedrantarlo [sic], diciéndole que le colocarían en la cabeza el disco con el cascabel, que consistía en un disco de goma que sujetaba a un cascabel de cobre, cuyo cascabel se situaba en medio de la frente y tirando de él caía con presión sobre el cráneo, produciendo un dolor agudo.

Por lo que parece, todo se limitó a una estricta amenaza que no se materializó. A finales de septiembre y principios de octubre de 1941 prestaron declaración una serie de excautivos que en todos los casos hicieron una referencia muy genérica a los malos tratos. Jesús Ara Larraz, por ejemplo, que había sido detenido el 1 de abril de 1938 y previamente había sido recluido en la checa de la calle Muntaner, narró que en la de Vallmajor «pasó por la carbonera, las duchas y celdas de castigo». El médico Joaquín María Balcells Serch, detenido el 13 de junio de 1938, se limitó a declarar que «en la checa de Vallmajor fue torturado con ensañamiento, de los cuales conserva sus cicatrices». Rafael Carretero Ubico, un antiguo militante de Renovación Española y miembro también de las Camisas Negras (Juventudes Anti-Marxistas), detenido el 16 de enero de 1939, declaró que «durante los interrogatorios, de que fue objeto en la checa de la calle de Vallmajor lo maltrataron y apalearon». No más explícito fue Francisco Carreras Xiberta, un dependiente de confitería, militante de Falange, que fue detenido el 9 de agosto de 1938 y permaneció en la checa hasta el día 24 de enero de 1939, al limitarse a afirmar que «fue objeto de malos tratos de palabra y obra». Mientras, José María Carulla Canals, un farmacéutico que practicó socorro blanco, detenido el 25 de marzo de 1938, afirmaba que «solo fue objeto de malos tratos en la checa de Vallmajor, donde fue martirizado por el boxeador Gironés».Un poco más explícitos en el detalle de las torturas fueron Lucas Bernal Martin y Benigno Bernabeu Manrubia. El primero, barbero de profesión, que había militado en Acción Popular y durante la guerra militaba en Falange Española, Centuria Tintoré, fue detenido el 1 de junio de 1938 «y una vez en el coche que debía conducirlo a la checa de la calle de Vallmajor, fue objeto de malos tratos por parte de los individuos que lo conducían, ignorando señas y circunstancias de los mismos. Que una vez en la checa de la calle Vallmajor fue objeto de dos palizas siendo el que las ordenó un tal Conde». Bernabeu, por su parte, antiguo militante de Unión Patriótica y durante la guerra jefe de escuadra de la Centuria Tintoré de Falange Española, declaró que «fue objeto de algunas palizas por parte de un tal Conde y a un tal Meana, el cual hizo estar al declarante, durante toda una mañana, desnudo ante la puerta de su celda». La razón de tal castigo fue «por encontrar un lápiz entre las ropas del declarante».

Haber sido objeto de palizas también fue denunciado por otros detenidos. En concreto, el militar de profesión Juan Escudero Roberes, que pertenecía al Servicio de Información de la Policía Militar y estaba en contacto con Falange, fue detenido el 5 de junio de 1938 y en la checa «fue objeto de varias palizas recordando al boxeador Flix entre los cuatro que pegaban al declarante» y también recordaba «a un tal Murcia el cual pegó al dicente unos catorce o quince puñetazos en el oído izquierdo a consecuencia de los cuales sufrió un mes de sordera en el oído citado». Alejandro Bellver Sanchis era periodista y también militaba en Falange Española. Detenido el 14 de noviembre de 1938 recordaba al boxeador Gironés que «una vez en la checa de la calle de Vallmajor, donde fue conducido el dicente, le maltrató, tirándole una máquina de escribir por la cabeza, que el declarante esquivó en parte y siendo alcanzado en el hombro izquierdo».

En el caso del empleado municipal Jaime Elias Llobet, que fue detenido por segunda vez junto a su mujer el 2 de julio de 1938, se limitó a denunciar a un tal Eusebio «que pegó al declarante dos bofetadas en presencia de la esposa del dicente que también se encontraba allí en calidad de detenida».

Cuando el día 15 de diciembre de 1941 fue a declarar Félix Ros Cebrián, este ya había publicado su libro *Preventorio D: ocho meses en el SIM*, donde recogía su experiencia en la checa de Vallmajor. En su declaración recordaba que había sido detenido el 26 de junio de 1938 y que permaneció en la checa hasta el 11 de noviembre del mismo año, cuando fue juzgado, absuelto por falta de pruebas y dejado en libertad, pero que fue detenido de nuevo por el SIM y devuelto a la checa hasta que el día 25 de enero de 1939 fue trasladado hacia el Collell. En relación a los martirios que se producían en la checa, él no declaró ninguno a que él mismo fuera sometido. Afirmaba que los tenía consignados en su libro, pero tuvo especial interés en ampliar algunos datos en relación a los más corrientes y, sin afirmar que él fuera el afectado en ningún caso, declaró:

> Lo usual era el pegar durante las declaraciones, bien mediante porras de guardia de asalto, bien a puñetazos o puntapiés. Existían una especie de cajones, en los que el martirizado no podía permanecer ni sentado ni de pie, sino en cuclillas apoyándose con la espalda contra ese cajón, que al cerrar su puerta situaba entre las piernas del que allí estaba una tabla en sentido vertical que imposibilitaba todo otro movimiento. Bajaban al techo a la altura de la cabeza y tras ese techo un dispositivo eléctrico producía un ruido ensordecedor que aturdía a los pocos minutos frente a los ojos del allí encerrado una bujía potentísima le cegaba durante el rato que permanecía allí. En muchas ocasiones se seguía el régimen de duchas heladas, y a uno de los reclusos, el Dr. Don Juan Juncosa Orga, Médico Psiquiátrico de esta ciudad, recuerda el declarante haberle oído referir, por habérselos aplicado a él, otro sistema de tortura, entre ellos el de aplicación de fuertes corrientes eléctricas. Cosa comprobada también es la existencia de las celdas de castigo, con dibujos alucinantes en las paredes, un pavimento de ladrillos puestos de canto y separados, donde era imposible sentarse, y un banco de mampostería con la superficie inclinada de tal forma que tampoco se podía uno sentar ni tender encima. Estas cuatro celdas, que estaban en el jardín y hemos visto todos los detenidos de "Vallmajor", solo recibían luz a través de un pequeño orificio sujeto por un cristal verde oscuro y otro más alto con otro cristal rojo.

Los últimos detenidos que declararon ante la Causa General, entrado ya el año 1942, volvieron a insistir en que habían sido víctimas de malos tratos. Ese es por ejemplo el caso de Félix Tomás Subia, un joyero que había militado en la CEDA y que en junio de 1938, en el momento en que lo detuvieron, estaba afiliado a la Falange clandestina. Conducido a la checa de Vallmajor, donde pasó nueve meses, fue objeto de «continuos malos tratos por parte de los sujetos antes mencionados, habiendo recibido en diversas ocasiones golpes muy fuertes por parte de los mismos, que ocasionaron al dicente un padecimiento renal crónico». Juan Amorós Batlle, un perito textil militante de Falange que estuvo detenido unos tres meses, recordaba haber sufrido malos tratos en forma de «garrotazos, bofetones, por el martirio de la nevera». Y finalmente Antonio Antoja Barriga, un panadero afiliado a Falange, detenido el 17 de septiembre de 1938, declaró que en la checa Vallmajor «fue bárbaramente maltratado especialmente dos veces, en que con una vara le apalizaron hasta hacerle sangrar la espalda, después de haberle dado infinidad de puñetazos».

Pero como ya pusimos de manifiesto, quienes reconocían explícitamente haber recibido malos tratos en la checa eran una minoría. La mayoría no hace referencia a ellos en ningún sentido, pero en otros casos y de manera explícita afirman no haber recibido ningún mal trato. El primer caso que nos encontramos es el de Juan Aldabo Lladó, un impresor que fue detenido el 14 de junio de 1938 y que a lo largo de su cautiverio, que se prolongó hasta el final de la guerra, pasó en dos ocasiones por la checa de Vallmajor, donde no sufrió ningún mal trato. La razón era el conocimiento previo que tenía con unos de los guardianes de la checa:

> El declarante en la checa de Vallmajor no sufrió malos tratos de obra, debido a que fue conocido por un boxeador cuyo nombre no recuerda, que estaba de servicios en dicha checa y tenía simpatía hacia el declarante por haber actuado en las fiestas de San Medí y ser el dicente durante los años anteriores al Glorioso Movimiento Nacional Presidente de la "Colla" organizadora de las fiestas de San Medí.

Sin que especifiquen las razones de la falta de malos tratos, el estudiante Camilo Crespo Ratera, que pasó por distintas checas, por el buque-prisión *Uruguay* y por campos de trabajo, cuenta que desde que fue detenido en abril de 1938 «no fue objeto de malos tratos» a pesar de que sabía que otros compañeros los habían sufrido. Lo mismo declaró Rosendo Codina Espinalt, un trabajador del comercio que había sido detenido en enero de 1938 y pasó por diversas checas y lugares de reclusión a lo largo de su detención. En cambio, el empleado de comercio José Ardevol Cambra, que había sido detenido por ser jefe de escuadra de Falange, también reconoció no haber sufrido malos tratos de obra, aunque «sí le hicieron pasar mucha hambre». Una situación parecida vivió el abogado —entonces estudiante de derecho— Eugenio Carpintero de Nadal, detenido en junio de 1938 y que no sufrió malos tratos «pero debido al régimen a que se le sometió en la checa, salió en un estado de extrema postración física». En cambio, el electricista Rafael Barber Alcalá, detenido el 8 de octubre de 1938, matiza afirmando que «fue objeto de escasos malos tratos», sin concretar más.

Es de suponer que quien tampoco sufrió ningún tipo de maltrato fue Juan Torras Escuté, de profesión comercio, que había sido detenido el 21 de julio de 1938 y después de pasar por la checa de la calle Anglí y el vapor *Uruguay* fue recluido en la checa Vallmajor, donde se empleó como barbero de reclusos a pesar de que —insiste— no tenía ninguna relación especial con los guardianes:

> Durante su permanencia en la checa de la calle de "Vallmajor" el declarante se presentó a instancias de los compañeros de la celda a prestar sus servicios como barbero, a los diferentes

presos de dicha checa, así como mirar si de esta manera podía obtener datos para informar a sus compañeros de cautiverio. A pesar del servicio antes indicado el dicente no tenía relación de clase alguna con los guardianes y Agentes que prestaban sus servicios en la misma.

Como ya dijimos en el caso de las 32 mujeres que declararon haber estado recluidas en la checa Vallmajor, solo seis reconocieron de manera explícita haber sufrido malos tratos. Sin embargo, una de las primeras mujeres en declarar en la Causa General puso de manifiesto la incomunicación que había sufrido. Es un ejemplo bastante paradigmático. Hizo su declaración el día 31 de enero de 1941 —fue de las primeras mujeres— confesando que ella, Sabina González Martínez, era la madre política de Luis G. Santa Marina, y que justamente por ello había sido encargada de la dirección de la Falange como jefe de la misma en caso de muerte o prisión de su hijo político, por lo cual desde el día 20 de julio de 1936 tuvo que tomar el mando de las fuerzas políticas de la Falange al ser detenido Santa Marina. Declaraba al mismo tiempo que era el primer carné de la Sección Femenina, que en agosto de 1936 fundó el primer grupo de espionaje que existió en Barcelona a favor de la causa nacional y que trabajó a las órdenes del coronel Ungría, realizando servicios enormemente importantes como avisar de la ofensiva de Brunete o de la ofensiva contra Teruel. Acabó siendo detenida el día 19 de junio de 1938 y en la checa Vallmajor «permaneció aislada y sin comunicación ninguna en el exterior hasta el día 22 o 23 de diciembre, en cuya fecha ya le permitieron hablar con otras camaradas detenidas; pero sin poder comunicarse con el exterior ni permitirle recibir comida, ni vestidos ni abrigo de clase alguna».

Peor fue la situación —si hemos de creer en lo que declaró— de Antonia Alavedra Marcet, la hija de un empresario, que fue detenida el marzo de 1938 con toda su familia y que después de pasar unos días en una checa situada en el paseo de San Juan fue llevada a la checa Vallmajor. Allí empezó su odisea:

> Colocando a la declarante junto con unas sesenta mujeres en lo que había sido Iglesia, sin casi ventilación, no teniendo ni cama para acostarse, ni silla para descansar, ni sitio para evacuar sus necesidades, permaneciendo en este estado los meses de Abril y Mayo. Luego fue trasladada a una azotea, en donde se carecía absolutamente de todo, en unas condiciones infectas, pues el piso no estaba enladrillado y sí lleno de polvo, careciendo de cama, colchón y sillas, en donde pasó todo el mes de Junio.

> Que debido a los malos tratos y al trabajo forzado a que se le obligó a fregar suelos y lavar ropa, se puso delicada de salud hasta el extremo que necesitó se le aplicaran unas inyecciones, que ella solicitó reiteradamente, pero que en lugar de aplicárselas conforme se debía le inyectaron algún líquido infectante, lo que le ocasionó una infección de bastante gravedad, con temperaturas de 39 y medio y 40 grados, habiéndosela trasladado a últimos de Junio al Palacio de las Misiones…

La declaración proseguía narrando las peripecias que sufrió en el Palacio de las Misiones y después en el vapor *Uruguay* —donde el doctor Piulats, también detenido, le curó finalmente la infección— y la cárcel de mujeres de las Corts, hasta que se le concedió la libertad provisional.

Las primeras mujeres que declararon de manera explícita que sufrieron malos tratos fueron María Aluja Roca e Inés Cristiá Giró. La primera era una maestra de escuela que fue detenida el 20 de agosto de 1938 «al objeto de que facilitara al Gobierno rojo el lugar donde se encontraba el hermano de la dicente por ser este jefe de espionaje al servicio de la España Nacional». Estuvo recluida en la checa Vallmajor hasta el 25 de enero de 1939, cuando en vísperas de la llegada a Barcelona del ejército de Franco fue trasladada hasta el Collell. En la checa «fue sometida a enormes palizas y a tormentos en las uñas de los pies», y acusaba en concreto a uno de los guardianes de la checa, un tal Eusebio, de ser quien «practicó su detención y que apaleó en diversas ocasiones a la dicente, hasta perder la declarante el sentido». Inés Cristiá, por su parte, era una mecanógrafa que durante la guerra civil actuaba de enlace de la Quinta Columna en la retaguardia republicana. Detenida en Barcelona por esta razón, pasó tres meses en la checa hasta que fue juzgada y condenada a muerte y se la trasladó a la cárcel de mujeres de las Corts. En la checa «fue objeto de malos tratos de palabra y obra, constatándole que lo fueron así mismo otras detenidas entre ellas una prima suya». Acusaba al mismo tiempo a uno de sus interrogadores, un tal Guillermo, «que fue quien le pegó a la declarante».

Mercedes Alemany Sallent residía en Sabadell al estallar la guerra, y fue en esa ciudad donde se le tomó declaración en marzo de 1942. Miembro del Círculo Tradicionalista, trabajaba de profesora de pasadoras y nudadoras de tejidos en la Escuela Industrial sabadellense. Motivó su detención en marzo de 1938 el hecho de que hubiese confeccionado una bandera nacional y postulase a favor del socorro blanco, y fue trasladada a la checa Vallmajor de Barcelona donde «le dieron 27 duchas de agua fría y de noche y maltratada de palabra». Declaró además que no vio que se diera martirio ni maltrato a nadie, «pues se hacía por separado pues cuando regresaba a la celda tenía que ser atendida por los compañeros».

Carmen Romo de Avila era la esposa de un oficial de la Armada, Gabriel Martín Morito, destinado en la Flotilla de Vigilancia. Fue detenida con su marido en el pueblo de Alella, donde ambos se habían refugiado, el 9 de junio de 1938. La razón era que su marido era el jefe fundador del grupo Flotilla de Vigilancia de la Organización de Santa Marina. De los ocho meses en que estuvo detenida, tres los pasó en Vallmajor, «donde sufrió porrazos, vejaciones y toda clase de insultos». Más adelante, concreta los martirios que sufrió y que consistían «en ser apaleada a porrazos con unas porras de goma; metiéndole en las uñas de los dedos astillas en forma de espinas; fractura de la nariz y permaneciendo cuarenta y ocho horas en la nevera». Añadió que no conocía el nombre de quien «le apaleó a porrazos», pero suponía «que debería ser un atleta o boxeador ya que tenía la nariz rota y deformada». Su marido fue asesinado en el Collell el 30 de enero de 1939.

Finalmente, Rosa Aldabó Torres, que residía en Solsona al iniciarse la guerra, fue detenida el 18 de octubre de 1938 «por sus ideas de orden y religiosas, así como por actos benéficos efectuados en personas perseguidas por los marxistas» y «por actos de auxilio hechos a favor de personas desafectas a los rojos». Recluida en la checa, declaró que en su presencia no vio malos tratos «por cuanto se les hacía separadamente cuando se las llamaba a declarar», pero «siendo ello un martirio continuado de vejaciones y coacciones de toda clase tanto en el modo de vivir, dormir y falta (casi ausencia) de comida». Recordaba además a varios conocidos de Solsona «que fueron objetos de verdaderos martirios como flagelación de latigazos, etc.».

Como sucedía con los hombres, no faltaron mujeres que o bien no hablaban de maltratos o bien afirmaban explícitamente que no habían sido maltratadas. Es el caso de Pilar Ayuso Jover, que había sido detenida el 15 de junio de 1938 porque su hermano practicaba el socorro blanco. Permaneció casi tres meses en la checa y afirmó que mientras «estuvo privada de libertad no fue objeto de malos tratos». Tampoco lo fueron Teresa Coll de Colet Sans (detenida el 10 de julio de 1938 porque buscaban a su hijo comprendido en quintas), María Ardanuy Palacín (que, detenida el 23 de enero de 1939, solo permaneció en la checa tres días, aunque «la tuvieron dos días sin comer»), Juana Aparicio Pérez del Pulgar (que había sido detenida por formar parte del grupo de información dependiente de Santa Marina, condenada a muerte y conmutada a treinta años), Manuela Audera Forroll (que estaba en comunicación con un jefe de centuria de Falange y que, detenida en marzo de 1938, pasó por diversos centros de reclusión y fue juzgada y condenada a 15 años, pero «no fue objeto de malos tratos de obra; pero si de palabra»), Vicenta Panadés Claramunt (que tenía escondidas en su casa a mujeres, y entre ellas a una hija suya, que se dedicaban al socorro blanco; y fue detenida el 4 de julio de 1938), María Carrasco Carrillo (detenida el 28 de febrero de 1938 por dedicarse ella misma al socorro blanco) y Antonia Bertrán Muñiz, quien fue detenida el 8 de junio de 1938 y pasó en dos ocasiones por Vallmajor.

Un caso aparte es el de Mercedes Yarza de San Pedro, una maestra de escuela que actuó de enlace del denominado Círculo Azul falangista y que fue detenida el 11 de julio de 1938. Pasó por Vallmajor y el vapor *Argentina* y después de nuevo por la checa hasta que fue juzgada por el Tribunal de Espionaje y Alta Traición y condenada a 30 años de reclusión. En su declaración reconocía que no había sido objeto de malos tratos, «pero en una ocasión durante un interrogatorio, fue amenazada con un látigo, que si bien llegó a darle no fue con ensañamiento». Declaró también que solo recordaba a dos de los guardianes pero reconocía de manera explícita que «se portaron bien».

Efectivamente, el tema de los guardianes, agentes de policía que actuaban dentro de la checa, interrogadores, torturadores, etcétera aparece prácticamente en todas las declaraciones, y solo en unas pocas el exrecluso se refería a que o no se acordaba o no conocía sus nombres. Para la Causa General el tema era importante, ya que se trataba de denunciar y buscar a los responsables directos de la represión. Cabe señalar que en la mayoría de declaraciones existe una coincidencia con los nombres, si bien en algunos casos hay un especial interés en etiquetarlos.

Nicolás de B. Agustí Corantí, un abogado que había sido detenido el 4 de junio de 1938 y solo estuvo unos días en Vallmajor, declaró:

De entre los guardianes de la checa de la calle de Vallmajor recuerda a un tal Garcés, uno de los jefes de dicha checa; que ostentaba además la graduación de Capitán del Ejército rojo; a otro apodado «El Comandante» que actuaba como jefe de interrogadores; a Conde y a Ricardo, como interrogadores, los cuales ejercían verdaderas brutalidades contra los presos.

En los primeros días de estar en la checa de Vallmajor el declarante se dio cuenta de que un individuo llamado Quintiliano Alfaro entraba y salía de la referida checa, como si fuera parte integrante de la misma; conocía el declarante al dicho Alfaro de que con anterioridad al Glorioso Movimiento Nacional había colaborado en asuntos de Seguros, constándole de una manera cierta que era masón, ya que le había propuesto al declarante diferentes veces que ingresara en dicha secta.

Ni que decir tiene que el hecho de ser masón era un claro agravante, si bien al mencionado Alfaro no lo menciona ningún otro excautivo. Juan Barrau Mallofré, un procurador de los tribunales que fue detenido en julio de 1938 y permaneció hasta octubre en la checa

recuerda a un tal Murcia y a otro apellidado Calleja, los cuales actuaban como jefes de servicio; como guardianes propiamente dichos recuerda a Perfecto y Gervasio Meana; a un tal Antuña y a otro conocido con el nombre de Adán. Como interrogadores al coronel Cobos, que era el jefe; al Capitán Alegría, al Comandante Guillermo, que según referencias es de Málaga; y por último a un tal Anselmo Oca, que sabe el declarante es natural de Madrid.

Más contundente era Julio Romaguera Carreras, un militar que prestaba sus servicios en la IV Región Militar y había tomado parte en los preparativos de la insurrección en Barcelona como enlace del comandante José López-Amor. Había sido detenido ya en julio de 1936 y puesto en libertad unos meses más tarde en julio de 1937, pero volvió a ser capturado el 28 de julio de 1938 junto a su mujer y permaneció en la checa hasta el final de la guerra. Sus recuerdos de los guardianes son bastante precisos y en su caso no faltan valoraciones:

De la checa de Vallmajor recuerda a un tal MEANA muy conocido por sus malos instintos y por el trato pésimo que daba a los presos; también recuerda al capitán ALEGRÍA; a Guillermo el interrogador, a CUADRADO, a CALLEJA, que era jefe del Servicio; a BALBINO que se portó muy bien con el declarante pues incluso llegó a llevarle pan a la esposa del declarante que estaba recluida también en Vallmajor; a un tal ALMELA y a un tal SIMARRO ALIAS MEDIO METRO así como a un tal MURCIA jefe de servicio, de un alma ruin y que trataba pesimamente a los presos. También a un tal RAMON que era guardia de asalto y se portaba mal con los presos.

Lucas Bernal, de quien ya hemos hablado en relación al tema de haber sufrido malos tratos, al hablar de los guardianes añadía que «un tal Murcia junto con Meana y el practicante de la checa cuyo nombre ignora se bebían la leche que iba destinada a los detenidos enfermos», si bien sobre Calleja hacía constar en cambio que «se llevaba bien con los presos». Rafael Carretero, quien también había sufrido malos tratos, acusaba de ellos a «un tal Cuervo, un tal Meana, que según se decía era futbolista pues tenía mucha habilidad en proporcionar patadas» y conocía también «al llamado Capitán Alegría por verlo pasar algunas veces. También recuerda a un guardia civil, vasco, que le decían Civilón. Que conoció a un tal Murcia por haberle dirigido algunas preguntas, que vio a una muchacha de unos treinta años, la cual era mecanógrafa, no sabiendo el nombre ni el apodo con los cuales le designaban». Si hemos de creer a Jaime Escalas, un guardia urbano que pertenecía al socorro blanco y fue detenido el 4 de junio de 1938, quien salía peor parado era Meana, de quien declaró: «un tal Manuel Meana que siempre iba con una pipa y que era el peor, de toda la chusma que como interrogadores, guardianes o matones integraban la referida checa». Un empleado de banca que encubría a quienes desertaban del ejército —lo cual fue motivo de su detención en junio de 1938—, Alejandro Casanovas Bayo, hablaba especialmente mal de Meana, Murcia («apodado el chuleta») y Calleja: «Estos tres individuos eran lo peor de los forajidos que en aquel antro de tormento prestaban sus servicios».

Uno de los antiguos reclusos que mayor número de guardianes recordaba era Manuel Cozcolluela Martín, un farmacéutico que pertenecía a Falange España, a un grupo afecto al Servicio de Información de la Policía Militar. Había sido detenido en enero de 1938 y había pasado por checas, diversos vapores-prisión, etcétera. A pesar de ello, demostró tener una memoria prodigiosa. De la checa de Vallmajor recordaba a los siguientes guardianes:

> Garcés, Guillermo, Oca, Almela que actuaban como interrogadores; a un tal Murcia y a un tal Calleja que eran los jefes de servicio; a un tal Meana, Gervasio, Justo, López, Marín, Marcelino y Adán, éstos estaban clasificados por los detenidos como correspondientes al turno malo, del cual era el jefe el indicado Murcia; de los clasificados como pertenecientes al turno bueno cita a un tal Balbino, a un tal Carreras, a un tal Antuña, a un tal Simarro que a pesar de haberlo clasificado como componente del turno bueno, era el peor de los dos turnos. Asimismo recuerda a un Víctor Cuadrado que hablaba el ruso y que estaba casado con una individua de tal nacionalidad; este individuo era el Jefe de la cocina de dicha checa. Antes de nombrársele Jefe de cocina había actuado como guardián en la indicada checa, tratando de peor manera a los camaradas allí recluidos.

En algunas ocasiones los declarantes se centraban en las descripciones físicas de los agentes que se encontraban en la checa. Es, por ejemplo, lo que hizo Jaime Civit Aguilar, un empleado de banca que fue detenido el 19 de julio de 1936 por haber participado en la sublevación con la guarnición del cuartel de Numancia. Pasó toda la guerra en prisión y en la checa de Vallmajor estuvo unos veinte días, y de allí recordaba «a un tal Simarro, de estatura baja, algo gordo, pelo echado para atrás, color negro, pestañas y cejas muy pobladas, que aparentaba tener unos cuarenta años de edad». La descripción no puede ser más precisa. Y en otros casos se referían a los apodos que recibían. Es el ejemplo de Juan Torras, que hizo de barbero en la checa y que hablaba de Simarro *el Medio Metro*, de Calleja *el Veneno* y de Cobos *el Hiena*.

En relación a las mujeres, hay coincidencia en los nombres que aparecen en sus declaraciones, y en alguna ocasión no solo aparecen hombres, sino también mujeres. Así, María Aluja, una de las mujeres que declaró sufrir malos tratos, recordaba «a un tal Simarro El Medio Metro, a un tal Eusebio, que fue el individuo que practicó su detención y que apaleó en diversas ocasiones a la dicente, hasta perder la declarante el sentido; a un tal López y por último a una señorita que se llamaba la Viudita Rodríguez, que se encontraba al servicio del SIM rojo». Montserrat Aguadé Vidal, una mecanógrafa que pertenecía a la *quinta columna* y que fue detenida el 21 de enero de 1939, recordaba también a dos mujeres, «una de ellas conocida con el apodo de "La Tacones" y la otra cree que se llamaba Asunción». En alguna ocasión también aparece «una tal Isabel, que era bajita» y pocas más. De todas maneras, los hombres, si hemos de creer las declaraciones de las cautivas, eran quienes desempeñaban un papel más importante en la checa.

En relación a la pregunta que se hacía a los antiguos presos de si conocían el funcionamiento del SIM, la mayoría de declarantes afirmaban de manera muy explícita no conocer en ningún caso su funcionamiento. Se producía, sin embargo, alguna salvedad. Por ejemplo Manuel Cozcolluela declaró que «con respecto a la organización del SIM sabe que había una oficina, la cual cuidaba de analizar minuciosamente las declaraciones que por medio de los interrogatorios violentos o sin violencia efectuaban los interrogadores afectos a la indicada organización. Sabiendo que dicha oficina estaba perfectamente organizada». Para otros (el recluso José Casals Canet, un industrial detenido el 15 de agosto de 1938), solo se sabía del SIM «que eran unos asesinos y que atormentaban a los presos para hacerles hablar». Pablo Enseñat Martínez, que fue detenido el 10 de mayo de 1938 por haberse negado a cooperar con los rojos, «del SIM sabe que era un organismo donde el terror y la brutalidad imperaban». Francisco de Barnola Laporta era un estudiante que había sido detenido el 28 de abril de 1938 por pertenecer al Servicio de Información de la Policía Militar y según su declaración el SIM «era la base, infiltrarse en las organizaciones que se fundaban por verdaderos españoles, en la zona roja». Para Eugenio Carpintero, el SIM «funcionaba a base de terror y torturas a los detenidos que por allí pasaban, para hacerles declarar lo que a ellos les convenía o la información de que eran poseedores; la Policía roja se portaba algo mejor». El concepto que tenía Camilo Crespo Ratera del SIM y la policía era parecido: «En la mayoría de los casos procedían por la violencia para arrancar a los detenidos la declaración que ellos deseaban, les torturaban en la silla eléctrica…». A menudo, además, los reclusos identificaban al SIM (casi siempre habían sido detenidos por policías de la organización) con los comunistas y los rojos de peor calaña.

CONCLUSIONES

La checa de la calle Vallmajor fue sin ningún tipo de dudas una de las más importantes —si no la más importante— de las que existieron durante la guerra civil española en Barcelona, hasta el punto de que, una vez terminada la guerra, el franquismo quiso publicitarla como uno de los peores *antros* del terror que habían puesto en funcionamiento los rojos en la retaguardia republicana. Además de las obras que salieron publicadas el mismo año 1939 y de las que ya hemos hablado, en 1943 Francisco Lacruz publicó *El Alzamiento, la Revolución y el terror en Barcelona*, donde la checa de Vallmajor ocupaba un lugar notorio. Y cuando a finales del mismo año o principios de 1944 el Ministerio de Justicia publicó *Causa general: la dominación roja en España. Avance de la información instruida por el Ministerio Público*, el tema de las checas volvía a jugar un papel destacado, aunque en el caso de la checa de Vallmajor solo aparecían fotos.

Poco después de terminada la guerra, el Gobierno abrió al público la checa. El policía armado Hilario Martínez Goñi, como él mismo reconocía en una declaración en la Causa General, «fue encargado a primeros de julio de 1939 para prestar servicio como conserje o cicerone para explicar a los visitantes lo que había sido el funcionamiento de la checa de Vallmajor». Estuvo en el cargo hasta marzo de 1941, cuando fue sustituido por Luís Sánchez García, de quien ya hemos hablado. Cuando el día 23 de octubre de 1940 el todopoderoso jefe de las SS y de la policía alemana, el *Reichsführer* Heinrich Himmler, hizo una visita relámpago a Barcelona, visitó Montserrat —parece que con objeto de encontrar el Santo Grial—, cenó con el alcalde y durante la cena fue informado de la existencia de la checa de la calle Vallmajor. Su fascinación —como no podía ser de otra manera en el jefe de la represión por excelencia de la Alemania nazi— fue tan grande que no paró hasta que consiguió ir a visitarla a las tres de la madrugada. La noticia quedó recogida en *La Vanguardia Española* del día siguiente y en una foto de Carlos Pérez de Rozas en la cual se ve a Himmler y a las autoridades españolas en una de las celdas *alucinantes* de la checa.[12]

Lo sorprendente es que muchos años después, y desde la historia del arte, se volvió a recrear la checa de Vallmajor vinculándola a las corrientes vanguardistas de los años veinte y treinta del siglo pasado, en especial en lo que respecta a las celdas mencionadas. Es lo que hizo la historiadora Victoria Combalía cuando escribió en el diario *El País*, refiriéndose a las celdas alucinantes, que «el parecido de los dibujos con ciertas obras de la Bauhaus, especialmente con algunas de Kandinsky de la década de 1920 (*Tres sonoridades amarillas*, de 1926) o con las de otros pintores abstractos, como Moholy Nagy y Johannes Itten, es sorprendente», dando credibilidad y abonando las teorías de Chacón y de los revisionistas de derechas.[13] Las conclusiones a que llegaba la historiadora del arte eran aún más sorprendentes: «Las checas utilizaron, pues, los estilos vanguardistas del momento, el surrealismo y la abstracción geométrica, con el propósito de torturar psicológicamente a la víctima. Poco podían haber imaginado los creadores de lenguajes

---

[12] Ver *La Vanguardia Española*, 24 de octubre de 1940. La fotografía de Pérez de Rozas puede verse en la *web* del Ayuntamiento de Barcelona: <http://www.bcn.cat/bcnpostguerra/exposiciovirtual/es/4.1-nuevos-amigos.html>.

[13] Ver Victoria Combalía: «Arte moderno para torturar. Dibujos surrealistas y geométricos se usaron para castigar a los reclusos en checas», *El País,* 26 enero de 2003.

revolucionarios y liberadores que uno de sus usos estaría tan intrínsecamente asociado a la represión».

Sin embargo, parece evidente, a tenor de las declaraciones recogidas en la Causa General, que sin querer menospreciar el papel que tuvo la checa en la represión republicana de la segunda mitad de la guerra —básicamente durante el período en el cual Juan Negrín fue presidente de Gobierno—, las prácticas represivas más duras e intensas solo afectaron a una minoría de quienes estuvieron presos en ella. Es preciso recordar que la mayoría de quienes pasaron por la checa lo hicieron a lo largo del año 1938 y según sus propias declaraciones la mayoría de ellos o eran falangistas —que actuaban en la clandestinidad— y habían formado parte de la *quinta columna* o se dedicaban al socorro blanco o habían intentado huir o estaban escondiendo a quienes habían huido o desertado. En cualquier caso, su responsabilidad es claramente contraria a las instituciones republicanas legalmente constituidas en un momento en que se estaba produciendo una guerra civil provocada por un golpe militar.

Lo cierto es que los propósitos que pretendía llevar a cabo la Causa General cuando se creó en 1940 a fin de instruir «los hechos delictivos cometidos en todo el territorio nacional durante la dominación roja» acabaron en el más rotundo fracaso, y el «avance de la información» que se publicó en 1943 fue lo más lejos a que se llegó. Nunca más se volvió hablar del tema. Parece claro que el franquismo estaba superando con creces en plena posguerra las cotas represivas de la República, como ya las había superado durante la guerra. Con ello, claro está, no pretendemos justificar ninguna de las represiones existentes.

FUENTES ARCHIVÍSTICAS Y BIBLIOGRAFÍA

Fuentes

Archivo Histórico Nacional, FC. Causa general, 1633, Exp. 3., Exp. 4, Exp. 5.
El País, 23 de enero de 2003.
La Vanguardia Española, 13 de junio de 1939, 24 de octubre de 1940.
Servicio Antimarxista. Boletín quincenal de información, núm. 23, 15 de agosto 1939.

Libros y artículos

Alcalá, César: *Checas de Barcelona: el terror y la represión estalinista en Cataluña durante la guerra civil al descubierto*, Barcelona: Belacqva., 2005
Alcalá, César: *Las checas del terror: la desmemoria histórica al descubierto*, Madrid: Libroslibres, 2007.
Chacón, R. L.: *Por qué hice las chekas de Barcelona: Laurencic ante el consejo de guerra*, Barcelona: Solidaridad Nacional, 1939.

Lacruz, Francisco: *El Alzamiento, la Revolución y el terror en Barcelona*, Barcelona, 1943.

Martín Ramos, José Luis: *Territori capital: la guerra civil a Catalunya (1937-1939)*, Barcelona: L'Avenç, 2015.

Ministerio de Justicia: *Causa general: la dominación roja en España. Avance de la información instruida por el Ministerio Público*, Ministerio de Justicia, [1943 o 1944].

Pagès, Pelai: *La presó Model de Barcelona: història d'un centre penitenciari en temps de guerra (1936 1939)*, Barcelona: Publicacions de l'Abadia de Montserrat, 1996.

— *Justícia i guerra civil: els tribunals de justícia a Catalunya (1936-1939)*, Barcelona: Base, 2015.

Preston, Paul: *El holocausto español: odio y exterminio en la guerra civil y después*, Barcelona: Debate, 2011.

Ros, Félix: *Preventorio D: ocho meses en el SIM*, Barcelona: Yunque, 1939.

Solé i Sabaté, J. M.y J. Villarroya i Font: *La repressió a la reraguarda de Catalunya (1936-1939)*, vol. II, Barcelona: Publicacions de l'Abadia de Montserrat, 1989/1990.

La Gran Checa Azul de Sevilla:
la Comisaría de Orden Público de Jesús del Gran Poder

Francisco Espinosa Maestre
Historiador

> Estableceremos una proporción, un porcentaje. Porque no vamos a cargarnos a todos.
>
> Declaración de un capitán del cuerpo jurídico a Francisco Gonzálbez Ruiz: *Yo he creído en Franco: proceso de una gran desilusión (dos meses en la cárcel de Sevilla)*, París: Imprimerie Coopérative Étoile, 1937.

CHECAS

Asociada a la Revolución rusa, la palabra *checa* da nombre a cualquier grupo que se dedica a la detención, castigo y desaparición de personas en situaciones extremas como son las guerras, las revoluciones y las contrarrevoluciones, pero curiosamente en nuestro país solo se suele aplicar a los grupos que así actuaron en la zona republicana, en general milicias de diferentes partidos que se movieron a su antojo a consecuencia de la quiebra del Estado producida por el golpe militar y que fueron controladas por el gobierno republicano antes de que finalizase 1936.

Resulta significativo que las checas hayan sido objetivo prioritario de las tendencias historiográficas más conservadoras, cuyo fin no ha dejado de ser otro que demostrar que la República era un régimen criminal sometido al comunismo. Este asunto va, además, indisolublemente unido a las matanzas de Paracuellos, ejemplo con el que se quiere anular en bloque la realidad del plan de exterminio llevado a cabo por los golpistas. Desde el mismo año 1939 se ha estado haciendo un uso propagandístico de las terribles fotografías encontradas por los ocupantes de Madrid en los archivos de Gobernación. Allí estaban, para su identificación, las fotos de las personas que aparecieron asesinadas en diferentes puntos de Madrid en los meses posteriores al golpe.[1] Obsérvese que en Madrid, pese a las terribles circunstancias del momento, se mantuvieron al

---

[1] Pocos libros deben de haber tenido tantas ediciones a partir de 1939 como *Causa General: la dominación roja en España. Avance de la información instruida por el Ministerio Público*, Madrid: Ministerio de Justicia, 1943.

Sevilla, 2 de agosto de 1936: concentración frente a los Jardines del Cristina de las fuerzas de la Legión que partirán hacia Extremadura. De izquierda a derecha, José Cuesta Monereo (Estado Mayor), Queipo, su ayudante César López Guerrero Portocarrero (con gafas negras), Antonio Castejón Espinosa, Manuel Gutiérrez Flores (Estado Mayor), Manuel Díaz Criado (delegado de Orden Público) y el terrateniente carlista jiennense Fernando Contreras Pérez de Herrasti (con chaqueta blanca). Fuente: Fotografía de Juan José Serrano (Hemeroteca Municipal de Sevilla)

menos algunas de las rutinas legales establecidas sobre el levantamiento de cadáveres. Puede servir de contrapunto lo ocurrido en Burgos con motivo de la aparición de la primera persona asesinada: un obrero al que exigieron dar vivas a España y al Ejército y que respondió dando un viva a la República. Conocemos el caso por el secretario del Juzgado de Primera Instrucción de esa ciudad, Antonio Ruiz Vilaplana. Nos cuenta en sus recuerdos de esos meses que en el juzgado se siguieron los trámites habituales. Se fotografió el cadáver, se expusieron públicamente las imágenes para su identificación y se enviaron oficios a la Guardia Civil y a la Policía para que realizaran averiguaciones. Veamos cómo acabó esto:

> Al día siguiente el gobernador militar ordenó la retirada inmediata de las fotografías expuestas y de un modo político hizo saber al juez la conveniencia de que aquellos hechos no *alcanzaran gran publicidad* en beneficio del movimiento glorioso. A partir de aquel día, ya ni la Guardia Civil ni la Policía realizó [sic] gestión alguna en esta clase de hechos.[2]

[2] Antonio Ruiz Villaplana: *Doy fe: un año de actuación en la España nacionalista*, Sevilla: Espuela de Plata, 2012, p. 79. Introducción y notas a cargo de Francisco Espinosa Maestre y Luis Castro Berrojo.

Otro punto a tener en cuenta es esa idea que existe según la cual hubo checas en toda España hasta que las diversas localidades fueron *liberadas por los nacionales*. Cuarenta años de políticas de memoria franquistas y otros cuarenta de políticas de olvido no se superan fácilmente. Las falsedades, verdades a medias y tópicos franquistas siguen gozando de buena vida incluso en las generaciones jóvenes.[3] Cualquiera que haya consultado la Causa General sabe que la página dedicada a las checas está en blanco en numerosas provincias. Y no por el famoso *no les dio tiempo*, que para todo ha servido, sino porque, pese a disponerse del tiempo suficiente para poner fin a la vida de miles de detenidos de derechas, primó el respeto a la vida. Los que estaban preparados para matar fueron los que dieron el golpe; los demás, en general, intentaron defenderse o simplemente protegerse. Las excepciones han sido estudiadas con nombres y apellidos, pues si para algo no existe traba ni límite alguno es para saber qué fue de las víctimas de derechas. Las ciudades asociadas a las checas fueron principalmente Madrid y Barcelona, por más que existieran algunas en Valencia y en otras ciudades. El grueso está en esas dos ciudades, que suman en total unas doscientas cincuenta checas.

Llama la atención, sin embargo, que a los organismos que actuaron en el mismo sentido en el territorio controlado por los golpistas no se les aplique dicha palabra. De hecho, la organización de las checas azules o fascistas recuerda mucho más al modelo soviético que a las que funcionaron en zona republicana. Aquí era la misma camarilla golpista la que controlaba su funcionamiento y era constantemente informada de lo que ocurría a diario. Las directrices represivas iban de arriba abajo y la información sobre los resultados de seguir esas directrices, de abajo arriba. Desde el más pequeño cuartelillo de la Guardia Civil hasta el cuartel general de Franco, la información pasaba por los centros provinciales tanto de la Guardia Civil como de las delegaciones de Orden Público, las auditorías de guerra y los estados mayores de las divisiones militares. Pocas cosas se escapaban a esta tela de araña. Y ahí vemos juntos en acción, cada uno a su nivel, a militares, guardias civiles y policía política, sin olvidar a grupos paramilitares (Falange, Requeté y Guardia Cívica) cuya misión, por lo general, no fue otra que cumplir órdenes de unos y otros. Todos estaban unidos en el propósito de destruir toda huella de la experiencia republicana.

La estructura represiva sería la siguiente: en la base las comandancias militares que se crearon en todos los lugares a medida que iban siendo ocupados, comandancias a cargo de guardias civiles o militares según el rango de la población; por encima, los gobiernos militares, en línea directa con el Estado Mayor y la Auditoría, sobre las cuales, en el máximo nivel, se encontraría la máxima autoridad golpista de la región militar: Queipo. En medio y en comunicación con todos ellos, la Delegación de Orden Público.[4]

---

[3] Sobre esto véase Fernando Hernández Sánchez: *El bulldozer negro del general Franco: historia de España en el siglo XX para la primera generación del XXI*, Barcelona: Pasado&Presente, 2016.

[4] Tomo esta estructura básicamente del investigador que mejor conoce la cuestión represiva en Sevilla y su zona de influencia. Me refiero a José María García Márquez: *Las víctimas de la represión militar en la provincia de Sevilla (1936-1963)*, Sevilla: Aconcagua, 2012.

EL DELITO DE REBELIÓN MILITAR Y LOS BANDOS DE GUERRA

Se ha escrito que, dado el carácter autoritario de ciertas leyes existentes desde el siglo XIX o creadas por la propia República, los golpistas de 1936 no tuvieron que innovar demasiado en el terreno represivo.[5] Suele darse como prueba de ello el mantenimiento de algunos aspectos difícilmente compatibles con un Estado democrático, como por ejemplo que los delitos militares se mantuvieran dentro de ámbito castrense o que los límites entre lo civil y lo militar no dejasen de ser un tanto difusos. Algunos juristas también han llamado la atención sobre el modo en que Fernando VII acabó con el Trienio Constitucional poco más de un siglo antes: no solo declaró nulos y sin valor todos los actos del Trienio, sino que instauró una represión orientada a que desapareciera «para siempre del suelo español, hasta la más remota idea de que la soberanía reside en otro que no sea mi real persona».[6] Esta referencia al *rey felón* no es gratuita ni exagerada. El jurídico militar Felipe Acedo Colunga, otro de los golpistas sevillanos, en este caso de los que aportaron argumentos seudojurídicos sobre la represión, realizó un informe cuando ya estaba al frente de la Fiscalía del Ejército de Ocupación en la que se remontaba incluso más allá, a la Inquisición que el propio Rey restableció: «Surge así ante nuestra vista el recuerdo del calumniado Tribunal de la Inquisición, nacido para juzgar a los conversos y para evitar nuestras guerras intestinas de religión…».[7]

Lo particular de los bandos de guerra o del delito de rebelión por el que los sublevados juzgaron a los que se oponían o se mostraron indiferentes a sus designios es el retorcimiento a que sometieron a las leyes vigentes. De hecho, el bando de 28 de julio de 1936 de la Junta Militar ampliaba el campo de la justicia militar invadiendo lo que hasta entonces pertenecía a la justicia ordinaria. Así, un jurista favorable al golpe llegó a decir que «la defensa de lo antiguo constituye la verdadera rebelión».[8] En esta misma línea, la declaración de guerra vendría a justificarse por la situación existente en el país desde las elecciones de febrero de 1936: la situación de vacío exigía la intervención militar.[9] Se necesitaba dicho *vacío* para salvar el escollo que representaba el hecho de que el estado de excepción no había sido decretado por el gobierno democrático sino por una facción rebelde del Ejército. De ahí los esfuerzos incesantes hasta hoy día realizados para propagar que la Segunda República no fue

---

[5] Manuel Ballbé: *Orden público y militarismo en la España Constitucional (1812-1983)*, Madrid: Alianza Universidad, 1983, p. 402.

[6] Ibídem, p. 406.

[7] Archivo del Tribual Militar Territorial Segundo, «Memoria del Fiscal del Ejército de Ocupación», p. 3. (documento mecanografiado). Un análisis de su contenido puede verse en Francisco Espinosa Maestre: «La memoria del Fiscal del Ejército de Ocupación», en *Tiempos de silencio: actas del IV Encuentro de Investigadores del Franquismo*, Valencia, 1999, pp. 34-39.

[8] Manuel Ballbé: *Orden…*, p. 402.

[9] Sobre estas cuestiones sigue siendo de consulta obligada el *Dictamen de la Comisión sobre ilegitimidad de poderes actuantes en 18 de julio de 1936*, Madrid: Editora Nacional, 1939.

un régimen democrático y que a partir de febrero del 36 ya no hubo ni gobierno ni nada, sino solo la supuesta *revolución comunista* que habría de convertir a España en un satélite de Moscú.

Los golpistas impusieron la jurisdicción militar sometiendo a todos a sus estrictas normas de tiempo de guerra, primero a través de sus arbitrarios bandos y al mismo tiempo, y sobre todo después, a los consejos de guerra sumarísimos de urgencia. En sus estudios sobre el nacionalsocialismo, Franz Neumann estableció que el núcleo de la contrarrevolución no fue otro que el poder judicial.[10] En el caso español sería igual, por más que el poder judicial militar sea más visible que el civil.[11] A partir de ahí se socavó el Estado de derecho hasta límites inimaginables, de forma que la pena de muerte se aplicó de manera indiscriminada según la percepción que los militares tenían de cada momento. Así, por ejemplo, en los meses siguientes al golpe fueron asesinadas miles de personas que solo dos, tres o cuatro años después hubieran salvado la vida. Bandos y consejos de guerra permitían absolutamente todo. La situación ha sido bien descrita por algunos juristas: «En realidad, la situación solo presentaba caracteres de urgencia para una oligarquía que había perdido el poder político en las elecciones de febrero de 1936 con el triunfo del Frente Popular. A la preservación de los intereses de aquella sirvió, exclusivamente, la sublevación militar».[12]

También por el fiscal Galbe Loshuertos:

A diferencia del llamado terror rojo, el terror blanco de Franco y sus partidarios fue un verdadero terror sistemático, estatal y organizado sobre las bases del llamado «derecho penal» nazi. Penas crueles y aberrantes, procedimientos sin garantía alguna, desprecio y odio al delincuente, expiación y venganza como únicos móviles de la reacción penal con la intimidación como meta máxima.[13]

También Ruiz Vilaplana percibió de inmediato el militarismo dominante y los recursos y elementos absolutamente arbitrarios que este imponía desde su privilegiado observatorio en el Juzgado de Burgos.[14] La situación creada la describió perfectamente el ya citado Acedo Colunga en su informe: «Hoy, al terminarse en julio de 1936 el

---

[10] Franz Neumann: *Behemoth: pensamiento y acción en el nacional-socialismo*, Madrid: Fondo de Cultura Económica, 1983, p. 38.

[11] Suele olvidarse que el aludido *Dictamen*, iniciativa del ministro de Gobernación Ramón Serrano Súñer, tuvo entre sus instructores a un nutrido grupo de magistrados, catedráticos y exministros procedentes de todo el país: Ildefonso Bellón Gómez, Adolfo Pons Umbert, Joaquín Fernández Prida, Antonio Goicoechea Coscuyuela, Adolfo Rodríguez Jurado, Federico Castejón Martínez de Arizala, Álvaro de Figueroa Torres, Abilio Calderón Rojo, José María Trías de Bes, Manuel Torres López, Salvador Bermúdez de Castro, José Manuel Pedregal, José María Cid Ruiz Zorrilla, Wenceslao González Oliveros, Rafael Aizpún Santafé, José Gascón y Marín, Eduardo Aunós Pérez, Santiago Fuentes Pila, Romualdo de Toledo Robles, Rafael Matilla Entrena, Rafael Garcerán Sánchez y José Luis Palau Martín Alay (*Dictamen…*, pp. 10-11).

[12] Nicolás García Rivas: *La rebelión militar en el derecho penal*, Universidad de Castilla-La Mancha, 1990, p. 103.

[13] José Luis Galbe: *La justicia de la República*, Madrid: Marcial Pons, 2011, p. 182.

[14] Antonio Ruiz Villaplana: *Doy fe…*, p. 189.

proceso de nuestra decadencia histórica con esta inmensa hoguera donde se está eliminando tanta escoria…».[15]

LA COMISARÍA DEL GRAN PODER

Del paso de la Delegación de Orden Público por la comisaría de Jáuregui y del cercano cine del mismo nombre convertido en prisión contamos también con algunos testimonios. El gobernador civil José María Varela Rendueles, por ejemplo, trasladado con otros cargos públicos republicanos a Capitanía la misma tarde del 18 de julio, fue conducido al día siguiente con sus compañeros (alcalde, concejales, presidente de Diputación, diputados provinciales, etcétera) a la Prisión Provincial. Muy pocos de ellos conservarían la vida. Su único delito, haber servido a la República.

De la Prisión Provincial, Varela pasó en poco tiempo a la comisaría de Jáuregui, cuando todavía estaba establecida allí la Delegación de Orden Público y el despacho del delegado militar Manuel Díaz Criado. Tras prestar declaración pasó al cercano cine Jáuregui. Según cuenta habían quitado todas las butacas y telones. Solo habían dejado en medio de aquel amplio espacio lleno de presos las siluetas de cartón del Gordo y el Flaco (los cómicos Oliver Hardy y Stan Laurel), como si fueran dos presos más. Varela también recuerda que en el despacho de Díaz Criado había un gran esqueleto con un cartel donde se leía: «Así me veo por mal español».

En su itinerario el gobernador civil de Sevilla pasó también por el Salón Variedades, en la calle Amor de Dios, un salón de fiestas igualmente convertido en prisión, sin duda por su cercanía a la Comisaría del Gran Poder. En el escenario había un piano en el que los propios presos se burlaban de sus represores y de su propia situación.

La Comisaría del Gran Poder fue instalada en la residencia jesuita de la calle Palmas, más tarde denominada Jesús del Gran Poder, después de que dicho edificio fuese incautado por la República, al igual que tantos otros de la Compañía, en 1932. Entre dicho año y 1936 se establecieron allí diversos organismos provinciales relacionados con la Educación. Tras el golpe militar, el lugar pasó a ser cuartel de milicias, aunque los jesuitas, al igual que en otros casos, recuperaron una parte del enorme edificio, que por delante daba a Jesús del Gran Poder y por detrás a la calle Trajano.[16] Tras la elección por parte de Queipo del militar Manuel Díaz Criado como delegado gubernativo el día 25 de julio, la comisaría de Orden Público, tras una etapa breve en la calle Jáuregui, pasó a mediados de agosto, por necesidades de espacio, a la residencia jesuita. Estos

---

[15] Archivo del Tribual Militar Territorial Segundo, «Memoria del Fiscal del Ejército de Ocupación», p. 1 (documento mecanografiado).

[16] Legalmente existían tres propiedades: una en la calle Trajano y dos en Jesús del Gran Poder. En total, su valor era de más de dos millones de pesetas (Alfredo Verdoy: *Los bienes de los jesuitas*, Madrid: Trotta, 1995, p. 213). Su equivalente en euros sería hoy superior a cuarenta y un millones (sobre la relación peseta/euro véase José Ángel Sánchez Asiaín: *La financiación de la guerra civil española*, Barcelona: Crítica, 2012, pp. 948-950).

cambios se completarían ya en septiembre con el desplazamiento paulatino del terror desde calles, plazas y otros lugares de la ciudad al cementerio. Según Barbero, esto se debió también al hecho de que circularon fotos pese a las estrictas normas de censura que tenían las casas de fotografía.[17]

De hecho, como ya se ha dicho, la comisaría de Jáuregui se había visto obligada a habilitar como prisión el cine del mismo nombre. Dado el gran número de detenidos en las primeras semanas, además de la prisión provincial, saturada, y los centros militares, se ocuparon otros lugares como los sótanos de la Plaza de España, el cine Lumbreras, el Salón Variedades y el llamado Barco Prisión *Cabo Carvoeiro*. También la antigua Casa del Pueblo de la calle Santa Ana, ocupada ahora por la Brigadilla Social de Falange, sirvió de cárcel a los detenidos antes de pasar a la Comisaría. Tanto el Lumbreras como el Variedades como la antigua Casa del Pueblo estaban muy cerca de la Comisaría del Gran Poder. En el mismo entorno, al comienzo de la calle Trajano, se encontraba el local de la Cámara Agraria, ocupado ahora por Falange. El *cuidado cristiano* tanto de los que habían de morir cada noche como de sus asesinos quedó a cargo de los jesuitas, aunque como nos recuerda García Márquez el cardenal Ilundain, con su celo habitual, consiguió que se prohibiera matar los domingos y fiestas de guardar.[18]

He aquí la descripción que Antonio Bahamonde hizo de la comisaría:

> Su fama proviene de diferentes hechos. El primero y principal: allí está el patio número tres. Otro no menos importante: en su edificio está instalado el despacho del delegado gubernativo de Orden Público, el que firmaba las sentencias de muerte en Sevilla.
>
> Los detenidos que por la noche iban a ser fusilados eran concentrados en el patio número tres. Allí es donde la dama catequista[19] les daba la plática. En él se apiñaban personas de todas las edades. El patio da a un pasillo. Hay unos bancos que cierran el patio porque éste no tiene puertas. Guardias de vista vigilan todos los movimientos de los detenidos. Yo he pasado por

---

[17] Edmundo Barbero: *El infierno azul (seis meses en el feudo de Queipo)*, Madrid: Talleres Socializados del SUIG (CNT), 1937, p. 29. Sobre fotografías hubo dos bandos en las semanas siguientes al golpe: uno el 31 de agosto que prohibía tomar fotos en el territorio de la Segunda División y otro de 11 de septiembre que ampliaba el anterior exigiendo que todo negativo pasase por censura previa y que toda fotografía llevase detrás el sello militar. En caso contrario era considerada «fotografía clandestina».

[18] José María García Márquez: «El centro de terror: la comisaría de la calle Jesús del Gran Poder», en *Lugares de la memoria: golpe militar, represión y resistencia en Sevilla. Itinerarios*, Sevilla: Aconcagua, 2014, pp. 145-149.

[19] La dama catequista a la que alude Bahamonde no es otra que la conocida por *La Señorita Cero*. José María Varela Rendueles, último gobernador republicano de Sevilla, nos cuenta en sus memorias el origen del nombre recordando cómo se presentaba: «Mirad. Dios me ha encomendado una gran misión, a mí tan insignificante, tan poquita cosa. Ya veis quién soy... Nada, nadie. Un simple cero. Nada más que un cero. Sin nombre y sin valor alguno. La señorita cero. Pues bien, Él con su infinita bondad ha encomendado a *la señorita cero* nada menos que la salvación de vuestras almas» (José María Varela Rendueles: *Mi rebelión en Sevilla: memorias de su gobernador rebelde*, Ayuntamiento de Sevilla, 1982, p. 171). A la «señorita cero» también alude Francisco Gonzálbez Ruiz en *Yo he creído en Franco: proceso de una gran desilusión (dos meses en la cárcel de Sevilla)*, París: Ediciones Imprimerie Coopérative Étoile, 1937, p. 129. Una anotación a mano en la copia de dicho libro hecha por Milagro Martínez, hija del médico sevillano Jesús Martínez, asesinado, indica que la *Señorita Cero*, «muy católica y partidaria de la eliminación de los no creyentes», era hermana del doctor Blas Tello.

el pasillo muchísimas veces; yo he estado dentro del patio número tres oyendo la plática, y he visto y me he rozado multitud de veces con los seres que por la noche iban a morir.

Los que entraban, al principio no sabían el fin que les esperaba, hasta la llegada de la dama catequista que les exhortaba a bien morir y del sacerdote que después les pedía que confesaran. De este modo se enteraban de su próximo fin. Los que entraron más tarde, bien por haber oído en la calle la fama del patio, o por haber hablado durante su prisión con presos que sabían lo que la entrada en el patio significaba, al ser llevados a él protestaban ruidosamente, negándose a entrar. Los que tal cosa hacían eran conducidos a una habitación del piso superior, de la que ya no bajaban hasta la hora de subir al camión. Vi bajar a uno arrastrado por dos guardias. No podía ponerse en pie. Su rostro cubierto de sangre era difícil de distinguir.

La tónica dominante era la de hombres autómatas que habían perdido la noción exacta de lo que pasaba. Por lo que observé creo que no tenían ya ni la facultad de sufrir.[20]

La gente tenía muy difícil seguir el rastro de sus familiares detenidos. Intentaban llevarles algo de comida allí donde estuvieran, pero tanto en la comisaría como en otras prisiones podían recibir cualquier día respuestas como: «Este ha sido trasladado» o «Ya no necesita más». Cuenta Bahamonde:

Las familias se alejaban sin atreverse a la más pequeña protesta, por temor a empeorar con ella la suerte de otro ser querido que se encontraba dentro, o que sabían bien que podían ir a buscar cuando quisieran. Como los fusilamientos eran diarios, esta escena se repetía todos los días. Por lo céntrico del lugar son miles las personas que han visto por aquellos alrededores cuadros de un dolor inenarrable.

Hay que señalar que Antonio Bahamonde era un católico de derechas bien situado económicamente y que fue designado delegado de propaganda de Queipo: de ahí que pudiera dar una visión tan amplia y detallada de la extensa zona controlada por los golpistas sevillanos. Se afilió a la Guardia Cívica pensando que esto sería menos comprometido que meterse en Falange o en el Requeté. Tanto por su cargo como delegado de propaganda como por su tareas de miliciano pudo acceder al núcleo de la represión, la Comisaría del Gran Poder, y a Díaz Criado y sus relaciones. Ya veremos luego por qué Bahamonde decidió abandonar la zona franquista en 1938.

También Edmundo Barbero, a quien con otros actores de la productora Cifesa el golpe militar sorprendió por tierras andaluzas, nos describe la comisaría, a la que tuvo que ir en no pocas ocasiones para solucionar la documentación que necesitaban para salir de Sevilla. Escribe Barbero:

El cuarto de torturas, llamado antes cuarto del piano, es donde interrogan a los presos. Era la antigua clase de Fisiología. En la antigua tarima del profesor hay un esqueleto de mujer,

---

[20] Antonio Bahamonde Sánchez de Castro: *Un año con Queipo: memorias de un nacionalista*, Barcelona: Ediciones Españolas, 1938, p. 105. Tanto esta obra como la de Edmundo Barbero *El infierno azul (seis meses en el feudo de Queipo)*, que también se utilizará, y *Noches de Sevilla* de Jean Alloucherie fueron incluidas en *Un año con Queipo: memorias de un nacionalista*, Sevilla: Espuela de Plata, 2005.

al que se le ha puesto un gorro de cuartel y un puro en la boca; hay también un piano y un cencerro muy grande, la misión de los cuales es que no se oigan los interrogatorios. En las paredes, carteles de las asignaturas que se explicaban antes en la habitación. Las vitrinas, llenas de varas de acebuche y de vergajos. Y en los bancos de madera lisos en donde les daban el arroz. Cuando algún desgraciado, a pesar de las palizas, se resistía a declarar lo que ellos querían, decía Rebollo [José Rebollo, alférez de la Guardia Civil que dirigía la *brigadilla especial* al servicio de Díaz Criado] humorísticamente: «Este está muy débil, no quiere hablar. Habrá que darle un poco de arroz». Consistía esto en poner encima de un banco de madera algunos granos de arroz crudo. La víctima se había de poner encima de ellos, de rodillas, teniendo estas desnudas y con los pies sin tocar la tierra.

Confesaba el propio Rebollo que enseguida comenzaban a sudar copiosamente y que ninguno resistía diez minutos.

También nos dejó su testimonio Francisco Gonzálbez Ruiz. Había llegado a la prisión a finales de julio de 1937, cuando ya Varela Rendueles había partido hacia el penal del Puerto de Santa María. En ese momento había en prisión unos 1200 hombres y 400 mujeres. Gonzálbez, gobernador civil de Murcia, había huido a la zona franquista pensando que allí encontraría más seguridad. En sus recuerdos se lee:

> Una noche empezaron a llamar para declarar por grupos de seis. Cuando volvieron los primeros daba espanto verles. Algunos no podían sostenerse en pie. Un detenido, enloquecido, se suicidó tirándose de cabeza contra el suelo desde el bordillo de la taza de la fuente que hay en el patio. Me llegó el turno. Con cinco compañeros más nos llevaron a una habitación del primer piso [...]. El torno desnudo y en fila nos colocan a los seis mirando a la pared, salpicada de sangre. Comienza el interrogatorio por el primero. «Tú, ¿qué eres? —Yo, vendedor ambulante. —No es eso lo que te pregunto. ¿Eres de derechas o de izquierdas? —No soy político». Y llueven sobre él más de veinte palos que le asestan dos guardias, destacados de los doce que, detrás, forman en fila.[21]

Así siguieron con todos. Añade Gonzálbez algo que ya sabemos: que en esa habitación había un piano cuyo sonido impedía que los gritos se oyeran desde la calle.

Uno de los testimonios más especiales con los que contamos es el del ingeniero y urbanista francés François de Pierrefeu, miembro del grupo paramilitar Cruz de Fuego y gran admirador de Franco. Fue este precisamente quien lo invitó a España a través del general Orgaz, alto comisario en Marruecos. Una vez en Sevilla y establecido en el Hotel Madrid, le sirvió de guía Araceli Vázquez de Benjumea, suegra de José García Carranza *el Algabeño*, fascista estrechamente relacionado con Queipo. En los primeros días de estancia conoció a Rosita Díaz Gimeno, la protagonista de la película de Cifesa en la que también participaba Edmundo Barbero. La popular actriz, a la que el rodaje

---

[21] Francisco Gonzálbez Ruiz: *Yo he creído en Franco: proceso de una gran desilusión (dos meses en la cárcel de Sevilla)*, París: Imprimerie Coopérative Étoile, 1937, p. 117 y ss.

de *El genio alegre* sorprendió en Córdoba, sufrió las consecuencias de formar pareja con el hijo mayor de Juan Negrín.

Pierrefeu llegó desde Tánger, donde vivía, el 28 de septiembre de 1936, pero solo unos días después, el 2 de octubre, fue trasladado por dos falangistas a la Comisaría del Gran Poder. Como había tenido que presentar el pasaporte conocía ya a Díaz Criado. El francés describe el edificio y observa los dos patios llenos de detenidos, unos en mono de trabajo, otros en pijama, en ropa interior… Recuerda la habitación del piano «fortísimo» y la de torturas. Ya ante Díaz Criado ve como sus datos son incorporados a un enorme listado. Después es trasladado al Salón Variedades, experiencia que no pudo olvidar y que contó posteriormente al periodista Henry Clérisse.[22]

El local estaba lleno de detenidos. Pierrefeu llegó a contar un máximo de 618. Él mismo nos dice el espacio con que contaban: entre la sala, palcos y corredores sumaban 470 metros cuadrados, es decir, menos de un metro por persona. Y para todos ellos dos retretes. En los días que allí estuvo fue testigo de sacas (unas trece diarias), palizas (los que se hacían sus necesidades eran obligados a comerse sus propios excrementos para después vomitarlos) y suicidios. En el tiempo que estuvo en el Salón, entre el 2 y el 17 de octubre, sin contar domingos ni fiestas, fueron conducidas al cementerio más de cien personas. Al igual que Gonzálbez Ruiz en la prisión provincial, Pierrefeu conoció en el Variedades a Pablo Fernández Gómez, el jefe de la *brigadilla de ejecuciones* de Falange, al que describió como «un Hércules de 45 años». También mencionó las visitas del jesuita Uriarte. En contraposición a todo esto asistió no sin asombro a alguna de las representaciones que los propios presos organizaban sobre el escenario del Salón riéndose de todo lo que los rodeaba y de su misma muerte.

Para prestar declaración fue trasladado a la comisaría, concretamente a la habitación contigua a la del piano. Allí estaba el esqueleto con el cartel que advertía que así se podía acabar de no ser un buen español. Antes de ser liberado gracias a los contactos españoles que tenía y a las gestiones del consulado francés, se enteró por el propio Díaz Criado de que había sido condenado a muerte por ser «un espía bolchevique». Esto se sumaría sin duda a la serie de barbaridades cometidas por aquel individuo que, al frente del mayor centro represivo del suroeste, solo veía espías por todos lados. No deja de llamar la atención que el reaccionario François de Pierrefeu declarara a Clérisse que el 90 % de los detenidos y denunciados que conoció solo habían cometido un delito: el de haber sido republicanos durante la República.

El Salón Variedades estuvo activo hasta el 26 de noviembre de 1936, en que por orden del nuevo delegado de Orden Público Santiago Garrigós Bernabeu todos los presos que quedaban, 198, fueron trasladados a la Prisión Provincial.[23]

---

[22] Henry Clérisse: *Espagne 36-37*, París: Georges Ventillard, 1937, pp. 72-102. Agradezco a Paul Preston que me proporcionara copia de las páginas relativas a la entrevista con François de Pierrefeu.

[23] Archivo de la Prisión Provincial, expediente procesal de Antonio Molina Pedreño.

LA PRISIÓN PROVINCIAL

Contamos en este caso con un documento excepcional: las memorias del que fue su director entre 1936 y 1938, Siro López Alonso.[24] De entrada nos cuenta que la población reclusa el 18 de julio a las 15:30 de la tarde eran 320 personas, la mayoría presos comunes salvo 32 presos gubernativos. Al día siguiente hubo 184 altas y 52 salidas, de los que 24 eran falangistas con carné y 23 sin carné. Cinco días después, el día 23, ya era de 1438 el número de presos. Pensemos que la prisión estaba preparada para un máximo de 500 reclusos. Ese mismo día 23 habían ingresado en Fosa Común 126 cadáveres recogidos en diferentes puntos de la ciudad.[25]

López se propuso «imprimir en el ambiente todo el dinamismo posible que diera sensación de convivencia armónica, [...], sin que los quehaceres bélicos del exterior tuvieran mas hondos reflejos que los que *discretamente* se producían en las *salidas para diligencias* al mediar la noche».[26] Los presos elegidos cada día eran recogidos en un furgón que los llevaba a la delegación de Orden Público. Siro López sabía, y lo escribe, que «la mayoría seguía rumbo al cementerio».[27]

Según nos cuenta el director de la Prisión Provincial, las ejecuciones tenían doble procedencia: las que se decidían por procedimiento gubernativo, resueltas con un simple expediente, y las que dictaban los consejos de guerra. Las primeras se aplicaron a presos que salieron de la prisión por «orden para realizar diligencias». La delegación de Orden Público siguió en ocasiones un procedimiento directo, llevando a los presos directamente de la prisión al cementerio, y en otros casos eran conducidos a la comisaría del Gran Poder «para depurar responsabilidades o ampliar sus declaraciones, salvándose alguno del trágico *paseo*». Entre julio y diciembre de 1936 estos casos afectaron, por lo que respecta a la Prisión Provincial, a 1039 personas. Por su parte, las sentencias de muerte dictadas por consejo de guerra afectaron en ese mismo período de tiempo a 528 presos, «siendo muy pocos los que con obstinación satánica los rechazaron [se refiere a los servicios religiosos], llegando algunos a proferir *Vivas a Rusia* al ser entregados a la fuerza pública».[28]

Algunos de los que pasaron por la Prisión Provincial nos dejaron testimonio sobre Siro López Alonso. José María Varela Rendueles, que como sabemos fue trasladado con otros compañeros a la prisión el 19 de julio, nos describe la escena del recibimiento. El director lo saludó y le dijo: «A sus órdenes, señor gobernador. Quiero expresarle mi adhesión a su persona y en ella al gobierno de la República [...] quiero que conste que

---

[24] Siro López Alonso: «Mi razón de vivir». Se trata de un documento inédito, mecanografiado, encuadernado en varios tomos y que debo a la amabilidad de sus descendientes.

[25] Francisco Espinosa Maestre: «Sevilla, 1936. Sublevación y represión», en A. Braojos (coord.), *Sevilla, 1936: sublevación fascista y represión*, Brenes: Muñoz Moya y Montraveta, 1990, p. 252.

[26] Siro López Alonso: «Mi razón de vivir», p. 150.

[27] Ibídem, p. 179.

[28] Ibídem, p. 166.

aquí sigue usted siendo el Gobernador de Sevilla».[29] A continuación saludó al alcalde Horacio Hermoso: «Yo me considero un prisionero más […] en lo que de mí dependa trataré de hacerles lo más llevadera posible la inevitable incomodidad de la prisión, que, como todos esperamos, confío no ha de sufrir mucho tiempo».[30]

Pero el curso de los acontecimientos motivó que el director cambiase su comportamiento, siendo perceptible su distanciamiento. Como dice Varela Rendueles, poco a poco dejó de ser «un prisionero más» para mostrarse como lo que realmente era: el director de la Prisión Provincial en una situación especialmente aguda. Pese a la deseada discreción, los presos eran totalmente conscientes de las sacas. ¿Cómo no serlo cayendo día a día la mayor parte de los que le acompañaron a prisión el 19 de julio? Sin embargo, tanto el gobernador Varela como su hermano se libraron de la muerte. Alumno del Colegio del Pilar y del ICAI, había hecho buenas relaciones durante la República con la Compañía de Jesús y con la Guardia Civil, de forma que, pese a la difícil situación en que se encontraba, consiguió la ayuda del poderoso jesuita Pedro María Ayala, del sargento Rebollo, de la condesa de Lebrija y hasta del Jalifa. Su secretario personal, José María Serrano Gil de Santibáñez, no tuvo la misma suerte.

De Siro López Alonso también nos da su visión Francisco Gonzálbez Ruiz. Tras su detención fue trasladado a Sevilla, concretamente a una habitación del piso superior de la comisaría del Gran Poder, donde con frecuencia lo visitaba un jesuita. He aquí lo que escribió del director Siro López: «Perteneció a Izquierda Republicana, convertido por obra y gracia de la rebelión militar al fascismo, en el que procura hacer méritos insultando de la manera más soez a los indefensos reclusos y castigándoles duramente, ferozmente, en cuantas ocasiones le son propias, sin ningún riesgo personal».[31]

Lo que ninguno de ellos supo es que, no mucho más tarde, ya a fines de 1938, fue trasladado a la prisión de Soria y un año después sometido a un procedimiento administrativo por sus actitudes republicanas durante el primer bienio. Esto le acarreó el ser apartado del cargo desde 1939 a 1945. En su escrito de descargo aludió a «adhesión incondicional al Movimiento salvador de España», algo demostrado desde que en la misma tarde del 18 de julio se ofreció a los militares golpistas; a su militancia en Falange desde octubre del 36 y al aval que por su actuación le ofrecieron Queipo, el auditor Bohórquez, el entonces delegado de Orden Público Garrigós, el jefe de la brigada social Rebollo, el alcalde Carranza, el presidente de Diputación Benjumea, los gobernadores Parias y Gamero del Castillo, el falangista sevillano y entonces gobernador civil de Huelva Miranda y el jefe de la Falange sevillana Dávila. Siro López también aludió al esfuerzo que realizó con los presos en el terreno religioso durante su mandato: 2178 comuniones, 28 matrimonios, 13 bautizos, 365 conferencias de catequistas… Entre julio de 1936 y el mismo mes de 1937 pasaron por prisión 5814 presos.

---

[29] José María Varela Rendueles: *Rebelión en Sevilla: memorias de su gobernador rebelde*, Ayuntamiento de Sevilla, 1982, p. 138.

[30] Ibídem, p. 142.

[31] Francisco Gonzálbez: *Yo he creído en Franco…*, p. 64.

EL DELEGADO GUBERNATIVO

El testimonio más directo sobre Manuel Díaz Criado nos lo ofreció Antonio Bahamonde, que tuvo la oportunidad de observar al personaje desde cerca. Todos sabían que Queipo le había dado poderes absolutos desde que lo nombró delegado gubernativo el día 25 de julio de 1936. Llegaba a la Delegación entre las cuatro y las seis de la tarde y despachaba rápidamente los expedientes. Se acababa de levantar y aún no había bebido lo suficiente para estar borracho. Desarrollaba su vida por la noche, pasando por diversos locales nocturnos hasta altas horas de la madrugada, en que se despedía de su círculo habitual hasta el día siguiente. Dicho círculo —*corifeos*, los llama Bahamonde— estaba formado por «aduladores, *cantaores* y *bailaoras* y mujeres tristes en trances de parecer alegres». También solía haber algunos militares, como el capitán Portabella, el cura falangista Balaguer o el guardia civil José Rebollo.[32] Su obsesión era «limpiar bien a España de marxistas». Bahamonde le oyó decir: «Aquí en treinta años no hay quien se mueva».[33] Todas las noches le dejaba la lista de quienes iban a morir al jesuita Uriarte, quien, cuando a Díaz Criado se le olvidaba dejarla, enviaba un policía a que lo buscara por el Pasaje del Duque, el café Gayangos, etcétera para que se la pasara y así poder confesarlos. Ya decía Edmundo Barbero que según José García Carranza *el Algabeño*: «Nosotros somos España; ellos, la anti-España. Nosotros hemos fusilado a muchos, es verdad, pero confesándolos y comulgándolos, y ellos no. Ya ven ustedes la diferencia».[34]

Solo admitía visitas en su despacho cuando se trataba de mujeres jóvenes. Bahamonde afirmaba que algunas mujeres lograron mejorar las condiciones de sus familiares detenidos «sometiéndose a sus exigencias». No fue el único. Otros militares siguieron el mismo camino en aquellos momentos.[35] Incluso a Gonzálbez Ruiz, llegado a Sevilla cuando la delegación de Orden Público ya estaba ocupada por el guardia civil Santiago Garrigós Bernabeu, alcanzó la fama del capitán Manuel Díaz Criado:

> En los primeros meses del movimiento, un delegado gubernativo, de triste recuerdo, ordenaba los fusilamientos por centenares. Llegaba a su despacho a altas horas, rodeado de prostitutas, después de la orgía, y con un sadismo inconcebible marcaba a voleo, con la fatídica fórmula X-2, los expedientes de los que, con este simplicísimo procedimiento, quedaban condenados a la inmediata ejecución.[36]

Sin embargo, la llegada del guardia civil Santiago Garrigós a la comisaría del Gran Poder no supuso alivio alguno. De hecho, los presos estaban convencidos de que este

[32] Ambos citados ya en Manuel Barrios: *El último virrey*, Barcelona: Argós/Vergara, 1978, p. 116.

[33] Antonio Bahamonde: *Memorias de un año…*, p. 108.

[34] Edmundo Barbero: *El infierno azul…*, p. 21.

[35] Hace ya años hablé con una mujer que con dieciocho años había acudido al despacho del capitán Díaz Criado para preguntar por la situación en que se encontraban su padre y su novio, ambos detenidos. Obré con el mayor tacto posible sin abordar directamente el encuentro con el militar. En cualquier caso ella, que ya me había pedido que no grabara la entrevista, no comentó nada de este asunto.

[36] Francisco Gonzálbez: *Yo he creído en Franco…*, p. 51.

había revisado los expedientes de la etapa de Díaz Criado por si se había escapado alguno, ya que era sabido que había accedido a salvar a algunos del paredón a cambio de favores e incluso por influencias de su círculo nocturno. A Gonzálbez Ruiz debemos la primera alusión escrita a los expedientes «X-2». Allí donde aparecía dicha clave, escrita con uno de esos lápices mitad azules y mitad rojos, se indicaba que dicha persona debía ser asesinada en alguna de las sacas diarias. Gonzálbez afirmó ignorar quién añadía aquella clave a los expedientes, pero parece lógico pensar que fueran los delegados de Orden Público: primero el militar Manuel Díaz Criado y después el guardia civil Santiago Garrigós Bernabeu.[37]

¿Quién era en realidad Manuel Díaz Criado? Nacido en Sevilla en 1898, siguió la carrera militar, siendo a fines de los años veinte juez eventual de la Capitanía de la Segunda Región Militar. Entre enero de 1930 y mayo de 1931 estuvo destinado en África, donde pasó por Larache, Melilla, Xauen, Arcila y Riffién. Antes, en abril, firmó «la solemne promesa de adhesión a la República». Poco después, en julio, intervino en los gravísimos sucesos que tuvieron lugar en Sevilla con motivo de una huelga general, sucesos en los que un grupo, entre los que se incluían Díaz Criado y el torero terrateniente José García Carranza *el Algabeño*, aplicó la llamada ley de Fugas a cuatro obreros comunistas detenidos cuando el furgón que los trasladaba se internó en el parque de María Luisa. Pese a que se designo una comisión parlamentaria para que investigara lo ocurrido, estos crímenes no pasaron factura a ninguno de los citados, que poco tiempo después pudieron mostrar su odio contra la República.[38]

Luego permaneció en Sevilla con diferentes destinos. Su nombre volvió a sonar en abril de 1936, cuando fue detenido en Madrid por orden gubernativa por tentativa de asesinato del presidente Manuel Azaña durante la celebración del aniversario de la proclamación de la República. En junio salió de nuevo a la calle al beneficiarse del decreto de amnistía posterior a las elecciones de febrero de 1936. Retornó de inmediato a Sevilla para la gran cita del 18 de julio, en la que formó parte del grupo de militares golpistas que acompañaron a Queipo a Capitanía para ocupar el despacho de Fernández Villa-Abrille, general jefe de la Segunda División, ya al tanto de lo que iba a pasar y que hasta entonces había estado viendo y callando las maniobras que sucedían a su alrededor. El 25 de julio, como ya sabemos, fue nombrado por Queipo delegado suyo «en el Cuerpo de Investigación y Vigilancia, con la denominación de Delegado Militar Gubernativo para Andalucía y Extremadura».

El 12 de noviembre es cesado en el cargo por orden de Franco, siendo destinado a la Legión en Talavera de la Reina. Después su nombre se olvida, sobre todo entre los que lo elevaron a tan alto cargo y elogiaron su gestión. Desde luego, la Sevilla tan bien representada por el *Abc* lo olvidó pronto. Abril de 1939 lo encontró en la provincia de Jaén, dedicado al traslado de presos y a las batidas. Por fin, en 1942 se incorporó de

[37] Ibídem, p. 145.

[38] Sobre estos hechos, que tuvieron resonancia nacional dada su gravedad, cabe destacar el testimonio del fiscal José Luis Galbe Loshuertos en *La justicia de la República*, pp. 111-118.

nuevo a la Capitanía de la Segunda Región Militar. En mayo de 1943, ya de nuevo en Jaén, fue ascendido a teniente coronel y unos meses después, en agosto, se le concedió la cruz de San Hermenegildo. Falleció en Sevilla en julio de 1947 a los 49 años.[39]

Lo único que queda por aclarar cuál fue la causa de su cese fulminante. Todo se debió a una imperdonable metedura de pata del fanático militar. A comienzos de noviembre de 1936 comunicó a Queipo que el vicecónsul portugués en Sevilla, Alberto Magno Rodrigues, era un espía, hecho que aquel hizo saber al cónsul Antonio de Cértima. Queipo captó que algo había fallado cuando se le plantó en su despacho el vicecónsul para pedir explicaciones y ofrecer pruebas de sus actos. Ante esto, el militar le dijo que ya estaba cansado de las «situaciones difíciles y delicadas» que le estaba causando Díaz Criado y que los visitara en unos días. Rodrigues volvió el día 12 y se encontró en el despacho del militar nada menos que a Nicolás Franco Bahamonde en funciones de secretario de su hermano. Queipo pidió disculpas al portugués. Otro tanto hizo al día siguiente José Cuesta Monereo, cerebro del golpe en Sevilla, en nombre del Estado Mayor. Se comunicó al vicecónsul que Díaz Criado, al que este consideraba jefe de la Policía Secreta, había sido cesado y que podía entrar y salir de la base de Tablada cuantas veces quisiera.

Al oído de Rodrigues llegó la noticia de que habían dudado entre fusilarlo o enviarlo al Tercio, decidiéndose finalmente por esta última. La cuestión de fondo había sido que el vicecónsul realizaba ciertos servicios para el hermano de Franco, tales como visitar la mencionada base y contemplar los materiales que llegaban de Alemania e Italia o realizar viajes entre Sevilla, Lisboa y Gibraltar. Alberto Magno Rodríguez era representante para España y Portugal de maquinaria apropiada para el movimiento de tierras, maquinaria que cedió gratuitamente a los sublevados para la preparación de los terrenos de Tablada. Se puede entender que Díaz Criado, con la vida que llevaba, no se enterase de nada; pero por el contrario carece de toda lógica que ni Queipo ni Cuesta conocieran estos hechos.[40]

LA COMISARÍA DEL GRAN PODER Y LA DOCUMENTACIÓN JUDICIAL MILITAR[41]

Antonio Mauriño Ríos

El 7 de octubre de 1936, el centro sanitario de la Zona 4 de Sevilla informó al auditor Francisco Bohórquez Vecina de que un individuo había sido atendido de herida contusa

---

[39] Esta información procede de su Hoja de Servicios: Archivo General Militar de Segovia, L. D-604.

[40] Francisco Espinosa Maestre: *La justicia de Queipo*, Barcelona: Crítica, 2006, pp. 83-86. La primera edición de este libro, más reducida y del autor, tuvo lugar en el año 2000.

[41] Debo el conocimiento de estos dos expedientes a la amabilidad de José María García Márquez. Sus referencias son respectivamente: Archivo del Tribunal Militar Territorial Segundo, l. 106, núm. 3033/1936 y l. 102, núm. 2789/1936.

en la región parietal occipital y de conmoción cerebral de pronóstico reservado. La caída había ocurrido en la Comisaría de Jesús del Gran Poder. Tal como prescribía la rutina, el auditor pasó el asunto a un instructor militar, en este caso a Enrique Valenzuela Hita.

El primero en declarar fue el afectado, Antonio Mauriño Ríos, natural y vecino de Sevilla, de cuarenta años, hojalatero de profesión, viudo y con instrucción. Nunca había estado procesado. En su declaración contó que, tras prestar declaración en la calle Alvareda, fue trasladado el 30 de septiembre a la comisaría. Fue allí, en el patio, donde el día 3 de octubre a las 21:30 le dio un vahído, cayendo y golpeándose la cabeza. Primero fue llevado a la Casa de Socorro de San Lorenzo y a continuación al Hospital Central (actual Parlamento Andaluz), donde fue ingresado en la Sala Auxiliar del Cardenal. Dijo ignorar quién presenció la caída, ya que no conocía a nadie.

El instructor, que el 27 de octubre pasó a ser el capitán Ángel Cabo Hernández, fue informado por el hospital de la evolución de Mauriño. El 7 de noviembre, Cabo envió un oficio a Díaz Criado comunicándole que, según el director del hospital, Mauriño estaba ya curado y dado de alta, por lo que consideraba que debía volver a la comisaría «para responder de los cargos que motivaran la detención».

Unos días después, el 12, Díaz Criado envió este oficio al instructor: «Tengo el honor de poner en su conocimiento que al Antonio Mauriño Ríos, al que se refiere en su oficio de fecha siete del corriente, le fue aplicado el Bando de Guerra el 28 de octubre. Dios guarde a usted muchos años. Sevilla, 10 de noviembre de 1936. El Delegado Militar Manuel Díaz Criado «firma».

El 12 de noviembre, el instructor realizó el resumen de lo actuado y tres días después el auditor cerro el asunto escribiendo que, tras las diligencias practicadas, «no se deducen indicios de culpabilidad contra persona alguna por tratarse de un accidente».

La mecánica judicial militar puesta en práctica tras el golpe impide saber qué pasó realmente tanto por sus silencios como por la manipulación constante que representaba la actuación del secretario que transcribía las declaraciones. De hecho, lo importante no es lo que decía el encausado, lo cual ignoramos por completo, sino lo que el secretario decidía que había que escribir. ¿Le dio un mareo a Antonio Mauriño o el daño se debió a un intento de suicidio? ¿En qué patio se encontraba? ¿Qué hacía el instructor el 7 de noviembre diciéndole a Díaz Criado que Mauriño ya podía volver a comisaría si diez días antes este ya había sido asesinado? Como en otros casos que conocemos, la realidad es que los instructores en esa primera etapa de la represión eran una especie de adorno; los últimos en enterarse de lo que ocurría.

Lo interesante para nosotros, no obstante, es que pese a la brevedad del expediente quedó un rastro de un desaparecido y del funcionamiento interno de la cúpula represiva. La noche en que fue asesinado Antonio Mauriño Ríos corrieron el mismo destino 34 personas más, de las que solo cuatro han llegado a ser inscritas en los *Libros de defunciones* de Sevilla.[42]

---

[42] Francisco Espinosa: «Sevilla…», p. 255.

Francisco Sanguino Ortiz

Tres días antes de que Mauriño fuera asesinado, el 25 de octubre, ocurrió una noche algo inusual en el cementerio de San Fernando. En esta ocasión fue Queipo quien comunicó el hecho al auditor Bohórquez. Ese mismo día había recibido un oficio de uno de los jefes de las «milicias nacionales» por el que se le informaba de que a las cuatro horas de ese día había ingresado en el Hospital Civil el cabo Francisco Sanguino Ortiz por herida de bala en el hipogástrico sin orificio de salida y pronóstico grave. El accidente había ocurrido junto al cementerio, «donde dicho cabo formaba parte de la escolta de los camiones de detenidos y pelotón de ejecución, suponiendo que lo ocurrido obedece a un caso fortuito».

De inmediato, el auditor designó un instructor para el caso: el comandante de Infantería Ramón de la Calzada Bayo. La declaración de Sanguino, veinticinco años, casado, natural de Vigo, cristalero, con instrucción y vecino de la calle Relator, situada en el corazón de un barrio eminentemente obrero y de izquierdas en el que la represión fue especialmente brutal, tuvo lugar el 13 de noviembre. Recordó que, estando de guardia en la comisaría del Gran Poder, sobre las tres de la madrugada del día 25 de octubre, salió con el sargento y cinco milicianos formando parte de la escolta de vigilancia «para proceder a la ejecución de los detenidos», para lo cual «se pusieron estos como de costumbre, yendo de dos en dos».

Frente a la tapia, el pelotón, y a su lado derecho el coche que enfocaba el lugar de la ejecución. La guardia de la que formaba parte se colocaba delante y a la derecha de este para impedir que alguno de los detenidos pudiera huir. Estos eran llevados al paredón de dos en dos. Sanguino recordaba que llevarían unos cincuenta minutos con la tarea cuando notó la herida, siendo inmediatamente conducido al cercano hospital. Pensaba que la causa debía de ser un rebote de bala. Solo recordó el nombre de uno de los que estaban con él aquella noche.

El instructor también tomó declaración al comandante de Infantería Telmo Carrión Vázquez, jefe del tercer escalón de las llamadas Milicias Nacionales de Sevilla al que pertenecía Sanguino. Tenía cincuenta y nueve años y era natural de Écija y vecino de la Plaza de Hernán Cortés. Fue él quien comunicó el hecho a «la autoridad militar». Aparte de lo dicho en el oficio, no tenía más que decir. Carrión había sido en 1923 uno de los fundadores del Somatén.[43]

Entonces vinieron las declaraciones más interesantes: primero, la del sargento de milicias Ramón Ferrero Anaya, de veinticuatro años, natural y vecino de Sevilla (de la calle Viriato, situada allí donde se mezclaban la Sevilla burguesa y la obrera), comerciante y con instrucción. Este, el sargento al que aludió Sanguino en su testimonio, presenció el accidente. Según Ferrero Anaya salieron de la comisaría sobre las tres o

---

[43] Tomo el dato del capítulo cuarto de un PDF titulado «Creación del Somatén español» [url: <www.somaten. es/wp-content/uploads/2016/03/Reglamento-Somaten_4.pdf>]. Fecha de consulta: 28/08/2016.

tres y media con la misión de acompañar al pelotón de ejecución. Iban, aparte de él, el cabo Sanguino y cuatro milicianos más. Llegados a la tapia del cementerio se colocaron de la manera siguiente: frente a la tapia las camionetas con los presos, conducidas por guardias civiles y custodiadas por dos guardias, uno a cada lado; a su derecha un coche de escolta «para enfocar a los que se iban a ejecutar» y al otro lado el cabo con dos milicianos más para impedir que los detenidos pudieran huir por ahí. Detrás, controlando la escena, el declarante.

Habrían pasado unos cuarenta y cinco minutos cuando escucharon las quejas del cabo Sanguino, razón por la que fue trasladado de inmediato al cercano hospital. En el coche que lo llevó, conducido por un miliciano, iba también uno de los curas que acudía cada noche a la tapia del cementerio para confesar a los que iban a ser asesinados.

El miliciano cuyo nombre Sanguino recordó, Antonio Jurado Ponce, de veinte años, soltero, vecino de Sevilla y jornalero de profesión, confirmó estos datos ante el instructor, repitiendo la colocación de cada grupo ante el paredón. También nombró al cura. Afirmó que «aunque tenían el fusil cargado, ninguno había disparado y el pelotón de ejecución hizo la descarga al frente». Pronto salió el nombre completo del miliciano llamado Juan, que acompañaba también a Sanguino y que condujo al herido y al cura al hospital.

Se trataba de Juan Delgado Ordóñez, de veintiséis años, soltero, vecino de la calle Hernando Colón, entre el Ayuntamiento y la catedral, y procurador de profesión. Según Delgado su misión era «evitar que alguno de los iban a ser ejecutados pudiera escaparse». Repitió de nuevo la colocación de unos y otros en la escena del crimen: el coche celular en paralelo a la tapia; a un lado, enfocando el paredón, un coche ligero; a la derecha el cabo y dos guardias algo separados para vigilar ese lado y detrás, controlando todo, el sargento.

Pero añadió un detalle interesante: que «llevarían ejecutados más de la mitad de los detenidos cuando al hacer una de las descargas el cabo Sanguino cayó al suelo». Delgado Ordóñez pensaba igualmente que la bala rebotó.

A continuación se suceden diversos oficios desde el hospital al instructor dándole cuenta de la evolución del herido. En uno de ellos, de fecha 3 de diciembre y firmado por el doctor José A. Cuéllar, se da la hora exacta del ingreso de Sanguino: a las 5:15 de la madrugada del 25 de octubre. El de 12 de diciembre dice que ya está totalmente curado y el 28 de enero de 1937 se le da el alta definitiva y se añade que solo le quedan ciertos trastornos abdominales. Otro oficio de marzo de este año lo considera útil para el servicio y apto para el trabajo. Sin embargo, poco después es declarado excluido total, destacando el instructor De la Calzada Bayo que la herida se produjo «al prestar escolta a los camiones que conducían a algunos detenidos y que iban a ser pasados por las armas en las tapias del cementerio». En abril de 1937, cuando ya el instructor ha elevado su informe, el auditor suplente Francisco Clavijo resume lo actuado aludiendo a «presos a los que se iba a aplicar el Bando de Guerra» y estableciendo que no había existido culpa ni negligencia. El 25 de octubre de 1937, exactamente al año de cuando ocurrieron los hechos, tuvo lugar el cierre definitivo de las diligencias.

He aquí un expediente excepcional en el que se nos permite asistir a una de las matanzas diarias de la Sevilla de Queipo desde la salida de la comisaría del Gran Poder hasta el muro del cementerio, detallando incluso la colocación de los diferentes componentes. Obsérvese que nadie hace referencia al pelotón de ejecución, formado por moros de los cuales por supuesto ninguno fue llamado a declarar para contar su visión de lo ocurrido. Los moros se situaban en la parte trasera del coche celular y les correspondía no solo disparar sobre los detenidos sino bajarlos del vehículo, lo cual no era tarea fácil.

Miremos la estructura del espectáculo. Por encima de todo, la autoridad militar: la orden del capitán Manuel Díaz Criado, delegado de Queipo, y debajo los moros, las milicias paramilitares, los guardias civiles y el cura. La salida de la comitiva, a las tres de la madrugada. Entre el recorrido y los preparativos debía pasar como mínimo cerca de una hora. Según el hospital la entrada del herido tuvo lugar a las 5:15, lo que significa que llevaban una hora asesinando. Esa noche sabemos que cayeron 35 personas, de las que solo una fue inscrita en el juzgado posteriormente,[44] lo cual, si tenemos en cuenta que ya habían acabado con algo más de la mitad de los presos, significa que en una hora aproximadamente dieron muerte a 18 de ellos, es decir, nueve descargas por ser de dos en dos o, lo que es lo mismo, dos muertos cada seis minutos aproximadamente. Por lo demás, es de suponer que, una vez que el herido fue llevado al hospital, los demás siguieran con la matanza.

Nada, pues, que ver con esos fusilamientos en masa que solo se dieron en otras circunstancias y con el uso de ametralladoras. Los crímenes nocturnos del cementerio se efectuaban con todo tipo de prevenciones con la finalidad de que nadie pudiera huir. Probablemente se intentaban evitar así los errores cometidos cuando se pasó de sembrar de cadáveres calles, plazas y caminos a matar en los cementerios. Aún así, hubo algún caso que los desbordó. Fue el caso del que le contó a Francisco Gonzálbez Ruiz en la cárcel un preso llamado Pineda. Lo habían sacado del Salón Variedades y conducido al coche celular que salía de la comisaría. Y añadió una historia que investigaciones recientes han confirmado como cierta: el caso de Rafael Pineda. Esto fue lo que contó a Gonzálbez:

> El camión se para. La parte trasera se alumbra con la luz de los faros de otros coches. «¡Que baje uno! Guardias, *echármelos* con cuidado, uno a uno». Un desgraciado que cae. Otro… Me toca el turno a mí… Yo soy Tarzán, ¿sabe usted? Salto por encima del guardia, empujo a otro… confusión. Ya he saltado la tapia del cementerio; ya estoy dentro. El sepulturero se asusta y corre. Los guardias corren tras de mí. Ya estoy fuera y… a correr, a correr.[45]

Los presos iban encerrados en dos camionetas. El piquete estaba formado por ocho o diez regulares. Los de las milicias ya sabemos que eran seis. También solían ir algu-

---

[44]   Francisco Espinosa: «Sevilla…», p. 255.

[45]   Francisco Gonzálbez: *Yo he creído en Franco…*, p. 85. El nombre de Pineda, Rafael, lo debemos a José María García Márquez. La historia del «Pinea» la recoge también el fiscal Galbe Loshuertos en sus memorias (p. 289).

nos responsables de Orden Público. Conocemos a algunos de los curas que acudían al cementerio aquellas noches, caso del jesuita Uriarte[46] y del cura falangista de Santa Isabel y capellán castrense Ángel Ruiz Zorrilla.[47] Además estaban los chóferes de las camionetas y de los coches. En total, presos aparte, la comitiva estaba formada por más de veinte personas.

Desde mediados de julio a mediados de septiembre fue la llamada *brigadilla de ejecuciones* de Falange la que se encargó de poner fin a la vida de los que eran llevados a la tapia del cementerio, los ya mencionados *X-2*. Pero tras ciertos hechos ocurridos en septiembre, los militares consideraron que los falangistas no eran eficaces y encomendaron la tarea a fuerzas de Regulares. Paralelamente a esto, la comisaría del Gran Poder centralizó la mayor parte de las sacas. Conocemos bien el funcionamiento de la mencionada *brigadilla* por el sumario abierto al que fue su jefe Pablo Fernández Gómez, quien trabajaba para Díaz Criado desde el 25 de julio.[48]

Gonzálbez Ruiz también nos dejó su testimonio sobre Pablo Fernández Gómez, al que conoció en la Prisión Provincial. Cuando ya habían trabado cierta confianza, este le contó lo siguiente:

Mi padre era un honrado administrador de fincas del señor Marqués de Tal, en la provincia de Jaén. [...] Viene la guerra y... ¡se acabó todo! Ingresé en Falange y se me destina a... ¡un pelotón de ejecuciones! Y ya ve... ¡llevo fusilados por mi mano a ochocientos uno! [...] Cuarenta y siete en las tapias de la piscina [de Los Remedios], cincuenta y dos en la carretera de Alcalá. Yo dirigía el pelotón. Nos daban la lista y nos entregaban a los individuos en la Comisaría. Los cargábamos en el camión. Yo tiraba mejor que mis compañeros... Cuando llegábamos a lo que nos parecía buen sitio para la ejecución, pie a tierra y nos los iban echando los guardias al suelo, uno a uno. Yo no los hacía sufrir. No se me escapó uno. [...] Yo creo en Dios... y en aquel proverbio chino: «Sobre la conciencia, todo lo quieras; sobre la espalda ni un kilo».[49]

Lo que Pablo Fernández Gómez no contó a Gonzálbez fue la causa por la que acabó en prisión y finalmente fusilado en las mismas tapias en las que había asesinado a tanta gente. Ocurrió que se aficionó a matar no solo a los que le ordenaban sino a otros que él decidía por su cuenta, entre ellos a un falangista. Cuando ocurrieron estos crímenes,

[46] Al padre Uriarte, S. J. lo vemos en el *Abc* de 17 de julio de 1968 dando un curso sobre «Sistema social cristiano» en la Universidad de Deusto. Ortiz de Lanzagorta lo define como el que daba «auxilio espiritual a los que iban a ser asesinados» (José Luis Ortiz de Lanzagorta: *Blas Infante*, Sevilla, 1979, p. 289).

[47] Por lo que respecta al cura falangista Ruiz Zorrilla, sabemos que se le abrió un sumario en 1937 por un turbio asunto en el que se probó que utilizaba a su *sobrina* para proporcionarle muchachas jóvenes de la zona de San Marcos, otro de los barrios de la zona norte muy afectado por la represión, a las que coaccionaba y amenazaba hasta someterlas a sus deseos. Finalmente se le trasladó de ciudad.

[48] Su historia y la de las actividades de la *brigadilla de ejecuciones* puede verse en Francisco Espinosa: *La justicia...*, pp. 175-197.

[49] Francisco Gonzálbez: *Yo he creído en Franco...*, p. 86.

a comienzos de septiembre de 1936, Fernández Gómez se sintió protegido por las distintas instancias de poder, que se limitaron a detenerle en varias ocasiones a partir del día 8 de septiembre de 1936. Fue el momento elegido para que los moros suplieran a los falangistas en los piquetes de ejecución, pasando estos a depender de la brigada de investigación de Falange. Fernández salió de nuevo a la calle hasta que casi cuatro años después la causa abierta contra él se activó de nuevo. Era ya 1940 y el panorama había cambiado. Los militares, que habían sido los máximos promotores de la ola de crímenes que asoló la ciudad desde el 18 de julio, ya no querían cargar ni amparar a sus matones de entonces ni los crímenes cometidos sin orden suya y esto le costó finalmente la vida a Pablo Fernández Gómez.

Otro personaje siniestro estrechamente relacionado tanto con Díaz Criado como con Fernández Gómez fue *el Soldadito*, falangista de primera hora cuya identidad, aunque ya mucho antes tanto Manuel Barrios como José Luis Ortiz de Lanzagorta lo habían mencionado, nos rebeló José María García Márquez: José Ponce Fernández. Ortiz lo define como un sádico que disfrutaba dando *tiros de gracia* en el cementerio, del que volvía a casa, en la calle Peral, junto a la Alameda, con las alpargatas ensangrentadas, lo que le obligaba a renovarlas casi diariamente.[50] Tampoco se escapó el personaje al ojo crítico de Francisco Gonzálbez Ruiz, que aunque no lo conoció recogió testimonios sobre él. *El Soldadito* pidió formar parte de la *brigadilla de ejecuciones*, en la que siempre fue uno de los más activos. Según estos testimonios era menudo de cuerpo y tenía expresión acomplejada y voz atiplada.[51]

MATANZAS NOCTURNAS

El primero que nos dejó un relato del fascismo sevillano fue Antonio Bahamonde. Tiene gran valor porque se nos cuenta desde dentro. Pese a haber elegido ingresar en la Guardia Cívica por pensar que ahí se libraría de lo peor, a fines de septiembre de 1936 fue convocado para un servicio a las doce de la noche en la comisaría del Gran Poder. Imaginó lo que era e intentó librarse, pero no lo consiguió, así que allí estuvo a la hora indicada. La soledad de la calle era absoluta, ya que se cortaban los

[50] José Luis Ortiz de Lanzagorta: *Blas Infante*, Sevilla, 1979, p. 289.

[51] Francisco Gonzálbez: *Yo he creído en Franco…*, p. 94-95. Como detalle final del caso de Francisco Sanguino Ortiz podemos observar qué pasa si buscamos en la hemeroteca del *Abc* de Sevilla los nombres de algunos de los que allí aparecen. Este, Sanguino, se vio beneficiado en marzo de 1938 con la entrega de una de las ciento veinticuatro viviendas para inválidos en acto solemne celebrado en la Plaza Nueva y presidido por Queipo. Ramón Ferrero Anaya, otro de los milicianos, aparece en una fotografía de 1933 con motivo del cincuenta aniversario de la aseguradora Previsión Española (*Abc*, sección «Casco Antiguo» de 17/05/1981). El mismo Ferrero Anaya aparece en diversos anuncios de los años cincuenta como agente en Sevilla del Brandy 103. Finalmente, de otro de los milicianos, el procurador Juan Delgado Ordóñez, se nos cuenta que en octubre de 1973 cayó aparatosamente por las escaleras del Palacio de Justicia, falleciendo unos días después. Habían pasado treinta y siete años desde la noche aquella en el cementerio.

accesos y se prohibía a los vecinos asomarse a ventanas y balcones después de la una de la madrugada.

A las 2:30 ya estaban allí los moros del piquete, a los que se subía en una camioneta abierta con asientos hechos de tablas clavadas. Poco después llegaban las camionetas Ford, sin ventanas, pintadas de negro y conducidas por guardias civiles, que debían cargar a los presos, y dos coches grandes de turismo para la escolta. La noche en que fue Bahamonde iban diez milicianos al mando del teniente Povil, jefe de la expedición. Los detenidos eran sacados de dos en dos por guardias de seguridad desde el patio número tres a las camionetas. A su paso por el zaguán los regulares los ataban por las muñecas (la derecha de uno con la izquierda de otro), encargándose los de milicias del trayecto desde la puerta al vehículo. Solo cuando ya estaban dentro del coche se sacaba a otros dos presos. Recuerda Bahamonde que había que ayudarles a subir al vehículo, ya que por sí mismos no podían. Esa noche fueron 47, cuatro de los cuales venían del piso superior «ensangrentados, con la ropa hecha jirones».[52] Previamente, en las camionetas, se echaba serrín por el suelo para facilitar la limpieza de vómitos y heces. Finalmente salía la comitiva: los moros, las dos camionetas y los coches de turismo.

Ya en el cementerio, situados cada uno donde le correspondía, empezaba la bajada de los presos: «—Bajen dos —dijo el teniente Povil—. Bajen dos —volvió a repetir—. Dentro del camión nadie se movía; se oían quejidos y algunas exclamaciones angustiosas. Dos moros subieron y a culatazos los hicieron bajar de dos en dos».[53]

Bahamonde, incapaz de soportar lo que veía, se metió en uno de los coches. Entonces Povil se le acercó y le dijo: «Tiene usted poco ánimo». A partir de esta experiencia comenzó a tramar la forma de abandonar la zona controlada por los golpistas. Respecto al cambio de falangistas por regulares para el piquete, comenta que los moros «fusilan cogiendo el fusil debajo del brazo, en una postura especial». Por no conocer el caso ignora otra ventaja: los moros no se extralimitaban en sus funciones como el jefe de la *brigadilla de ejecuciones* Pablo Fernández Gómez. Una vez asesinados todos los presos, los moros se iban y los que allí quedaban asistían a la segunda parte de la operación. Los de milicias quitaban las ataduras a los cadáveres y las guardaban, tras lo cual empleados del cementerio los cargaban en un camión abierto forrado de zinc y en varios viajes los iban colocando junto a una de las fosas. Una vez concluida esta tarea los cuerpos eran arrojados al interior, echándoles encima un poco de tierra y un líquido desinfectante muy fuerte. A su regreso a comisaría firmaban unos papeles que daban fin a la tarea realizada.

Por su parte Edmundo Barbero amplía detalles:

> Por las noches, al salir los presos hacia el lugar de ejecución, siempre ocurrían incidentes, porque salían regularmente con el puño en alto y dando vivas a la Revolución, a la República,

---

[52] Los Libros de Fosa Común del cementerio de San Fernando recogen que el día 27 de septiembre ingresaron en el cementerio cuarenta y ocho personas asesinadas (Francisco Espinosa: *Sevilla…*, p. 254).

[53] Antonio Bahamonde: *Memorias de un año…*, p. 112.

al Frente Popular, a Lenin, a Bakunin, etc. Estos incidentes y el miedo a un atentado hacían que la caravana de autos que componían la trágica comitiva pasase de madrugada, por la calles, como una verdadera exhalación.[54]

También nos cuenta que cierta noche Díaz Criado

hizo subir a todos [sus compinches de juergas] a los coches. Llegaron a las puertas del cementerio. Acababan de fusilar a unos presos. Los faros de los vehículos, cruzados, iluminaban la escena. Algunos de aquellos desgraciados todavía movían un pie…, una mano… Las paredes estaban salpicadas de sangre.[55]

También los hombres que habían intervenido en la matanza estaban manchados de sangre. Los invitados pudieron observar cómo un sargento levantaba la cabeza de los fusilados, agarrándolos por los pelos, y cómo les daba el *tiro de gracia*.

Detrás, otro, iba abriendo las bocas de los cadáveres para ver las que tenían muelas y dientes de oro, y a los que tenían alguno, se los arrancaban golpeándole con una piedra en la cara. Más tarde, los sepultureros, agarrándolos cada uno de un brazo y de una pierna, los iban tirando de cualquier manera en una camioneta para trasladarlos a la fosa común. Yo he visto una de estas camionetas llenas de sangre y de trozos de masa encefálica, que necesitaban toda la fuerza de una manga de riego para limpiarlas.[56]

Como si siguiera la narración de Bahamonde,[57] Barbero detalla el «cortejo siniestro» que, saliendo de la comisaría, seguía por la Alameda de Hércules, dejaba a su derecha el Arco de la Macarena y enfilaba hacia el cercano cementerio de San Fernando.

CONCLUSIONES

Las checas fascistas no cuentan con una Causa General que nos permita documentar su actividad. No es un hecho casual. La documentación fue expurgada o simplemente destruida. De nada sirve buscar en la mayor parte de los archivos. De la documenta-

---

[54] Francisco Barbero: *Yo he creído en Franco…*, p. 55.
[55] Ibídem, p. 53.
[56] Ídem.
[57] Ya en La Habana y camino de México, en diciembre de 1938, Antonio Bahamonde fue entrevistado por el periodista Carlos Lizandra, a quien dijo: «Quiero que diga usted que yo sigo siendo un burgués y que mis ideas son muy moderadas. He sido siempre católico y lo sigo siendo a pesar de que mi fe ha sufrido pruebas terribles por los crímenes que he visto cometer en nombre de la religión. Si yo hubiera estado en Madrid y presenciase las muertes de católicos que se atribuyen a las turbas, mi fe se hubiera robustecido, porque siempre serían los enemigos del catolicismo los que las perpetrasen. Pero a un hombre de conciencia le resulta imposible justificar las matanzas organizadas por gentes que practican el asesinato invocando el nombre de Dios» (*Abc. Doble diario de la guerra civil*, fasc. 73, p. 18).

ción de la Delegación de Orden Público solo queda lo que puede verse en algunos de los expedientes penitenciarios de la Prisión Provincial, la mayor parte de cuyos fondos sobre esta etapa fueron quemados en el patio en los años ochenta. Los archivos de las comisarías que sucedieron a las delegaciones de Orden Público y de los fondos provinciales y locales de la Guardia Civil no sabemos si existen. De las actividades de las llamadas Milicias Nacionales, que no eran otra cosa que grupos paramilitares, tampoco hay nada. La Auditoría de Guerra también fue expurgada, quedando cierta documentación entre la que destacan los expedientes abiertos por los golpistas. Y por terminar, los archivos del Movimiento, repleto de cientos de miles de historiales personales provincia a provincia, fueron destruidos por orden de Rodolfo Martín Villa cuando ocupaba Gobernación en 1977.

Mención aparte merece por su importancia el archivo del cementerio de San Fernando de Sevilla. Por motivos internos los libros de Fosa Común, aunque manipulados, se conservaron, ofreciendo al menos, ya que no los nombres, la cantidad de personas que fueron allí arrojadas por muerte violenta. El cuadro muestra el número de las que acabaron en fosas y aquellas que llegaron a ser inscritas alguna vez en el Registro Civil:

RELACIÓN ENTRE PERSONAS ASESINADAS Y ENTERRADAS EN FOSA COMÚN
Y NÚMERO DE LAS QUE ALGUNA VEZ LLEGARON A INSCRIBIRSE EN EL REGISTRO CIVIL[58]

	Fosa Común	Inscritos
Julio (desde el día 18)	190	40
Agosto	584	190
Septiembre	785	75
Octubre	651	68
Noviembre	414	76
Diciembre	277	40
Enero	127	30
Total	3028	519

Pese a todo, a partir de numerosos trabajos locales y de la visión de conjunto que ofreció José María García Márquez a partir de estos y de sus propias investigaciones, cabe afirmar que el fascismo acabó en la provincia de Sevilla con 13 520 personas.[59]

Lo que nos queda sobre aquello ya se ha podido ver en las notas anteriores. No obstante, hay que destacar por su importancia los testimonios personales de Antonio Bahamonde, Edmundo Barbero, Francisco Gonzálbez, François de Pierrefeu o José

[58] Francisco Espinosa: «Sevilla…», pp. 171-269. Los datos sobre el Registro Civil me fueron proporcionados en su momento por Juan Ortiz Villalba, que se serviría de ambos igualmente en *Sevilla, 1936: del golpe militar a la guerra civil*, Córdoba: Vistalagre, 1997.

[59] José María García Márquez: *Las víctimas…*, p. 215.

Luis Varela. Pese a recorrer las mismas estancias y lugares de la Sevilla negra, nunca llegaron a cruzar sus vidas. El primero era un hombre de derechas desbordado por los excesos de los golpistas; el segundo, un republicano moderado que pasa perplejo por la Sevilla de Queipo; el tercero un político republicano que busca la seguridad en la zona controlada por los sublevados y acaba metido en el engranaje carcelario sevillano; el quinto, un francés ultrarreaccionario obligado a sufrir y a presenciar en qué consiste el fascismo que añora, y finalmente, el último gobernador republicano de Sevilla. Además, incluso los muy críticos con estos testimonios deben reconocer que sus relatos encajan con asombrosa precisión hasta en las historias que cuentan.

Son testimonios que hicieron daño a los golpistas. El libro del inicialmente aludido Antonio Ruiz Vilaplana, presidente del Colegio de Secretarios Judiciales y oficial letrado del Tribunal de Cuentas además de secretario del Juzgado de Burgos, sentó tan mal que en diciembre de 1937 el gobierno de Burgos puso fin a la independencia de la fe pública y situó a los secretarios bajo el poder de los jueces, situación que se prolongaría hasta 2003. Además se le difamó desde el *Diario de Cádiz*, *Abc* de Sevilla y *El Defensor de Córdoba*.[60] Por su parte, Francisco Gonzálbez Ruiz fue atacado desde el *Abc* sevillano de noviembre de 1937 en una nota titulada «La infame propaganda roja».

No obstante, los ataques más efectivos contra Ruiz Vilaplana y Bahamonde vinieron del jesuita Constantino Bayle y su panfleto *De Rebus Hispaniae* (Boletín de Información Católica Internacional) por estar conectado con todas las revistas católicas del mundo. Para ello no tuvo empacho alguno en recurrir a los métodos más bajos y rastreros, como negar, en el caso de Bahamonde, los crímenes de Juan Galán Bermejo *el Cura de Zafra* o poner en cuestión «la honestidad pública y privada» de Ruiz Vilaplana.[61] La campaña contra Antonio Bahamonde llega hasta nuestros días, en que la extrema derecha, en su afán por invalidar su testimonio, ha llegado a relacionarlo con el anarquismo catalán. En este sentido no se hace más que seguir una línea que no ha cesado, consistente en atacar personalmente e injuriar a aquellos que ofrecieron testimonios clave sobre los primeros tiempos del golpe militar, caso de los citados y de periodistas como Mário Neves, Marcel Dany, Jacques Berthet, René Brut, Jay Allen o John T. Whitaker, o de historiadores como Herbert R. Southworth.

Existe una visión muy extendida y alentada por los medios de comunicación según la cual la represión se asocia a Falange. En parte tiene su explicación en que lo que quedó en la memoria de mucha gente es la parte más visible del proceso represivo, que no era otra que los falangistas deteniendo, rapando, purgando o formando parte de los piquetes de la muerte. Todo ello es cierto, pero esta imagen no tiene en cuenta las zonas oscuras en las que la estructura militar articulaba el proceso y ocupaba todo el espacio o los reductos donde en los pueblos se decidía la lista de los que debían morir cada día. No hay nada más secreto que la composición de estos *consejillos* locales encabezados

---

[60] Ver detalles en la introducción que realicé para la edición ya citada de su *Doy fe...*, p. 30 y ss.
[61] Ibídem, p. 43 y ss.

por la Guardia Civil y compuestos por *gente de orden*, propietarios, administradores de fincas, curas, algún falangista, etcétera.

La gran checa fascista de Sevilla representa el modelo de represión implantado por los golpistas de julio de 1936. Llegar al fondo de esta estructura ha costado muchos años de trabajo. También hay dos hechos que han influido positivamente: la permanencia del archivo judicial militar en Sevilla y no en Madrid, que es a donde se tiende a llevar todo convirtiéndolo así en material casi inaccesible, y las facilidades de consulta, muy superiores a las de otros archivos similares, como el judicial militar de la primera región militar, situado en el Paseo de Moret de Madrid. Haría falta investigar esta misma documentación en otras regiones militares, pero no es fácil. El modelo sigue siendo Huelva, cuya Diputación digitalizó mediante convenio todo lo referente a dicha provincia y lo puso a disposición pública a través de su *web*.

En conclusión, contamos con mucha información y con toda una sección del Archivo Histórico Nacional, curiosamente accesible en sus apartados más interesantes por Internet, de las checas rojas, pero sin embargo, a ochenta años del golpe militar y a cuarenta del final de la dictadura, ignoramos casi todo de las checas azules o fascistas. Su geografía fue extendiéndose a todo el territorio nacional a medida que los golpistas lo fueron controlando. Cada comandancia militar fue una checa y cada cuartel de Falange otra. Estuvieron activas desde los primeros días del golpe militar y su final se pierde en los tenebrosos años cuarenta y cincuenta. Esto ya lo habían previsto los militares cuando en junio de 1939, recién concluida la guerra, comunicaron a las diversas comandancias de la Guardia Civil que «si bien ha terminado la guerra, la campaña no».[62]

FUENTES ARCHIVÍSTICAS Y BIBLIOGRÁFICAS

Archivos

Archivo del Cementerio de San Fernando de Sevilla.
Archivo de la Prisión Provincial de Sevilla.
Archivo General Militar de Segovia.
Archivo del Tribunal Militar Territorial Segundo.

Libros y artículos

BAHAMONDE SÁNCHEZ DE CASTRO, Antonio: *Un año con Queipo: memorias de un nacionalista*, Barcelona: Ediciones Españolas, 1938.

---

[62] Francisco Espinosa Maestre: *La guerra civil en Huelva*, Huelva: Diputación, 1996 (quinta edición, 2017), p. 301.

Ballbé, Manuel: *Orden público y militarismo en la España Constitucional (1812-1983)*, Madrid: Alianza Universidad, 1983.

Barbero, Edmundo: *El infierno azul (seis meses en el feudo de Queipo): Talleres Socializados del suig (cnt)*, Madrid, 1937.

Barrios, Manuel: *El último virrey*, Barcelona: Argos/Vergara, 1978.

Clérisse, Henry: *Espagne, 36-37*, París: Georges Ventillard, 1937.

Espinosa Maestre, Francisco: *La justicia de Queipo*, Barcelona: Crítica, 2006.

La guerra civil en Huelva, Huelva: Diputación, 2017 (5.ª ed.).

«La memoria del Fiscal del Ejército de Ocupación», en *Tiempos de silencio: actas del IV Encuentro de Investigadores del Franquismo*, Valencia, 1999.

«Sevilla, 1936. Sublevación y represión», en A. Braojos (coord.): *Sevilla, 1936: sublevación fascista y represión*, Brenes: Muñoz Moya y Montraveta, 1990.

Galbe Loshuertos, José Luis: *La justicia de la República*, Madrid: Marcial Pons, 2011.

García Márquez, José María: *Las víctimas de la represión militar en la provincia de Sevilla (1936-1963)*, Sevilla: Aconcagua, 2012.

«El centro de terror: la comisaría de la calle Jesús del Gran Poder», en *Lugares de la memoria: golpe militar, represión y resistencia en Sevilla. Itinerarios*, Sevilla: Aconcagua, 2014.

García Rivas, Nicolás: *La rebelión militar en el derecho penal*, Universidad de Castilla-La Mancha, 1990.

Gonzálbez Ruiz, Francisco: *Yo he creído en Franco: proceso de una gran desilusión (dos meses en la cárcel de Sevilla)*, París: Imprimerie Coopérative Étoile, 1937.

Hernández Sánchez, Fernando: *El bulldozer negro del general Franco: historia de España en el siglo xx para la primera generación del xxi*, Barcelona: Pasado & Presente, 2016.

Neumann, Franz: *Behemoth: pensamiento y acción en el nacionalsocialismo*, Madrid: Fondo de Cultura Económica, 1983.

Ortiz de Lanzagorta, José Luis: *Blas Infante*, Sevilla, 1979.

Ortiz Villalba, Juan: *Sevilla, 1936: del golpe militar a la guerra civil*, Córdoba: Vistalegre, 1997.

Ruiz Vilaplana, Antonio: *Doy fe: un año de actuación en la España nacionalista*, Santiago de Chile: Antares, 1938 (edición española en Sevilla: Espuela de Plata, 2012).

López Alonso, Siro: «Mi razón de vivir» [Memorias del director de la Prisión Provincial de Sevilla, 1936-1938], documento inédito mecanografiado.

Varela Rendueles, José María: *Mi rebelión en Sevilla: memorias de su gobernador rebelde*, Ayuntamiento de Sevilla, 1982.

Verdoy, Alfredo: *Los bienes de los jesuitas*, Madrid: Trotta, 1995.

Sevilla: la vida fuera de la checa.
Bajo el imperio de la doble moral

José María García Márquez y Francisco Espinosa Maestre
Historiadores

SEVILLA: LA VIDA FUERA DE LA CHECA

Hubo sacerdotes, la mayoría, que colaboraron, cuando no se sumaron, abiertamente a la sublevación de julio de 1936 y tomaron parte en la represión en los diversos grados en que esto podía hacerse, desde la participación directa hasta la elaboración de las listas de los que debían ser asesinados, pasando por los informes que tanto daño causaron. También hubo sacerdotes que han quedado como buenos sin serlo y otros que intentaron seguir cumpliendo su labor cristiana, exponiéndose con ello a sufrir consecuencias desagradables. Incluso hubo quienes se pusieron del lado de la República.[1] En esta galería solo falta mencionar a aquellos que, aún enclavándose entre los vencedores, acabaron ante los tribunales militares. Como puede suponerse, y hasta donde llega nuestro conocimiento, no hay estudio alguno sobre ellos.

Deben de ser muy pocos los expedientes abiertos por los militares golpistas a personal eclesiástico afecto al nuevo orden. Lo que podía esperarse, siguiendo la costumbre, es que se permitiera a la Iglesia lavar sus trapos sucios por medio de sus propias leyes y jueces. Sin embargo, en la Sevilla de Queipo hubo dos excepciones, dos curas que llegaron al banquillo y fueron juzgados y condenados. ¿Qué harían para que el *Nuevo Orden* se mostrara con ellos tan riguroso? Ahora se verá.

Existen varios motivos para contar estas historias. El primero, su rareza; el segundo que, pese al filtro militar, permiten asomarse a unas realidades y a ciertos espacios a los que no hay otra forma tan directa de acceder. Y en tercer lugar que, aunque sea por una vez, tenemos la oportunidad de ver a gente del mundo de los vencedores recibiendo solo una leve dosis de lo que ellos mismos estaban haciendo sufrir a tantos otros. Es muy interesante ver cómo reaccionan y cómo mueven hilos para que la maquinaria judicial militar no los devore. El final demuestra una vez más que el fascismo nunca trató mal a los suyos.[2]

---

[1] Véase Francisco Espinosa Maestre y José María García Márquez: *Por la Religión y la Patria: la Iglesia y el golpe militar de 18 de julio de 1936*, Barcelona: Crítica, 2014.

[2] El artículo se basa en tres expedientes del Archivo del Tribunal Militar Territorial Segundo, de Sevilla: Los sumarios 56/1937 contra Luis Piqueras Antolín y el 2628/1938 contra José Sánchez Campos y las diligencias previas 2871/1938 sobre Juan García Vilches.

Sevilla, agosto de 1937. Entierro del cardenal Eustaquio Ilundain Esteban. A la derecha de Queipo el obispo de Málaga, Balbino Santos Olivera, y a su izquierda los de Córdoba, Adolfo Pérez Muñoz, y Badajoz, José María Alcaraz Alenda. Fuente: Biblioteca Nacional, Sala Goya

ÁNGEL RUIZ ZORRILLA, CAPELLÁN CASTRENSE

El 9 de agosto de 1937 ingresó en la prisión militar de Ranilla el soldado del 2.º Grupo Divisionario de Sanidad Militar Luis Piqueras Antolín, acusado de rebelión militar por el Juzgado Militar Número 3 de Sevilla, cuyos juez y secretario eran respectivamente Luis Marchena Mariscal y Victorino Viñegla Zapata. En el informe de la Guardia Civil que llegó a la Auditoría se leía que «es persona de muy dudosa conducta, de ideología comunista de acción antes del Glorioso Movimiento Nacional, fue muy significado en su ideología». Según la Guardia Civil votó por el Frente Popular, fue contrario al *Movimiento Salvador de España* y durante el *dominio rojo* entró alguna vez en la torre de San Marcos, desde la que opuso resistencia. A la retahíla habitual de acusaciones que cayeron sobre los vecinos del barrio, uno de los que ofreció mayor resistencia al golpe, se añadió en este caso un detalle: durante la manifestación del 1 de mayo, al llegar la bandera comunista a la zona de San Marcos, se vio a Piqueras, a su novia y a la madre de esta dando «gritos contra el fascio y a favor del comunismo».

Unos días después, el 19, la madre del soldado, Emilia Antolín, escribió al presidente del Tribunal Militar de Urgencia informando de que el motivo de la detención de su hijo era una denuncia que él mismo había presentado ante el delegado de Orden Público. En ella decía «ser objeto de persecución por parte del sacerdote Don Ángel Ruiz Zorrilla», lo que parecía tener relación con algo ocurrido a su novia Ana Trigo Rodríguez, soltera e hija de Juan Trigo, sacristán de la iglesia de San Marcos, «en represalia a un disgusto que tuvo su referida novia hace tres o cuatro años con la que dice ser sobrina del expresado sacerdote Sr. RUIZ ZORRILLA, llamada Juana Villa, con domicilio en el del cura referido, por no prestarse a ejecutar actos inmorales con ella».

Este turbio asunto acabó en juicio a puerta cerrada y, pese a una primera sentencia favorable a la *sobrina*, lo ganó Ana Trigo.

Según Piqueras, tras el golpe militar, vio cómo los testigos de aquel caso —todos ellos del entorno de San Marcos, Santa Paula y Santa Isabel, antiguas poblaciones enclavadas en el entorno de lo que el fascismo sevillano definió como *el Moscú*— pasaron por la comisaría y por la cárcel por denuncias falsas, después de lo cual fueron puestos en libertad. El cura llegó a enviar a un falangista para que coaccionara a los vecinos y declararan contra Luis Piqueras. Este se limitó a citar a las personas que podrían testificar a su favor tanto en el lugar donde vivía (Ronda Menéndez Pelayo) como en el que vivía la novia, así como en Sanidad Militar. Al final añadió que el cura y la que decía ser su sobrina tenían atemorizado al barrio a causa del cargo que el cura ocupaba en Falange. Como ejemplo mencionó el caso de M. P. R., «obligada a cohabitar por esta [la sobrina] con él [el cura] bajo la amenaza de que fusilarían al padre».

El 21 de agosto, un nuevo informe de la Guardia Civil detallaba los testimonios de diversas personas (vecinos, compañeros de estudios y la propia secretaría de la Facultad de Medicina), todos favorables a Piqueras. Y unos días después, el 25, el comandante médico José Altube Fernández envió al auditor otro informe de la Guardia Civil con nuevas declaraciones favorables a Piqueras de varios vecinos (Francisco López Espital, Francisco Verdugo Cañón, Ana García Arteaga, Dolores Hernández Fernández). Lo más interesante es la declaración final del guardia civil informante, quien decía basar el informe en «datos adquiridos y muy contrarios a los informados anteriormente por los que se comprueba el haber sido sorprendido la buena fe del que suscribe por personas poco dignas de mención».

Dos días más tarde, el 27 de agosto, declaraba el cura Ruiz Zorrilla, 53 años, célibe, teniente e inspector castrense del Ejército del Sur y vecino de la plaza de Santa Isabel, 3.[3] Dijo que como vivía frente a la casa de la novia sabía de ellos y vio lo de la manifestación del 1 de mayo. Según el cura, Luis Piqueras «aprovechaba cualquier ocasión para

---

[3] Ángel Ruiz Zorrilla era párroco de Pinillos (Burgos) en 1915 cuando fue nombrado capellán castrense (*El Eco de Uxama*, 25/12/1915).

vejarlo con indirectas o palabras en alto», como «UHP», y que todo era en venganza por el litigio de 1934, en el que Ana Trigo y su madre habían sido condenadas por injurias contra su sobrina Juana Villa, sentencia que no llegó a cumplirse porque plantearon recurso de casación. El cura acusó a Piqueras de ocultarse tras el golpe durante varios meses y añadió que en esa familia todos eran comunistas, que a un hermano «se le aplicó el Bando de Guerra» y que un tío sacerdote sin licencia pasó por prisión.[4]

Ese mismo día 27 de agosto de 1937 prestó declaración Juana Villa Abelleira, la *sobrina*, de 32 años, soltera, sin profesión y vecina de Santa Isabel, 3. Repitió lo del 1 de mayo y los gritos de «UHP» y que Piqueras se ocultó tras el 18 de julio. Contó que el 12 de julio de 1936 marchó a Vigo «para terminar con los vejámenes a que siempre estaba sometida por parte de Piqueras y su novia, que la llamaban la pantera fascista». De la novia dijo, además, que un hermano estuvo preso y que ella había participado en el saqueo del almacén de los Luca de Tena, donde robó chocolate.

En los días siguientes hubo diversas declaraciones en favor de Piqueras de vecinos como José Francés Pérez y Pastora Pérez Chaves, que dieron fe de que permaneció en su casa tras el 18 de julio, y Salud González González, una de las vecinas de Santa Isabel que el cura quiso captar como testigo. Más interés tuvo el testimonio de la novia de Piqueras, Ana Trigo Rodríguez, de 22 años, soltera, vecina de Santa Isabel, 1. Negó las acusaciones y dijo sentirse «perseguida continuamente por el cura de Santa Isabel Sr. Ruiz Zorrilla y la que aparece como su sobrina Juana Villa, los que se valen de un tal José López Escobar para formular denuncias contra gentes pacíficas del barrio». Luego se refirió al asunto de 1934: la sobrina «quería que se quedase a dormir y echaba pretexto para que la tocase el cura Sr. Ruiz Zorrilla con intenciones de tener relaciones ilícitas». Ella se lo contó a su madre y no volvió a ver ni al cura ni a la sobrina. Fue entonces cuando el cura empezó a mandarle recados con la criada M. P. R., otra de sus víctimas. Dijo que ignoraba haber sido condenada por el sumario de 1935, «ya que nadie las había molestado». En el mismo sentido declaró su madre, Carmen Rodríguez Moreno.

El día 30 de agosto prestó declaración el aludido José López Escobar, 25 años, soltero, comerciante y vecino de Naranjo, 8. Su testimonio es interesante porque, de hecho, está en el origen de la denuncia hecha por el cura y además su testimonio fue la base del

---

[4] Se trataba del concejal socialista Emilio Piqueras Antolín, asesinado como tantos otros representantes políticos en las semanas siguientes al golpe militar. Lo del «tío sacerdote sin licencia» requiere una explicación. En el caso de Emilio Piqueras un tío suyo sacerdote, D. Trinidad, intentó mediar por él, consiguiendo solamente que, dada su condición sacerdotal y el parentesco, se le permitiera estar presente durante la ejecución. Ocurrió que, llegado el momento, no pudo controlar la emoción y además de abrazarlo dijo que era su hijo y arrojó la sotana al suelo. Luego fue detenido y pasó a prisión. La noticia llegó a la prensa malagueña: «Dice también este evadido que los fascistas sevillanos condenaron a muerte a un doctor izquierdista apellidado Piqueras. Un sacerdote, fingiendo que era tío suyo, intervino para salvarle; pero solo consiguió poder presenciar el fusilamiento. Cuando Piqueras se hallaba ante el piquete que había de fusilarlo, el sacerdote confesó que Piqueras era su hijo. El doctor fue fusilado y al sacerdote lo pasearon por las calles sevillanas, amarrado y con unos letreros depresivos» (*El Popular*, Málaga, 14/11/1936). Según el *Abc* de Madrid de 15 de octubre de 1936 lo que ponía el letrero con el que fue obligado a ir por la calle era: «Soy un renegado de mi confesión».

informe inicial de la Guardia Civil. Para López, falangista e instructor de Flechas, Luis Piqueras era «un extremista peligroso», además de hermano de un concejal comunista al que «se había aplicado el Bando de Guerra». Para él, tanto Piqueras como la novia y su madre eran de izquierdas y se mofaban de los curas, a los que llamaban *las cucarachas negras*. Acusó también a la madre de participar en el saqueo de los Luca de Tena. Para más información remitió al sargento de Requeté Juan Jiménez Cárdenas, vecino de Santa Paula.

Este, de 59 años, casado, empleado y sargento del Requeté y vecino de Santa Paula, 10, dijo que «ha oído por rumores entre la vecindad de la calle que era extremista de izquierdas», que lo había visto alguna vez llevando en la mano prensa izquierdista, que «puede asegurar que era un individuo de escasa moral, pues cuando pelaba la pava en el zaguán con la novia se les veía muy juntos, sin recatarse de las personas que pasaban» y que no vio al sacristán ni a su familia en la extinción del fuego de la capilla aneja a San Marcos. Finalmente, aunque dijo no saberlo, sembró dudas sobre la participación de la madre en el saqueo de los Luca de Tena y volvió a repetir, basándose en rumores, lo del 1 de mayo. Al mismo tiempo nuevos testimonios, como el de la vecina Águila Mesón Ferré o el de Francisco Terrones, párroco de San Marcos, favorecieron a Piqueras y a la familia de la novia.

El 31 de agosto tuvo lugar la declaración indagatoria de Luis Piqueras, 22, soltero y vecino de Menéndez Pelayo, 55. Negó la militancia en partido alguno y admitió haber pertenecido a la FUE. Dijo que prueba de «su conformidad por las derechas» fue haberlas votado en febrero de 1936. Y sobre su participación en los días rojos declaró que no salió de casa hasta el día 12 de agosto, en que recogió la cartilla militar y se incorporó. Rechazó las acusaciones y las consideró simplemente fruto de una venganza.

Unos días después se añadió al sumario la sentencia de la causa 298/34, en la que destaca la acusación de la *sobrina* del cura (dijo que Ana Trigo y su madre la llamaron «puta, reputa e hija de la gran puta») y la sentencia (multa de 250 pesetas y un año, ocho meses y veinte días de destierro), firmada por el juez ultrarreaccionario Eugenio Eizaguirre Pozzi, presidente de la Sección Segunda de la Audiencia Provincial de Sevilla desde 1934, y por Antonio F. Gordillo y Rafael Bono Pons. Un posterior recurso de casación anuló la sentencia. A Eizaguirre, comisario de guerra carlista poco después del golpe militar y secretario provincial del Movimiento tras el decreto de unificación de abril de 1937, y a Ruiz Zorrilla los unía su militancia carlista y es muy probable que coincidieran alguna vez en el Círculo que la Comunión Tradicionalista tenía en Sevilla, donde en alguna ocasión, durante la República, el cura había disertado sobre la persecución que sufría la Iglesia. También en el *Abc* aparecía su nombre: «Solemne triduo… predica el señor D. Ángel Ruiz Zorrilla, capellán castrense» (20/09/1936 y 20/11/1936).

El 17 de septiembre de 1937 el auditor Bohórquez, en una de sus típicas maniobras, pasó la causa al oficial tercero honorífico del Cuerpo Jurídico Militar Antonio Pedrol Rius, por entonces un joven abogado de 27 años al servicio de los militares golpistas desde diciembre de 1936 a cuyo servicio se puso en funciones de secretario el soldado

Fernando Rubio Muñoz-Bocanegra, años después autor de antologías del pensamiento político de José Antonio y Franco desde un alto cargo de los sindicatos verticales. Un mes después una providencia informa de que «estando en tramitación una información sobre el crédito moral de los testigos» se suspendieron provisionalmente las actuaciones hasta diciembre, en que se reanudaron con diversos testimonios de particulares. He aquí por ejemplo el de la criada M. P. R.:

> […] que hace dos años y medio una individua llamada Juana Vila [sic], a quien el Sr. Ruiz Zorrilla hace pasar por su sobrina, se peleó con otra llamada Anita con quien tiene tratos de gran intimidad, ya que se encerraban con mucha frecuencia en la habitación de la expresada Juana y al producirse la expresada pelea la llamó un día a la declarante a la habitación haciéndola sentar en la cama y diciéndole que llamase a Anita, contestando la declarante que cómo iba a llamarla si habían reñido, a cuya observación respondió la Juana: Para lo que quiero a la Anita puedo hacerlo contigo y seguidamente pasó a darle pellizcos y bocados en el pecho, obligándole a practicar una serie de porquerías […]

Sobre Luis Piqueras, M. P. declaró que se limitaba a visitar a la novia sin molestar a nadie. Otra vecina, Susana Fernández, manifestó que, según Juana Vila [sic], «como don Ángel quisiera ardería el barrio entero» y que sobre Piqueras decía que «a este el día que yo quiera lo fusilan». Y añadía que «ambos individuos tienen aterrorizado al barrio con sus amenazas». Entre estos testimonios destaca el de Ana Trigo:

> Que hace unos cuatro años aproximadamente la declarante frecuentaba la casa de don Ángel Ruiz Zorrilla, donde la Juana Vila [sic] la agasajaba mucho, haciéndole objeto de sobeos y dándole pellizcos, estando en la cama. Estos hechos se repitieron con alguna frecuencia, hasta que la declarante, al ponerse en relaciones con el Luis Piqueras le contó a este lo que ocurría y este le recomendó que dejara de frecuentar el trato de la referida Juana Vila como así lo hizo la declarante, por cuyo motivo la referida Juana la insultó públicamente, llamándole «tía» y otras palabras semejantes.

Después ya vino la denuncia, el juicio y la sentencia. Entre estos documentos que se incorporan ahora al sumario se encuentra este oficio:

> CAMARADA: Estudiado el expediente del Capitán Castrense ÁNGEL RUIZ ZORRILLA esta Provincial aprueba el fallo de esta Jefatura, por lo que procede que inmediatamente sea BAJA en nuestra Organización comunicándoselo al citado camarada. Te devuelvo el mencionado expediente para su archivo en esa Jefatura.- Dios te guarde y un saludo Nacionalsindicalista.- Sevilla 14 agosto 1937. El Jefe Provincial Acc. Al Camarada Eduardo Benjumea.- Jefe Local.

Tal baja debió de resultar dolorosa para los mandos falangistas teniendo en cuenta que Ángel Ruiz había sido activo colaborador de la organización desde el primer día del golpe y fue uno de los primeros curas en acudir a los fusilamientos «para salvar almas». El autorresumen del instructor Pedrol Rius es de 15 de diciembre de 1937. Parece evidente que el momento clave del sumario se encuentra en el segundo informe de la Guardia Civil de fines de agosto. Algo que no aparece en la instrucción les hizo cambiar, trocando así la suerte del encartado y la del denunciante.

También resulta sospechoso el papel de los falsos testigos: el falangista López Escobar y el carlista Jiménez Cárdenas, que a partir de un momento se despegan del asunto. En ello debió influir la decisión de dar de baja al cura en Falange a mediados de agosto. Así se explica que Pedrol, colocado poco después por Bohórquez al frente del sumario, mantuviera que el delito no se había demostrado y que procedía sobreseer el caso.

Como en tantos otros sumarios nos quedamos sin saber la trastienda de esta historia, que no debió de ser otra que la de que a partir de cierto momento Luis Piqueras tuvo un valedor útil. La consulta del expediente abierto al cura hubiera sido sin duda muy clarificadora, pero como ya sabemos no es posible por la destrucción de los archivos de Falange ordenada en 1977 por el falangista Rodolfo Martín Villa, entonces ministro de Gobernación. Para colmo los expedientes personales del archivo arzobispal no están accesibles a la investigación.

De 15 de diciembre de 1937 data una carta de Emilia Antolín a Pedrol Rius solicitando que, dado que se ha probado su inocencia, su hijo sea puesto en libertad. Al margen, Pedrol informó favorablemente. La diligencia de libertad provisional firmada por el auditor es de fecha 24 de diciembre. El Consejo de Guerra Permanente especial de urgencia, presidido por el coronel José Alonso de la Espina Cuñado y compuesto por los vocales capitán Juan Alonso Ruiz, el oficial primero honorífico del Cuerpo Jurídico Militar y los capitanes Luis Santigosa Ruiz-Toranzo y Francisco de la Puerta Peralta, estableció que el denunciante, al que siempre se refieren como «inspector castrense» y no como sacerdote, se movía por venganza y para perjudicar al inculpado, por lo que convenía el sobreseimiento provisional, que recibió el visto bueno del auditor unos días después. El archivo definitivo de la causa no se produciría hasta el 24 de noviembre de 1943.

En cuanto a Ruiz Zorrilla, pese a la baja causada en Falange, siguió ejerciendo de capellán castrense, de forma que el 30 de octubre de 1937, cuando sabía la deriva que había tomado el caso, fue trasladado al Hospital Militar del Colegio de Huérfanos de Santiago, en Valladolid, por el provicario general castrense (BOE, 30/10/1937). Se ignora si el cura sátiro se llevó con él a su *sobrina* y si continuó usándola de cebo para llevar a la cama a las jóvenes a las que echaba el ojo. ¿Qué pensaría el vicario general castrense de este adelantado del *ménage à trois*? No debió de tomárselo muy mal cuando en algunas esquelas de los años cuarenta vemos que el cura seguía actuando de director espiritual de algunas señoras de Madrid. El *Abc* de Sevilla, siempre fiel a sus principios, le dedicó una breve nota a su muerte en noviembre de 1955: «La familia de D. Ángel Ruiz Zorrilla, recientemente fallecido, agradece cuantos testimonios de pésame han recibido y ruega asistan al funeral, que se celebrará el 18, a las 12 de la mañana, en la iglesia de San Marcos» (*Abc*, 17/11/1955).

JOSÉ SÁNCHEZ CAMPOS, CAPELLÁN DE LA HERMANDAD DEL SILENCIO

2.º Fomentar el perfeccionamiento espiritual de sus miembros, encauzándoles la formación de una conciencia auténticamente cristiana y facilitándoles el medio de ofrecer público testimonio de su fe y de hacer penitencia.

3.º Crear entre sus miembros fraternos vínculos de caridad cristiana, impulsándoles a la mutua y generosa asistencia en sus necesidades.

4.º Potenciar las obras caritativas y asistenciales de sus miembros, dirigiéndolas comunitariamente y haciendo llegar sus beneficios a los hermanos y hermanas, en primer lugar, y a todo prójimo que lo precise, en general.

Hermandad del Silencio, Regla 5.ª: fines de la Archicofradía.

Teniendo conocimiento esta Delegación de Orden Público, que en la casa nº 8 del sitio conocido por la Campana de esta Capital, y en el piso 2º derecha de la misma, donde habita el Sacerdote D. José Sánchez Campos, concurrían algunas mujeres y hombres, cometiéndose actos inmorales, y al propio tiempo el referido Sacerdote se dedicaba a fotografiar a dichas mujeres concurrentes, ligeras de ropa y en formas obscenas, estableció en las proximidades de dicho lugar, un servicio de vigilancia, para averiguar y comprobar dichos hechos, dando este por resultado, que en la tarde de ayer, sobre las 15.30 horas, y por funcionarios a mis órdenes se practicó el servicio de referencia, al observar que momentos antes habían penetrado en el referido piso varias señoritas, por lo que procedieron a la entrada y registro del mismo, encontrando todo el material y efectos que se reseña en las diligencias que tengo el honor de remitir a V.I. y procediendo a la detención de dicho Sacerdote Sr. Sánchez Campos, el cual se encuentra en la Delegación de mi cargo, a su disposición, como igualmente los efectos incautados.

El oficio, que llevaba fecha de 26 de marzo de 1938, iba firmado por el delegado de Orden Público, el guardia civil Santiago Garrigós Bernabeu, e iba dirigido al auditor Bohórquez. Previamente debió de existir una denuncia que no aparece en el sumario pero de la que más tarde sabremos por uno de los declarantes. El folio 2 es el detallado informe de la policía al que se alude arriba. Vale la pena reproducirlo íntegro:

En Sevilla a los veinticinco días del mes de marzo del año mil novecientos treinta y ocho y cumpliendo órdenes del Ilmo. Sr. Delegado de Seguridad Interior y Orden Público de Sevilla y su provincia, el Sargento Instructor Don Joaquín Puga Sánchez, y Guardia 2º José Hernández Felices, pertenecientes ambos a la Comandancia de la Guardia Civil de Sevilla Interior, se personaron en la casa nº 8 de la Campana, con el fin de vigilar en aquel lugar para comprobar si efectivamente en el piso 2º, derecha, donde habita el sacerdote Dn. JOSÉ SÁNCHEZ CAMPOS, entraban mujeres y hombres, ya que según noticias lo efectuaban, y dicho sacerdote se dedicaba a fotografiar a las mujeres concurrentes, en cueros y diferentes posturas, se observó lo siguiente:

Que a las quince veinte horas entraron en dicho piso dos mujeres, a los breves minutos otra, y luego otra, al poco tiempo de la entrada de la última, salió de dicho piso un Capitán del Ejército, que según noticias se llama Dn. Juan Alonso y es gerente de la Casa Underwod

[sic]; acto seguido el Sargento y guardia mencionado llamaron al piso del mencionado cura, saliendo él mismo a abrir, por lo que hechole [sic] saber la calidad de Agentes de la Autoridad, así como que facilitara la entrada en el domicilio para llevar a efecto un registro, manifestó si se era portador de orden escrita para ello, hechole [sic] saber que no, con el ruego de que franqueara la entrada accedió a ello, por lo que pasando a una habitación frente a la mentada puerta de entrada, donde el mismo tiene instalada su despacho o sala de recibir, se hallaban sentadas cuatro mujeres jóvenes, las que manifestaron llamarse R.F.M., con domicilio en la Ciudad Jardín, calle 25, manzana 107, piso nº 4; L.P..E. y J.V.P., con domicilio en la calle Sales y Ferrer, nº 6, y C. J. V., con domicilio en la calle Vidrio, nº 3, ante la presencia de estas y dicho sacerdote, se pasó a otra habitación contigua a la anterior, [únicas con las que cuenta el piso], en donde fue intervenida una máquina de fotografiar, que tiene las siguientes inscripciones: CORNU-BREVETE S.GD G-Ontoscope. París.1442, así como en un ropero una camisa de mujer de tul, otra de malla, otra de seda rosa y encajes, otra [de] seda encarnada, otra de gasa, otra de encaje, otra de tul, otra de seda color fresa, otra de gasa verde, otra de seda verde oscuro, otra de gasa encarnada, otra de gasa roja, otra de malla, otra de encaje y seda estampada, otra de gasa y encaje, y otra de seda negra y encaje, y otra camisa grande y encarnada, a preguntas del Instructor a dicho sacerdote, que era el poseer tantas camisas, dijo que para que cada mujer elijiera [sic] la que quisiera; volviendo a la primera habitación fueron registrados los cajones de la mesa que aparecía como despacho, en la que fueron intervenidas ciento veintiuna cajas de clichets de mujeres fotografiadas encueros [sic] y de diferentes posturas, estando acompañadas algunas de ellas con hombres también encueros [sic]; una caja de comprimidos Estrellas, llena también de clichets, y dos cajas de puros, una mayor que otra, igualmente con clichets iguales que los primeros; dos carpetas y cinco cajas de maderas con recortes de revistas, en que aparecen mujeres desnudas y semidesnudas, en diferentes posturas; doce novelas tituladas «Novelas Galantes»; dos de la «Novela Sujestiva» [sic]; cuatro de la «Novela Pícara»; cuatro de la «Novela Frufú»; cuatro de la «Novela Delicias»; seis de la «Novela Paraiso» [sic]; dos de la «Novela Distraída»; veintiocho novelas pornográficas de distintos títulos; tres libros titulados «Bety» y «Libertini», escritos en francés; otros tres libros escritos en francés, igualmente pornográficos; otro titulado «Afrodita», otro titulado «Desnudismo y salud», otro «Los Maestros de la Lujuria», otro «El Libro de la Lujuria»; otro titulado «Regina, Placeres Tropicales»; otro titulado «Gamiani, dos noches de voluptuosidad»; otro «Cancionero de Amor y de Risa»; cuatro novelas pequeñas de distintos títulos; diez y seis novelas pornográficas rabiosas, tituladas «Colección Venus», varias fotografías, unas pornográficas y otras de vistas de una mujer, y un sobre en figura de cartera con muchas agujas para coser, todo lo cual fue intervenido a presencia de las citadas mujeres y traído a la Delegación de Orden Público, en unión del repetido sacerdote Dn. JOSÉ SÁNCHEZ CAMPOS, de 51 años de edad, hijo de José y Dolores, natural de Trebujena (Cádiz) y Capellán particular de la Hermandad del Silencio, sita en la calle Alfonso XII y General Moscardó.

Y para que conste se extiende la presente diligencia que firman cuantos en la misma han intervenido [debajo las firmas del cura, el instructor y el secretario].

También puede resultar de interés el inventario de objetos intervenidos en el piso del capellán del Silencio, librado milagrosamente de la oleada de registros y piras que bajo la dirección de curas y falangistas se organizaron a partir del 18 de julio y que acabaron con todo el *material disolvente* que pudiera dañar la moral y el espíritu de la *Nueva España*:

95 cajas de cartón con clichets, en el que figuran mujeres desnudas o semidesnudas.

4 Carpetas con revistas de moda.

11 Revistas «Pegés».

1 Sex-Appeal.

1 Álbum con fotografías con mujeres encueros [sic].

5 Álbum con fotografías con mujeres encueros [sic].

1 Libro de estudios académicos, con mujeres encueros [sic].

1 Carpeta con recortes de revistas.

1 Libro titulado «Au país de hommes nú» [sic].

1 Caja con botes de esencias.

1 Caja de madera llena de clichets [sic], en la que figura una mujer desnuda y semisdesnuda en diferentes posturas.

1 Prismático, con inscripción que dice: «Nouvelle. Maison oculés. Guelles-Condé. 1913».

1 Prismático, con el nº 6295. Terco Junilla.

4 Cajas con clichets de moda.

4 Abanicos de palma.

1 Combinación de gasa encarnada.

1 Máquina grande para vistas de clichets.

1 Vestido negro de gasa con agremanes negros.

2 Mantillas negras Chantilly.

2 Mantillas blancas Chantilly.

1 Cuello de agreman.

6 Pares ligas de señoras, tres dobles y tres sencillas.

1 Redecilla de cabeza.

1 Cofia.

6 Trozos de malla.

Varias hojas de parra contrahechas.

1 Careta de tela metálica.

2 antifaces, uno de tela y otro de cartón.

Un aparato de goma, simulando el miembro de un hombre.

Un tubo de goma redondo.

1 Cadena sujetando un letrero que dice «Cerrado».

1 Libro titulado «La Rome des Borgies».

Varias estampas de críticas a sacerdotes y monjas.

1 Estuche de máquina con clichets y una pieza de máquina de fotografiar.

1 Revelador madera.

2 Aparatos con dos lentes para vistas de clichets.

1 Máquina para ampliación fotografías y colorido de las mismas.

50 Tarjetas de mujeres desnudas y semidesnudas.

34 Tarjetas de fotografías de mujeres.

29 Tarjetas de una religiosa, que estaban entre las otras de sentido pornográfico.

15 Tarjetas de imágenes, que se hallaban ligadas entre las de las mujeres desnudas.

14 Fotografías del sacerdote de que es objeto esta intervención, apareciendo en una solo y en otras con dos individuos.

1 Tarjeta en la que está el sacerdote en unión de otro individuo, ambos vestidos de seglares.

1 Fotografía de un hombre.

2 Tarjetas de vistas.

5 Cartas de un tal Fernando Lerdo de Tejada, perteneciente a Aviación Militar.

2 Carpetas con documentos personales del sacerdote Dn. José Sánchez Campos.

2 Cartas de un Guardia Civil de San Roque, primo del antes dicho sacerdote.

Varias cartas escritas en francés con direcciones de mujeres francesas.

Varias direcciones de mujeres de Sevilla.

Varias direcciones de hombres.

1 Sobre del Banco Hispano Americano, el que con lápiz tiene escrito las letras: «U.G.T.-C.N.T.-F.A.I.», esto en su anverso, y en su reverso «J.A.P. de R.».

1 Carta y unas notitas de una monja.

1 Carta de un tal Joaquín González.

2 Pasaportes españoles a nombre de dicho sacerdote.

3 Impresos, en el que aparecen por una sola cara billetes de peseta, anteriores a los puestos en circulación.

2 Recetas del médico Dn. Salvador Amores.

1 Tubo de lata con veintiséis pesetas en monedas de a peseta de plata.

1 Cajita de lata con treinta pesetas en monedas de a duro.

10 Monedas de veinticinco céntimos, de cupro niquel.

1 Monedas de dos céntimos.

2 Monedas de un céntimo.

1 Billete de veinticinco pesetas.

1 Caja de cartón de las de clichets con diez y siete veinte pesetas en calderilla.

1 Caja como la anterior con quince pesetas en calderilla.

1 Caja como la anterior con trece pesetas en calderilla.

1 Caja como la anterior con siete pesetas en calderilla.

3 Medias octavilla de papel fuerte, en el que se lee: Noviembre, Diciembre y Marzo, y a continuación los nombres de seis hombres con un quince señalado en cada uno y debajo de estos nombres expresiones como de gastos efectuados por diferentes causas.

3 Medias octavillas de papel fuerte con nombres de novelas pornográficas.

1 Media octavilla de papel fuerte con signos.

2 Medias octavillas, una con expresiones, sin coordinación, y otra como un verso.

1 Carta dirigida a un tal Joaquín González Jiménez.

1 Cuartilla de papel con varios escritos, haciéndose alusión uno de ellos a Manuel Azaña.

1 Carta de una tal María Pepa, en la que anuncia al sacerdote que puede ir a su casa.

1 Carta de una mujer, de una tal Oblinia Lina Onesti de Illa [?], escrita desde Palma de Mallorca.

1 Carta de una tal Amparo Rueda.

1 Carta de Fernando Lerdo de Tejada, en la que se significa al final de la misma una expresión algo sospechosa.

6 Trozos de papel con escritos a lápiz, distintos.

Y para que conste se extiende la presenta acta, que firman el Sargento Instructor, y guardia auxiliar, en Sevilla a los veintiséis días del mes de marzo de mil novecientos treinta y ocho (firma de ambos).

El cura declaró ante el juez militar el día 29 de marzo, cuatro días después de su detención, lo que puede significar que en esos días, dado el hecho inusual de haber un cura entre rejas, se había tratado el asunto con las autoridades eclesiásticas. Dijo vivir en el piso desde que lo arrendó en octubre de 1935. En esta primera declaración, y sin duda para que el juez supiera en qué terreno se estaba moviendo, nombró a varios de los amigos que concurrían a su casa: Juan Alonso Ruiz, Julio Arbizu, Juan Fernández Martínez o Andrés Fernández Mensaque. Los dos primeros eran militares. Dijo que se trataba de «reuniones para pasar el rato, estilo Ateneo». Tomaban coñac o aguardiente y a veces

coincidía la reunión con la llegada de alguna joven que era conocida del declarante o bien de alguno de los Señores concurrentes, y en ocasiones llegaban más de una, que ya conocían previamente y las cuales alternaban y bromeaban, [...], y en ellas, bien espontáneamente o por indicación del declarante o de alguno de los amigos, se retrataban, cuyas fotografías siempre las hacía el que habla, y algunas veces a la vista de algunos de los reunidos, que en ocasiones les hacían algunos regalos de prendas o de cualquier otro objeto...

Sánchez solo mostraba las fotos a los amigos y siempre con permiso de las interesadas, aunque matizó que «la mayoría no las ha exhibido a nadie». Nunca se valió de intermediarios, sino solo de «amistad y conocimiento». En los veranos se iba a las playas francesas de Deauville y Biarritz para fotografiar a las bañistas. Sobre cómo pagaba estas actividades veraniegas dijo que «a virtud de los cargos que tenía y de los ahorros que hacía durante el año para tal fin».

Contó también que antes de establecerse en La Campana vivió —«también solo, con el mismo plan de vida que la que actualmente ocupa»— en el número 19 de la calle San Vicente, aunque allí iban menos amigos, «tal vez porque en aquella época las fotografías que obtenía no eran tan atrevidas como las que ha efectuado recientemente y además porque como tenía mayor ocupación en sus cargos, no podía permanecer en casa mucho tiempo». Las revistas las adquiría a su paso para el norte, «siempre en traje de seglar»; lo hacía «por curiosidad y pasar el tiempo», pero las tenía bajo llave. Declaró también al curioso juez, para disipar dudas, que cuando hacía las fotos a las jóvenes tenía la ropa de andar por casa, es decir, «una bata o un pijama».

El cura no tuvo inconveniente alguno en identificar a las personas que aparecían en las fotografías, entre ellas algunas prostitutas («la mayoría personas de mala nota, según le informan sus amigos», se lee en el sumario). Identificó a varias mujeres y a algunos de sus amigos, caso de Francisco Soto (acompañaba al cura a Francia) y Alfredo Conde

Leiva, que tenía un establecimiento de bebidas en la esquina de las calles Manteros y Jovellanos.

Según dijo, hacía las fotos «por su manía referida y porque le gusta hacerlas pero que una vez ejecutada e impresionada no siente el menor deseo ni de rebelarla [sic] siquiera, lo cual realiza para que las interesadas vean que lo efectúa realmente». Añadió que no solo no cobra nada por ello sino que «todas le han costado algo». Según el cura, los encuentros con las muchachas eran casuales y nunca hizo fotos a menores «sin estar presentes sus madres, la[s] que a mayor abundamiento le consta al declarante consentían el que sus hijas realizaran hechos reprobables para la moral, y por ello nunca ha creído». Finalizaba diciendo que, de haber sospechado que «con estas actuaciones suyas tan prolongadas realizaba acto que pudiera calificarse de delictivo, jamás las hubiera realizado».

El 30 de marzo se realizó una inspección ocular del pisito, pues así cabe llamar a lo que no era sino un pequeño pasillo y dos habitaciones. En la habitación que hacía las veces de despacho había «una mesa de escritorio con diferentes objetos todos ellos muy polvorientos, dos copas con un poco de coñac, y diferentes libros y papeles, así como una escultura de Nuestra Sra. de Lourdes y la Bernardita de rodillas». Había cajones con ceniceros llenos de colillas. Algunas paredes estaban cargadas de cuadros religiosos y retablos. También había una estantería con libros religiosos: un manual litúrgico, la Biblia, una historia eclesiástica, un compendio de teología moderna, obras de San Juan de la Cruz… En la otra habitación, con las paredes igualmente repletas de cuadros religiosos, había muebles con botellas de bebidas y licores diversos y copas y también dos garrafas, una de ellas de vino, así como zapatos de mujer. Las puertas estaban cubiertas de estampas y fotos de Lourdes y la Virgen. Tras esta inspección se añadieron nuevos objetos a los ya trasladados a Orden Público:

23 Cajas de negativos con mujeres desnudas o semidesnudas.
Listas con nombres y domicilios de mujeres.
Tarjetas y cartas de hombres.
Un cordón de pistola de oficial del Ejército.
Zapatos de mujer.

Bombones, licores y fotos artísticas

La primera de las muchachas declaró al día siguiente. Se trataba de R. F. M., de 27 años, natural de Jerez de la Frontera y con domicilio en Ciudad Jardín. Trabajaba en el Cabaret Eritaña. Accedió a hacerse una «foto artística» en San Vicente a petición de Juan Alonso. Recordaba que el fotógrafo estaba en batín. La invitaron a coñac y, ya animada, se hizo varias fotos «atrevidas por estar muy ligera de ropas, pero sin extralimitación ni bromas por parte de los dos concurrentes». Vio más veces al cliente cabaretero pero no al «fotógrafo», hasta que, sabiendo que se había trasladado a La Campana, lo visitó hace unos días «en el preciso momento en que entró la Policía…».

Ese mismo día 31 también prestó declaración J. V. P., prostituta de 25 años natural de Badajoz y con domicilio en Sales y Ferrer, 6. Contó que a mediados del 37 una amiga suya de la calle Feria le comentó que en La Campana había «un señor que convidaba a la que concurría», de modo que se acercaron un día. Había allí dos hombres que las invitaron a «unas copitas». La amiga le propuso que, al igual que ella había hecho otro día, se dejara hacer unas fotos «casi en cueros», pero ella no quiso. Dos semanas después, volvió con otra amiga de la calle Zaragoza. Esta vez estaban allí «don José», el dueño, y «don Alfredo». Ahora sí se dejaron hacer las fotos, cubriéndose solo con un mantón de Manila. Pese a que ella estimaba que no había mal en lo que hacía, *don José* le aseguró que no enseñaba las fotos a nadie. Volvió por el piso alguna vez, pero se iba pronto porque «no había combinaciones para obtener algún regalo». Casualmente allí le sorprendió la policía unos días antes.

La amiga de la calle Feria era L. P. E., de 23 años, natural de Huelva y también por entonces dedicada a la prostitución. Ella lo supo por su amiga Lolita *la Madrileña*, del Cabaret Excelsior, a la que unos señores habían dicho que llevara amigas. Se acercaron un día y las recibió un hombre en bata acompañado por otro. Tomaron las copitas de rigor y al irse la amiga cogió 30 pesetas que había sobre una cómoda. Era el regalo de aquellos amables señores. Unas semanas después volvió con su amiga Josefa y a petición del amigo de *don José* se dejó hacer varias fotos, por lo cual le dieron a ella también 30 pesetas.

Otra de las declarantes de ese día 31 fue C. J. V., 26 años, soltera y con domicilio en Vidrio, 3. Ella sí sabía quién era *don José*, ya que había dado clase a su hermana en la Escuela Normal de Magisterio y una vez le pidió una recomendación. En alguna otra ocasión el cura le habló de su afición y le dio su dirección en La Campana. Fue por primera vez en agosto o septiembre de 1936. *Don José* la invitó a agua con aguardiente. Después entró otro individuo y al rato ella se marchó. A los pocos días «le dio la manía de entrar nuevamente», encontrando allí al cura, a otro señor y a dos mujeres que estaban viendo fotos de mujeres casi desnudas. En ello estaban cuando llegó otra mujer. Después se fue el otro individuo y llegó la policía. Entre los visitantes del piso recordó también a un sargento. Recordó también otra ocasión en que estando sola con *don José* este insistió en hacerle algunas fotos «ligera de ropa». El cura le pidió que pasara a recogerlas, pero ella no quiso.

El día 1 de abril pasó por el juzgado L. S. H., de 20 años, natural de Aranjuez y con domicilio en Jesús del Gran Poder, 75. Fue su amiga Pepita la que la animó a ir al piso de La Campana, «donde vivían unos señores que por la tarde se reunían y tomaban unas copas y charlaban». En las dos ocasiones en que fue estaban el dueño y otro al que todas identifican como «un señor grueso». En ambas bebió y charló y en ambas este último le dio 15 pesetas. No se hizo fotos a pesar de que le dijeron «que tenía un cuerpo muy a propósito para ello». Después declaró G. M. B, de 26 años, prostituta natural de Sevilla con domicilio en Eduardo Cano, 4. También fue Pepita la que la condujo al pisito. Aceptó ir porque su amiga le dijo que «conocía a un amigo bueno que daba buenos regalitos cuando le visitaban por muy poco tiempo». El cura les mostró fotos, algunas de desnudos, y luego les preguntó si se prestaba a hacerse fotos similares, a lo cual accedieron. Se trató de fotos «en actitud bastante pornográfica, de lo cual está bien arrepentida». Siempre que fue le dieron 15 pesetas.

El día 6 tuvo lugar una de las declaraciones más interesantes, la de C. B. R., de 28 años, funcionaria de Hacienda con domicilio en Jiménez Aranda, 4. Sus recuerdos se remontaban a 1928, cuando su amiga Pepita, que vivía en la calle Teodosio, la invitó a ir a la casa de un cura que «se dedicaba a hacer fotografías artísticas y que por su afición a las mismas eran gratuitas». Así, fueron al número 19 de San Vicente, donde el cura las invitó a bombones y almendras y les hizo unas fotos mostrándoles otras, algunas de desnudos, y «en forma correcta les dirigió piropos, no ocurriendo nada más». A la semana volvió, ya que el cura le había prometido una foto del Cristo de la Expiración y un rosario. Por entonces —recordó— ella tenía unos 18 años y su amiga catorce o quince. Nuevamente les ofreció almendras, a lo que añadió unas copas de licor que las marearon, momento que aprovechó para proponerles que posaran. Él mismo se encargó de pintarles la cara y los ojos, «para lo cual tiene una gran especialidad dicho señor». Posteriormente intentó varias veces, la última en 1934 o 1935, que el cura le devolviera las fotos y los clichés «para estar tranquila de aquella locura que por los pocos años y el líquido que le dieron se prestó a realizar». Pero el cura le mintió diciéndole que había destruido ambas cosas por haber fallecido la amiga. La última vez que vio al cura fue unas semanas antes. Le dijo que se pasara por su piso de La Campana.

El 7 de abril prestó nueva declaración el cura Sánchez Campos. Su intención, la misma que la primera vez: advertir al personal sobre el delicado asunto en el que seguían hurgando. Mencionó a Alfredo Conde Leiva, a «su amigo del Ateneo Joaquín Valenzuela», aunque fue pocas veces, y justificó la presencia habitual del militar Juan Alonso Ruiz, el «señor grueso», en razón a que le daba clases de francés.[5] En cuanto a las cartas, las había de francesas a las que había fotografiado, de españolas que requerían su influencia o simplemente de amigos y hasta de la novia de uno de ellos. Cuando el juez le pidió explicación de las notas con nombres y cantidades, dijo que se trataba de «la parte alicuota [con] que cada amigo contribuía para el pago del piso de la calle San Vicente, en una época en la que el dicente carecía de ingresos por haber cesado en las ocupaciones o cargos que tenía». Por el contrario, el piso de La Campana lo pagaba él solo, ya que desde hacía dos años «cuenta con un ingreso mensual de 250 pesetas de una hermandad».

Luego le pasaron clichés para que identificara a las personas fotografiadas: una gitana, M. J. A. (luego casada y que «tiene una vida honesta» en Nervión); otra también

---

[5] En el *Abc* de Sevilla de 30/09/1934 aparece este anuncio: «PROFESOR LATÍN Y Francés: D. José Sánchez Campos. San Vicente, 19».

«honestamente casada», hija del maestro barbero R.; unas hermanas de la calle Vulcano, A. J. («casada y con hijos»), C. B. y L. G.; una maestra llamada Josefina «que se casó honestamente teniendo hijos»; A. G. y su hermana (en Bélgica); L. R. P. («persona muy honorable, hija de un empleado de Telégrafos de esta capital»); T. C. («amiga de J. Alonso»); una tal Remedios a la que conoció por Andrés Fernández Mensaque; la manicura M. M. L. («viuda y honesta»); una desconocida que vivía en el Pasaje de Valvanera; una meretriz llamada Teresa; una artista belga; «una ramera que fue llevada a su domicilio»; la hija de la dueña de una casa de citas del Pasaje de Valvanera; A. J. V. («su hermana C. puede dar detalles de ella»); una amiga de Pedro García Platero; una hija pequeña de E. G.; «la mujer legítima del sargento mecánico de Aviación Señor F. B.»; «una meretriz cuyo nombre desconoce»; una joven madrileña que pasó por Sevilla y que, llevada a su piso por A. J., «se despojó de su vestido y se retrató de la forma en que aparece, ignorando más detalles»; A. M. V. («muchacha honorabilísima y que ha de contraer matrimonio próximamente»); otra amiga de Amparo, Manolita («sobrina del fotógrafo P., es meretriz y vive en la calle Paloma, entrando por Relator a la derecha»); C. G. (artista de la Compañía de Aficionados)…

Así fue identificando hasta 57 mujeres con las que dijo mantener una relación superficial y a las que daba copia de las fotos pero solo de la cara o «la parte más inofensiva». Según Sánchez Campos, no existía plan para las reuniones y desde luego

> no podía asegurar que alguno de sus amigos se haya podido propasar con alguna de las que llegaban casualmente en la habitación contigua a la que el dicente se encontraba siempre, o sea el despacho, lo que sí asegura es que si lo hubiera visto, lo hubiera despedido inmediatamente de su casa, como así ocurrió cuando Dn. Alfredo Conde, el día 13 de febrero del año actual, intentó tocar unos clichés que tenía sobre la mesa y los cuales eran asuntos reservados, y que no consentía nadie viese.

T. C. A., 24 años, soltera, mecanógrafa y con domicilio en Argote de Molina, 32, dijo que en cierta ocasión, en 1935, visitando una casa de citas que había en el Pasaje de Valvanera, un individuo llamado Juan García Vilches (ella ignoraba que fuera cura) le dijo que «teniendo un cuerpo tan bonito debía de hacerse unas fotografías, que se pasara por la calle San Vicente, que allí estaría él». Y allí fue con Joaquina, la hija de la señora que regentaba la casa de citas. Estaban el tal Vilches y «otro señor vestido de seglar». El primero, el cura Vilches, le pidió que se desnudara y comentó a Sánchez Campos: «Verá Ud. qué maravilla, aunque algunas veces vestidas parecen otra cosa» y que «la que habla, por sus pocos años y la vanidad natural de toda mujer que le elogian accedió voluntariamente a efectuarlo y se colocó sobre una cortina, y lo mismo uno que otro estuvieron contemplándole como cinco minutos». Según recordaba, solo le hicieron una foto antes de desnudarse. Después volvió a ir alguna vez, estando el cura con Juan Alonso. En una ocasión la llevaron por Aracena y Palos para hacerle fotos.

Ese mismo día, el 8 de abril, prestó declaración E. L. F., prostituta de 23 años con domicilio en la calle Vulcano, 1. Conoció al cura en el bazar La Casa sin Balcones de la calle O'Donnell y fue invitada a pasarse por San Vicente. Unos días más tarde, se acercó con otra mujer, tomaron copas, merendaron, vieron fotos y se fueron. Poco después volvió sola y paseó por la calle hasta que el cura se asomó y le dijo que subiera «para evitar que le viera la vecindad». En una de esas visitas el cura le propuso que se hiciera unas fotos, para lo cual «le colocaba el vestido de cierta forma que se le vieran las piernas [...] y él mismo le subía más el vestido variándole la postura hasta que después le indicaba que se quitara la falda o la blusa, haciéndole diferentes fotografías, con lo cual parece que disfrutaba; que jamás se propasó». Recordó finalmente que la primera vez que fue tendría unos 15 años y no había entrado aún en el mundo de la prostitución. El cura también fotografió a sus hermanas. Todas ellas iban «por los bombones y cosillas que les regalaba el don José, cosa natural por la poca edad que tenían». Sobre 1934 dejó de ir, aunque sabía que ahora andaba por La Campana.

Ya avanzado el mes de abril, el día 22, Sánchez Campos envió una instancia al auditor Bohórquez solicitando la libertad provisional en razón a que «tiene a su madre paralítica y gravemente enferma en casa de su hermana». De paso le recordaba que llevaba treinta días detenido y que, debido a ello, no podía oír misa con la asiduidad que deseaba ni cumplir con «su grave obligación personal del rezo diario». También se quejaba de que se veía privado «de ciertos requisitos elementales de higiene» y de que «su situación económica es cada día más angustiosa»; quejas estas, viniendo de un sacerdote, que no estaban mal para ser planteadas en esa gran prisión que era Sevilla desde julio de 1936.

El 27 de abril pasó por el juzgado M. A. M., 48 años, natural de Sevilla y con domicilio en Teodosio, 93. Se dejó fotografiar por primera vez por el cura en 1923. A medida que avanzaban las sesiones se fue aligerando de ropa, ya que el cura «le aseguró que el retrato era solo para la declarante y que luego rompía los clichés, pues solamente su afición era realizar la fotografía». Aunque nunca se propasó, M. dijo ignorar a qué se debía «el afán desmedido de dicho Sr. para obtener esa clase de fotografías».

J. L. S., 32 años, soltera, ama de casa, natural de Sevilla y domiciliada en Faustino Álvarez, 4, también situó el primer contacto con el cura hacia 1923, siendo muy joven. Fue por indicación de una amiga que le dijo que alguien hacía fotos gratis. La recibió un señor en bata, que la fotografió y le dijo que volviera a recoger la foto. La sorpresa cuando lo hizo es que se lo encontró vestido de cura y, sorprendido, le dijo que debía haberlo avisado. Le dio camisas de encaje para que se cambiara y le hizo más fotos. Luego se fue de la ciudad y no volvió a saber de él.

También el 27 declaró J. G. M., de 21 años, soltera, ama de casa y con domicilio en Macasta, 4. La primera vez que se dejó fotografiar debía de tener 16 años. Le habían dicho que se trataba de «un Sr. muy formal» que vivía en San Vicente. Fue con una amiga y, como siempre, el cura les dio previamente coñac y comenzó a mostrarles fotos. Luego le dio una camisa y le dijo que se cambiara. Unos días después, pasó a recoger la foto. Cuando la vio su hermana mayor, se la rompió. J. era hija de C. M., con domicilio en calle Pozo, 11 y dueña de la casa de citas del Pasaje de Valvanera.

M. P. C., prostituta de 30 años de la calle Peral, 26, había conocido al cura nueve años antes, cuando trabajaba en una farmacia de la calle San Pablo. La pretendía entonces Alfredo Conde Leiva, que fue quien le propuso que se hicieran fotos en San Vicente. Otra vez fue con una tía suya y con Conde. Después de unas copas las convencieron para que posaran con diversas prendas que les proporcionaron, a cambio de lo cual les dieron una pulserita y unos zarcillos «que eran falsos». Cuando vieron las fotos, no les gustaron y no volvieron.

La última declaración del 27 de abril fue la de J. P. H., viuda de 46 años, dedicada a sus labores y tía de la anterior. Recordó que Alfredo Conde le inspiraba poca confianza («olía a vino»), de ahí que acompañara a su sobrina a piso del cura. Las invitaron a dulces y licores, «tanto que llegaron a embriagarse». Tras la sesión de fotos se fueron «bastante mareadas». No les gustaron las fotos y el cura les prometió que las destruiría. Dejaron de ir porque una de las veces que fueron vieron que el tal *don José* era un cura, «lo cual les impuso y ya no volvieron».

El día 29 de abril pasó por el juzgado el administrador de los pisos de San Vicente y de La Campana, Gerardo Caamaño Alfonso, comerciante de 51 años con domicilio en Dr. Letamendi, 24. Sánchez Campos había pasado de una a otra en 1935. El dueño de la primera era el conocido propietario Joaquín Díaz Hidalgo. El cura le dijo que quería arrendarla «para sus estudios y para dormir». Como no había cocina, la comida la solucionaba en casa de una hermana que vivía en la calle Redes. Empezó pagando 90 pesetas al mes pero, dada «la escasez de ingresos» que adujo, le rebajó a 75. En el contrato actuó de fiador Andrés Fernández Mensaque, uno de los amigos del cura. Las dos habitaciones de La Campana habían sido segregadas del piso de Tirso Camacho Martínez-Carrasco, de la Real Academia Sevillana de las Buenas Letras, del que dijo no tener queja alguna.

Otra menor declaró el día 1 de mayo. Se trataba de A. S. B., de 22 años, «su casa» y con domicilio en Golfo, 1. Una amiga la animó a ir a San Vicente a hacerse una foto gratis. Se hizo varias con mantón, pasó a recogerlas («solo se veía el busto») y, a pesar de que Sánchez Campos la llamó varias veces, no volvió más. Luego supo que se trataba de un cura. Cuando le hizo las primeras fotos tendría catorce o quince años.

Obsérvese que, tanto en el caso de Ruiz Zorrilla como en el de Sánchez Campos, la mayor parte de las muchachas que prestaron declaración procedían del sector norte del casco antiguo de la ciudad, es decir, de la zona interior más afectada por el golpe militar y la represión, que no es otra que la contenida entre Alameda, Feria, San Luis y San Julián, cuyo ejes confluyen en esa barrera invisible que va de la Puerta Real a la Puerta Osario dividiendo la ciudad en dos mitades.

Los amigos del cura

El primero de los amigos prestó el día 1 de junio la declaración más importante incluida en el sumario, importancia que radica en mostrar la realidad de todo el asunto. Se trataba del propietario sevillano Andrés Fernández Mensaque, de 55 años, casado y con domicilio en Pureza, 46. Dijo conocer al cura desde hacía siete u ocho años, cuando estaba en la calle San Vicente. Allí se reunían los amigos: Alfredo Conde Leiva, Juan Alonso Ruiz, el coronel Julio Arbizu Prieto, Joaquín Valenzuela, Alfonso de Cepeda o Juan García Vilches. Estos dos últimos, además de sacerdotes, eran respectivamente encargados del archivo del Hospital del Pozo Santo y secretario de la Junta Provincial de Beneficencia. Mensaque empezó diciendo que «no observó ninguna cosa anormal; era una reunión propia de amigos, como una especie de Casinillo». Ni siquiera recordaba que ninguna mujer pasase por dicha casa. El cura era «muy reservado y reglamentista, ajeno a toda clase de diversiones». Hacía las fotos «por el placer de hacerlas», nada más.

Admitió, eso sí, que no le parecía «completamente normal», pues casaba mal lo que hacía en su casa con lo que «le observó en los varios cargos religiosos que ha desempeñado». Cada uno de los amigos daba al mes 20 pesetas y además se hacían cargo de las bebidas, aunque el cura les había prometido que les devolvería todo. Fernández Mensaque debió de quedarse de una pieza cuando se le mostró una «foto inmoral» en la que aparecía. El cura había borrado un cliché en su presencia, pero conservó el verdadero. El interrogatorio subió de tono cuando se vio obligado a reconocer que había estado «con alguna mujer solo», momento en el que «el Sr. Campos se apartaba a otra habitación».

Para retratar a las mujeres, Sánchez Campos «se valía de insinuaciones, para asegurarles que el retrato sería completamente secreto y que no se exhibiría si la que se retrataba no quería, y tal vez también la influencia de su carácter sacerdotal, que daba confianza a la persona». A La Campana fue poco «por haber cambiado su estado». A la pregunta de si recordaba los nombres de las mujeres dijo que no, «pero que debe manifestar que muchas eran públicas y si algunas no lo eran por su edad y circunstancias no cree correcto por estar actualmente bien consideradas el manifestarlo».

Finalmente añadió que todo este asunto venía de una denuncia hecha por Luis González Díez y que, según su punto de vista, se trataba de «un asunto particular y de conciencia y no judicial, por no revestir carácter de delito». Por supuesto, el tal Luis González Díez no fue llamado a declarar para que explicara las razones de la denuncia. Y no fue llamado porque no era la primera vez que este falangista de primera hora y posiblemente miembro de la Brigada Político Social cumplía el servicio de denunciar a alguien. De hecho, en el sumario que se abrió poco después del golpe al exalcalde republicano José Fernández y González de Labandera fue este González el que lo denunció porque, según él, había declarado públicamente «que los generales y los jefes del Ejército deberán ser ejecutados por el pueblo por ser todos unos hijos de puta», cosa que naturalmente Labandera no había dicho en su vida pero que sirvió para crear el ambiente adecuado que condujo a su asesinato antes de que la instrucción concluyera. Ahora bien, la clave del asunto hubiera estado en saber quién estaba detrás del denunciante, cosa que evidentemente el tal González Díez no iba a decir. Lo único que quedó claro es que, por algún motivo que se nos escapa, alguien quería fastidiarle su entretenimiento favorito al cura y sus amigos.

Al día siguiente tocó el turno a Juan Alonso Ruiz, 57 años, casado, militar, natural de Sevilla y que vivía en Javier Lasso de la Vega, 1. Alonso conocía al cura hacía años. Justificó su presencia en La Campana porque en 1935 empezó a recibir de él clases de francés. Reconoció que a veces coincidió con mujeres que iban allí para dejarse fotografiar desnudas, fotos que el cura hacía «por el gusto de hacerlas y conservarlas». Frente a lo dicho por el anterior Alonso Ruiz, afirmó que el piso de Sánchez Campos «no era casinillo ni en él había reuniones fijas, ni se puede considerar como casa de citas o casa de lenocinio». Para él el cura «era persona de orden y muy cumplidor de sus deberes materiales», pero «tenía esa aberración o debilidad por la fotografía en general y especialmente por los desnudos». Afirmó que nunca llevó allí a mujeres pero cuando se le nombró a R. F. M., del Cabaret Eritaña, dijo no recordarla. Por el contrario, había coincidido por allí con los habituales: Mensaque, Arbizu, Leiva, Vilches… Es importante señalar que Juan Alonso Ruiz era vocal del Consejo de Guerra permanente y que como tal había tomado parte en el que juzgó al capellán Ángel Ruiz Zorrilla. De hecho, era un habitual de dichos consejos en esa época. Es decir: el mismo que era un asiduo del *estudio* de Sánchez Campos podía formar parte del tribunal que juzgaba vidas y morales ajenas.

El último de ellos, Juan García Vilches, declaró el 3 de junio de 1938. El presbítero García tenía 48 años, era natural de Sevilla y vivía en Misericordia, 8. Dijo conocer a Sánchez Campos desde 1933 pero que lo visitaba poco. No obstante, admitió haber coincidido con algunos de sus amigos y con varias de las mujeres. Dijo no saber nada de las fotos salvo de una de la Virgen de la Esperanza que le regaló Sánchez Campos, al que catalogó de retraído y raro.[6] Pese a que el testimonio de T. C. A. lo relacionaba con la casa de prostitutas del Pasaje de Valvanera y probaba su complicidad con las tareas fotográficas de Sánchez Campos, nadie le preguntó nada por ahora.

A continuación pasó por el juzgado Juan Fernández Martínez, de 47 años, comerciante natural de Úbeda domiciliado en Ronda de Capuchinos, 5. Conocía al cura desde los años veinte y creía que era raro por la doble vida que llevaba, una marcada por la «dignidad sacerdotal» y la otra por «la debilidad con las mujeres». De las que pasaban por allí, «casi todas públicas», dijo que «siempre obtenían algún regalito de los concurrentes». El cura «se dedicaba a hacer fotos inmorales a casi todas las que concurrían» y luego «tenía el gusto de verlas con su esteroscopio [sic]». No se lucraba con ello «sino que lo hacía únicamente por el placer morboso». Él fue testigo de cómo el cura «obtenía la primera [foto] honesta y con una habilidad especial que da el vicio supone el dicente

---

[6] García Vilches aparece ya en 1931 como secretario de la Junta Provincial de Beneficencia (*Abc*, 11/06/1931).

[que] conseguiría se despojase de las ropas y de esta forma obtener las fotografías al desnudo que sabe ha hecho muchas veces».

Por último, ese día 3 de junio pasó por el juzgado Alfredo Conde Leiva, 46 años, casado, industrial, natural y vecino de Moguer, calle Hernández Pinzón, 6. Definió al cura como serio y reservado y dijo conocerlo desde que anduviera quince años antes por Moguer como coadjutor. Ya entonces —dijo— practicaba la fotografía. Admitió haber coincidido en el piso del cura con los amigos y las prostitutas. Destacó la maña de Sánchez Campos para convencer a las mujeres de dejarse fotografiar y que «pudo comprobar el nerviosismo y la satisfacción que experimentaba […] cuando conseguía hacer una foto que le interesaba». Se definió como simple espectador y negó haber llevado mujeres alguna vez, olvidando lo dicho por una de las declarantes.[7]

Vaivenes de la instrucción y sentencia

El informe del instructor Carlos Gutiérrez García es de 7 de junio. Empezaba destacando la gran afición a la fotografía del inculpado por las muchas que había realizado, si bien entre ellas las había artísticas y otras muchas de mujeres desnudas y «algunas pornográficas». No había ejercido violencia alguna sobre las fotografiadas, pero algunas eran menores. Sin aludir en momento alguno a la causa por la que varios de los amigos del cura no habían sido llamados a declarar, concluía: «con la información practicada, […] puede formarse exacta idea de la naturaleza de los hechos motivo de estas diligencias».

Pasaron más de dos semanas hasta que el auditor Bohórquez trasladó las actuaciones al presidente del Consejo Sumarísimo de Urgencia por estar comprendidos los hechos en los decretos 55 y 191, por los que se crearon los consejos de guerra y se extendieron a todas las provincias ocupadas. El 5 de julio, Sánchez Campos solicitó nuevamente la libertad provisional y dos días después era el propio delegado de Orden Público, el guardia civil Garrigós, el que pedía al auditor que el cura fuese trasladado a la Prisión Provincial «por no reunir condiciones el local donde en la actualidad se encuentra detenido». En su solicitud, el cura insistía en que «no oye misa desde el primero de mayo ni ha cumplido el precepto pascual de la Iglesia». Decía además que estaba recluido «antihigiénica e insalubremente, sin que formule la menor queja» y que no era «consciente de haber contraído culpa legal», así como que «si ha cometido alguna falta no la cree tan grave como quizás al principio se creyera». El inconveniente de pasarlo a la Prisión Provincial era que el cura, consciente de que sin ella no era nada, se negaba a quitarse

---

[7] Conde Leiva, que también se hacía llamar Conde de Leyva, había estado metido durante la República en la política local moguereña, donde constaba como propietario y en la que ocupó el cargo de concejal en 1932 siempre al servicio del viejo cacique Burgos Mazo (ver Antonio Orihuela: *Moguer, 1936*, Madrid: La Oveja Roja, 2010. Poco debió afectarle este asunto cuando unos años después lo vemos de testigo de boda de una Álvarez-Rementería (*Abc*, 18/10/1939).

la sotana, por lo cual, el guardia civil Garrigós, que imaginaba lo que supondría meter a un cura con sotana en la superpoblada prisión sevillana, pedía al cardenal Segura que le permitiese vestir de seglar.

A principios de agosto, como solía ocurrir en ciertos casos, el auditor decidió pasar el sumario a otro instructor, en este caso Fernando Cotta Alsina, oficial primero honorario del Cuerpo Jurídico Militar, que ese mismo año sería nombrado juez de primera instancia del Juzgado Número 5 de Sevilla, y como secretario el falangista José Requena Mateos. El 17 de agosto, en declaración indagatoria, el cura se reafirmó en que «no ejerció violencia alguna sobre las mujeres», que todo lo hizo gratuitamente, que no negociaba con las fotos, que «no tuvo advertencia sobre el concepto de minoría de edad con respecto a algunas de las retratadas por estimar que no realizaba ningún acto de corrupción al hacerles las fotografías» y que «nunca tuvo en cuenta la edad, clase social, honorabilidad y estado de las mujeres que retrataba, haciéndolo a las que iban a su estudio sin distinción alguna». El auto resumen tenía fecha de 18 de agosto de 1938.

Dos semanas después era convocado el consejo de guerra permanente, cuyo presidente ordenó, dada «la naturaleza de los hechos», que la vista fuera a puerta cerrada. El tribunal estuvo formado por José Alonso de la Espina Cuñado, Luis Santigosa Ruiz-Toranzo, José Luis Rodríguez Trasellas, Fernando Velasco Olmo, Joaquín Pérez Romero, Francisco Fernández Fernández y Joaquín Sánchez Valverde, los tres últimos personal civil al servicio de la maquinaria judicial militar. A preguntas del fiscal, Sánchez Campos dijo que a algunas de las mujeres fotografiadas las había conocido durante la Exposición de 1929 y en lugares como la Casa sin Balcones o el bazar de la calle Harinas, ya que «la gente que concurre a tales establecimientos son, salvo raras excepciones, de una conducta moral bastante dudosa». Sobre sus incursiones en las playas francesas dijo que al principio iba vestido de sacerdote pero que luego decidió ir de seglar.

Su afición a la fotografía venía de veinte años atrás y sobre todo de finales de los años veinte. En su favor recordó al tribunal que no solo hacía las fotos por las que estaba allí sino que muchas de las que había hecho habían tenido por objeto las cofradías y los asuntos religiosos en general. Entre los amigos que asistían como «espectadores» a sus actividades fotográficas mencionó al coronel de Artillería Julio Arbizu,[8] al capitán Juan Alonso, a Fernández Mensaque y a los también presbíteros Cepeda y Vilches. Con motivo de un «incidente» que tuvo con el cardenal Ilundáin, «que le privó del cargo que tenía dejándolo solo con los ingresos de estipendio de las misas»,[9] recibió dinero de sus amigos, que así le ayudaban a pagar la renta y a mantener su actividad fotográfica, entre ellos los aludidos Alonso y Mensaque y Joaquín Valenzuela, José Fernández Villalta y el presbítero Vilches, del que recordó que era secretario de la Junta Provincial

---

[8] Se trata de Julio Arbizu Prieto (Sevilla, 1880). En 1940 fue nombrado gobernador militar de Cádiz y en 1941 director general de prisiones de Sevilla. Se jubiló en 1942.

[9] En la «Sección religiosa» del *Abc* de Sevilla pueden rastrearse algunas actividades del cura, como por ejemplo ésta: «Parroquia de la Concepción.- A las seis de la tarde continúa la octava, predicando en ella el presbítero D. José Sánchez Campos» (09/12/1933).

de Beneficencia Particular de la Misericordia. Precisamente fue a causa del misterioso *incidente* con la superioridad que «se recrudeció su afición a la fotografía del desnudo». Por lo demás, no parece probable que el tribunal lo creyera cuando afirmó que lo que parecía un órgano sexual masculino no era tal sino «un trozo de goma de una bicicleta con un rollo de papeles dentro».

El fiscal Fernández Fernández lo acusó de tres delitos de corrupción de menores, agravados «por la condición sacerdotal del inculpado», y pidió cuatro años y dos meses de prisión menor y cinco mil pesetas por cada delito. El defensor Sánchez Valverde afirmó que «si no fuera sacerdote no hubiera sido traído ante este tribunal como no lo han sido otras personas que figuran en la sumaria y que al menos tienen la cualidad de encubridores o coautores». Muy seguro debía sentirse cuando además, recordando que se había actuado sin autorización eclesiástica, negó al tribunal militar su competencia en el caso. Poco tardó el presidente De la Espina en pararlo en seco y recordarle que «no le iba a permitir las censuras dirigidas al Tribunal y al Fiscal» y pedirle que «procurara ajustarse a la jerarquía y disciplina necesarias dentro de los tribunales militares».[10] El fiscal, naturalmente, captó el mensaje y justificándolo «por omisión involuntaria» solicitó que «se dedujera el oportuno testimonio para exigir responsabilidades a las personas que aparecen en la sumaria», lo cual por supuesto no llegó a efectuarse salvo en un caso que luego se comentará.

Cuando se concedió la palabra, el acusado quiso leer un texto escrito y el presidente, sin duda poco acostumbrado a estas liberalidades, le dijo que «lo efectuase de forma verbal». El cura insistió y el presidente se lo negó. Entonces Sánchez Campos, que dijo no estar al tanto de «los tiquismiquis revestidos de autoridad», dijo que «reclamaba su derecho a vivir en privado como debe y solo con Dios y su conciencia, ante el que únicamente debe responder de sus actos». Mantuvo que el escándalo había sido provocado por los agentes de policía y que «sus compañeros los sacerdotes de Sevilla han dicho que se está escarneciendo el derecho eclesiástico y que qué harían los militares si los entregaran para ser juzgados a otras autoridades que no fueran las de su propia jurisdicción». Aludió de nuevo al desamparo en que lo habían dejado sus superiores eclesiásticos y defendió que «en su casa podía hacer lo que quisiera», como los escultores, que tienen sus modelos y «nadie les molesta».

«Soy un gran pecador. Lo confieso, pero no un delincuente», dijo al tribunal. Protestó por «las vejaciones de que estaba siendo objeto desde su detención». Sentía que se le estaba persiguiendo como cura. Se le había negado todo: desde atención médica hasta la petición de traslado a la Prisión Provincial. Siguiendo la línea de la defensa, recusó

---

[10] Ignoramos si el cura pudo elegir defensor. Es posible que al menos se le permitiera escoger entre varios. Joaquín Sánchez Valverde cuenta también en su haber con la defensa de los hermanos Escribano, falangistas asesinos de Castilblanco de los Arroyos (Sevilla) protagonistas de otro escandaloso sumario (ver José María García Márquez: «El triunfo del golpe militar: el terror en la zona ocupada», en F. Espinosa Maestre [coord.]: *Violencia roja y azul: España (1936-1950)*, Barcelona: Crítica, 2010, p. 135). Como casi todos los juristas que se pusieron al servicio de la maquinaria judicial militar, llegaría alto. De origen emeritense, hijo de Joaquín Sánchez Pérez-Pavón, director del Instituto San Isidoro, de Sevilla, fue durante los años sesenta presidente de la Audiencia Provincial de Badajoz.

«respetuosísimamente» al tribunal, y como colofón dijo: «Pido que se me devuelvan los positivos, los negativos y todo lo que ha salido de mi casa» o, en otro caso, «el derecho a que él con su abogado asista al acto de destrucción para quedarme convencido de ésta. Reclamo o suplico mi libertad y devolución de todo, […] y reclamaré contra todos mis detractores encubiertos o descubiertos».

El tribunal dictó sentencia el día 7 de septiembre de 1938. El primer punto recordaba que desde hacía al menos quince años Sánchez Campos

> venía dedicándose, con la protección de varios amigos que le ayudaban económicamente en esa empresa, a la obtención de fotografías cerca de mujeres de todas clases y condición social, […] verificando entre sí y en ocasiones hasta con un hombre las más repugnantes y obscenas escenas y para no faltar nada en el antro o casa a tal fin destinada concurrirían también numerosas adolescentes o menores de edad.

Según la sentencia no cabía hablar «de verdadero lupanar o mancebía, aunque allí existían libros pornográficos, revistas de desnudos, dediles de goma, miembros genitales artificiales y demás artículos propulsores del vicio más desenfrenado». Por tanto, podía hablarse de «un verdadero delito de escándalo público» y de un delito de corrupción de menores, ya que «han desfilado por la casa del procesado y han sido víctimas de las maquinaciones de éste infinidad de menores de edad», «precisamente por reunir sus virginales cuerpos mayores atractivos para los aficionados a esta clase de citas». De estos casos, con nombre y apellidos y que aludían «en ocasiones a quien todavía no era mujer en el sentido fisiológico de la palabra», se deducían dos delitos de corrupción de menores.

La sentencia rechazaba el ataque realizado al tribunal, al que consideraba «extemporáneo y fuera de razón» ya que, como reconocían y parecían haber olvidado el cura y su abogado, bastaba con recordar «que su autoridad arranca del 18 de julio» y remite a los bandos de 4 de septiembre de 1936 y de 9 de marzo de 1937 sobre Orden Público y «pornografía o teorías disolventes». El tribunal se reafirmaba en el «carácter o naturaleza inmoral y pornográfica del material fotográfico» y, como uno de los principios que se estaban defendiendo, «en la gran Cruzada en que está empeñada la Nación Española», que no era otra que la «de la Cristiandad y defensa y amparo de la Iglesia Católica, Apostólica y Romana, tan vilipendiada, ultrajada y escarnecida».

En un rapto de cinismo absoluto, el tribunal se abstenía de definir si la colaboración de otras personas fue «delictiva», y concluía destacando «el daño tan enorme que se ha causado a la formación espiritual de la sociedad» por la condición sacerdotal del encausado y «el grave escándalo y la poderosísima arma que se facilitará a nuestros enemigos». Por ello,

> debemos condenar al procesado, ungido con la orden sacerdotal, como autor de un delito de escándalo público, […] a la pena de seis meses de arresto mayor, multa de 5.000 pesetas e

inhabilitación para cargos públicos y [por corrupción de menores] a la pena de cuatro años, dos meses y 5.000 pesetas de multa por cada uno de ellos. [...] Todos los efectos o instrumentos del delito se inutilizarán.

En total nueve años y diez meses. Dada la condición sacerdotal del condenado, se consideró oportuno remitir testimonio de sentencia a «Su Eminencia Reverendísima el Cardenal de este Arzobispado», que no era otro que Pedro Segura Sáenz desde octubre de 1937. Respecto a los amigos y colaboradores del cura, la sentencia dejaba al capricho del auditor «si merecen ser aclarados en el procedimiento correspondiente para alejar toda duda de posible o probable responsabilidad delictiva».

El auditor dio su conformidad con la sentencia el 15 de septiembre y ordenó además que se extrajera testimonio de los particulares «para iniciar un procedimiento previo en el que se aclare, como en la Sentencia se consigna, el carácter y finalidad de la ayuda económica que por varias personas se prestó al condenado y si esto envuelve complicidad en los delitos sancionados». Pero a la hora de la verdad lo que quedó de esto fueron unas diligencias previas «en averiguación de la conducta de Don Juan García Vilches», uno de los curas amigos de Sánchez Campos, lo cual indica que también este había perdido el favor de la superioridad.

A esto siguieron diligencias varias sobre la referida extracción de testimonios y sobre la inutilización del material fotográfico y otros efectos intervenidos. El 8 de junio de 1939, a los dos meses de haber ingresado en la Prisión Provincial, el cura Sánchez Campos fue trasladado a la Prisión Central Especial de San Isidro de Dueñas, en Venta de Baños (Palencia), imponente monasterio trapense en el que debió convivir con los curas vascos nacionalistas y lugar por donde pasaría Julián Besteiro antes de ser enviado a la cárcel de Carmona, otra prisión de religiosos, donde moriría en septiembre de 1940. Sánchez Campos seguiría el mismo itinerario que el político socialista, con el que debió de coincidir entre su llegada a Carmona el 30 de agosto de 1939 y los primeros meses de 1941, cuando le fueron concedidos los beneficios de la prisión atenuada por haberle sido conmutados en enero los casi diez años de condena que le cayeron (la fecha de extinción era el 9 de julio de 1948) por tres años y seis meses.

Ya desde Sevilla, en marzo del 41, escribirá al auditor Bohórquez pidiendo una vez más que se le devolvieran los objetos que no guardaran relación «con los delitos que viene expiando». Al no obtener respuesta, volvió a solicitarlo en junio. Finalmente, en enero de 1942 le fueron devueltos, entre otras cosas, la ampliadora, varios estereoscopios, las cajas de madera, un estuche de cuero, cuatro álbumes, un par de mantillas y un vestido de abalorios. Sin embargo, no pagó ni una peseta a nadie «por carecer en absoluto de bienes».

Nuevas indagaciones sobre el presbítero Juan García Vilches

Del sumario del cura Sánchez Campos, el auditor Bohórquez solo consideró conveniente ampliar información en el caso de este presbítero. Sería el procedimiento previo 2871 de noviembre de 1938 «en averiguación conducta de Don Juan García Vilches», a cargo del juez permanente Manuel Clavijo Peñarrocha, con quien colaboraría en funciones de secretario el sargento provisional José Francisco Zúñiga Sánchez. Radica su interés en que salen nuevos detalles sobre las actividades del cura y sus amigos y sobre todo porque algunos, quizás viendo el derrotero que tomaba el asunto y sintiéndose injustamente solos en el trance, dieron nuevos nombres del círculo de amigos del cura artista.

Se abre el 24 de dicho mes con la declaración de Sánchez Campos, quien se encontraba todavía detenido en la Delegación de Seguridad Interior y Orden Público de la Plaza de San Lorenzo. Recordó el cura que sus colegas Cepeda y Vilches asistían a las reuniones de San Vicente, no a las de La Campana. Al primero, Alfonso de Cepeda, lo conocía por haber sido compañero de estudios y fue el que le presentó a Vilches, a quien visitaba en ocasiones en la oficina de la Junta Provincial de Beneficencia. Sánchez Campos aclaró que Vilches, al contrario que Cepeda, colaboró habitualmente durante los años 1934 y 1935 dándole cierta cantidad «por el agobio económico que al dicente creó un disgusto con su prelado»: concretamente, 15 pesetas para el pago del alquiler del piso. No para las fotografías, matizó el cura, quien no recordaba que Vilches llevara mujeres a su casa, aunque sí que hizo fotos a algunas en su presencia.

El 13 de octubre de 1938 prestó declaración J. G. M., soltera, 21 años, ama de casa y vecina de Macasta, 4. Fue una amiga llamada Josefa la que la condujo al cura. Antes de vivir en dicha calle, vivió con su madre durante seis meses en una casa de citas del Pasaje de Valvanera. No recordaba haber visto a Vilches por allí. El 15 de noviembre fue C. M. M., 46, viuda, ama de casa y vecina de Pozo, 1, dueña de la casa de citas del Pasaje de Valvanera hasta 1934. Recordó que una de las muchachas, T. C. A., declaró que fue García Vilches el que tras conocerla en el Pasaje de Valvanera la animó a ir a la casa del cura, donde se citaba con el señor Alonso.

Fue así como el capitán de Infantería en reserva Juan Alonso Ruiz, de 41 años, casado, madrileño y con domicilio en Javier Lasso de la Vega, 1, tuvo que declarar de nuevo el 30 de noviembre del 38. Dijo haber coincidido poco con Cepeda y Vilches en la casa del cura por haber frecuentado poco la casa de San Vicente y que ayudó económicamente al cura «muy rara vez» (15 pesetas durante tres o cuatro meses). Ignoraba si fue García Vilches el que llevó a T. C., una de las muchachas, allí.

El 5 de diciembre será Andrés Fernández-Mensaque y Mensaque, 55, casado, industrial y con domicilio en Pureza, 46, el que declaró que ayudó al cura con 20 pesetas durante tres meses, al igual que Conde, Alonso y Joaquín Valenzuela. No recordaba haber visto a García Vilches por allí. Añadió que oyó comentar a Cepeda y a Vilches «la rareza de carácter» de Sánchez Campos. Dos días después tocaba el turno a Joaquín Valenzuela Espinosa, 52, soltero, ingeniero, vecino de 2 de Mayo, 36. Este, que dio al cura diez pesetas durante tres meses, dijo que en total le daban unas 60 pesetas. Tampoco recordó si García Vilches había llevado mujeres allí. En el mismo sentido fue la declaración de Juan Fernández Martínez, 47, soltero, comerciante y con domicilio en Ronda de Capuchinos, 13. No recordó quién llevó a T. C., pero recordaba haber visto fotos suyas.

El 12 de diciembre declaró Alfredo Conde de Leyva, 47, casado, industrial y vecino de San Eloy, 23. Admitió que dio dinero al cura y sobre Cepeda y Vilches dijo que cuando los veía con el cura él se retiraba. Por su parte, el cura Alfonso Cepeda González, 51, natural de La Palma del Condado y con domicilio en Méjico, 3, dijo conocer a Sánchez Campos desde el seminario y que «le constaba la afición fotográfica del cura pero nada sabía de que hiciese fotos de desnudos». Aclaró que supo de la crisis económica del cura «por haber dejado de percibir los ingresos como capellán de las Esclavas Concepcionistas de esta Ciudad y los estipendios de la misa», pero que a él no le pidió ayuda. Cepeda concurrió durante unos diez años a la casa del cura y recordaba a asiduos como Juan Alonso, Alfredo Conde, Juan García Vilches, Rafael Sánchez Molina (párroco de El Salvador) y Laureano Tovar (canónigo de la catedral). Con la mención de estos dos últimos, Cepeda dejó el listón alto. El canónigo Tovar era el que, según Dulce del Moral, en sus pláticas a las presas de la prisión provincial les gritaba: «Somos unas gua...» y ellas tenían que añadir: «...rras».[11] Su fugaz aparición en este otro escenario muestra la estrecha relación que siempre ha existido entre clericalismo, machismo y fascismo.[12]

A lo largo de los primeros meses de 1939 siguieron las declaraciones de más muchachas: S. G., 25, soltera, empleada de Telefónica, Bécquer, 17; M. A., 49, soltera, ama de casa, Almirante Espinosa, 7; A. S. B., 23, soltera, ama de casa, Golfo, 1; D. G. G., 26, soltera, mecanógrafa, La Laboriosa, 8. Todas contaban más menos lo mismo: que el cura les decía que eran fotos para pinturas, que les daba merienda y licores, que primero las fotografiaba vestidas y luego desnudas... La última recordaba que alguna vez había visto allí a varios hombres, entre ellos a «un sacerdote de 41 a 43 años, pelo negro, moreno, alto y más bien delgado».

Las listas del cura, incautadas por la policía, demostraban que los contribuyentes al negocio del cura eran Alonso, Joaquín, D. Juan, Alfredo, Andrés, Villalta y Juanito. Entre todos contribuyeron en ocho meses con unas noventa y cinco pesetas, que se utilizaban, según detallados listados, para alquiler, almendras, peinados, electricidad, coche, caramelos, lámpara, sillón y mecedora, coñac, fontanero y ozonopino. El 17 de marzo de 1939 Sánchez Campos, desde la Prisión Provincial, se reafirmó en lo dicho e identificó al «D. Juan» de la lista con el cura Juan García Vilches, que se vio obligado a declarar el 24 de marzo de 1939.

[11] El testimonio procede de la entrevista realizada por Francisco Espinosa Maestre a Dulce del Moral el 16 de noviembre de 1986 en su domicilio de Ciudad Aljarafe.

[12] Laureano Tovar González, canónigo de Sevilla desde su nombramiento por Alfonso XIII en 1922, fue biógrafo del arzobispo de Sevilla Eustaquio Ilundain Esteban (1862-1937), a cuyo servicio estuvo durante treinta y dos años. Era considerado su mano derecha.

Vilches, 48, presbítero, natural de Priego y vecino de Misericordia, 8, reconoció que tenía amistad con el cura desde 1932. Conocía su afición fotográfica, pero exclusivamente por las imágenes religiosas. Admitió haber coincidido con mujeres en el piso del cura, aunque no les notó «índole moral depravada alguna». Supo de la «tirantez de relaciones con el prelado» y de las escaseces económicas por las que atravesó Sánchez Campos, al que ayudó «los tres o cuatro meses» que permaneció sin cargo. Como ignoraba la existencia de las ocho cartulinas, una por mes, donde constaba su nombre, *D. Juan*, mantuvo que no podía precisar el número exacto de meses que le ayudó. Como visitantes de San Vicente citó a los habituales. En cuanto a T. C., declaró que supo de ella por José Fernández Villalta, que le dijo que era «una señorita de vida libre» de la que se rumoreaba «su amancebamiento público». Mantuvo que él no fue el que la animó a que se fotografiara.

José Fernández-Villalta Serrano, 44, casado, funcionario, natural de Priego, calle Hombre de Piedra, 12, prestó declaración el 27 de marzo del 39. Dijo conocer al cura desde 1931 o 1932 y que sabía de su afición fotográfica por El Rocío, pero no por los desnudos. Vio mujeres alguna vez y dejó de ir en 1935. Solía ir con García Vilches y con Cepeda, coincidiendo en ocasiones con Alonso, Conde, Valenzuela y Mensaque. Por indicación de Vilches pasó un dinero al cura durante «tres o cuatro meses», tiempo que tuvo que ampliar cuando ahora le mostraron las fichas. Admitió conocer a T. C., «a la que ha visto en algunas casas de prostitución», pero «ignora que fuera retratada por el cura y quién la llevase». Dijo que solo supo de «las fotos obscenas y pornográficas» tras la detención del cura.

El informe del instructor Clavijo Peñarrocha es del 8 de abril de 1939. Ni este ni el auditor consideraron oportuno que el coronel Arbizu, el párroco del Salvador, Sánchez Molina, o el canónigo Tovar prestasen declaración. La sentencia consideró que no había constancia de que el dinero dado al cura «fuese con fines inmorales e ilícitos y sí solo para su sostenimiento y ayuda». Por lo tanto, se daba por terminado el procedimiento «sin declaración de responsabilidades». Y ahora viene lo mejor:

> En cuanto al Sacerdote Don Juan García Vilches ha quedado prueba suficiente de que en cierta ocasión propuso a una tal T.C.A., en una casa de citas que existía en el Pasaje de Valvanera, que por tener un cuerpo muy bonito debía hacerse unas fotografías, a cuyo efecto la invitó a que se pasase por la calle San Vicente, cosa que efectivamente hizo, hallándose unida esta foto al desnudo n° 14 de las unidas al sumario instruido contra el Sr. Campos.
>
> Mas si esto revela cierta depravación moral, máxime tratándose de un Sacerdote, no constituye sin embargo materia justificativa que pueda ser objeto de sanción, sobre todo teniendo en cuenta la conducta moral de la tal T. Pero por si estuviera comprendida dentro de los preceptos del derecho penal canónico procede librar testimonio de este Decreto al Eminentísimo Sr. Cardenal Arzobispo de esta Diócesis a los efectos que hubiera lugar.

Carece de explicación alguna que, yendo la instrucción como iba, se llegase a semejantes conclusiones. El 9 de julio de 1940 el auditor ordenó que se diese cumplimiento al decreto, siendo el capitán Miguel García-Lomas Barrachina y José María Cembrano Caro en funciones de secretario los encargados de tomar testimonio a García Vilches y pasarlo al cardenal, lo que se llevó a cabo el 16 de julio. La causa fue archivada el 7 de marzo de 1941.

FINAL

De estos dos sumarios de curas sevillanos, el rijoso responsable de estupro y el pornógrafo corruptor de menores, hay que destacar su excepcionalidad. Siempre fue importante para los golpistas aparentar una conducta moral adecuada a los preceptos de la Iglesia, cuidándose especialmente de que los comportamientos licenciosos quedaran ocultos en la zona oscura o que no trascendieran ni dañaran la imagen pública de muchos de sus hombres, presentados y considerados como *salvadores de la patria*.

En este cuidado de la imagen, el escalón protector superior estaba reservado a los militares, y dentro de estos la escala de mandos establecía a su vez la prioridad. El militar traía asociado a su oficio la condición de hombre de honor, de servicio, de valor, etcétera, aunque fuera un perturbado, hubiera participado en espantosas matanzas o conociera solamente el valor con un arma frente a personas desarmadas o mal armadas. Pertenecer al bando vencedor le acarreaba de forma automática una serie de supuestos entre los que estaba, lógicamente, su *intachable moral*.

Sin embargo, la práctica cotidiana enseñaba que cuando los intereses de estos militares ejemplares colisionaban con los hombres de la Iglesia, estos últimos salían mal parados, salvo que su grado en la jerarquía eclesiástica fuera importante. De ahí que estos casos sirvan para percibir en detalle el juego de doble moral que se impuso como norma desde los primeros momentos del golpe militar. Resulta evidente que, por razones que se nos escapan, tanto Ruiz Zorrilla como Sánchez Campos perdieron el favor de la superioridad y quedaron expuestos a algunos de los peligros de la nueva situación. De no ser así, no hubieran pasado por la farsa de la justicia militar de los golpistas, aunque, eso sí, pasaron como los privilegiados que eran y solo recibieron un leve rabotazo de aquella brutal maquinaria surgida del golpe. En todo caso, sobre todo lo demás, siempre debía quedar claro que los que mandaban eran los militares golpistas.

Causa General y franquismo.
Acusaciones contra autoridades republicanas: José Giral Pereira[*]

Julián Chaves Palacios
Universidad de Extremadura

INTRODUCCIÓN

Resulta una obviedad afirmar que las publicaciones en España hasta la muerte del dictador relacionadas con las consecuencias represivas de la guerra civil de 1936 tuvieron un carácter general, escasamente apoyadas en fondos documentales y condicionadas por las circunstancias políticas imperantes, que no permitían afrontar este contenido con la objetividad necesaria. En esos años, la historiografía sobre la contienda armada de 1936 se vio sumida en un fuerte anquilosamiento, convirtiéndose en una constante en esos estudios la precariedad metodológica e interpretativa, así como la instrumentalización al servicio de los planteamientos ideológicos franquistas.

Tal estancamiento historiográfico, lejos de remitir se mantuvo presente, con menor intensidad a medida que transcurrían los años, durante la dictadura. Como afirma el profesor Sánchez Marroyo:

> Finalizada la guerra, destruir al enemigo continuó siendo una tarea prioritaria. No había lugar para los discrepantes en aquella monolítica España de la victoria. El régimen de Franco creó una memoria parcial impuesta a la fuerza que simplificaba una realidad sociopolítica muy compleja. Su sectarismo interpretativo dejaba fuera a todos aquellos que no comulgaban con los principios del régimen.[1]

Más que obras de historia, se publicaban panfletos de tipo apologético que conformaban una amplia literatura de la justificación.[2] Especialmente sensibles a la tergiversación y ausencia del rigor exigible a la ciencia histórica fueron los estudios relativos a la faceta represiva:[3] trabajos en los que destacaba la ocultación y negación de la parte

---

[*] El contenido de este artículo se inserta dentro de las investigaciones desarrolladas en el Proyecto Nacional I+D+i, referencia HAR2015-64814-P, financiado por el Ministerio de Economía y Competitividad.

[1] Fernando Sánchez Marroyo: «Sin libertad no hay respeto al adversario. La destrucción del diferente en los sistemas políticos no democráticos», en Julián Chaves Palacios: *Memoria e investigación en torno al setenta aniversario del final de la guerra civil*, Badajoz: Diputación Provincial, 2009, pp. 43-93 (para esta cita, pp. 87 y 88).

[2] Véase sobre esta argumentación Herbert Southworth: *El mito de la Cruzada de Franco*, París: Ruedo Ibérico, 1963.

[3] Glicerio Sánchez Recio: «Presupuestos teóricos y metodológicos del concepto de represión», en J. Chaves, (coord.): *Memoria histórica y guerra civil: represión en Extremadura*, Badajoz: Diputación Provincial, 2004, pp. 21-38.

de responsabilidad inherente a un enfrentamiento armado de esta magnitud y su utilización, sin embargo, como elemento propagandístico, con la publicación de informes tan explícitos, en cuanto a denunciar la actividad represiva republicana, como la Causa General (en adelante, CG), creada mediante decreto de fecha 26 de abril de 1940.[4]

Estamos ante un texto legal que pone de manifiesto, entre otras cuestiones, que desde sus inicios el nuevo régimen potenció con obstinación la reivindicación de sus muertos y la exigencia de responsabilidades contra los comportamientos criminales de sus adversarios; una obra de claro

José Giral, presidente del Gobierno de la República, informa al Consejo de Seguridad de la ONU (1946). Fuente: Archivo Histórico Nacional (Madrid)

cariz culpatorio tanto por sus objetivos (proceso contra la República y su supuesta rebelión militar) como por su contenido (represión protagonizada por los republicanos municipio a municipio). Se trataba, pues, de dar a conocer la identidad y vicisitudes de los represaliados por el bando republicano y se descartaba hacer lo mismo con los vencidos en el conflicto armado.

Cuestión distinta ha sido el acceso a estos acervos documentales por parte de los investigadores, que lejos de tener lugar durante el régimen franquista hubo que esperar a la paulatina consolidación de un sistema democrático en el país para que su acceso fuera autorizado.[5] Su consulta permitió una mayor profundización en asuntos hasta ahora tratados de forma superficial, como era el caso de la variable represiva.

En ese sentido, haremos referencia a nuestra experiencia en la búsqueda y posterior acceso a los fondos relacionados con la CG en lo concerniente a la provincia de Cáceres (Extremadura). Nuestra primera aproximación fue en octubre de 1986 con ocasión de estar en pleno proceso de recabar información archivística para la realización de la tesis doctoral.[6] Con ese fin tuvimos que solicitar autorización a la Fiscalía General del Estado, facilitando nuestros datos personales y dando a conocer el objetivo de la consulta. Una vez obtenido el correspondiente permiso, pudimos consultar la documentación.[7]

---

[4] *Datos complementarios para la Historia de España: guerra de Liberación (1936-1939)*, Madrid: Ministerio de Justicia, 1945. Otras ediciones o avances se publicaron hasta inicios de los años sesenta: *La dominación roja en España: Causa General instruida por el Ministerio Fiscal*, Madrid: Publicaciones Españolas, 1961.

[5] Jesús Gaite Pastor: «Fondos documentales para el estudio de la guerra civil española conservados en el Archivo Histórico Nacional de Madrid», en Varios autores: *Justicia en guerra*, Madrid: Ministerio de Cultura, 1990, pp. 443-461.

[6] Julián Chaves Palacios: *Sublevación militar, represión sociopolítica y lucha guerrillera en Extremadura: la guerra civil en la provincia de Cáceres (1936-1955)*, Cáceres: Universidad de Extremadura, inédita, 1993.

[7] En la actualidad, dentro de la acertada política llevada a cabo en materia de archivos públicos en los últimos años por la Dirección General de Archivos Estatales, esta documentación se encuentra digitalizada y se puede consultar en el portal Pares del Ministerio de Educación, Cultura y Deporte.

Esta se encontraba depositada en la Sección de Fondos Modernos del Archivo Histórico Nacional en Madrid. Su responsable era el funcionario Jesús Gaite, que nos facilitó el preceptivo inventario de la CG que se componía de un índice por provincias y otro topográfico, así como los cuadernos I y II. Tuvimos que ver buena parte de esa documentación, pues la provincia de Cáceres no figuraba en la relación de provincias, pero indagando en las existentes, especialmente las más próximas, pudimos comprobar que su información se encontraba depositada en la de Toledo.[8]

Independientemente de esas pesquisas y sus resultados, lo cierto es que esta investigación nos permitió acercarnos a este acervo documental tan peculiar, que en su decreto de creación ya deja plasmada de forma explícita su finalidad:

> Se atribuye al Ministerio Fiscal, subordinado al Ministerio de Justicia, la honrosa y delicada misión de fijar mediante un proceso informativo fiel y veraz —para conocimiento de los poderes públicos y en interés de la Historia— el sentido, alcance y manifestaciones más destacadas de la actividad criminal de las fuerzas subversivas que, en 1936, atentaron abiertamente contra la existencia y los valores esenciales de la Patria, salvada en último extremo y, providencialmente, por el Movimiento Liberador. En el cumplimiento de su misión, la Causa General —que reviste carácter exclusivamente informativo— ejerce sus funciones investigadoras en aquella parte del territorio español que estuvo sometido a la dominación roja.[9]

Como se puede deducir del texto anterior, quienes vencieron en la contienda se encargarían de juzgar la actividad de lo que denominaban *fuerzas subversivas*, que no eran otras que aquellas que defendieron el orden democrático representado por la República. La información obtenida recogería el supuesto comportamiento político, social, criminal, religioso, moral, profesional y cultural de todas las personas que se habían significado, tanto a título personal como colectivo, durante la etapa republicana y especialmente en la guerra civil. Como afirma Sánchez Recio: «La Causa General, a la que se señalaba una finalidad informativa, ejercería una función complementaria de la que estaban cumpliendo los tribunales militares y el de responsabilidades políticas, facilitando las denuncias y detenciones de los republicanos vencidos a cargo de las autoridades franquistas».[10]

Por tanto, aunque la finalidad inicial era de tipo informativo, sus datos se destinaron a otros fines. Además de ayudar a la labor represiva ejercida por la justicia franquista en esos años, su contenido, dadas las acusaciones y juicios que se vertían, fue utilizado con fines propagandísticos, tratando de fomentar entre la opinión pública la idea de rechazo al régimen republicano y sus dirigentes tanto locales como nacionales.

---

[8] Archivo Histórico Nacional (en adelante, AHN), Causa General (Toledo), caja núm. 1048 (2.ª).

[9] AHN, Causa General (en adelante, CG) , caja núm. 1.777.

[10] Glicerio Sánchez Recio: «La causa general como fuente para la investigación histórica», en Varios autores: *España franquista: Causa General y actitudes sociales ante la dictadura*, Albacete: Universidad de Castilla la Mancha, 1993, pp. 23-28.

Sobre esto último cabe destacar que dentro de las 11 piezas o contenidos documentales que componen cada sumario,[11] uno de sus apartados, el séptimo exactamente, se dedica a denunciar la actuación de las autoridades republicanas, incluyendo a los principales dirigentes nacionales. De uno de ellos, José Giral Pereira, nos ocuparemos en el presente trabajo, al entender que las acusaciones que se vierten sobre su persona en la CG por su significación en la Segunda República, la guerra civil y el exilio constituyen un ejemplo de los pilares en que se fundamentaba un acervo documental de estas características.

Realizaremos ese análisis efectuando, en primer lugar, una breve referencia a la peripecia vital del personaje, para después tratar de confrontar los juicios recogidos sobre su persona en la CG y la realidad histórica, de acuerdo con la documentación depositada en su archivo personal[12] y los estudios existentes sobre este político republicano;[13] análisis que nos permitirá profundizar en los contenidos e intencionalidad recogida en la CG.

Es esta una fuente histórica que en sus diferentes piezas presenta ingente información; datos que pese a su abundancia y variedad deben tomarse con todo tipo de reparos. Y es que como documentación de parte, confeccionada por los vencedores de la contienda, su información presenta una fuerte carga de parcialidad y no menos revanchismo. Por ello, es preceptivo contrastar sus afirmaciones con otras fuentes, aprovechando, una vez debidamente depurada, aquella que se ajusta a la realidad y descartando la restante. Ese es al menos nuestro propósito.

JOSÉ GIRAL: UN SIGNIFICADO POLÍTICO REPUBLICANO

La peripecia vital de Giral fue intensa y diversa, pues a su labor como catedrático de Universidad unió la de farmacéutico y político, pero también la de padre de familia. Vivió numerosos cambios de residencia, en unos casos de provincia y en otros de país, conoció a lo más granado de su generación y se granjeó importantes amistades pero también críticas y animadversión, como corresponde a todo hombre público con una

[11] El conjunto de esas piezas componen la base de la Causa General y se ordenan de la forma siguiente: 1.Pieza primera o Principal, la más abundante, contiene la relación de los hechos ocurridos en los municipios de cada provincia, indicando los autores e inductores de los mismos. 2. Alzamiento Nacional: sus antecedentes, ejército rojo y liberación. 3. Cárceles y sacas. 4. Checas. 5. Justicia roja. 6. Prensa. 7. Actuación de las autoridades gubernativas locales. 8. Delitos contra la propiedad e informes de las Cámaras Oficiales de Comercio e Industria. 9. Banca. 10. Persecución religiosa. 11. Tesoro artístico y cultura roja.

[12] En abril de 2009, sus descendientes tuvieron a bien ceder al Ministerio de Cultura de España el archivo personal de José Giral, que ha sido depositado en comodato en el Archivo Histórico Nacional de Madrid para que sea consultado por los investigadores: una importante decisión que honra a los miembros de esta familia y una no menos apreciable gestión del Estado español, que deseamos destacar desde estas páginas por lo que va a suponer en la recuperación de la memoria y del legado político, científico y cultural de José Giral Pereira. Este se encuentra depositado en el Archivo Histórico Nacional, Sección Diversos.

[13] Citamos el más reciente, Javier Puerto Sarmiento: *Ciencia y política: José Giral Pereira*, Madrid: Real Academia de la Historia/BOE, 2016.

vida tan intensa en lo profesional y en lo político.Nacido en Cuba en el último tercio del siglo xix, a edad temprana se trasladó a España, donde cursó sus estudios y se forjó como un hombre del siglo xx, embebido en la defensa de una España libre y democrática. Tales principios le acercaron a republicanos como Bernardo Giner de los Ríos, que en un homenaje tributado por el Ateneo Español en México en 1963, un año después de fallecer José Giral, señalaba:

> Tuve el honor de ser compañero suyo en el Gobierno anterior, presidido por Casares Quiroga; de haberlo sido después, como colaborador suyo, en el Gobierno por él presidido; de haber sido Ministro con él en todos los Gobiernos, hasta la terminación de la guerra; es decir: juntos desde mayo de 1936 hasta marzo de 1939, sin interrupción, lo que me da derecho y autoridad para proclamar que es difícil encontrar un hombre que con naturalidad, con modestia, con sencillez (ropajes con los que, sin proponérselo, ocultaba y envolvía una gran entereza y una evidente valentía), como el Sr. Giral, que haya puesto al servicio de la patria lo que él puso.[14]

Efectivamente, a través de los diferentes puestos que desempeñó, Giral fue un servidor de la patria y un abanderado de fines tan loables como la República y la democracia en España. Así lo ponen de manifiesto sus contactos previos al 14 de abril de 1931 y su protagonismo político posterior, que tuvo su prolongación durante la contienda armada, para retomar la actividad en el siempre trabajoso exilio, en el que acaparó un papel de primer orden en la lucha contra el régimen de Franco y la defensa de la legitimidad republicana. Funciones de responsabilidad que muestran su integridad en la defensa de esa y otras causas relacionadas con su país.

Alumno aventajado de las licenciaturas de ciencias (química) y farmacia, tras concluirlas se doctoró en ambas especialidades en 1905, proyección académica que culminó poco después con la obtención de la cátedra de química orgánica de la Facultad de Ciencias en Salamanca. En esa Universidad contó con la protección del primer catedrático en bioquímica que hubo en España: José Rodríguez Carracido. Importante logro, alcanzado cuando apenas había superado la edad de 25 años y que le abrió importantes expectativas profesionales y personales.[15] En este último aspecto cabe destacar su amistad con el catedrático de latín, Pedro Urbano González de la Calle, hijo del conocido krausista extremeño Urbano González Serrano. Fruto de esa relación pudo conocer a la cacereña María Luisa González, cuñada del referido catedrático, que se convertiría en su mujer y con la que tendría cuatro hijos.

La procedencia geográfica de su esposa marcó con posterioridad el destino político de Giral, pues le obligó a visitar la comarca de Campo Arañuelo, en Extremadura, en la que su mujer tenía una importante hacienda. Esa vinculación familiar se vio acompañada con posterioridad por su conocimiento y relaciones con personas de esa zona, hasta el punto que en la Segunda República se presentó a diputado a Cortes por la provincia de Cáceres.

---

[14] Archivo General de la Administración, 107CA 452, Homenaje a José Giral.

[15] Julián Chaves Palacios: «El republicano José Giral en Salamanca durante la Restauración (1905-1920)», *Investigaciones Históricas: Época Moderna Y Contemporánea*, núm. 32 (2012), pp. 195-216.

En 1920 decidió trasladarse a la capital de España, instalando una farmacia en el número 35 de la calle Atocha y acompañando esa actividad con la de responsable de la Sección de Química del Instituto Nacional de Oceanografía. Cuatro años después dejó ese cargo para desempeñar su oficio de químico en la Dirección General del Pesca del Ministerio de Marina. Ese puesto y el anterior le permitieron conocer ese ministerio del que se ocuparía en la Segunda República. Hasta que eso sucedió, Giral, al igual que en Salamanca, utilizó la rebotica de su farmacia para mantener reuniones de cariz político. De allí salió la creación de Acción Republicana, de la que fue su fundador junto a Manuel Azaña. Desde entonces ambos iniciaron una estrecha relación de amistad: no en vano con Azaña compartió no solo sentimientos políticos sino también afinidades como su adscripción a la masonería.

En 1928 regresó a la docencia al obtener la cátedra de química biológica de la Universidad Central de Madrid, que hasta entonces había desempeñado su maestro José Rodríguez Carracido. Su toma de posesión constituyó un acto académico con claro matiz político, al ser aprovechado para reivindicar un régimen republicano en España y criticar sin ambages la monarquía de Alfonso XIII y su máximo exponente entonces: el dictador Miguel Primo de Rivera. Tales denuncias le valieron ser encarcelado en varias ocasiones durante aquellos años.[16]

El advenimiento de la República en abril de 1931 dio lugar a un nuevo tiempo político, y Giral jugó en él un papel relevante. Así, en las elecciones a Cortes del mes de junio salió elegido diputado por la provincia de Cáceres, siendo nombrado meses después ministro de Marina, cargo que desempeñó hasta septiembre de 1933. Volvió a ocupar ese puesto tras ganar las elecciones de febrero de 1936 el Frente Popular.[17] Por tanto, estuvo en primera línea política hasta la insurrección de julio.

Con motivo de la sublevación militar, Manuel Azaña, en calidad de presidente de la República, le nombró jefe del gobierno tras el rechazo a ocupar ese puesto del entonces presidente de las Cortes: Diego Martínez Barrio. Su lealtad le impidió rechazar el ofrecimiento y se hizo cargo de ese puesto en tan difíciles circunstancias. Eso sucedía el 19 de julio de 1936 y a partir de entonces su actividad fue frenética hasta que el 4 de septiembre le relevó en el puesto Francisco Largo Caballero.[18] No obstante, siguió en el ejecutivo como ministro sin cartera, puesto que también desempeñó en el gobierno de Juan Negrín, aunque en este caso fue alternado con el de ministro de Estado.

Giral, en suma, no dejó de estar presente en el Consejo de Ministros durante toda la contienda armada; responsabilidad como ministro de la República en que siempre procuró estar muy próximo a Manuel Azaña. Tal cercanía se fue acentuando a medida

[16] Julián Chaves Palacios: «Oposición política a la monarquía del Alfonso XIII: José Giral y los republicanos en la dictadura de Primo de Rivera», *Hispania*, vol. LXXVI, núm. 252 (2016), pp. 159-188.

[17] Julián Chaves Palacios: «La Armada española en la Segunda República: José Giral, ministro de Marina (1931-1936)», en *Ayer*, núm. 93 (2014, 1), pp. 163-187.

[18] Julián Chaves Palacios: «La Segunda República y los inicios de la guerra civil: el gobierno de José Giral (19 julio a 4 de septiembre de 1936)», en ídem (coord.): *El itinerario de la memoria: derecho, historia y justicia en la recuperación de la memoria histórica en España*, vol. II: *La historia*, Madrid: Sequitur, 2013, pp. 11-60.

que se acercaba el final del conflicto armado y se precipitaba la derrota republicana. Así, tras la pérdida de Barcelona a finales de enero de 1939, decidió acompañar a Azaña a su exilio en Francia.[19] Allí consiguió trasladar a toda su familia y poco después de finalizar la contienda armada en España pudo embarcar hacia México, destino en que arribó a bordo del *Flandre* el 1 de junio de 1939.

Su llegada a ese país se la comunicó, mediante telegrama expedido desde el vapor en que viajaban, a su amigo el doctor José Puche Álvarez, eminente fisiólogo y político próximo a Negrín. Puche había llegado con anterioridad a tierras mexicanas y se puso a disposición de Giral. En la ficha de control abierta poco después de llegar a tierras aztecas como refugiado político se indicaba lo siguiente:

> José Giral Pereira, de 60 años de edad y profesión profesor de Universidad, trabaja en la Casa de España, Instituto Ruiz de Alarcón, y reside en la calle Pánuco, nº 18, Departamento 10, Colonia Cuauthemoc (Ciudad de México). Su esposa es María Luisa González de la Calle, de 51 años. Hijos: Francisco, de 29 años; Antonio, 27; María Luisa, 22 y Concepción, 14.[20]

Iniciaba así Giral su estancia en el país azteca, y pronto retomó la actividad política. Buena muestra de ello es que en 1945 se constituyó el primer gobierno republicano español en el exilio (hasta entonces funcionaba una comisión gestora dirigida por Diego Martínez Barrio en calidad de presidente de la Comisión Permanente de las Cortes de la República), y que fue presidido por él.[21] Tuvo su sede en la hasta entonces embajada de la República en México, un país que no reconoció al régimen de Franco pese a que entre ambos países existieron intercambios económicos y culturales.

No obstante, el ejecutivo de Giral en el exilio, una vez una vez liberada Francia de la ocupación alemana, decidió trasladarse a París con el fin de estar lo más cerca posible del territorio español. A partir de entonces se vivieron unos meses de esperanza de cambio en España ante el rechazo en 1946 por la Organización de las Naciones Unidas (ONU) de la entrada de España en este organismo internacional y su recomendación de la retirada del país de los embajadores, medidas que provocaron el aislamiento del régimen franquista y fomentaron la posibilidad de su derrocamiento.

Giral vivió en primera persona este contexto, aunque no por mucho tiempo. En línea con los enfrentamientos registrados entre las formaciones políticas republicanas durante la guerra civil, lejos de cesar, esos desencuentros se agravaron en el exilio. Giral lo sufrió directamente en el desempeño de sus labores de gobierno al agudizarse

---

[19] Julián Chaves Palacios: «La amargura de vivir en el exilio: del complicado asentamiento de los republicanos españoles en Francia en 1939 a las expectativas de poder ir a México», en ídem, Juan García Pérez y Fernando Sánchez Marroyo: *Una sociedad silenciada y una actividad económica estancada: el mundo rural bajo el primer franquismo*, Madrid: Ambroz, 2015, pp. 227-348..

[20] Archivo Histórico del Instituto Nacional de Antropología de México, expediente 1279 José Giral.

[21] Julián Chaves Palacios: «El primer gobierno de la República en el exilio: apoyos de México al ejecutivo de José Giral (1945-1947)», en Mari Carme Serra Puche, José Francisco Mejía Flores y Carlos Sola Ayape (coords.): *Política y sociedad en el exilio republicano español*, México: UNAM, 2015, pp. 89-104.

la falta de entendimiento con el líder socialista Indalecio Prieto, así como con otros miembros de esa formación, y los comunistas; desencuentros que fueron agravándose a medida que pasaban los meses y culminaron con su dimisión al frente del ejecutivo al iniciarse 1947.

Ese desenlace conllevó su paulatino alejamiento de la política y su vuelta a la actividad docente e investigadora en la Universidad Nacional Autónoma de México hasta su muerte el 23 de diciembre de 1962. Contaba para entonces la edad de 83 años y dejaba atrás una vida intensa en la que había vivido experiencias diversas que en absoluto quebraron su firme apuesta por la democracia y la libertad en España. Esa actitud le hizo ser perseguido de forma implacable por el régimen franquista, siendo un claro ejemplo de ello las denuncias vertidas sobre su persona en la CG, según trataremos de comprobar en el análisis que de esa documentación efectuamos a continuación.

CAUSA GENERAL: ACUSACIONES A GIRAL

Los juicios vertidos en el informe recogido en la CG sobre Giral se encuentran depositados en el mismo expediente,[22] dividido en dos contenidos parejos pero con diferente encabezado. Uno se denomina «Silueta del señor Giral» y el otro, el que ocupa mayor número de páginas, «Semblanza de Giral». Respecto al primero de ellos, tiene cinco apartados en que se exponen de forma sucinta los principales cargos sobre el político republicano; contenidos que en el siguiente documento son tratados con mayor profusión e incluso ampliados en determinadas acusaciones.

Es innecesario reiterar que se trata acusaciones de parte, con una intencionalidad marcadamente culpatoria que pretende descalificar la conducta del interfecto en todos sus órdenes. En su retórica, similar en la mayoría de los líderes republicanos acusados en la CG, se estigmatiza al protagonista hasta extremos insospechados, aunque sin aportar pruebas que justifiquen estas imputaciones. El argumento, no obstante, se da por probado, tal como se indica en la conclusión del documento denominado «Silueta» cuando indica que «estos son los títulos perfectamente comprobados en la CG de Madrid contra el Sr. Giral en sus propuestas contra España y a fin de que no permanezcan ignorados ni olvidados».

Por nuestra parte pretendemos, a través de las investigaciones históricas desarrolladas al respecto, comprobar el grado de verosimilitud que tienen esas acusaciones y tratar de esclarecer la verdad científica. Consideramos que es un ejercicio pertinente que ayuda a conocer el grado de tergiversación y falsedad existente en una fuente documental de estas características, en este caso tratando de contrastar los juicios que en ella se vierten con la realidad histórica de los hechos denunciados. Es este un análisis

---

[22] Este informe contiene diversas páginas y se encuentra archivado en el expediente núm. 40. Por corresponder todas las referencias relacionadas con este fondo a esa misma procedencia, no lo citaremos con posterioridad. Archivo Histórico Nacional, Causa General, leg. 1564, expediente núm. 40.

PRINCIPALES ACUSACIONES CONTRA JOSÉ GIRAL EN LA CAUSA GENERAL

Concepto	Contenido
Armas al pueblo	Defendió la entrega de armas de los parques militares a las milicias
Asesinatos perpetrados por republicanos	Cómplice, como presidente del Gobierno, de los asesinatos en la cárcel Modelo entre la noche del 22 y mañana del 23 de agosto de 1936, entre otros.
Actuación en la Marina	Bajo su mando como jefe del Gobierno y ministro de Marina fue asesinada la mayor parte de la oficialidad de la Marina de Guerra
Checas	La institución soviética de las *checas* como instrumento de terror funcionó con su consentimiento como presidente del Gobierno
Reservas de oro	Expoliación sistemática de las reservas de oro realizada por los gobiernos republicanos de que formaba parte Giral
Represión en la Iglesia y Judicatura	La Iglesia sufrió bajo la tiranía de los gobiernos en que figuró Giral daños inmensos y el asesinato de miles de clérigos. También de funcionarios judiciales
Actuación contra Embajadas	El derecho internacional y de gentes constantemente conculcado por los gobiernos del Frente Popular
Influencia soviética	Toda la política del gobierno de José Giral y los que le sustituyeron aparece inspirada por la influencia soviética

Fuente: Archivo Histórico Nacional, Causa General, leg. 1564

no exento de riesgos, pero que consideramos indispensable en línea a rebatir acervos documentales tan propagandísticos y arbitrarios como el objeto de estudio.

Con ese fin, y como metodología de trabajo, analizaremos a continuación algunas de las acusaciones de que es objeto Giral en la CG, que en su totalidad se recoge de forma resumida en el cuadro que se acompaña. Para ello se expone en primer lugar un resumen del texto que figura en el documento, para a continuación hacer una breve exposición histórica de los hechos y el grado de participación del protagonista. Y es que si bien es cierto que debemos enjuiciar la CG en su contexto temporal e histórico, ello no es óbice para que tratemos de aclarar sus graves afirmaciones, que ponen en entredicho la integridad política y moral de los afectados.

Fundamentamos esa argumentación por entender que no se pueden admitir sin la preceptiva aclaración ignominias y aseveraciones tan perniciosas como la que exponemos a continuación, que sirve de encabezado al documento «Semblanzas»: «El nombre de Giral va inseparablemente asociado al vivo recuerdo de la más sangrienta y decisiva criminalidad desarrollada bajo la dominación roja en España: matanza de multitud de millares de españoles inocentes, entre ellos muchas mujeres, y expoliaciones irreparables de la riqueza nacional».

Con esta declaración de intenciones tan rotunda y ominosa como texto de entrada, es fácil deducir la línea de razonamiento seguida en el contenido restante. En ello incidiremos a continuación con el fin aclarar cada uno de sus apartados en las imputaciones más significativas.

Armas al pueblo

En lo relativo a este contenido, entre otras cuestiones se afirma lo siguiente en la CG:

> El acuerdo de armar a las masas rojas fue adoptado en la reunión celebrada en el Palacio Nacional el 18 de julio de 1936 por los prohombres republicanos y socialistas convocados por el entonces presidente de la República Manuel Azaña. José Giral no tuvo reparos ni sintió el menor escrúpulo en ordenar el acordado reparto de las armas de los parques militares a las milicias políticas y sindicales marxistas, que con mucha anterioridad tenía organizadas el Frente Popular con la aquiescencia del Gobierno republicano. Al distribuir el Gobierno Giral el armamento del Ejército y dar rienda suelta a las milicias rojas, reforzadas por un número considerable de criminales de derecho común (asesinos, homicidas y ladrones) excarcelados colectivamente por Giral, este conglomerado de marxistas y presidiario logra imponerse por el terror a la población civil que carente de todo amparo oficial y privada de las garantías más elementales resulta víctima de toda clase de crímenes […] En pleno apogeo de esos crímenes resultantes de la anarquía impuesta al pueblo por el Gobierno republicano, el presidente Giral declara en el diario *Política*, órgano de su partido, su incomprensible satisfacción por haber sido él quien diera las armas a los grupos irresponsables.

Se acusa, pues, a las autoridades republicanas de esta concesión de armas, y especialmente a Giral por ser presidente del Gobierno cuando se aprobó esta controvertida decisión que históricamente se debe encuadrar en un contexto preciso y suficientemente aclaratorio para no incurrir en interpretaciones tan sesgadas como la recogida en este texto de la CG. Se debe partir de la misma sublevación de julio, que originó gran convulsión en el Gobierno republicano presidido por Santiago Casares Quiroga.[23] Este vivía en el convencimiento de que acabarían con este alzamiento militar igual que se había hecho con la *Sanjurjada* en agosto de 1932. Sin embargo el desarrollo de los acontecimientos fue demostrando que el escenario, los protagonistas y los hechos eran distintos. Casares acabó desquiciado al comprobar que la insurrección se extendía por la península y faltaban recursos para afrontarla.[24]

Tras su dimisión se encargó un gobierno de concentración al republicano Diego Martínez Barrio[25] pese a las protestas de un sector de organizaciones afines al Frente Popular.[26]

---

[23] Emilio Grandío: «Casares y el 18 de julio», en ídem y Joaquín Rodero (eds.): *Santiago Casares Quiroga: la forja de un líder*, Madrid: Eneida, 2011, pp. 153-196.

[24] Julián Zugazagoitia: *Guerra y vicisitudes de los españoles*, Madrid: Tusquets, 2001, p. 67 y 68.

[25] Leandro Álvarez Rey: *Diego Martínez Barrio: palabra de republicano*, Sevilla: Ayuntamiento de Sevilla-Instituto de la Cultura y las Artes, 2007.

[26] Julián Zugazagoitia: *Guerra…*, p. 73.

El nuevo responsable del ejecutivo trató de negociar con los militares rebeldes, pero fracasó en su intento y ante ello decidió rechazar la presidencia del Gobierno. En aquellas horas tan decisivas, la República estaba sin gobierno, y cuando ya se había extendido la rebelión a la península, el ejecutivo continuaba sin reaccionar mientras en las calles madrileñas sindicalistas y partidos políticos del Frente Popular exigían armas para la defensa del orden republicano.

Para nada se hace referencia en el documento de la CG a esa demanda justificada por la necesidad de hacer frente a la insurrección en la capital de España, situación de alerta que creemos que desmiente la aseveración de que el reparto de armas era una decisión que «con mucha anterioridad tenía organizada el Frente Popular con la aquiescencia del Gobierno republicano». Consideramos eso incierto, pues la decisión obedeció al grado de desamparo del Gobierno ante el vacío antes expresado y la necesidad de reaccionar ante la gravedad de los acontecimientos.

Azaña, tras fracasar referidos ofrecimientos, decidió llamar a su amigo y correligionario José Giral para formar gobierno, aceptando este no sin objeciones según se puede apreciar en la siguiente declaración sobre su nombramiento:

> La tarde del 18 de julio hubo consejo de ministros en la sede del ministerio de Guerra con la asistencia de los socialistas Indalecio Prieto y Largo Caballero. Se conocieron las noticias que iban llegando sobre la sublevación militar. Casares Quiroga estaba aplanado. Se había equivocado totalmente. Creyó que se trataba de algo parecido a la *Sanjurjada* de agosto de 1932 y podía dominarla fácilmente apuntándose un éxito rotundo. Se había enviado a Alonso Mayol a Pamplona y volvió diciendo que Mola era leal y estaba seguro. Se envió a Núñez de Prado en avión a Zaragoza y no se pudo comunicar con el general Miguel Cabanellas que traicionó y se pasó al enemigo. Los dejé reunidos y me volví al ministerio de Marina donde tenía bastante que hacer. Allí me instalé para descansar un poco pues no había que pensar en dormir. Me acosté muy tarde y a la madrugada me llamaron para decirme que la radio había comunicado el nuevo Gobierno presidido por don Diego Martínez Barrio.
>
> No figuraba yo en él. Me volví a medio dormir y a las ocho ya estaba en mi despacho dando órdenes. A las nueve y media me llaman urgentemente desde el Palacio Nacional. Acudo y me encuentro con esta escena: don Manuel de pie y palidísimo rodeado de Marcelino Domingo, Sánchez Román, Lara, Maura, Prieto y Largo. Don Manuel me dice que ha fracasado el gobierno de Martínez Barrio (luego supe que aquella noche se lo ofreció después a Funes, que no aceptó) y que todos habían pensado en mí. Le dije que yo no tenía aptitudes para ello pero me lo rogó mucho y acepté sabiendo la enorme responsabilidad que contraía. No podía ni debía negarme. Sabía la gravedad de la situación.[27]

Giral, pues, aceptaba este importante reto dando muestras de tener un sentido de Estado que le impedía hacer renuncias ante la crítica situación que vivía la República. Ese era el escenario: el convencimiento de que los momentos exigían dar contundente

---

[27] AHN, Diversos José Giral (en adelante, JG), legajo núm. 8.

respuesta a unos sublevados que creyeron que el golpe de Estado triunfaría en toda España de forma inmediata, pero que se equivocaron y desencadenaron con su fracaso una guerra civil devastadora de casi tres años de duración.

El ejecutivo Giral tuvo, al menos inicialmente, buena acogida en la mayoría de las organizaciones frentepopulistas.[28] Y Giral, ante el cariz que iban tomando los acontecimientos, no demoró sus deliberaciones, según sus propias declaraciones:

> A primera hora de la tarde del 19 de julio convoqué consejo de ministros. Informé a los compañeros de la extrema gravedad de la situación. No éramos dueños ni del terreno que pisábamos. Había unos 3.000 fusiles en el Parque del Pacífico pero sus cerrojos estaban en el cuartel del Infante Don Juan, en la Moncloa. Estaban virtualmente sublevados más de 30.000 soldados sin salir de los cuarteles de Madrid y de los Cantones. La mayoría de los Ministros opinaron que no había nada que hacer sino tomar un avión y escapar el Gobierno de Madrid. Les dije que lo hicieran que yo me quedaba. Con Pozas y Saravia me bastaba. Reaccionaron y se quedaron todos. Aquella noche seguí en Marina y apenas me acosté.[29]

La situación, por tanto, no admitía descanso para los políticos republicanos, acosados por la insurrección en el mismo Madrid. Ante su alcance y la ausencia de unas tropas castrenses capaces de hacer frente a la rebelión, poco a poco se fue imponiendo la idea defendida por el líder socialista Francisco Largo Caballero o el mismo ministro de Gobernación, Sebastián Pozas, de entregar armas al pueblo. Era una decisión complicada, especialmente para un gobierno formado por republicanos, entre otras razones porque si se entregaban las armas el poder pasaría a las organizaciones obreras, que no tenían representantes en el Gobierno presidido por José Giral. Este, ante la evolución que tomaban los acontecimientos, determinó que esa era la única salida posible y decidió aprobarla.[30]

En definitiva, la entrega de armas guarda relación con la necesidad de defensa de un orden republicano gravemente amenazado al encontrarse prácticamente sin fuerzas castrenses para su defensa. Y la formula era ya veterana: entregar armas al pueblo, cuando este no se apoderó directamente de ellas. Las masas armadas asumieron la defensa del gobierno legítimo y, en este caso, de la capital de España. Frente a un ejército insurgente organizado y disciplinado, unos milicianos sin educación militar previa. Para la República no era suficiente contar con las reservas de oro del Banco de España, ni tampoco tener bajo su mando más población y territorio que sus contendientes: el

---

[28] Juan Simeón Vidarte: *Todos fuimos culpables*, Barcelona: Grijalbo, 1978, v. I, p. 237 y ss. p. 285.

[29] AHN, JG, legajo núm. 8.

[30] Ese armamento facilitado a las milicias se distribuyó entre las formaciones políticas y sindicales republicanas madrileñas, criterio de reparto en el que no se utilizó como base las organizaciones milicianas existentes antes de la insurrección de julio (Juventudes Socialistas o Milicias Socialistas, MAOC, entre otras), escasamente adiestradas para el arte de la guerra, como lo ponía de manifiesto su insignificante presencia y escasa influencia dentro de las primeras columnas que se formaron en Madrid el 21 de julio para hacer frente a las tropas sublevadas en su ofensiva desde la sierra madrileña. Michael Alpert: *El ejército republicano en la guerra civil*, Barcelona: Ruedo Ibérico, 1977, p. 37 y ss.

problema era que no disponía de un ejército para afrontar la situación bélica y la capital de España era objetivo prioritario sublevado y se necesitaba defenderla.

En este contexto cabe encuadrar las referidas declaraciones de Giral en el diario *Política*.[31] Cuestión distinta es relacionar esa aprobación con la represión republicana posterior, que consideramos obedeció no solo a ese factor, como se pretende demostrar en el texto, sino a otros relacionados con el control del orden público. Estimamos que esta versión de los hechos, intencionadamente distorsionada en este documento de la CG, es la más ajustada a la realidad.

Asesinatos perpetrados por republicanos

La obstinación de los autores de este tipo de documentos pasaba por atribuir al enjuiciado no solo la toma de decisiones, sino también asesinatos sin más miramientos. Un claro ejemplo son los trágicos sucesos de la cárcel Modelo en Madrid en agosto de 1936. Se indica en la CG lo siguiente al respecto:

> En el pasivo imborrable del Gobierno Giral figura el cobarde asesinato en la cárcel de Madrid el 23 de agosto, por las milicias al servicio de dicho Gobierno, de numerosos presos políticos cuya vida había sido confiada, como sagrado depósito, a las protección por las autoridades republicanas que se titulaban a sí mismas «autoridades legítimas» [...] En las horas comprendidas entre la noche del 22 y la mañana del 23 de agosto de 1936, las milicias marxistas instaladas en la cárcel simularon un incendio que atribuyeron a los presos políticos y con tan burdo pretexto asesinaron a numerosos reclusos de diversas significaciones políticas, algunos de ellos conocidísimos tanto en la esfera nacional como internacional por un largo servicio de la democracia y también de la República [...] El Gobierno rojo tuvo conocimiento exacto de los sucesos de la cárcel Modelo y pudo evitarlo imponiendo su autoridad y no quiso hacerlo. Por el contrario, en nota que apareció en la prensa diaria dedicó elogios a los milicianos asesinos y los felicitó por su disciplina y valor probado [...] A partir de estos crímenes, el mando de la cárcel y la suerte de los presos supervivientes fue abandonado por el Gobierno Giral a las milicias rojas dependientes de las checas anarquistas, comunista, socialdemócratas y escasas milicias republicanas de izquierda, correligionarias de Giral, bajo el mando de malhechores comunes [...]

Como puede apreciarse, las acusaciones vertidas en este texto atribuyen a las autoridades republicanas ese fatídico hecho acaecido en la capital de España, incluso cuestionando su legitimidad. En este sentido es preciso resaltar la deliberada instrumentalización que de la historia y memoria de la guerra civil efectuó el régimen fran-

---

[31] *Política* era el órgano oficial del partido Izquierda Republicana, en el que militaba José Giral. Su primera edición se remontaba a marzo de 1935. Juan Carlos Mateos Fernández: *Bajo el control obrero: la prensa diaria en Madrid durante la guerra civil (1936-1939)*, tesis doctoral, Universidad Complutense, Facultad de Ciencias de la Información, Madrid, 1996, p. 29.

quista, de la que es un claro ejemplo la CG. En sus diferentes pasajes se aprecia un claro deseo por deslegitimar la República con argumentos tan poco creíbles, si nos atenemos al documento antes expuesto, como haber incurrido en dejación de funciones y no proteger a los reclusos.

Consideramos que con ese argumento falaz se pretendía desautorizar al sistema democrático republicano y en contrapartida sublimar al régimen franquista y su máximo representante con un deseo manifiesto de justificación y legitimación. Se trataba, para los defensores del franquismo, tanto de salvar responsabilidades por el comienzo del conflicto armado como de ocultar situaciones y comportamientos tergiversando el sentido del desarrollo histórico. En esa línea de interpretación cabe encuadrar este tipo de acusaciones que, sin minusvalorar la gravedad de los hechos denunciados, consideramos que pretendía su reafirmación frente al adversario.

En cuanto a estos sucesos, sin duda los más trágicos de los ocurridos en la capital de España durante la presidencia del gobierno de José Giral, es preciso decir que este centro penitenciario, pese a albergar en su interior a destacados militares y políticos afines a la sublevación, especialmente falangistas, no había sido hasta entonces objeto de especial atención por parte de las milicias republicanas. Ello desdice la afirmación en el texto de la CG en el sentido de que el Gobierno pudo «evitarlo imponiendo su autoridad y no quiso hacerlo». Consideramos incorrecta esa imputación por no estar ajustada a la realidad y defendemos que el ejecutivo, de haber conocido las pretensiones de los milicianos, habría tratado por todos los medios de evitar tamaño despropósito.

No obstante, es cierto que en la semana previa a los hechos el ambiente se fue enrareciendo en la prisión. Sus dependencias comenzaron a ser frecuentadas por miembros de organizaciones del Frente Popular que entre mítines y soflamas amenazaban e insultaban a los presos políticos, a los que robaban algunas de sus pertenencias. Sin embargo, en la madrugada del 23 de agosto esas acciones iniciales pasaron a mayores al verse acompañadas por la ejecución de presos, entre ellos destacados políticos;[32] lamentable suceso del que Giral desea aclarar cuándo y cómo se enteró:

> Estaban detenidos en la cárcel Modelo: Salazar, el almirante Salas, Melquíades Álvarez, Cirilo del Río, Martínez de Velasco y otros varios. Sin que se haya averiguado porqué y cómo, lo cierto es que entre el 22 y 23 de agosto asaltaron la prisión unos fascistas y gente maleante, sacaron de las celdas a casi todos los indicados antes y los fueron fusilando uno a uno. Al saberlo yo envié con toda urgencia delegaciones de los partidos políticos para poner coto a esas atrocidades (por Izquierda Republicana fue Amós Salvador) pero no lograron imponerse con su sensatez, ni los propios comunistas que trabajaron muy bien para ello. Entonces se nos ocurrió formar con toda urgencia un Tribunal Popular presidido por un Magistrado y

---

[32] Entre los presos políticos pasados por las armas esa noche figuraban nombres tan destacados como Melquiades Álvarez González, José Martínez de Velasco, Julio Ruiz de Alda, Fernando Primo de Rivera y Sáenz de Heredia, Rafael Esparza, Manuel Rico Avello, Francisco Javier Jiménez de la Puente, Ramón Álvarez Valdés y Castañón, José María Albiñana… AHN, Causa General de Madrid, legajo 816.

asistido por representantes de todos los partidos. Aquella noche del 23 no la olvidaré en mi vida por la angustia y preocupación que tuve.

Estaba yo instalado en Defensa en donde vivía y pretendía descansar algún rato. A cada momento el teléfono desde la cárcel que llamaba urgente pues no podían contener nuestros amigos a las masas desbordadas y criminales. Llamé a don Mariano Gómez, presidente del Supremo, y espontáneamente se ofreció a presidir ese Tribunal. Llamé a varios magistrados que se negaron terminantemente porque la formación del Tribunal era antirreglamentaria (Abarrategui y algún otro). Llamé y se mostraron conformes en formarlo don Santiago Valle (del cuerpo Fiscal y muy conservador), y el jurídico de Guerra: Fernando González Barón. Manuel Blasco Garzón, ministro de Justicia, estaba aterrado e incapacitado para discurrir. Confeccionaron los tres el Decreto correspondiente, se lo leí por teléfono a Azaña a las cuatro de la madrugada. Se me indignó y me dijo que era un disparate. Le hice ver la necesidad de ello y al final transigió y me dio la firma por teléfono.

Enseguida se fueron a la cárcel los tres Magistrados. D. Mariano Gómez se me despidió patéticamente pues en realidad iban a jugarse incluso la vida si aquellos bárbaros continuaban intransigentes. Eran las seis de la mañana cuando salieron del ministerio de Defensa. D. Mariano pronunció un elocuente y emocionado discurso y los convenció Se formó el Tribunal inmediatamente y empezó a funcionar. Los primeros acusados no fueron condenados a muerte y poco a poco se fueron dulcificando las penas pedidas y acordadas. Más tarde se extendió la creación de estos Tribunales Populares de un modo considerable.

Se reaccionó, según recuerda el entonces presidente del ejecutivo, nada más conocer los hechos y se tomaron medidas. No se preveían ni se habían planificado con anterioridad estos actos y, por tanto, no existió dejación de funciones ni permisividad según se desprende de su declaración, que contradice lo afirmado en la CG. Sus consecuencias exigieron acordar medidas para controlar las acciones violentas de las milicias más radicalizadas. En ese sentido cabe encuadrar el decreto de 23 de agosto, que creaba un Tribunal Especial de Madrid para juzgar estos luctuosos acontecimientos.[33]

En el mismo se contemplaba el enjuiciamiento de los «delitos de rebelión y sedición y los cometidos contra la seguridad del Estado por cualquier medio, previstos y penados en las leyes».[34] Su presidente sería el referido Mariano Gómez, al que acompañaban dos magistrados. En decreto posterior, concretamente del 25 de ese mismo mes,[35] se

---

[33] Su enunciado es: «Decreto creando con plena jurisdicción para juzgar los delitos de rebelión y sedición y los cometidos contra la seguridad del Estado por cualquier medio, un Tribunal especial compuesto por tres funcionarios judiciales que juzgarán como Jueces de Derecho y 14 Jurados que decidirán sobre los hechos de la causa». Véase su contenido en *Gaceta de Madrid*, 24 de agosto de 1936.

[34] Raúl Cancio Fernández: *Guerra civil y tribunales: de los jurados populares a la justicia franquista*, Cáceres: Universidad de Extremadura, 2007, p. 55.

[35] Su enunciado es: «Decreto disponiendo que para conocer de los delitos de rebelión y sedición y de los cometidos contra la seguridad del Estado, desde el día 17 de Julio del año actual, cualquiera que sea la Ley Penal en que se hallen previstos y mientras dure el actual movimiento subversivo, se constituya en cada provincia un Tribunal especial formada por catorce Jefes populares que actuarán como Jueces de hecho, y tres funcionarios judiciales, que actuarán como Jueces de derecho». Véase su contenido en *Gaceta de Madrid*, 26 de agosto de 1936.

amplió la jurisdicción de estos tribunales (origen de los conocidos como Tribunales Populares) a todo el territorio republicano, con la creación de tribunales especiales en las provincias con la misma estructura y composición que el de Madrid, excepción hecha de Cataluña.[36]

Se trataba, pues, de afrontar el problema político inherente a esas actuaciones violentas en la retaguardia republicana, y especialmente en la capital madrileña, con la proliferación de poderes populares y autónomos que escapaban al control del Gobierno y fueron permanentes protagonistas de desórdenes. Sus integrantes campaban a sus anchas y se convirtieron en artífices de las acciones represivas contra la población desafecta, sin importarles vulnerar en sus reiteradas acciones la legalidad republicana. Ello planteaba un problema de deslegitimación del Ejecutivo que erosionaba seriamente su credibilidad: de ahí esa iniciativa cuando apenas se llevaba un mes de guerra civil.

Acontecimientos en la Marina

Esas acusaciones vertidas en la CG sobre Giral también se extendieron a un ministerio, el de Marina, del que como ya hemos indicado con anterioridad había sido el titular durante la República, simultaneando en las primeras semanas de contienda armada esa responsabilidad con la de presidente del Gobierno. Ello propició que en la documentación objeto de análisis se vertieran los siguientes juicios sobre su conducta:

> Bajo el mando del entonces jefe del Gobierno y ministro de Marina, José Giral, fue asesinada la mayor parte de la oficialidad de la Marina de Guerra española apresada en las naves y en los puertos que quedaron bajo el poder del Frente Popular, siendo también bastante crecido el número de subalternos e individuos de marinería asesinados por creérseles poco afectos al régimen rojo. Entre otros casos análogos puede citarse el exterminio de los detenidos a bordo de los buques «España n.º 3» y «Río Sil», en Cartagena.

En relación a estas imputaciones, es preciso indicar que la Armada se mantuvo, en su mayor parte, leal al orden republicano. En ello tuvo bastante que ver —y de ahí la inquina mostrada hacía su persona en textos como el anterior— la política de control llevada a cabo por Giral y sus colaboradores en las decisivas horas posteriores al alzamiento, manteniendo permanentes contactos con los responsables de las bases y flota. Fruto de esa labor, la insurrección solo triunfó en Cádiz/Algeciras y Ceuta, mientras que las bases restantes se mantuvieron leales.

La evolución de los acontecimientos fue favorable a la República en la mayoría de los buques, lo cual contribuye a entender el fracaso del golpe de Estado y su derivación hacia una guerra civil. No en vano se evitó, entre otros desenlaces, el inmediato traslado

---

[36] Raúl Cancio Fernández: *Guerra civil...*, p. 57 y ss.

del ejército de África a la península, que se tuvo que hacer con posterioridad gracias a los aviones alemanes e italianos.

En la lealtad de la marinería en contra de las instrucciones de sus superiores influyeron, a buen seguro, las reformas impulsadas por la República en este arma. Estas habían beneficiado a las clases subalternas y habían equiparado a las unidades auxiliares oficiales al Cuerpo General de la Armada, lo cual había coadyuvado a la fidelidad republicana de una parte importante de esos auxiliares, al acercamiento de estos al resto de marinos y a su distanciamiento, cuando no desobediencia, con respecto a las instrucciones a favor de la insurrección de los oficiales.

José Giral afirma lo siguiente sobre la flota naval tras la sublevación, los enfrentamientos para contrarrestar la insurrección de buena parte de sus mandos y los actos represivos inherentes a estas actuaciones:

> Mis órdenes terminantes dadas por nuestra radio de la Ciudad Lineal, en Madrid, eran de que todos se concentrasen en el Estrecho de Gibraltar para impedir el paso de tropas moras de África a la Península: cruceros, destructores y submarinos la obedecieron porque los radiotelegrafistas de los barcos eran todos republicanos así como toda la marinería. No así el Cuerpo General de la Armada ni tampoco una buena parte de los Cuerpos auxiliares que tanto debían a la República que los reorganizó y los mejoró. Hubo, como es consiguiente, lucha en casi todos los barcos. En ella perecieron varios jefes y oficiales, otros fueron arrestados y entregados a nuestras autoridades en los primeros puertos que tocaron. Me consultaron qué hacían con los cadáveres y les ordené (con aquella radio que tanto han explotado los franquistas): «con todo respeto y honores correspondientes a su graduación, arrójenlos al mar». Práctica normal y corriente en todo buque, sea o no de guerra cuando ocurre una muerte en él. Se ha dicho que yo mandé asesinar a más de 400 jefes y oficiales, y hasta el propio Lord Boberdge lo dijo en Londres, de regreso de España en 1946. Yo le repliqué debidamente en una conferencia que tuve con 140 parlamentarios ingleses en el propio Parlamento y se publicó un escrito en que se razona todo esto. No pasaron de 40 los muertos en aquellas refriegas y lo fueron por sublevarse contra el régimen republicano legalmente establecido. En cambio los franquistas fusilaron en Ferrol al almirante Azarola y a muchos jefes y oficiales leales. A un diputado inglés que me criticaba por ello hube de responderle qué hubiera pensado si el caso se hubiese dado en la Marina inglesa, a lo cual me respondió que jamás se ha dado ni se dará.

Reconoce, pues, los actos de violencia ligados a esta situación de la Armada y la misma involución registrada en sus mandos. Sus esfuerzos por reconducir a la flota dentro de la legalidad vigente no siempre se vieron debidamente correspondidos por una marinería que protagonizó actos represivos como los sucedidos en los buques *España número 3* y *Sil*, convertidos en buques prisión de infausto recuerdo.[37] Pero independientemente de esas actuaciones tan poco edificantes, citadas en la CG, lo cierto

---

[37] Véase sobre estos sucesos y otros actos represivos en la Armada Michael Alpert: *La guerra civil española en el mar*, Madrid: Siglo XXI, 1987.

es que la República controló las aguas del mar Mediterráneo y pudo seguir ejerciendo sus determinantes labores de control sobre las aguas del estrecho. En esa actuación tuvo mucho que ver Giral, y de ahí las desmedidas acusaciones franquistas sobre su proceder.

Checas: violencia revolucionaria

Las imputaciones al político republicano se extendieron también al mundo de las checas. En concertó, en la CG se indica lo siguiente:

> La institución soviética de la checa como instrumento de terror fue conocida desde el primer momento revolucionario en todo el territorio español sometido al Gobierno del Frente Popular presidido por el doctor Giral. Puede afirmarse que solo en Madrid funcionaron más de doscientas veintiséis checas que gozaban del apoyo de las autoridades oficiales rojas que dotaron a los milicianos dependientes de estas checas del carácter de agentes de la autoridad [...] Siendo jefe del Gobierno el doctor Giral, el Director General de Seguridad forma, en una reunión presidida y celebrada en el Círculo de Bellas Artes de Madrid, una checa central dotada de los más amplios poderes para acordar, sin limitaciones ni formalidades de ninguna clase, los asesinatos que estimara convenientes. En esta checa conocida como Comité Provincial de Investigación Pública, si bien fue comúnmente conocida como «Checa de Bellas Arte o Fomento» se encontraban representados todos los partidos políticos, incluso el del doctor Giral [...] Esta checa, disuelta en noviembre de 1936, cometió millares de asesinatos [...] Existe documentación que prueba de modo innegable la responsabilidad histórica contraída por el Gobierno Giral al establecer esta checa tristemente célebre, que actuó de acuerdo con el Gobierno del Frente Popular y bajo la dependencia del mismo, por lo que se reclama inmunidad para los miembros de la checa por los crímenes que pudieran haber cometido en el ejercicio de la misión que les fue confiada.

Como puede apreciarse, se acusa directamente al ejecutivo presidido por Giral en el primer mes y medio de contienda armada como culpable del origen y el funcionamiento de las checas. Considemos que esa aseveración no se ajusta a la realidad, máxime ante el desconcierto existente en zona republicana durante las primeras semanas de conflicto armado, con organizaciones que llevaron sus presupuestos de revolución social a la calle con trágicas consecuencias para la población.[38] En ese sentido es bastante preciso el testimonio del mismo Manuel Azaña, que definió el ambiente inmediatamente posterior a la insurrección de julio en zona gubernamental en los siguientes términos:

> Hubo un alzamiento proletario, aunque no contra el Gobierno. Se secuestraron bienes y personas; muchos murieron sin juicio; los empresarios fueron expulsados o matados, así

---

[38] Véase Heleno Saña: *La revolución libertaria: los anarquistas en la guerra civil española*, Madrid: Laetoli, 2010; Julián Casanova (coord.): *Tierra y libertad: cien años de anarquismo en España*, Barcelona: Crítica, 2010.

como los técnicos en quienes no se confiaba, y los sindicatos, células, grupos «libertarios» e incluso partidos políticos tomaron posesión de edificios, fábricas, tiendas, periódicos, cuentas corrientes, acciones, etc.[39]

Era aquel un escenario especialmente enrarecido en el que, como indica el dirigente republicano, estuvo muy presente el empleo de la violencia revolucionaria, con ejecuciones de personas que originaron un serio deterioro de la imagen de la República. El denominado *terror rojo* en la capital de España se desató desde el principio de la insurrección y dio lugar a un «delirio colectivo» que originó una persecución implacable contra el enemigo,[40] sembrando de cadáveres la ciudad y su extrarradio «hasta marcar el punto más alto jamás alcanzado en la violencia de toda la retaguardia republicana».[41]

Sin que pretendamos cuestionar esa deriva revolucionaria y violenta que acabó con la vida de numerosos españoles, entendemos que de ahí a afirmar que el ejecutivo de Giral no trató de atajarla hay un trecho que no se ajusta a la realidad. En ese sentido, cabe señalar que el mismo presidente del Gobierno trató de frenar esa espiral represiva que asolaba las calles madrileñas e intervino personalmente en algunos casos, como indica el siguiente testimonio:

> No teníamos en los primeros tiempos ni Guardia Civil ni Ejército ni fuerzas de Policía ni nada. Todo se había hundido y los maleantes salieron a hacer fechorías. Las Checas (manejadas por los de la FAI y por comunistas) y los *paseos* fueron una vergüenza y un bochorno. Poco a poco fueron corrigiéndose y desapareciendo. Justo es decir que ni en Madrid ni en Barcelona ni en Valencia llegaron a desaparecer hasta que Negrín fue Jefe del Gobierno. Cuando tuvieron más auge fue en tiempos de mi sucesor Largo Caballero. Pero es que los rebeldes nos ganaron en estas demasías, porque fueron mucho mayor en número y en calidad de personas víctimas. Con el agravante que las fechorías eran organizadas y amparadas por las instituciones oficiales.
>
> Varias personas salvé yo personalmente en los primeros tiempos. Una de ellas fue al primo de mi mujer Lorenzo Gallardo, Fiscal del Supremo y de la República. El periódico socialista «Claridad» había empezado a publicar fotografías de personas a quienes señalaba como merecedoras de un *paseo* inmediato y sin juicio (el juez Alarcón, etc.); entre ellas estaba referido Lorenzo que vivía en la misma casa de la calle Blasco Ibáñez. Le hice trasladarse a mi vivienda y luego le saqué a Francia en una avioneta de la embajada de este país. Fue a Toulouse donde vivió en la miseria sin entrar en la zona de Franco. Ya muy grave de salud y terminada nuestra guerra, entró en España para morir a los pocos días.
>
> Algo parecido hice con Samper, al que habían sacado los fascistas de un barco francés en Valencia y lo habían llevado a la prisión de las Torres de Cuarte para fusilarlo enseguida. Su esposa vino a verme todo acongojada y di orden por teléfono al Gobernador de entonces (era

---

[39] Manuel Azaña: *La velada de Benicarló*, Madrid: Espasa-Calpe, 1981, p. 90.

[40] Julius Ruiz: *El terror rojo: Madrid, 1936*, Madrid: Espasa-Calpe, 2012.

[41] Gutmaro Gómez Bravo: «Terror rojo, violencia revolucionaria y fin del mundo en la retaguardia republicana», *Historia del Presente*, núm. 19,1 (2012), pp. 155-162 (p. 156 para esta cita).

hacia el 22 de julio de 1936) que era el coronel Ernesto Arin, de la Guardia Civil, para que lo sacase de la prisión, llevase al tren y lo enviase bien protegido a Madrid en donde le esperaba Carlos Esplá. Lo condujo a la embajada de Francia y salió en una avioneta a Perpignan en donde murió a las pocas semanas. Antes me escribió una emocionadísima carta de agradecimiento que me hizo llorar.

Otro caso fue el del doctor Enrique Suñer, al que repuse en la cátedra cuando era Rector. Me lo agradeció tanto que en 1934 me hizo la más violenta campaña para que yo no fuese académico de la Academia Nacional de Medicina, no lo consiguió y obtuve el nombramiento. Al comienzo de la guerra civil se acercó a mí (era yo jefe del Gobierno) un amigo suyo pidiéndome protección (estaba oculto y temía que lo descubrieran y lo pasearan). Personas de toda mi confianza lo sacaron del escondite, lo llevaron a la embajada de Francia. Salió para este país en una avioneta de la embajada e inmediatamente se pasó a zona de Franco que lo hizo presidente del Tribunal de Responsabilidades Políticas. He sabido la gran satisfacción que sintió al firmar mi condena de 75 millones de pesetas, además me insultó frecuente y violentamente por la Radio Nacional. Así pagó el haberle salvado la vida.

De esta declaración no cabe entender que Giral y sus ministros permitieran estos desmanes, como cabe deducir del documento de la CG. Cuestión distinta era su capacidad de actuación sobre el orden público en el verano de 1936, cuando carecían de fuerzas de seguridad y ejército con el que poder responder a esos excesos. Pese a ello, como pone de manifiesto, en la medida de sus posibilidades trató de evitar aquellos actos violentos e incluso pudo salvar a destacados personajes públicos que después se volvieron contra él[42] de acciones represivas que, como indica el dirigente republicano en su testimonio, no fueron en absoluto exclusivas de esta zona, pues en la otra se practicó desde inicios de la sublevación, con un balance estremecedor en la mayoría de las provincias bajo su control.[43]

Reservas de oro

Cómo no, dentro de las *semblanzas* recogidas en el documento de la CG contra Giral no podía faltar una de las cuestiones económicas que más controversias ha originado en relación a las finanzas de la República durante la guerra civil: las reservas de oro del Banco de España. Sobre ello se indica lo siguiente:

---

[42] El caso del doctor Suñer es suficientemente ilustrativo, hasta el punto que, tras facilitarle la salida del país tras su regreso a la España de Franco, no dudó en ir contra la persona que a buen seguro había salvado su vida. Julián Chaves Palacios: «Dictadura franquista y exilio español en Iberoamérica. Represión contra un destacado republicano: José Giral», en ídem: *La larga memoria de la dictadura en Iberoamérica: Argentina, Chile y España*, Buenos Aires: Prometeo, 2010, pp.139-180.

[43] Véase sobre las cifras de la represión en la guerra civil por provincias Fernando Sánchez Marroyo: «Represión franquista y represión republicana en la guerra civil», en Julián Chaves Palacios (coord.): *Memoria histórica y guerra civil: represión en Extremadura*, Badajoz: Diputación Provincial, 2004, pp. 39-60 (p. 60 para esta cita).

Se prescinde de señalar con detalle el gravísimo daño inferido a la hacienda y economía pública y privada de España por la expoliación sistemática de las reservas metálicas y de la riqueza nacional realizadas por los gobiernos republicanos marxistas, de los que formaba parte el señor Giral. Fueron exportadas diez mil cajas de oro [...], habiendo quedado como beneficiario exclusivo de esta enorme riqueza, que le fue regalada por el gobierno español del Frente Popular al gobierno soviético.

En relación a este asunto, conocido en la jerga historiográfica como el *oro de Moscú*, no abundaremos por ser suficientemente conocido.[44] Sabido es que ante la amenaza franquista de tomar Madrid y que los anarquistas, en nombre de la denominada *justicia revolucionaria*, contemplaban entre sus planes ocupar la sede del Banco de España, el Gobierno, consciente de que no podía consentir la pérdida del control de tan decisivo aval para la continuación del esfuerzo bélico, decidió sacarlo de Madrid y llevarlo a una ubicación más segura en la zona mediterránea. Fue hasta Cartagena y de allí a su lugar de destino: los túneles del polvorín de Algemeca.[45]

Como se señala en el documento de la CG y hemos referido con anterioridad, Giral, tras dimitir como presidente del Gobierno el 4 de septiembre de 1936, desempeñó carteras ministeriales en los restantes gobiernos republicanos hasta el final de la guerra civil, por lo que conocía lo sucedido con esas reservas de oro. De hecho fue uno de los pocos miembros del Consejo de Ministros que pudo verlo en el lugar en que fue almacenado en el Levante español tras ser sacado de la referida entidad bancaria. Así, según su testimonio, tras ver el elevado volumen de oro allí depositado decidió cursar instrucciones para que se reforzara la vigilancia del refugio y zonas adyacentes. Poco después sería trasladado a la URSS.[46]

Una vez depositados esos fondos en Moscú, corrió por cuenta de los soviéticos su manipulación y contabilidad durante todo el conflicto armado, destacando en las cuestiones relacionadas con ese asunto en España el entonces ministro de Hacienda y después presidente del Gobierno, Juan Negrín,[47] que actuó con gran independencia en la administración de esos fondos.[48] Estos se emplearon en la compra de armamento y pertrechos indispensables para la defensa de República, no siendo, por tanto, regalado al Gobierno soviético, como intencionadamente se hace constar en el informe de la CG.

[44] Pablo Martín Aceña: *El oro de Moscú y el oro de Berlín*, Madrid: Taurus, 2001.

[45] Ángel Viñas: *Las armas y el oro: palancas de la guerra, mitos del franquismo*, Madrid: Pasado & Presente, 2013.

[46] En noviembre, el metal por un valor de casi 1600 millones de pesetas oro (el 72 % de las existencias) fue enviado a la URSS. Fundido y convertido en dólares, sirvió casi íntegramente para financiar las compras del gobierno republicano. Fernando Sánchez Marroyo: *España en el siglo XX: economía, demografía y sociedad*, Madrid: Istmo, 2003, p. 296.

[47] Enrique Moradiellos: *Negrín*, Madrid: Península, 2008.

[48] Comportamiento que le valió algunos reproches por parte de sus mismos compañeros de Gobierno, como fue el caso de José Giral, que durante un Consejo de Ministros le preguntó sobre este particular y recibió esta contestación de Negrín: «Eso no lo digo yo ni al cuello de mi camisa». *Observaciones* inéditas a los escritos de Araquistaín, AFIP, archivo 14, citado en Julio Aróstegui: *Largo Caballero: el tesón y la quimera*, Madrid: Debate, 2012, p. 519.

Influencia soviética

En relación al contenido anterior y en lo concerniente a la influencia ejercida por la urss sobre el Gobierno de la República, en la documentación de la cg objeto de análisis se hace referencia a este asunto en los siguientes términos:

> Toda la política del Gobierno Giral y de los que le sustituyeron, contando con la cooperación como Ministro de repetido doctor José Giral, estuvo inspirada por la influencia soviética que desde el primer momento se traduce en un decidido apoyo a la dictadura marxista implantada en España [...] El Gobierno de Giral recibió al primer embajador soviético, Rosemberg, reanudando con Rusia unas relaciones diplomáticas rotas desde el comienzo de la revolución soviética, que ni siquiera el régimen republicano español se había atrevido a reanudar hasta entonces. Todos los aspectos de la vida pública en territorio marxista español acusan la preponderancia rusa.

Los autores de este documento obvian, o mejor dicho minimizan, la importancia de la ayuda extranjera a Franco desde los primeros días de la sublevación y en cambio inciden en la de la urss a la República, en un claro deseo de distorsionar la realidad. En este sentido, cabe afirmar que el gobierno de Giral conocía la colaboración a los sublevados por parte de Salazar,[49] Hitler y Mussolini desde inicios de la insurrección y ello les originó gran preocupación.[50] Ambos bandos, tras comenzar la guerra civil, eran conscientes de sus limitaciones para sostener un enfrentamiento bélico, sobre todo en equipamiento militar. Y al igual que el general Francisco Franco, en calidad de máximo responsable militar de las tropas sublevadas en Marruecos, inició esos contactos, José Giral, como jefe del ejecutivo republicano, no demoró esa petición de ayuda al exterior, realizando su pedido de armas y aviones a Francia tras entrar en comunicación con su jefe de Gobierno.

Sin embargo, si la ayuda a Franco por parte de los citados países se desarrolló sin interrupción, la procedente del país galo a la República no tuvo sucesión de continuidad.[51] Es más: cuando el 31 de julio se supo que Mussolini estaba suministrando bombarderos a las fuerzas sublevadas españolas, el gobierno francés propuso el acuerdo internacional de No Intervención, que en teoría debía incluir a todas las potencias internacionales para impedir el suministro de material de guerra a cualquiera de los dos bandos:[52] posición francesa esta alentada por las autoridades británicas, que enten-

---

[49] Julián Chaves Palacios: «La ayuda portuguesa a los sublevados en la guerra civil 1936-1939: el caso de la provincia de Cáceres», en *Actas del Congreso Internacional Luso-Español de Lengua y Cultura en la Frontera*, Cáceres: Universidad de Extremadura, 1996, pp. 503-520. Véase Iván Delgado: *Portugal e a guerra civil de Espanha*, Lisboa: Eu-Ame, 1980.

[50] Enrique Moradiellos: *Neutralidad benévola: el gobierno británico y la insurrección militar española de 1936*, Oviedo: Pentalfa, 1989, p. 147 y ss.

[51] Véase Isidoro Monje Gil: *Francia ante el estallido de la guerra civil española*, Badajoz: Diputación Provincial, 2012.

[52] George Howson: «Los armamentos: asuntos ocultos a tratar», en Paul Preston (ed.): *La República asediada: hostilidad internacional y conflictos internos durante la guerra civil*, Barcelona: Península, 2001, pp. 375-415.

dieron el conflicto armado en España como un choque entre fuerzas revolucionarias izquierdistas y militares contrarrevolucionarios y optaron por la política de neutralidad ante la contienda española.

Ante ese panorama internacional y comprobando la negativa evolución militar que registraba la guerra, la diplomacia republicana entró en comunicación con la Unión Soviética, que carecía de Embajada en España. Fruto de esos contacto fue el nombramiento de Vladimir Antonov-Ovseenko como cónsul general, llegando a Barcelona el 25 de agosto.[53] Dos días después arribó en Madrid un diplomático de gran experiencia, Marcel Rosenberg, en calidad de primer embajador soviético ante la República española: de ahí que sea citado en el documento de la CG. En los siguientes términos recuerda Giral su presencia: «Llegó Rosenberg (antiguo funcionario de la Sociedad de Naciones) como embajador soviético. Se me ofrece y algo viene de allá pero muy poco durante mi Presidencia. Las organizaciones obreras rusas envían 34 millones de pesetas de suscripción voluntaria».

Si bien inicialmente Stalin participó en la puesta en marcha del pacto de No Intervención en una prueba de su deseado acercamiento diplomático a Inglaterra y Francia, sin embargo pronto se presentaron problemas a su decisión de neutralidad. La decisión no contaba con el beneplácito de los obreros soviéticos, que decidieron ayudar a la República española con una contribución *voluntaria* de un porcentaje idéntico en sus sueldos: un 0,5 % deducible en origen, de forma que al 6 de agosto la recaudación ascendía a 12 145 000 rublos (500 000 libras esterlinas aproximadamente).[54]

Esa es la colaboración a la que se refiere Giral en su testimonio, ayuda que a partir de septiembre, ya durante el gobierno de Largo Caballero y después de comprobar el mismo Stalin el fracaso de la política de No Intervención para detener la ayuda extranjera a Francisco Franco, estará protagonizada por el gobierno soviético. La URSS se convirtió en el principal aliado de la República en el exterior,[55] y en ese sentido es correcta la afirmación vertida en la CG de la preponderancia rusa en los intereses republicanos, siendo ese el precio que tuvieron que pagar, junto a los pertinentes pagos del material suministrado con las reservas de oro del Banco de España, por su ayuda, sin duda trascendental para hacer frente al ejército franquista.

[53] Vladimir era un *antiguo bolchevique*, héroe del asalto al Palacio de Invierno durante la Revolución rusa y antiguo trotskista. Gabriel Jackson: *Juan Negrín*, Barcelona: Crítica, 2008, p. 76.

[54] Denis Smyth: «Estamos con vosotros: solidaridad y egoísmo en la política soviética hacia la España republicana, 1936-1939», en Paul Preston (ed.): *La República...*, pp. 155-184.

[55] Véase a este respecto las obras de Ángel Viñas: *La soledad de la República: el abandono de las democracias y el viraje hacia la Unión Soviética*, Barcelona: Crítica, 2006; *El escudo de la República: el oro de España, la apuesta soviética y los hechos de mayo de 1937*, Barcelona: Crítica, 2007; *El honor de la República: entre el acoso fascista, la hostilidad británica y la política de Stalin*, Barcelona: Crítica, 2008.

CONCLUSIONES

Finalizamos nuestro análisis precisando en primer lugar que la documentación contenida en la Causa General ofrece una información que, dado su origen y lo tendencioso de su información, se debe tomar con todo tipo de reservas. Los datos que ofrece, al menos en lo referido a las autoridades republicanas, deben ser confrontados con otras fuentes, como creemos que hemos efectuado en estas páginas. No por ello cabe desdeñar este fondo documental, que se debe consultar pese a lo controvertido de su contenido, siendo uno más entre los existentes sobre la guerra civil.

Asimismo es preciso señalar, en relación a la *semblanza* que sobre José Giral se recoge en este acervo documental, que consideramos lo expuesto en sus páginas sobre este político republicano un ejemplo claro de las reservas con las que se debe consultar la CG. Como hemos podido comprobar, su información dista mucho de la realidad. Más que informar se trata de cuestionar su imagen mediante una serie de acusaciones sobre las que no se aporta la preceptiva documentación justificativa.

Es indudable que este político, como los demás que le acompañaron en responsabilidades de Gobierno en tan crítica coyuntura, incurrió en equivocaciones, con decisiones cuanto menos cuestionables que cabe encuadrar dentro de las dificultades de vivir en un país en guerra. Pero de ahí a ser objeto de imputaciones que le sitúan como causante de la mayoría de los atropellos, especialmente los represivos, cometidos por los republicanos, estimamos que no se ajusta a la verdad. Más bien es fruto de la propaganda; del deseo de difamar para desprestigiar su gestión y no del de efectuar un juicio sensato sobre su proceder.

En ese sentido, cabe interpretar la CG como un ajuste de cuentas de los vencedores de la guerra sobre los vencidos; como una vuelta de tuerca más para desprestigiar a la República y los republicanos, y todo ello con el claro deseo de borrar su historia y memoria del recuerdo de los españoles y, en contrapartida, justificar la guerra y sublimar a Francisco Franco y su régimen como providencial y benefactor. De ahí este ejercicio aclaratorio que hemos tratado de exponer en este trabajo sobre Giral, una praxis historiográfica absolutamente pertinente por lo que supone de poner en su justo lugar la peripecia vital de una persona, de un político, vilipendiado por el franquismo.

FUENTES ARCHIVÍSTICAS Y BIBLIOGRÁFICAS

Archivos

Archivo Histórico Nacional.
Archivo General de la Administración.
Archivo Histórico del Instituto Nacional de Antropología de México.

Libros y artículos

ALPERT, Michael: *La guerra civil española en el mar*, Madrid: Siglo XXI, 1987.

ÁLVAREZ REY, Leandro: *Diego Martínez Barrio: palabra de republicano*, Sevilla: Ayuntamiento de Sevilla/Instituto de la Cultura y las Artes, 2007.

ARÓSTEGUI, Julio: *Largo Caballero: el tesón y la quimera*, Madrid: Debate, 2012.

CANCIO FERNÁNDEZ, Raúl: *Guerra civil y tribunales: de los jurados populares a la justicia franquista*, Cáceres: Universidad de Extremadura, 2007.

CASANOVA, Julián (coord.): *Tierra y libertad: cien años de anarquismo en España*, Barcelona: Crítica, 2010.

CHAVES PALACIOS, Julián: «El primer Gobierno de la República en el exilio: apoyos de México al ejecutivo de José Giral (1945-1947)», en Mari Carme SERRA PUCHE, José Francisco MEJÍA FLORES y Carlos SOLA AYAPE (coords.): *Política y sociedad en el exilio republicano español*, México: UNAM, 2015, pp. 11-60.

— «El republicano José Giral en Salamanca durante la Restauración (1905-1920)», en *Investigaciones Históricas. Época Moderna y Contemporánea* (Valladolid), núm. 32 (2012), pp. 195-216.

— «Oposición política a la monarquía del Alfonso XIII: José Giral y los republicanos en la dictadura de Primo de Rivera», en *Hispania*, vol. LXXVI, núm. 252 (2016), pp. 159-188.

— «La Armada española en la Segunda República: José Giral ministro de Marina (1931-1936)», *Ayer*, 93/2014 (1), pp. 163-187.

— «La Segunda República y los inicios de la guerra civil: el gobierno de José Giral (19 julio a 4 de septiembre de 1936)», en ídem (coord.): *El itinerario de la memoria: derecho, historia y justicia en la recuperación de la memoria histórica en España*, vol. II: *La historia*, Madrid: Sequitur, 2013, pp. 11-60.

— «Dictadura franquista y exilio español en Iberoamérica. Represión contra un destacado republicano: José Giral», en ídem: *La larga memoria de la dictadura en Iberoamérica: Argentina, Chile y España*, Buenos Aires: Prometeo, 2010, pp. 139-180.

— «La amargura de vivir en el exilio: del complicado asentamiento de los republicanos españoles en Francia en 1939 a las expectativas de poder ir a México», en ídem, Juan GARCÍA PÉREZ y Fernando SÁNCHEZ MARROYO: *Una sociedad silenciada y una actividad económica estancada: el mundo rural bajo el primer franquismo*, Madrid: Ambroz, 2015, pp. 227-348.

GAITE PASTOR, Jesús: «Fondos documentales para el estudio de la guerra civil española conservados en el Archivo Histórico Nacional de Madrid», en Varios autores: *Justicia en guerra*, Madrid: Ministerio de Cultura, 1990, pp. 443-461.

JACKSON, Gabriel: *Juan Negrín*, Barcelona: Crítica, 2008

MARTÍN ACEÑA, Pablo: *El oro de Moscú y el oro de Berlín*, Madrid, Taurus, 2001.

MATEOS FERNÁNDEZ, Juan Carlos: *Bajo el control obrero: la prensa diaria en Madrid durante la guerra civil (1936-1939)*, tesis doctoral, Universidad Complutense, Facultad de Ciencias de la Información, Madrid, 1996.

Moradiellos, Enrique: *Negrín*, Madrid: Península, 2008.

Puerto Sarmiento, Javier: *Ciencia y política: José Giral Pereira*, Madrid, Real Academia de la Historia/BOE, 2016.

Ruiz, Julius: *El terror rojo: Madrid, 1936*, Madrid: Espasa-Calpe, 2012.

Sánchez Recio, Glicerio: «La causa general como fuente para la investigación histórica», en Varios autores: *España franquista: Causa General y actitudes sociales ante la dictadura*, Albacete: Universidad de Castilla la Mancha, 1993, pp. 23-28.

— «Presupuestos teóricos y metodológicos del concepto de represión», en J. Chaves (coord.): *Memoria histórica y guerra civil: represión en Extremadura*, Badajoz: Diputación Provincial, 2004, pp. 21-38.

Sánchez Marroyo, Fernando: *España en el siglo xx: economía, demografía y sociedad*, Madrid: Istmo, 2003.

— «Sin libertad no hay respeto al adversario. La destrucción del diferente en los sistemas políticos no democráticos», en Julián Chaves Palacios: *Memoria e investigación en torno al setenta aniversario del final de la guerra civil*, Badajoz: Diputación Provincial, 2009, pp. 43-93.

— «Represión franquista y represión republicana en la Guerra Civil», en Julián Chaves Palacios (coord.): *Memoria histórica y guerra Civil: represión en Extremadura*, Badajoz: Diputación Provincial, 2004, pp. 39-60.

Southworth, Herbert: *El mito de la Cruzada de Franco*, París: Ruedo Ibérico, 1963.

Vidarte, Juan Simeón: *Todos fuimos culpables*, Barcelona: Grijalbo, 1978.

Viñas, Ángel: *Las armas y el oro: palancas de la guerra, mitos del franquismo*, Madrid: Pasado & Presente, 2013.

— *La soledad de la República: el abandono de las democracias y el viraje hacia la Unión Soviética*, Barcelona: Crítica, 2006.

— *El escudo de la República: el oro de España, la apuesta soviética y los hechos de mayo de 1937*, Barcelona: Crítica, 2007.

— *El honor de la República: entre el acoso fascista, la hostilidad británica y la política de Stalin*, Barcelona: Crítica, 2008.

VV. AA.: *Datos complementarios para la historia de España: guerra de Liberación (1936-1939)*, Madrid: Ministerio de Justicia, 1945; otras ediciones o avances se publicaron hasta inicios de los años sesenta: *La dominación roja en España: Causa General instruida por el Ministerio Fiscal*. Madrid: Publicaciones Españolas, 1961.

VV. AA.: *España franquista: Causa General y actitudes sociales ante la dictadura*, Albacete: Universidad de Castilla-Mancha, 1993.

Zugazagoitia, Julián: *Guerra y vicisitudes de los españoles*, Madrid: Tusquets, 2001.

Relación de autores

Antonio Lucas Manzanero, doctor en psicología. Profesor titular de la Facultad de Psicología de la Universidad Complutense de Madrid. Director del *Anuario de Psicología Jurídica* y del Grupo UCM de Investigación en Psicología del Testimonio. Especialista en procesos cognitivos y psicología del testimonio.

    Marina Nieto-Márquez Darder, licenciada en psicología y máster en psicología forense. Especialista en psicología jurídica y forense. Integrante del Grupo de Investigación de Psicología del Testimonio de la Universidad Complutense de Madrid.

Julius Ruiz, profesor de historia contemporánea de Europa en la Universidad de Edimburgo. Ha publicado numerosos libros y artículos sobre la guerra civil y el régimen de Franco. Es autor de *Paracuellos: the elimination of the Fifth Column in Republican Madrid during the Spanish Civil War* (Sussex Academic Press, 2016) y *Paracuellos: una verdad incomoda* (Espasa, 2015); *The 'Red Terror' in the Spanish Civil War: revolutionary violence in Madrid* (Cambridge University Press, 2014) y *El terror rojo* (Espasa, 2012). También es autor de *La justicia de Franco: la represión en Madrid tras la guerra civil* (RBA Libros, 2012) y de la monografía *Franco's justice: the repression in Madrid after the Spanish Civil War* (Oxford University Press, 2005).

Antonio César Moreno Cantano, doctor en historia contemporánea por la Universidad de Alcalá de Henares (2008). Miembro del grupo de investigación CEFID (Centre d'Estudis sobre les Èpoques Franquista i Democràtica) y GREF (Grup de Recerca sobre l'Època Franquista), adscritos a la Universidad Autónoma de Barcelona; del grupo de investigación *Catolicismo y laicismo en la España del siglo XX*, vinculado a la Universidad de Alcalá, y del grupo *Estudios del Tiempo Presente*, dirigido por el catedrático Rafael Quirosa, de la Universidad de Almería. En la actualidad trabaja como profesor de secundaria en el Colegio Madrigal (Loranca [Fuenlabrada], Madrid). Ha participado en diferentes congresos nacionales e internacionales sobre la dictadura franquista y ha publicado numerosos artículos sobre la propaganda interior y exterior de la España franquista durante la guerra civil y la segunda guerra mundial en diferentes revistas especializadas. Ha coordinado en Trea una trilogía sobre las culturas bélicas y la propaganda en España entre 1936 y 1945. Su última publicación es *Tiempo de mentiras: el control de la prensa extranjera en España durante el primer franquismo (1936-1945)*.

Javier Cervera Gil, doctor en historia contemporánea y doctor en ciencias de la información, profesor titular en la UFV y acreditado como profesor titular por la ANECA. Su actividad investigadora está centrada en la historia contemporánea de España y de Europa. Es integrante de siete proyectos de investigación (todos con financiación pública). Actualmente, IP del proyecto con referencia HAR2015-70256-P dentro del Plan Estatal de Investigación Científica y Técnica y de Innovación 2013-2016. Es autor de relevancia sobre la guerra civil española, con títulos de libros como: *Madrid en guerra: la ciudad clandestina (1936-1939)* (Alianza Editorial); *Así terminó la guerra de España* (junto con Ángel Bahamonde Magro); *Ya sabes mi paradero: la guerra civil a través de las cartas de los que la vivieron* (Planeta) o *Contra el enemigo de la República... desde la ley: detener, juzgar y encarcelar en guerra* (Biblioteca Nueva; 2015). Además, ha investigado sobre el exilio en Francia y sus relaciones con la España franquista, producto de lo cual es la obra *La guerra no ha terminado: el exilio español en Francia (1944-1953)* (Taurus). Además, ha publicado muchos artículos científicos en revistas de impacto y presentado ponencias en varios países europeos y los Estados Unidos, además de España.

Carlos Fernández Rodríguez Doctor en Historia por la Universidad Complutense de Madrid, con la tesis titulada: *La reorganización y la oposición del PCE al franquismo (1939-1946)*. Posee un master por la UNED en "Especialista Universitario en Archivística". Ha trabajado en varios proyectos históricos sobre historia oral: *Proyecto de investigación en San Fernando de Henares para la recuperación del Patrimonio histórico de la localidad* (2001-2002) y *Proyecto histórico sobre la memoria perdida en Villamiel de Toledo* (2007-2008). Su labor de investigación ha girado sobre todo en la oposición al franquismo y la lucha antifranquista destacando también la historia social en la militancia comunista clandestina. A lo largo de estos años ha escrito artículos en Congresos, prólogo de libros, periódicos y revistas y tiene varias publicaciones: *Madrid Clandestino. La reestructuración del PCE, 1939-1945"* (2002), *"Cementerio Sur. Acto de homenaje a Cristino, José Vitini y demás guerrilleros y luchadores por la libertad"*, (2002) y *La lucha es tu vida. Retrato de nueve mujeres republicanas combatiente"*, (2008). Actualmente está preparando varios proyectos sobre la biografía de un guerrillero comunista y sobre una agrupación guerrillera antifranquista. Forma parte del grupo del proyecto de investigación, *Madrid, 1936-1953* y de *Historia Social*, ambas de la Universidad Complutense de Madrid.

Fernando Jiménez Herrera, doctorando en la Universidad Complutense de Madrid. Su principal objeto de estudio son los comités que recibieron el nombre de *checa* durante la guerra civil española. Algunos de sus trabajos sobre esta temática han aparecido en la revista *Hispania Nova* y en diversos congresos nacionales. También forma parte en dos proyectos de investigación financiados por el Ministerio de Hacienda y Competitividad, «Madrid (1936-1939): capital, frente, retaguardia y ciudad en guerra» e «Imperios colapsados, naciones post-coloniales y la construcción de conciencia histórica. Infraestructuras de la memoria desde 1917».

Santiago Vega Sombría, profesor asociado de la Universidad Complutense de Madrid. Ha publicado *De la esperanza a la persecución* (2005), *La política del miedo* (2011), *Tras las rejas franquistas* (2008) y *Segovianos al servicio de la República* (2011). En cuanto a obras colectivas, ha participado en *Una inmensa prisión, Franco: la represión como sistema, Testimonio de voces olvidadas, Muerte y represión en el Magisterio de Castilla y León, De las urnas al paredón* y *Cárceles de mujeres*. Fue director del documental *Tras las rejas franquistas* y de las exposiciones *La Segunda República en Segovia, La Segunda República: esperanza de un pueblo, La dictadura de Franco: cuarenta años de represión* y *España en guerra: la represión en zona republicana*. Desde septiembre de 2015 recorre las bibliotecas municipales de Madrid con la exposición *España en guerra: la violencia en las retaguardias durante la guerra civil*.

Pelai Pagès i Blanch, es doctor en historia y profesor de historia contemporánea de la Universidad de Barcelona desde 1975. Autor de numerosos estudios sobre la Segunda República, la guerra civil, el franquismo y la transición democrática, se ha especializado también en el análisis del movimiento obrero español y de los nacionalismos en la historia contemporánea de Europa. Ha publicado más de doscientos artículos en revistas especializadas y de divulgación y ha participado en congresos, seminarios y coloquios en Bruselas, Moscú, Turín, ciudad de México, Marsella, Lyon, Lausana, Belgrado, etcétera. Entre los últimos libros que ha publicado destacan *Les lleis de la repressió franquista* (2009), *Andreu Nin, una vida al servicio de la clase obrera* (2011), *El sueño igualitario entre los campesinos de Huesca. Colectivizaciones agrarias durante la guerra civil (1936-1938)* (2013), *War and revolution in Catalonia* (2013), *L'exili republicà als Països Catalans* (2014), que ha dirigido; *El POUM y el caso Nin* (2014), que ha codirigido, y *Justícia i guerra civil: els tribunals de justícia a Catalunya (1936-1939)* (2015). Es codirector de la revista *Ebre 38. Revista Internacional de la Guerra Civil (1936-1939)*.

Francisco Espinosa Maestre, doctor en historia e historiador. Es autor de diversos libros y artículos sobre la República, la guerra civil y la represión franquista en el suroeste y sobre su memoria e investigación posterior. También elaboró el *Informe sobre la represión franquista* entregado al juez Garzón y fue miembro de la comisión que le asesoró en su iniciativa. Ha coordinado trabajos sobre las consecuencias del golpe militar en todo el país, caso de *Violencia roja y azul: España (1936-1950)*. Desde su fundación en 2005 y hasta 2010 fue coordinador científico del proyecto *Todos los nombres*. Entre sus obras destacan *La guerra civil en Huelva* (1996), *La columna de la muerte* (2003), *La justicia* *de Queipo* (2005), *La primavera del frente popular* (2007), *Callar al mensajero* (2009) o *Lucha de historias, lucha de memorias: España (2002-2015)* (2015).

José María García Márquez, investigador e historiador especializado en la sublevación militar de 1936 y la posterior represión y dictadura. Entre sus trabajos destacan varias monografías locales sobre Puebla de Cazalla, Castilleja de Guzmán, Albaida del Aljarafe, Salteras, Morón de la Frontera, Castillo de las Guardas y Arahal, todas ellas publicadas en los últimos diez años. También ha publicado *La UGT de Sevilla: golpe militar, resistencia y represión (1936-1950)* (2009) y *Trabajadores andaluces muertos y desaparecidos del ejército republicano (1936-1939)*. Cabe destacar su obra *Las víctimas de la represión militar en la provincia de Sevilla (1936-1963)* (2012). Participó junto a Francisco Espinosa Maestre en el libro *La gran represión* (2009), que coordinó Mirta Núñez Díaz-Balart, y es coautor de *Violencia roja y azul: España (1936-1950)* (2010) y *Por la religión y la patria* (2014).

Julián Chaves Palacios, profesor titular acreditado a catedrático en historia contemporánea por la Facultad de Filosofía y Letras de la Universidad de Extremadura. Ha sido profesor invitado en la Universidad de Santiago de Chile, en las de La Plata, Córdoba, Nordeste y Belgrano (Argentina), en la Universidad Nacional y la Universidad Nacional Autónoma de México y en la Toribio de Mendoza de Amazonas (Perú), en las que ha impartido docencia a alumnos de postgrado sobre violencia contemporánea, políticas públicas y derechos humanos. En 2014 se le concedió el doctorado *honoris causa* en humanidades por la Universidad Paulo Freire (Nicaragua). Ha sido director de proyectos de investigación nacionales e internacionales y entre libros, artículos y capítulos de libros cuenta con más de un centenar de publicaciones.